chap. 2
et 10
chap. 12
chap. 2
chap. 1

XIXe siècle

- **Jacob** (1785-1863) et **Wilhelm** (1786-1859) **Grimm**
  Contes .... chap. 1
- **Victor Hugo** (1802-1885)
  Les Rayons et les Ombres .... chap. 8
- **Alfred de Musset** (1810-1857)
  Contes d'Espagne et d'Italie .... chap. 8
- **Herman Melville** (1819-1891)
  Moby Dick .... chap. 4
- **Jules Verne** (1828-1905)
  Voyage au centre de la Terre .... chap. 3
- **Mark Twain** (1835-1910)
  Les Aventures de Huckleberry Finn .... chap. 3
- **José-Maria de Heredia** (1842-1905)
  Les Trophées .... chap. 8
- **Paul Verlaine** (1844-1896)
  Poèmes saturniens .... chap. 8
- **Arthur Rimbaud** (1854-1891)
  Poésies .... chap. 8
- **Émile Verhaeren** (1855-1916)
  Les Villages illusoires .... chap. 8
- **Rudyard Kipling** (1865-1936)
  Le Livre de la Jungle .... chap. 4
- **Jack London** (1876-1916)
  Construire un feu, L'Appel de la forêt .... chap. 4

- **Auguste Ottin** (1811-1890)
  Polyphème surprenant Galatée dans les bras d'Acis .... chap. 7
- **Edward Burne-Jones** (1833-1898)
  Le Poison de Circé .... chap. 6
  Dessins sur l'histoire de Persée .... chap. 7
- **Vincent Van Gogh** (1853-1890)
  La Nuit étoilée .... chap. 8

XXe - XXIe siècles

- **Guilla**
  (1880-
  Le Bes
- **Henri Bosco** (1888-1976)
  L'Enfant et la Rivière .... chap. 3
- **Joseph Kessel** (1898-1979)
  Le Lion .... chap. 4
- **Antoine de Saint-Exupéry** (1900-1944)
  Le Petit Prince .... chap. 8
- **Jacques Prévert** (1900-1977)
  Histoires .... chap. 8
- **Raymond Queneau** (1903-1976)
  L'Instant fatal .... chap. 8
- **Marguerite Yourcenar** (1903-1987)
  Fleuve profond, sombre rivière .... chap. 9
- **Guillevic** (1907-1997)
  Inclus .... chap. 8
- **Claude Roy** (1915-1997)
  Poésies .... chap. 8
- **Michel Tournier** (1924-2016)
  Vendredi ou la Vie sauvage .... chap. 5
- **J.M.G. Le Clézio** (né en 1940)
  Pawana .... chap. 4

- **Diego Rivera** (1886-1957)
  Illustration pour le Popol Vuh .... chap. 9
- **Ang Lee** (né en 1954)
  L'Odyssée de Pi .... chap. 3
- **Akpaliapik Manasie** (né en 1955)
  La Création du monde .... chap. 9

VIIIe
s

) Marsy
chap. 7

Les auteurs remercient pour leurs conseils avisés, Fabienne Segeat, Dominique Bodin ainsi que les enseignants qui ont effectué des relectures, ceux qui ont dialogué avec les délégués pédagogiques Hachette Éducation et ceux qui ont participé aux études menées sur le manuel ; Charlotte Ruffault et Jacques Charpentreau pour l'utilisation du titre « Fleurs d'encre » ; enfin des remerciements tout particuliers à Cécil, Édouard, François, Héloïse, Jean-Jacques et William.

Les auteurs remercient chaleureusement leurs éditeurs Gaël Gauvin, Anne-Sylvie Stern Riffé, Dominique Cormier ainsi que Léa Gallet, Marc Brunet, Nolwenn Drouet, Claude Mailhon, Anne-Danielle Naname, Astrid Rogge pour leur précieuse collaboration.

Maquette intérieure et mise en page : Anne-Danielle Naname

Couverture : Juliette Lancien et Anne-Danielle Naname

Relecture : Astrid Rogge et Jean-François Joubert

Relecture pédagogique : Claire Bobe, Bénédicte Macle, Magali Martin Seguin, Catherine Neyman et Pauline Serrad (enseignantes)

Iconographie : Laurence Blauwblomme, Céline Guichard, Brigitte Hammond, Sophie Suberbère et Stéphanie Tritz

Illustrations originales : Thibault Prugne (p. 100, 110), Céline Deregnaucourt (p. 122)

Cartographie : Légendes Cartographie

PAPIER À BASE DE FIBRES CERTIFIÉES

hachette s'engage pour l'environnement en réduisant l'empreinte carbone de ses livres. Celle de cet exemplaire est de :
1700 g éq. CO_2
Rendez-vous sur www.hachette-durable.fr

ISBN : 978-2-01-395310-8

www.hachette-education.com

Fleurs d'encre

Nouveau programme

Cycle 3

Français 6e

Chantal Bertagna
Agrégée de Lettres classiques

Françoise Carrier-Nayrolles
Agrégée de Lettres modernes

hachette
ÉDUCATION
vous accompagne

Sommaire

Le monstre dans les contes et légendes

1 Des contes et leurs leçons de vie 12

INTERDISCIPLINARITÉ EMC – HDA

➡ **Faut-il avoir peur des monstres ?**

Lire, comprendre, interpréter

Je pratique l'oral 45

Organiser le travail d'écriture

Je construis mon bilan 50

J'évalue mes compétences 51

2 Le loup… et autres monstres légendaires 52

Atelier lecture et oral

INTERDISCIPLINARITÉ HDA – SCIENCES – HISTOIRE

➡ Qui êtes-vous vraiment, Monsieur le Loup ?

➡ Peurs et frissons : monstres légendaires

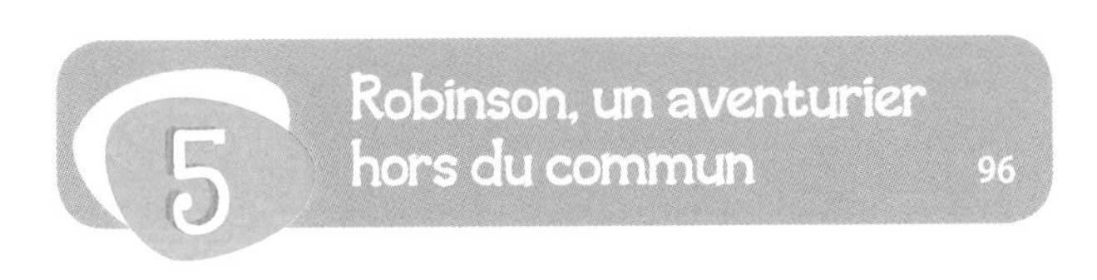

Quels défis Robinson relève-t-il ?

Lire, comprendre, interpréter

III Le monstre dans l'Antiquité

6 Les épreuves d'Ulysse et d'Héraclès 120

INTERDISCIPLINARITÉ
HDA – HISTOIRE – GÉOGRAPHIE

Pourquoi le héros antique affronte-t-il des monstres ?

7 Spectaculaires métamorphoses ! 146

UTILISABLE EN AP

Récits de création et création poétique

8 Le chant du monde en poésie 158

INTERDISCIPLINARITÉ HDA

Comment la poésie crée-t-elle et célèbre-t-elle des mondes ?

9 Au commencement du monde 182

Parcours d'éducation culturelle

INTERDISCIPLINARITÉ HISTOIRE – EMC – HDA

Histoires d'animaux malins 194

INTERDISCIPLINARITÉ HDA

➡ Le trompeur l'emporte-t-il toujours ?

Lire, comprendre, interpréter

Oyez, braves gens, ces fabliaux ! 222

Atelier oral et jeu scénique

INTERDISCIPLINARITÉ EMC

Le Médecin malgré lui, Molière

INTERDISCIPLINARITÉ
HDA

Ruses, mensonges et masques, sources de comique ?

Lire, comprendre, interpréter

Je pratique l'oral

Organiser le travail d'écriture

Je construis mon bilan

J'évalue mes compétences

Étude de la langue

Grammaire

Orthographier le verbe

Connaître le nom, le groupe nominal et le pronom

Maîtriser le fonctionnement de la phrase

Orthographe

Repérer les variations orthographiques

Travailler les accords

Maîtriser les relations entre l'oral et l'écrit : l'écriture des sons

Maîtriser les relations entre l'oral et l'écrit : l'homophonie grammaticale

Lexique

Connaître la formation des mots

Comprendre le sens des mots

1 Des contes et leurs leçons de vie

Faut-il avoir peur des monstres ?

Lire, comprendre, interpréter

Je pratique l'oral

Organiser le travail d'écriture

Je construis mon bilan

J'évalue mes compétences

Illustration de N. RAGONDET, *Le Vaillant Petit Tailleur*, 2010.

1. Décrivez les deux personnages de l'illustration.
2. Comment réagissez-vous face à ces personnages ?

Lire comprendre interpréter

Je m'interroge et je m'informe sur...

Les monstres et les contes

Quels monstres ai-je rencontrés dans les contes ?

Vous avez déjà lu des contes :

1. Identifiez les contes dans lesquels vous avez rencontré des personnages monstrueux.
2. Décrivez les images de cette page en faisant ressortir le caractère monstrueux de ces personnages.
3. Racontez de mémoire le rôle d'un de ces personnages.

Le trésor des mots

ÉTYMO « **monstre** » vient du nom latin *monstrum*, formé sur le verbe « avertir » qui signifie 1. Fait prodigieux (avertissement des dieux) ; 2. Ce qui n'est pas conforme à la nature.

Sens et histoire du mot « monstre » en français

Sens A

1. Au début du XIIe siècle : prodige, miracle.
2. XVIe siècle : action monstrueuse, criminelle.
3. Fin du XVIe siècle : chose prodigieuse, incroyable.
4. XVIIe siècle : chose mal faite, mal ordonnée.

Sens B

1. XIIe siècle : être fantastique de la mythologie, des légendes.
2. Homme au physique surprenant, au comportement étrange, immoral.

1. Quels monstres mythologiques ou légendaires connaissez-vous ?
2. Que signifie de nos jours le mot « monstre » dans les phrases suivantes ?
   a. Cet enfant taquin est un charmant petit monstre.
   b. Il est retardé par un embouteillage monstre.
   c. Cet homme est un monstre d'égoïsme.
   d. Les monstres sacrés du football.
   e. La voiture est un monstre des temps modernes.
   f. Les baleines, ces monstres marins.
3. Citez un nom et un adjectif de la famille de « monstre ».
4. EMC Quels sentiments le monstre provoque-t-il dans les contes que vous connaissez ? Pourquoi ?

Le conte, une tradition toujours vivante

▶ Socle *Comprendre des textes, des documents et des images*

Longtemps de **tradition orale**, les contes se sont transmis par des conteurs lors de veillées populaires et familiales. Leur univers est celui du **merveilleux**. Les contes visent à distraire les adultes et à éduquer les enfants.

XVIIe et XVIIIe siècles

Charles Perrault (1628-1703) écrit les *Contes de ma Mère l'Oye* à partir d'histoires populaires. Il fait du conte de fées un genre littéraire écrit.

Mme Leprince de Beaumont (1711-1780) écrit des contes pour éduquer des jeunes filles anglaises dont elle est la gouvernante.

XIXe siècle

- Les frères **Jacob** (1785-1863) et **Wilhelm Grimm** (1786-1859) collectent des contes populaires allemands.
- Le Danois **Hans Christian Andersen** (1805-1875) écrit des contes moraux.
- L'Anglais **Lewis Carroll** (1832-1898) écrit *Alice au pays des merveilles*.

Du XXe au XXIe siècle

On continue à écrire des contes et on en adapte dans d'autres formes d'expressions : opéra, dessins animés, etc.

Illustration de couverture, *Contes de ma Mère l'Oye*, 1695.

Illustration pour les Contes de Grimm, 1905.

La Belle et la Bête, affiche du film de CH. GANS, 2014.

4 ÉTYMO « tradition » vient du latin *tradere*, « transmettre ». Que signifie la « tradition orale des contes » ?

5 Ch. Perrault et les frères Grimm ont-ils inventé leurs contes ? Expliquez.

6 Le genre du conte est-il un genre littéraire français ?

Le Vaillant Petit Tailleur

(Texte intégral)

Dans l'atelier

J. et W. Grimm

Voir la biographie p. 15.

Par un beau matin d'été, un petit tailleur était assis sur sa table près de la fenêtre ; il était de bonne humeur et cousait de toutes ses forces. À ce moment-là, une paysanne descendit la rue en criant :

« Bonne marmelade à vendre ! Bonne marmelade à vendre ! »

Cela résonna agréablement aux oreilles du petit tailleur qui passa sa tête menue[1] par la fenêtre et cria :

« Par ici, chère madame, on vous débarrassera de votre marchandise ! »

La femme monta avec son lourd panier les trois marches qui la séparaient du tailleur et dut déballer devant lui tous ses pots. Il les examina tous, les souleva, les sentit et dit enfin :

« La marmelade me semble bonne, pesez-m'en quatre demi-onces[2], chère madame. S'il y en a un quart de livre, cela ne fait rien. »

La femme, qui avait espéré faire une bonne vente, lui donna ce qu'il avait demandé, mais s'en alla fâchée et grognon.

« Et maintenant, que Dieu bénisse cette marmelade, s'écria le petit tailleur, qu'elle me donne force et vigueur ! »

Il sortit le pain du buffet, se tailla une tranche de toute la largeur de la miche[3] et y étendit la marmelade.

« Cette tartine ne va pas être mauvaise, dit-il, mais je vais finir ce pourpoint[4] avant d'y croquer. »

Il posa la tartine à côté de lui, continua à coudre et, de joie, fit des points de plus en plus grands. Pendant ce temps, l'odeur de la marmelade grimpa le long des murs de la chambre sur lesquels se trouvaient une grande quantité de mouches, si bien qu'elles furent attirées et vinrent se poser en masse sur la tartine.

« Qui vous a invitées ? » dit le petit tailleur ; et il chassa les hôtes indésirables. Mais les mouches, qui ne comprenaient pas l'allemand, ne se laissèrent pas écarter et vinrent en nombre toujours plus grand. Alors, le petit tailleur, comme on dit, prit la mouche, saisit un torchon dans sa réserve à chiffons et, « attendez que je vous en donne ! », il les frappa de manière impitoyable. Lorsqu'il retira le torchon et compta, il n'en vit

La clé des mots

L'expression prendre la mouche signifie « se vexer, s'emporter mal à propos ».
- Quel jeu de mot crée-t-elle dans le texte ?

1. petite.
2. très petite quantité.
3. gros pain rond.
4. vêtement masculin qui couvre le haut du corps.

Illustration d'I. GALANIN, *Le Vaillant Petit Tailleur*, Malysh Publishers, Moscou, 1967.

pas moins de sept mortes sous ses yeux, les pattes en l'air.

« Est-ce que tu n'es pas un fa-
40 meux gaillard ? », dit-il, admirant lui-même sa vaillance. « Cela, il faut que la ville entière le sache ! » Et, en toute hâte, le petit tailleur coupa une ceinture, la cousit et
45 y broda dessus en lettres majuscules : « Sept d'un coup ». « Eh ! quoi, la ville..., continua-t-il, c'est le monde entier qui doit savoir cela ! » Et son cœur battait de joie comme la queue d'un petit agneau.

50 Le tailleur se noua la ceinture autour du corps et décida d'aller parcourir le monde, parce qu'il trouvait que son atelier était trop petit pour sa vaillance. Avant de s'en aller, il chercha partout dans la maison s'il n'y avait pas quelque chose qu'il pouvait emporter avec lui. Il ne trouva qu'un vieux fromage
55 qu'il mit dans sa poche. Devant la porte, il remarqua un oiseau qui s'était pris dans les broussailles ; il alla rejoindre le fromage. Puis il se mit vaillamment à parcourir les chemins et, parce qu'il était léger et agile, il ne ressentait pas la fatigue.

À suivre...

Le trésor des mots

a. Que signifie l'adjectif « vaillant » ?

b. Relevez dans le texte deux mots appartenant à la famille de « vaillant ».

Lecture

▶ Socle *Comprendre un texte littéraire et l'interpréter*

1. L. 1 à 38 : Qu'arrive-t-il au petit tailleur ?
2. Que fait-il dans les l. 39 à 58 ?
3. Le personnage du petit tailleur fait-il preuve de « vaillance » ? Justifiez.
4. Quels traits de caractère du personnage ce début de conte révèle-t-il ?

Oral

▶ Socle *Lire avec fluidité*

Entraînez-vous à lire le texte des l. 39 à 49 en faisant ressortir les sentiments du petit tailleur.

Écriture

▶ Socle *Écrire pour réfléchir et pour apprendre* EMC

En quelques phrases, expliquez si le personnage du petit tailleur vous est ou non sympathique.

Rencontre avec le géant

Le chemin le conduisit sur une montagne et, comme il atteignait le plus haut sommet, un énorme géant y était assis et regardait tranquillement tout autour de lui. Le petit tailleur s'avança hardiment vers lui, l'aborda et lui dit :

« Bonjour, camarade, tu es assis là et tu admires le vaste monde, n'est-ce pas ? C'est justement là que je vais et je veux y faire mes preuves. As-tu envie de venir avec moi ? »

Le géant le regarda d'un air méprisant et lui dit :

« Gredin ! Misérable individu !

– Parlons-en donc, répondit le petit tailleur en déboutonnant sa tunique et en montrant sa ceinture au géant. Lis donc quel homme je suis ! »

Le géant lut : « Sept d'un coup » et s'imagina qu'il s'agissait d'hommes que le tailleur avait tués et commença à avoir un peu de respect pour le gaillard. Mais il voulut d'abord l'éprouver : il prit une pierre dans la main et la pressa si fort qu'il en sortit de l'eau.

« Fais la même chose, dit le géant, si tu as de la force.

– Rien que cela ? dit le petit tailleur. Pour moi c'est un jeu d'enfant. »

Il mit la main dans sa poche, saisit le fromage mou et le pressa jusqu'à ce qu'il en coule du jus.

« C'était un peu mieux, n'est-ce pas ? » dit-il.

Le géant ne savait pas quoi dire et ne pouvait croire cela du petit homme. Alors le géant saisit une pierre et la lança si haut que l'on ne pouvait presque plus la suivre des yeux.

« Maintenant, mon petit canard, fais la même chose.

– Bien lancé, dit le tailleur, mais la pierre est retombée sur la terre. Je vais t'en lancer une qui ne reviendra pas. »

Il mit la main dans sa poche, saisit l'oiseau et le lança dans les airs. L'oiseau, ravi d'être libre, monta vers le ciel, prit son vol et ne revint plus.

« Qu'est-ce que tu dis de mon petit numéro, camarade ? demanda le tailleur. » [...]

À suivre...

La clé des mots

Le verbe éprouver a deux sens : « ressentir » ou « mettre à l'épreuve ».
• Quel est son sens dans le texte ?

Illustration de T. TESSIER, *Le Vaillant Petit Tailleur*, 2010.

Lecture

▸ Socle *Comprendre un texte littéraire et l'interpréter*

1. Résumez avec vos propres mots cet épisode avec le géant.
2. Comment le géant considère-t-il le petit tailleur ? Expliquez.
3. Quels adjectifs emploieriez-vous pour qualifier : a. le géant ? b. le petit tailleur ?

L'épreuve de l'arbre

MAZAN, *Le Vaillant Petit Tailleur*, © Delcourt, 1996.

Voir p. 45
Le vocabulaire de la bande dessinée

1. nain.
2. petit oiseau.

Oral

▶ Socle *Parler en prenant en compte son auditoire - Écouter pour comprendre un propos*

1. Lisez la planche de bande dessinée, puis travaillez par groupes de deux.
   a. Vérifiez que vous avez compris l'histoire ;
   b. Pour chaque vignette, dites quels sont les actions et les sentiments de chaque personnage.
2. Seul(e) ou en binômes, racontez à la classe cet épisode entre le géant et le petit tailleur.
3. La classe évaluera la fidélité et le caractère vivant de votre récit.

Le trésor des mots

1. ÉTYMO « géant », du grec *gigas, gigantos* signifie « de grande taille » : proposez un adjectif et un nom de la famille de « géant ».
2. En langage informatique, on appelle « giga » l'unité de mesure d'espace mémoire d'un ordinateur ou d'un disque. Pourquoi ?

Écriture

▶ Socle *Produire des écrits variés*

Racontez cet épisode entre le géant et le petit tailleur en une douzaine de lignes.

Chez les géants

Le petit tailleur accepta l'invitation du géant et le suivit. Quand ils arrivèrent à la caverne, il y avait là d'autres géants assis autour d'un feu et chacun avait en main un mouton
95 rôti dans lequel il mordait. Le petit tailleur s'assit et pensa : « C'est bien plus vaste ici que dans mon atelier. » Le géant lui indiqua un lit et lui dit de s'y coucher et d'y dormir. Mais le lit était trop grand pour le petit tailleur ; il ne s'y coucha pas mais alla s'allonger dans un coin. Quand minuit sonna et que
100 le géant pensa que le petit tailleur dormait profondément, il se leva, prit une grosse barre de fer, en donna un coup sur le lit et pensa qu'il avait achevé la sauterelle. Tôt le matin, les géants se rendirent dans la forêt ; ils avaient oublié le petit tailleur qui arriva tout joyeux et rempli de courage. Les géants
105 prirent peur, s'affolèrent, craignirent qu'il ne les tue et s'enfuirent en toute hâte.

À suivre…

Illustration d'I. GALANIN, *Le Vaillant Petit Tailleur*, Malysh Publishers, Moscou, 1967.

Lecture

▶ Socle *Comprendre un texte littéraire et l'interpréter*

1. Comment le géant considère-t-il le petit tailleur : a. durant la nuit ? b. le lendemain matin ? Expliquez.
2. Le petit tailleur peut-il être qualifié de « vaillant » ? Justifiez.

Lecture d'image

A. Où le petit tailleur se trouve-t-il ? Est-ce conforme au texte ?
B. Décrivez l'image en vous aidant du texte.

Illustration d'I. GALANIN, *Le Vaillant Petit Tailleur*, Malysh Publishers, Moscou, 1967.

Au palais du roi

Le petit tailleur poursuivit son chemin, toujours selon son inspiration. Après avoir longtemps marché, il arriva dans la
110 cour d'un palais royal et, comme il était fatigué, il se coucha dans l'herbe et s'endormit. Pendant qu'il était là, des gens s'approchèrent, le regardèrent de tous les côtés et lurent sur sa ceinture : « Sept
115 d'un coup. »

« Ah ! dirent-ils, que vient faire ce grand guerrier en pleine paix ? Ce doit être un puissant seigneur. »

Ils allèrent annoncer la chose au roi
120 et pensaient que, si la guerre éclatait, ce serait là un homme important et utile qu'il ne fallait laisser partir à aucun prix. Le conseil plut au roi et il envoya au petit tailleur un de ses courtisans[5] qui, à son réveil, devait lui offrir de le servir dans
125 l'armée. L'envoyé resta à côté du dormeur jusqu'à ce qu'il étire ses membres et ouvre ses yeux puis lui fit sa proposition.

« C'est justement pour cela que je suis venu, répondit-il, je suis prêt à entrer au service du roi. »

Il fut reçu avec tous les honneurs et une maison particulière
130 fut mise à sa disposition.

Les gens de guerre ne pouvaient le supporter et auraient voulu qu'il soit à mille lieues[6] de là.

« Qu'est-ce que cela va devenir ? disaient-ils entre eux. Si nous lui cherchons querelle et qu'il frappe, à chaque coup il en
135 tombera sept. Aucun de nous ne pourra subsister. »

Ils prirent la décision de se rendre auprès du roi et le prièrent d'accepter leur démission.

« Nous ne sommes pas faits, dirent-ils, pour rester à côté d'un homme qui en tue sept d'un coup. »

140 Le roi fut triste de perdre ses fidèles serviteurs à cause d'un seul ; il souhaita ne l'avoir jamais vu et aurait désiré qu'il reparte. Mais il n'avait pu lui donner son congé[7] parce qu'il craignait qu'il le tue, lui, et tout son peuple, et s'installe sur son trône. Il réfléchit longuement et trouva finalement une solution. Il
145 envoya quelqu'un au petit tailleur et lui fit dire que, s'il était un si grand guerrier, il voulait lui faire une proposition. Dans

5. personnes qui vivent à la cour du roi.
6. Une lieue mesure environ quatre kilomètres.
7. lui demander de s'en aller.

une forêt de son pays habitaient deux géants qui causaient de gros dégâts en volant, tuant et en mettant tout à feu et à sang : personne ne pouvait les approcher sans être en dan-
150 ger de mort. S'il triomphait des deux géants et les tuait, il lui donnerait sa fille unique en mariage et la moitié de son royaume en dot[8]. Cent cavaliers l'accompagneraient et lui prêteraient assistance.

« Ce serait bien pour un homme comme toi, songea le petit
155 tailleur. Ce n'est pas tous les jours qu'on vous offre une jolie fille de roi et la moitié d'un royaume. »

« Oh oui, répondit-il, je maîtriserai les géants sans avoir pour cela besoin des cavaliers : qui en a tué sept d'un coup n'a aucune raison d'en craindre deux. »

À suivre...

8. biens qu'une femme apporte à son mari en l'épousant.

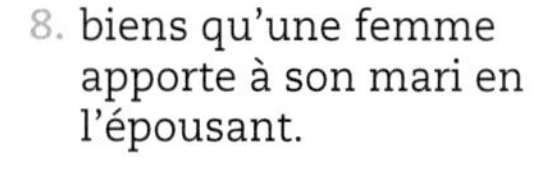

Lecture

▶ Socle *Comprendre un texte littéraire et l'interpréter*

1. L. 107 à 128 : Qu'arrive-t-il au petit tailleur ?
2. Comment le petit tailleur est-il considéré : a. par les gens du palais ? b. par les gens de guerre ? Expliquez les raisons de chacun.
3. Quelle décision le roi prend-il ? Pourquoi ?
4. Que pensez-vous de l'attitude du petit tailleur à la fin de l'extrait ?

Oral

▶ Socle *Participer à des échanges* (EMC)

Le roi vous paraît-il un bon roi ? Échangez pour comparer vos opinions.

Écriture

▶ Socle *Écrire pour réfléchir et pour apprendre*

Expliquez en quelques phrases comment le petit tailleur pourrait tuer deux géants.

Face aux épreuves du roi

160 Le petit tailleur s'en alla, suivi des cent cavaliers. Quand ils arrivèrent à la lisière[9] de la forêt, il s'adressa à ses compagnons :

« Restez ici à m'attendre, je viendrai bien à bout des géants tout seul. »

165 Puis il s'enfonça dans la forêt en regardant à droite et à gauche. Au bout d'un petit moment, il aperçut les deux géants : étendus sous un arbre, ils dormaient et ronflaient si fort que les branches s'agitaient de haut en bas. Le petit tailleur, qui n'était pas paresseux, remplit ses deux poches de pierres et
170 grimpa dans l'arbre. Quand il fut arrivé au milieu, il se glissa le long d'une branche pour être juste au-dessus des dormeurs

9. bordure.

et fit tomber sur la poitrine d'un des géants une pierre après l'autre. Pendant un long moment, le géant ne sentit rien. Mais quand finalement il se réveilla, il secoua son compagnon et 175 lui dit :

« Pourquoi me frappes-tu ?

– Tu rêves, répondit l'autre, je ne te frappe pas. »

Ils s'allongèrent à nouveau pour dormir ; à ce moment-là le tailleur lança une pierre sur le second géant.

180 « Qu'est-ce que cela ? s'écria l'autre. Pourquoi me jettes-tu des pierres ?

– Je ne te jette rien, répondit le premier en bougonnant. »

Ils se chamaillèrent ; cependant, comme ils étaient fatigués, ils s'arrêtèrent et leurs yeux se refermèrent. Le petit tailleur 185 recommença son manège ; il choisit la pierre la plus grosse et la jeta de toutes ses forces sur la poitrine du premier géant :

« C'est trop fort ! », cria-t-il ; il se leva comme un fou et poussa son compagnon contre l'arbre, si bien que celui-ci trembla.

L'autre lui rendit la monnaie de sa pièce ; ils se mirent dans 190 une telle colère qu'ils arrachèrent les arbres, se frappèrent l'un l'autre jusqu'à ce qu'ils tombent tous les deux morts en même temps sur le sol. Le petit tailleur sauta alors par terre.

« Une chance, se disait-il, qu'ils n'aient pas arraché l'arbre sur lequel j'étais assis ; j'aurais dû sauter sur un autre comme 195 les écureuils. Heureusement que nous sommes agiles, nous autres ! »

Il tira son épée et en donna quelques bons coups dans la poitrine de chacun. Ensuite, il sortit du bois, se rendit vers les cavaliers et dit : « Le travail est fait, je leur ai donné le coup 200 de grâce ; mais cela a été difficile ; devant le péril[10], ils ont dû arracher des arbres et se défendre ; mais cela ne sert à rien, quand il en vient un comme moi qui en tue sept d'un coup.

– N'êtes-vous pas blessé ? demandèrent les cavaliers.

– Ce n'est pas demain la veille. Ils n'ont pas touché un seul 205 de mes cheveux. »

Illustration de N. USTINOV, *Brave Little Tailor (Le Vaillant Petit Tailleur)*, 2013.

10. danger.

Les cavaliers ne voulaient pas le croire et pénétrèrent dans la forêt ; ils y trouvèrent les géants baignant dans leur sang, et, tout autour, se trouvaient les arbres arrachés.

Le petit tailleur demanda au roi la récompense promise, 210 mais celui-ci, qui regrettait sa promesse, réfléchit sur une nouvelle façon de se débarrasser de notre héros.

« Avant que tu n'obtiennes ma fille et la moitié du royaume, lui dit-il, tu dois encore accomplir un exploit. Dans la forêt, il y a une licorne[11] qui fait de gros dégâts, tu dois d'abord l'attraper.

215 – J'ai encore beaucoup moins peur d'une licorne que de deux géants. Sept d'un coup, c'est mon affaire. »

Il prit une corde et une hache, partit dans la forêt et demanda à ceux que l'on avait mis sous ses ordres de l'attendre à l'extérieur. Il n'eut pas longtemps à attendre : la licorne arriva 220 bientôt et fonça sur le tailleur comme si, immédiatement, elle voulait l'embrocher.

« Doucement, doucement, dit-il, cela ne va pas aussi vite. »

Il resta tranquille et attendit jusqu'à ce que l'animal soit tout près, ensuite il bondit brusquement derrière un arbre. La 225 licorne se jeta de toutes ses forces contre l'arbre et planta sa corne si profondément dans le tronc qu'elle n'eut pas assez de force pour la retirer et se trouva prisonnière. « Maintenant, je tiens l'oiseau[12] », dit le tailleur.

Il sortit de derrière l'arbre, passa la corde autour du cou de la 230 licorne, dégagea la corne du tronc à coups de hache et, quand tout fut en ordre, il emmena la bête et la conduisit vers le roi.

11. animal fabuleux à corps et tête de cheval, portant une corne au milieu du front.
12. ici, expression familière pour désigner la licorne.

Illustration d'O. et A. DUGIN, *Le Vaillant Petit Tailleur*, 1999, aquarelle.

Le roi ne voulut pas encore lui donner la récompense promise et fit une troisième demande. Avant ses noces, le tailleur devrait encore lui attraper un sanglier qui faisait de gros 235 dégâts dans la forêt : les chasseurs lui prêteraient assistance.

« Volontiers, dit le tailleur, c'est un jeu d'enfant. »

Il n'emmena pas les chasseurs avec lui dans la forêt, et ils furent très contents car le sanglier les avait déjà accueillis plusieurs fois de telle façon qu'ils n'avaient plus aucune envie 240 de le prendre en chasse. Quand le sanglier aperçut le tailleur, il fonça vers lui, la gueule écumante, préparant ses dents, et voulut le jeter par terre ; mais notre agile héros sauta dans une chapelle qui se trouvait près de là et, d'un bond, en ressortit sur-le-champ par la fenêtre du haut. Le sanglier l'y avait suivi 245 mais le tailleur fit rapidement le tour par l'extérieur et ferma la porte derrière la bête. L'animal furieux, qui était beaucoup trop lourd et beaucoup trop maladroit pour sauter par la fenêtre, fut fait prisonnier. Le petit tailleur appela les chasseurs pour qu'ils voient le prisonnier de leurs propres yeux.

À suivre…

Lecture

▶ Socle *Comprendre un texte littéraire et l'interpréter*

1. Quelles sont les trois épreuves fixées par le roi ?
2. Échangez entre vous pour repérer les ressemblances entre ces trois épreuves.
3. De quelles qualités le petit tailleur fait-il preuve ? Expliquez.
4. Quelle suite imaginez-vous ?

Oral

▶ Socle *Participer à des échanges* EMC

Le personnage du petit tailleur vous est-il ou non sympathique ? Confrontez vos points de vue. Votre opinion a-t-elle évolué depuis le début du conte ?

Lecture d'image

Quelle atmosphère se dégage de l'illustration ? Répondez en vous appuyant sur les formes, les couleurs, le mouvement.

Le trésor des mots

Associez chaque expression au sens qu'elle a dans le texte :

– « rendre la monnaie de sa pièce » (l. 189) a. restituer des pièces de monnaie b. donner l'équivalent de ce qu'on a reçu.

– « coup de grâce » (l. 199-200) a. coup élégant b. coup mortel.

– « jeu d'enfant » (l. 236) a. jeu pratiqué par des enfants b. activité très simple.

Écriture

▶ Socle *Écrire pour réfléchir et pour apprendre*

« Le travail est fait, je leur ai donné le coup de grâce ; mais cela a été difficile ; devant le péril, ils ont dû arracher des arbres et se défendre […] » (l. 199-201)

En vous appuyant sur ces paroles du petit tailleur, développez le récit de ses exploits auprès des cavaliers.

La récompense

Illustration d'I. GALANIN, *Le Vaillant Petit Tailleur*, Malysh Publishers, Moscou, 1967.

Le héros, de son côté, se rendit auprès du roi qui maintenant, qu'il le veuille ou non, devait tenir sa promesse et lui donner sa fille et la moitié de son royaume. S'il avait su que ce n'était pas un héroïque guerrier mais un tailleur qui se tenait devant lui, il aurait été encore davantage peiné. Le mariage fut célébré avec beaucoup de faste mais peu de joie et d'un tailleur on fit un roi.

Quelque temps plus tard, la jeune reine entendit une nuit son époux parler :

« Garçon, fais-moi ce pourpoint et raccommode-moi ce pantalon ou bien je te donne des coups d'aune[13] sur les oreilles. » Elle comprit alors dans quelle ruelle[14] le jeune seigneur était né, se plaignit le lendemain matin de son malheur à son père et le supplia de l'aider à se débarrasser de cet homme qui n'était rien d'autre qu'un tailleur. Le roi la réconforta et lui dit :

« La nuit prochaine, laisse la porte de ta chambre ouverte, mes serviteurs se tiendront à l'extérieur et, quand il sera endormi, ils entreront, le ligoteront et le porteront dans un navire qui l'emmènera de par le vaste monde. »

La femme fut satisfaite mais l'écuyer[15] du roi, qui avait entendu et avait un faible pour son maître, lui rapporta tout le complot.

13. baguette de bois mesurant une aune (environ 1,20 m).
14. ici, endroit où vivent les gens pauvres.
15. gentilhomme.

« Je mettrai leur projet en échec », dit le petit tailleur.

Le soir, il se coucha avec sa femme à l'heure habituelle ; quand elle crut qu'il était endormi, elle se leva, ouvrit la porte et se recoucha. Le petit tailleur, qui faisait semblant de dormir, se mit à crier d'une voix claire : « Garçon, fais-moi ce pourpoint et raccommode-moi ce pantalon ou bien je te donne des coups d'aune sur les oreilles. J'en ai abattu sept d'un coup, j'ai tué deux géants, j'ai capturé une licorne, fait prisonnier un sanglier et je devrais craindre ceux qui se tiennent devant ma chambre ! »

Quand ils entendirent le tailleur parler ainsi, ils furent saisis d'une grande crainte, ils se sauvèrent aussi vite que s'ils avaient eu une armée de sauvages aux trousses et aucun n'eut l'audace[16] de s'en prendre à lui. Ainsi le tailleur fut et resta roi toute sa vie.

J. et W. GRIMM, *Le Vaillant Petit Tailleur* [1812], traduction de M.-H. Robinot-Bichet, © Bibliocollège, 2003.

16. le courage.

Lecture

▶ Socle *Comprendre un texte littéraire et l'interpréter*

1. Pourquoi le petit tailleur est-il nommé « le héros » (l. 250) ?
2. Quelle est l'attitude de la jeune femme ? Qu'en pensez-vous ?
3. Quelle est la situation du petit tailleur à la fin du conte ?
4. De quelles qualités ce personnage a-t-il fait preuve tout au long du conte ?

Illustration d'I. Galanin, *Le Vaillant Petit Tailleur*, Malysh Publishers, Moscou, 1967.

Oral

▶ Socle *Participer à des échanges* EMC

1. Le titre du conte vous paraît-il bien choisi ? Confrontez vos points de vue.
2. **a.** Quels monstres le petit tailleur rencontre-t-il au cours de ce récit ? **b.** Quel rôle les monstres jouent-ils dans le conte ?
3. Selon vous, quelles leçons ce conte transmet-il ? Échangez vos opinions.

Le trésor des mots

ÉTYMO L'adjectif « initiatique » vient du verbe « initier » (du latin *initiare*, « commencer ») qui signifie : 1. apprendre les bases d'un savoir à quelqu'un ; 2. mettre quelqu'un au courant de quelque chose.

• Proposez une définition de « conte initiatique ».

Un conte moral

INTERDISCIPLINARITÉ
EMC – HDA

La Belle et la Bête

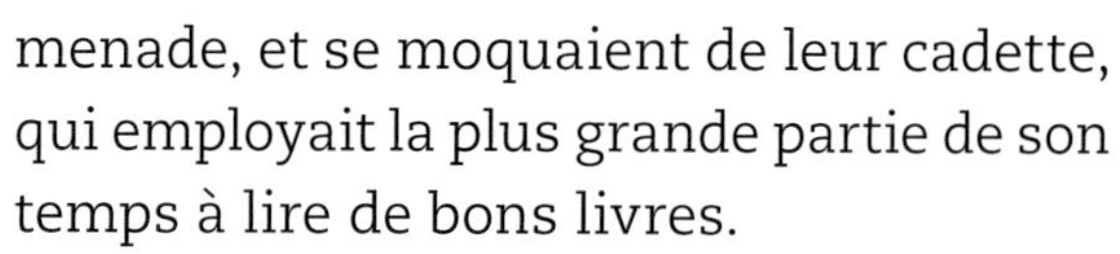

Mme Leprince de Beaumont

(Texte intégral)

Voir la biographie p. 15.

1

Il y avait une fois un marchand qui était extrêmement riche. Il avait six enfants, trois garçons et trois filles ; et, comme ce marchand était un homme d'esprit, il n'épargna rien pour l'éducation de ses enfants, et leur donna toutes sortes de maîtres.

Ses filles étaient très belles ; mais la cadette, surtout, se faisait admirer, et on ne l'appelait, quand elle était petite, que *La belle enfant* ; en sorte que le nom lui en resta ; ce qui donna beaucoup de jalousie à ses sœurs. Cette cadette, qui était plus belle que ses sœurs, était aussi meilleure qu'elles. Les deux aînées avaient beaucoup d'orgueil, parce qu'elles étaient riches ; elles faisaient les dames, et ne voulaient pas recevoir les visites des autres filles de marchands ; il leur fallait des gens de qualité pour leur compagnie. Elles allaient tous les jours au bal, à la comédie, à la promenade, et se moquaient de leur cadette, qui employait la plus grande partie de son temps à lire de bons livres.

Comme on savait que ces filles étaient fort riches, plusieurs gros marchands les demandèrent en mariage ; mais les deux aînées répondirent qu'elles ne se marieraient jamais, à moins qu'elles ne trouvassent un duc, ou tout au moins un comte. La Belle (car je vous ai dit que c'était le nom de la plus jeune), la Belle, dis-je, remercia bien honnêtement ceux qui voulaient l'épouser ; mais elle leur dit qu'elle était trop jeune, et qu'elle souhaitait de tenir compagnie à son père pendant quelques années.

Tout d'un coup le marchand perdit son bien[1], et il ne lui resta qu'une petite maison de campagne, bien loin de la ville. Il dit en pleurant à ses enfants qu'il fallait aller demeurer dans cette maison, et, qu'en travaillant comme des paysans, ils y pourraient vivre. Ses deux filles aînées répondirent qu'elles ne voulaient pas quitter la ville, et qu'elles avaient plusieurs amants[2] qui seraient trop heureux de les épouser, quoiqu'elles n'eussent plus de fortune : les bonnes demoiselles se trompaient ; leurs amants ne voulurent plus les regarder, quand elles furent pauvres. Comme personne ne les aimait à cause de leur fierté, on disait : « Elles ne méritent pas qu'on les plaigne, nous sommes bien aises de voir leur orgueil abaissé[3] ; qu'elles aillent faire

Illustration d'A. BARRETT, *La Belle et la Bête*, éditions Gründ, 2007.

1. sa fortune.
2. hommes amoureux d'elles.
3. nous sommes contents de les voir moins fières.

les dames en gardant les moutons ». Mais en même temps, tout le monde disait : « Pour la Belle, nous sommes bien fâchés de son malheur ; c'est une si bonne fille ; elle parlait aux pauvres gens avec tant de bonté ; elle était si douce, si honnête. » Il y eut même plusieurs gentilshommes qui voulurent l'épouser, quoiqu'elle n'eût pas un sou ; mais elle leur dit qu'elle ne pouvait pas se résoudre à abandonner son pauvre père dans son malheur, et qu'elle le suivrait à la campagne, pour le consoler et l'aider à travailler. La pauvre Belle avait été bien affligée d'abord de perdre sa fortune ; mais elle s'était dit à elle-même : « Quand je pleurerai bien fort, mes larmes ne me rendront pas mon bien ; il faut tâcher d'être heureuse sans fortune. »

Quand ils furent arrivés à leur maison de campagne, le marchand et ses trois fils s'occupèrent à labourer la terre. La Belle se levait à quatre heures du matin, et se dépêchait de nettoyer la maison et d'apprêter à dîner pour la famille. Elle eut d'abord beaucoup de peine, car elle n'était pas accoutumée à travailler comme une servante ; mais, au bout de deux mois, elle devint plus forte, et la fatigue lui donna une santé parfaite. Quand elle avait fait son ouvrage, elle lisait, elle jouait du clavecin[4], ou bien elle chantait en filant. Ses deux sœurs, au contraire, s'ennuyaient à la mort ; elles se levaient à dix heures du matin, se promenaient toute la journée, et s'amusaient à regretter leurs beaux habits et les compagnies. « Voyez notre cadette, disaient-elles entre elles, elle a l'âme basse, et est si stupide qu'elle est contente de sa malheureuse situation. » Le bon marchand ne pensait pas comme ses filles. Il savait que la Belle était plus propre que ses sœurs à briller dans les compagnies[5]. Il admirait la vertu de cette jeune fille, et surtout sa patience ; car ses sœurs, non contentes de lui laisser faire tout l'ouvrage de la maison, l'insultaient à tout moment.

À suivre...

4. ancêtre du piano.
5. plus capable que ses sœurs d'être admirée dans la haute société.

Lecture

▶ Socle *Comprendre un texte littéraire et l'interpréter*

1. L. 1 à 36 : Qui sont les membres de la famille ? Qu'apprend-on sur chacun d'eux ?
2. Quel événement vient bouleverser la vie de la famille ? Comment chacun de ses membres réagit-il ?
3. Dans ce passage, qu'apprend-on : a. du caractère de la Belle ? b. de ses relations avec son père ? Expliquez et citez des mots du texte à l'appui de vos réponses.

Oral

▶ Socle *Parler en prenant en compte son auditoire*

Résumez brièvement ce début de conte.

Le trésor des mots

1. « Les gens de qualité » (l. 19-20) : au XVIIe siècle, cette expression désigne les nobles qui, à cette époque, étaient supérieurs aux marchands. Pourquoi les sœurs recherchent-elles la compagnie de gens de qualité ?
2. « l'âme basse » (l. 91) : a. Que veut dire ce groupe nominal ? b. Pourquoi les sœurs portent-elles ce jugement sur la Belle ? c. Quelles qualités le père reconnaît-il à sa fille ?

Écriture

▶ Socle *Écrire pour réfléchir et pour apprendre* EMC

Partagez-vous le jugement des sœurs ou celui du père à propos de la Belle ? Justifiez.

2

Il y avait un an que cette famille vivait dans la solitude, lorsque le marchand reçut une lettre, par laquelle on lui marquait[6] qu'un vaisseau, sur lequel il avait des marchandises, venait d'arriver heureusement. Cette nouvelle pensa[7] tourner la tête à ses deux aînées, qui pensaient qu'à la fin elles pourraient quitter cette campagne, où elles s'ennuyaient tant ; et quand elles virent leur père prêt à partir, elles le prièrent de leur apporter des robes, des palatines[8], des coiffures, et toutes sortes de bagatelles[9]. La Belle ne lui demandait rien ; car elle pensait en elle-même, que tout l'argent des marchandises ne suffirait pas pour acheter ce que ses sœurs souhaitaient.

« Tu ne me pries pas de t'acheter quelque chose », lui dit son père.

– Puisque vous avez la bonté de penser à moi, lui dit-elle, je vous prie de m'apporter une rose, car il n'en vient point ici ».

Ce n'est pas que la Belle se souciât d'une rose ; mais elle ne voulait pas condamner, par son exemple, la conduite de ses sœurs, qui auraient dit que c'était pour se distinguer qu'elle ne demandait rien. Le bonhomme partit ; mais quand il fut arrivé, on lui fit un procès pour ses marchandises, et, après avoir eu beaucoup de peine, il revint aussi pauvre qu'il était auparavant. Il n'avait plus que trente milles[10] pour arriver à sa maison, et il se réjouissait déjà du plaisir de voir ses enfants ; mais, comme il fallait passer un grand bois, avant de trouver sa maison, il se perdit. Il neigeait horriblement ; le vent était si grand, qu'il le jeta deux fois en bas de son cheval, et, la nuit étant venue, il pensa qu'il mourrait de faim ou de froid, ou qu'il serait mangé des loups, qu'il entendait hurler autour de lui. Tout d'un coup, en regardant au bout d'une longue allée d'arbres, il vit une grande lumière, mais qui paraissait bien éloignée. Il marcha de ce côté-là, et vit que cette lumière sortait d'un grand palais qui était tout illuminé.

Le marchand remercia Dieu du secours qu'il lui envoyait, et se hâta d'arriver à ce château ; mais il fut bien surpris de ne trouver personne dans les cours. Son cheval, qui le suivait, voyant une grande écurie ouverte, entra dedans ; et, ayant trouvé du foin et de l'avoine, le pauvre animal, qui mourait de faim, se jeta dessus avec beaucoup d'avidité. Le marchand l'attacha dans l'écurie, et marcha vers la maison, où il ne trouva personne ; mais, étant entré dans une grande salle, il y trouva un bon feu, et une table chargée de viande, où il n'y avait qu'un couvert. Comme la pluie et la neige l'avaient mouillé jusqu'aux os, il s'approcha du feu pour se sécher, et disait en lui-même : « Le maître de la maison ou ses domestiques me pardonneront la liberté que j'ai prise, et sans doute ils viendront bientôt ». Il attendit pendant un temps considérable ; mais onze heures ayant sonné, sans qu'il vît personne, il ne put résister à la faim, et prit un poulet qu'il mangea en deux bouchées, et en tremblant. Il but aussi quelques coups de vin, et, devenu plus hardi, il sortit de la

6. annonçait.
7. faillit.
8. sortes de châles en fourrure.
9. choses sans intérêt.
10. unité de distance (ici, environ 45 km).

salle, et traversa plusieurs grands appartements, magnifiquement meublés. À la fin il trouva une chambre où il y avait un bon
175 lit, et comme il était minuit passé, et qu'il était las[11], il prit le parti de fermer la porte et de se coucher.

Il était dix heures du matin quand il se leva le lendemain, et il fut bien surpris
180 de trouver un habit fort propre à la place du sien qui était tout gâté. « Assurément, dit-il, en lui-même, ce palais appartient à quelque bonne Fée qui a eu pitié de ma situation ». Il regarda par la fenêtre et ne
185 vit plus de neige ; mais des berceaux de fleurs qui enchantaient la vue. Il rentra dans la grande salle où il avait soupé la veille, et vit une petite table où il y avait du chocolat. « Je vous remercie, madame
190 la Fée, dit-il tout haut, d'avoir eu la bonté de penser à mon déjeuner ».

À suivre…

Illustration d'A. BARRETT, *La Belle et la Bête*, éditions Gründ, 2007.

11. fatigué.

Oral

▶ Socle *Participer à des échanges*

Résumez les différents événements qui arrivent au père.

Lecture

▶ Socle *Comprendre un texte littéraire et l'interpréter*

1. Quelle demande la Belle fait-elle à son père ? (l. 120-121)
2. Quelle phrase du texte l'image illustre-t-elle ?
3. Quelles particularités caractérisent le château ? Expliquez.

Le trésor des mots

1. « hardi » (l. 171) : en vous aidant du contexte, dites si cet adjectif peut être remplacé par « timide » ou par « courageux ».
2. « il prit le parti de fermer la porte » (l. 176). Que signifie le groupe verbal « prendre le parti de » : a. ici ? b. dans la phrase suivante : « Lors d'une dispute, le père prit le parti de la Belle et non de ses autres filles » ?

Écriture

▶ Socle *Produire des écrits variés*

Imaginez la suite du texte et rédigez une dizaine de lignes.

3

Le bonhomme, après avoir pris son chocolat, sortit pour aller chercher son cheval, et, comme il passait sous un berceau de roses, il se souvint que la Belle lui en avait demandé, et cueillit une branche où il y en avait plusieurs. En même temps, il entendit un grand bruit, et vit venir à lui une Bête si horrible, qu'il fut tout prêt de s'évanouir. « Vous êtes bien ingrat, lui dit la Bête, d'une voix terrible ; je vous ai sauvé la vie, en vous recevant dans mon château, et, pour ma peine, vous me volez mes roses que j'aime mieux que toutes choses au monde. Il faut mourir pour réparer cette faute ; je ne vous donne qu'un quart d'heure pour demander pardon à Dieu ». Le marchand se jeta à genoux, et dit à la Bête, en joignant les mains : « Monseigneur, pardonnez-moi, je ne croyais pas vous offenser en cueillant une rose pour une de mes filles, qui m'en avait demandé.

– Je ne m'appelle point monseigneur, répondit le monstre, mais la Bête. Je n'aime point les compliments, moi, je veux qu'on dise ce que l'on pense ; ainsi, ne croyez pas me toucher par vos flatteries ; mais vous m'avez dit que vous aviez des filles ; je veux bien vous pardonner, à condition qu'une de vos filles vienne volontairement, pour mourir à votre place : ne me raisonnez pas ; partez, et si vos filles refusent de mourir pour vous, jurez que vous reviendrez dans trois mois ».

Le bonhomme n'avait pas dessein[12] de sacrifier une de ses filles à ce vilain monstre ; mais il pensa : « Au moins, j'aurai le plaisir de les embrasser encore une fois ». Il jura donc de revenir, et la Bête lui dit qu'il pouvait partir quand il voudrait. « Mais, ajouta-t-elle, je ne veux pas que tu t'en ailles les mains vides. Retourne dans la chambre où tu as couché, tu y trouveras un grand coffre vide ; tu peux y mettre tout ce qui te plaira ; je le ferai porter chez toi ». En même temps, la Bête se retira, et le bonhomme dit en lui-même : « S'il faut que je meure, j'aurai la consolation de laisser du pain à mes pauvres enfants ».

Il retourna dans la chambre où il avait couché, et, y ayant trouvé une grande quantité de pièces d'or, il remplit le grand coffre, dont la Bête lui avait parlé, le ferma, et, ayant repris son cheval qu'il retrouva dans l'écurie, il sortit de ce palais avec une tristesse égale à la joie qu'il avait, lorsqu'il y était entré. Son cheval prit de lui-même une des routes de la forêt, et en peu d'heures, le bon homme arriva dans sa petite maison. Ses enfants se rassemblèrent autour de lui ; mais, au lieu d'être sensible à leurs caresses, le marchand se mit à pleurer en les regardant. Il tenait à la main la branche de roses, qu'il apportait à la Belle : il la lui donna, et lui dit : « La Belle, prenez ces roses ; elles coûteront bien cher à votre malheureux père » ; et tout de suite, il raconta à sa famille la funeste aventure qui lui était arrivée.

À ce récit, ses deux aînées jetèrent de grands cris, et dirent des injures à la Belle qui ne pleurait point.

« Voyez ce que produit l'orgueil de cette petite créature, disaient-elles ; que ne demandait-elle des ajustements comme nous[13] ? Mais non, mademoiselle voulait se distinguer ! Elle va causer la mort de notre père et elle ne pleure pas.

– Cela serait fort inutile, reprit la Belle, pourquoi pleurerais-je la mort de mon père ? Il ne périra point. Puisque le monstre veut bien accepter une de ses filles, je veux me livrer à toute sa furie, et je me trouve

12. l'intention.
13. pourquoi n'a-t-elle pas demandé des vêtements comme nous ?

Illustration d'A. BARRETT,
La Belle et la Bête, éditions Gründ, 2007.

fort heureuse, puisqu'en mourant j'aurai la joie de sauver mon père et de lui prouver ma tendresse.

– Non, ma sœur, lui dirent ses trois frères, vous ne mourrez pas, nous irons trouver ce monstre, et nous périrons sous ses coups, si nous ne pouvons le tuer.

– Ne l'espérez pas, mes enfants, leur dit le marchand, la puissance de cette Bête est si grande, qu'il ne me reste aucune espérance de la faire périr. Je suis charmé du bon cœur de la Belle, mais je ne veux pas l'exposer à la mort. Je suis vieux, il ne me reste que peu de temps à vivre ; ainsi, je ne perdrai que quelques années de vie, que je ne regrette qu'à cause de vous, mes chers enfants.

– Je vous assure, mon père, lui dit la Belle, que vous n'irez pas à ce palais sans moi ; vous ne pouvez m'empêcher de vous suivre. Quoique je sois jeune, je ne suis pas fort attachée à la vie, et j'aime mieux être dévorée par ce monstre, que de mourir du chagrin que me donnerait votre perte. »

On eut beau dire, la Belle voulut absolument partir pour le beau palais, et ses sœurs en étaient charmées, parce que les vertus de cette cadette leur avaient inspiré beaucoup de jalousie. Le marchand était si occupé de la douleur de perdre sa fille, qu'il ne pensait pas au coffre qu'il avait rempli d'or ; mais, aussitôt qu'il se fut renfermé dans sa chambre pour se coucher, il fut bien étonné de le trouver à la ruelle[14] de son lit. Il résolut de ne point dire à ses enfants qu'il était devenu si riche, parce que ses filles auraient voulu retourner à la ville ; qu'il était résolu de mourir dans

14. espace entre le lit et le mur.

cette campagne ; mais il confia ce secret à la Belle qui lui apprit qu'il était venu quelques gentilshommes pendant son absence, et qu'il y en avait deux qui aimaient ses sœurs. Elle pria son père de les marier ; car elle était si bonne qu'elle les aimait, et leur pardonnait de tout son cœur le mal qu'elles lui avaient fait.

À suivre…

Lecture

▶ Socle *Comprendre un texte littéraire et l'interpréter*

1. Pourquoi le père cueille-t-il une rose ? Quel événement cela produit-il ?
2. Quelles sont les caractéristiques de la Bête dans ce passage ? Expliquez.
3. Quelle est la demande de la Bête ? Quel pacte la Bête et le père concluent-ils ?
4. Quelles sont les réactions des enfants au retour de leur père ? Expliquez.

Le trésor des mots

ÉTYMO « funeste » vient du latin *funus*, « funérailles, mort » : en quoi l'aventure du père est-elle « funeste » ?

Oral

▶ Socle *Parler en prenant en compte son auditoire* EMC

Ce passage du conte modifie-t-il ou confirme-t-il l'image que vous aviez de la Belle et de ses sœurs ? Expliquez.

Écriture

▶ Socle *Écrire pour réfléchir et pour apprendre* EMC

D'après ce passage, pensez-vous que la Bête est un monstre ? Justifiez votre point de vue.

4

Ces deux méchantes filles se frottaient les yeux avec un oignon, pour pleurer lorsque la Belle partit avec son père ; mais ses frères pleuraient tout de bon, aussi bien que le marchand : il n'y avait que la Belle qui ne pleurait point, parce qu'elle ne voulait pas augmenter leur douleur. Le cheval prit la route du palais, et sur le soir ils l'aperçurent illuminé, comme la première fois. Le cheval fut tout seul à l'écurie, et le bonhomme entra avec sa fille dans la grande salle, où ils trouvèrent une table magnifiquement servie, avec deux couverts. Le marchand n'avait pas le cœur de manger ; mais la Belle, s'efforçant de paraître tranquille, se mit à table, et le servit ; puis elle disait en elle-même : « La Bête veut m'engraisser avant de me manger, puisqu'elle me fait si bonne chère. » Quand ils eurent soupé, ils entendirent un grand bruit, et le marchand dit adieu à sa pauvre fille en pleurant ; car il pensait que c'était la Bête. La Belle ne put s'empêcher de frémir en voyant cette horrible figure ; mais elle se rassura de son mieux, et le monstre lui ayant demandé si c'était de bon cœur qu'elle était venue ; elle lui dit, en tremblant, que oui. « Vous êtes bien bonne, dit la Bête, et je vous suis bien obligé[15]. « Bonhomme, partez demain matin,

15. reconnaissant.

et ne vous avisez jamais de revenir ici. Adieu, la Belle. »

350 – Adieu, la Bête », répondit-elle, et tout de suite le monstre se retira.

« Ah ! ma fille, lui dit le marchand, en embrassant la Belle, je suis à demi-mort de frayeur. Croyez-moi, laissez-moi ici. »

355 – Non, non, mon père, lui dit la Belle avec fermeté, vous partirez demain matin, et vous m'abandonnerez au secours du ciel ; peut-être aura-t-il pitié de moi. »

Ils furent se coucher, et croyaient ne 360 pas dormir de toute la nuit ; mais à peine furent-ils dans leurs lits que leurs yeux se fermèrent. Pendant son sommeil, la Belle vit une dame qui lui dit : « Je suis contente de votre bon cœur, la Belle ; la bonne action 365 que vous faites, en donnant votre vie, pour sauver celle de votre père, ne demeurera point sans récompense. »

La Belle, en s'éveillant, raconta ce songe à son père, et, quoiqu'il le consolât un peu, 370 cela ne l'empêcha pas de jeter de grands cris, quand il fallut se séparer de sa chère fille.

Lorsqu'il fut parti, la Belle s'assit dans la grande salle, et se mit à pleurer aussi ; mais, comme elle avait beaucoup de cou- 375 rage, elle se recommanda à Dieu, et résolut de ne point se chagriner pour le peu de temps qu'elle avait à vivre car elle croyait fermement que la Bête la mangerait le soir. Elle résolut de se promener en attendant, et 380 de visiter ce beau château. Elle ne pouvait s'empêcher d'en admirer la beauté. Mais elle fut bien surprise de trouver une porte, sur laquelle il y avait écrit :

Appartement de la Belle.

385 Elle ouvrit cette porte avec précipitation, et elle fut éblouie de la magnificence qui y régnait ; mais ce qui frappa le plus sa vue fut une grande bibliothèque, un clavecin, et plusieurs livres de musique. 390 « On ne veut pas que je m'ennuie », dit-elle, tout bas ; elle pensa ensuite : « Si je n'avais qu'un jour à demeurer ici, on ne m'aurait pas fait une telle provision ». Cette pensée ranima son courage. Elle ouvrit la 395 bibliothèque, et vit un livre où il y avait écrit en lettres d'or : *Souhaitez, commandez ; vous êtes ici la reine et la maîtresse.* « Hélas !

Illustration de G. PACHECO, *La Belle et la Bête*, Minedition, 2014.

Illustration de T. WALHEN, *La Belle et la Bête*, 2012.

dit-elle, en soupirant, je ne souhaite rien que de voir mon pauvre père, et de savoir ce qu'il fait à présent. » Elle avait dit cela en elle-même. Quelle fut sa surprise ! en jetant les yeux sur un grand miroir, d'y voir sa maison, où son père arrivait avec un visage extrêmement triste. Ses sœurs venaient au-devant de lui, et, malgré les grimaces qu'elles faisaient pour paraître affligées, la joie qu'elles avaient de la perte de leur sœur paraissait sur leur visage. Un moment après, tout cela disparut, et la Belle ne put s'empêcher de penser que la Bête était bien complaisante, qu'elle n'avait rien à craindre d'elle. À midi, elle trouva la table mise, et, pendant son dîner, elle entendit un excellent concert, quoiqu'elle ne vît personne. Le soir, comme elle allait se mettre à table, elle entendit le bruit que faisait la Bête, et ne put s'empêcher de frémir. « La Belle, lui dit ce monstre, voulez-vous bien que je vous voie souper ?

– Vous êtes le maître, répondit la Belle en tremblant.

– Non, répondit la Bête, il n'y a ici de maîtresse que vous. Vous n'avez qu'à me dire de m'en aller si je vous ennuie ; je sortirai tout de suite. Dites-moi, n'est-ce pas que vous me trouvez bien laid ?

– Cela est vrai, dit la Belle, car je ne sais pas mentir ; mais je crois que vous êtes fort bon.

– Vous avez raison, dit le monstre, mais, outre que je suis laid, je n'ai point d'esprit : je sais bien que je ne suis qu'une Bête.

– On n'est pas Bête, reprit la Belle, quand on croit n'avoir point d'esprit : un sot n'a jamais su cela.

– Mangez donc, la Belle, lui dit le monstre ; et tâchez de ne vous point ennuyer dans votre maison, car tout ceci est à vous ; et j'aurais du chagrin, si vous n'étiez pas contente.

– Vous avez bien de la bonté, lui dit la Belle. Je vous avoue que je suis bien contente de votre cœur ; quand j'y pense, vous ne me paraissez plus si laid.

– Oh dame, oui, répondit la Bête, j'ai le cœur bon, mais je suis un monstre.

– Il y a bien des hommes qui sont plus monstres que vous, dit la Belle ; et je vous aime mieux avec votre figure que ceux qui, avec la figure d'hommes, cachent un cœur faux, corrompu[16], ingrat[17].

16. malhonnête.
17. contraire de reconnaissant.

– Si j'avais de l'esprit, reprit la Bête, je vous ferais un grand compliment pour vous remercier ; mais je suis un stupide, et tout ce que je puis vous dire, c'est que 455 je vous suis bien obligé. »

La Belle soupa de bon appétit. Elle n'avait presque plus peur du monstre ; mais elle manqua mourir de frayeur, lorsqu'il lui dit : « La Belle, voulez-vous être 460 ma femme ? »

Elle fut quelque temps sans répondre : elle avait peur d'exciter la colère du monstre, en le refusant : elle lui dit pourtant en tremblant : « Non, la Bête ». Dans ce moment, ce 465 pauvre monstre voulut soupirer, et il fit un sifflement si épouvantable, que tout le palais en retentit ; mais Belle fut bientôt rassurée, car la Bête lui ayant dit tristement : « Adieu donc, la Belle », sortit de la chambre, en se 470 retournant de temps en temps pour la regarder encore. Belle se voyant seule, sentit une grande compassion pour cette pauvre Bête : « Hélas ! disait-elle, c'est bien dommage qu'elle soit si laide, elle est si bonne ! »

475 La Belle passa trois mois dans ce palais avec assez de tranquillité. Tous les soirs, la Bête lui rendait visite, l'entretenait[18] pendant le souper, avec assez de bon sens, mais jamais avec ce qu'on appelle esprit, 480 dans le monde[19]. Chaque jour, Belle découvrait de nouvelles bontés dans ce monstre. L'habitude de le voir l'avait accoutumée à sa laideur ; et, loin de craindre le moment de sa visite, elle regardait souvent à sa 485 montre, pour voir s'il était bientôt neuf heures ; car la Bête ne manquait jamais de venir à cette heure-là. Il n'y avait qu'une chose qui faisait de la peine à la Belle, c'est que le monstre, avant de se coucher, lui 490 demandait toujours si elle voulait être sa femme, et paraissait pénétré de douleur lorsqu'elle lui disait que non. Elle dit un jour : « Vous me chagrinez, la Bête ; je

18. lui faisait la conversation.
19. ce qu'on nomme vivacité d'esprit dans la société noble.

Illustration de W. CRANE, *La Belle et la Bête discutant ensemble*, 1874.

voudrais pouvoir vous épouser, mais je suis trop sincère pour vous faire croire que cela arrivera jamais. Je serai toujours votre amie ; tâchez de vous contenter de cela.

– Il le faut bien, reprit la Bête ; je me rends justice. Je sais que je suis bien horrible ; mais je vous aime beaucoup ; cependant je suis trop heureux de ce que vous voulez bien rester ici ; promettez-moi que vous ne me quitterez jamais ».

La Belle rougit à ces paroles. Elle avait vu dans son miroir que son père était malade de chagrin de l'avoir perdue ; et elle souhaitait de le revoir.

« Je pourrais bien vous promettre, dit-elle à la Bête, de ne vous jamais quitter tout-à-fait ; mais j'ai tant d'envie de revoir

Illustration d'A. ROMBY, *La Belle et la Bête*, © Éditions Milan, 2014.

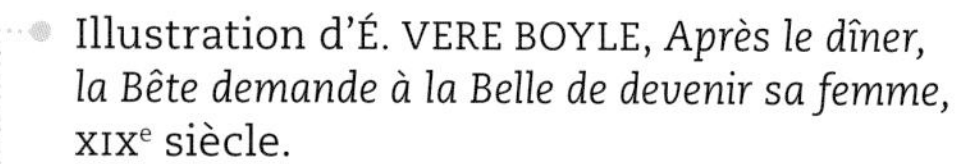

Illustration d'É. VERE BOYLE, *Après le dîner, la Bête demande à la Belle de devenir sa femme*, XIXe siècle.

mon père, que je mourrai de douleur si vous me refusez ce plaisir.

– J'aime mieux mourir moi-même, dit ce monstre, que de vous donner du chagrin. Je vous enverrai chez votre père ; vous y resterez, et votre pauvre Bête en mourra de douleur.

– Non, lui dit la Belle en pleurant, je vous aime trop pour vouloir causer votre mort. Je vous promets de revenir dans huit jours. Vous m'avez fait voir que mes sœurs sont mariées, et que mes frères sont partis pour l'armée. Mon père est tout seul, souffrez[20] que je reste chez lui une semaine.

– Vous y serez demain au matin, dit la Bête ; mais souvenez-vous de votre promesse. Vous n'aurez qu'à mettre votre bague sur une table en vous couchant, quand vous voudrez revenir. Adieu, la Belle ».

À suivre...

20. permettez.

Lecture

▶ Socle Comprendre un texte littéraire et l'interpréter

1. Qu'est-ce qui rend la Bête monstrueuse ?
2. Comment la Bête se comporte-t-elle avec la Belle ? Expliquez.
3. Comment la Belle se comporte-t-elle avec la Bête ? Comment sa perception de la Bête évolue-t-elle ? Expliquez.
4. Quels éléments de merveilleux repérez-vous dans ce passage ? Justifiez.

Oral

▶ Socle Participer à des échanges EMC

1. « Il y a bien des hommes qui sont plus monstres que vous » (l. 446-447) **a.** Comment comprenez-vous ce propos de la Belle ? **b.** Êtes-vous d'accord ? Expliquez.
2. Pensez-vous que la Belle tiendra promesse ? Échangez vos points de vue et justifiez-les.

Histoire des arts

Observez les images des pages 36 à 40.

A. **a.** Décrivez chacune des représentations des Bêtes. **b.** Quelles sont celles que vous pouvez rapprocher ? Pourquoi ?

B. Dans quelles images la Belle semble-t-elle éprouver de la peur ou de la répulsion ? Comment est-ce suggéré ?

C. Qu'est-ce qui caractérise les rapports entre la Bête et la Belle dans l'illustration p. 36 ?

D. Quelle illustration correspond le mieux à l'idée que vous vous faites de la Bête à la lecture du conte ? Pourquoi ?

Écriture

▶ Socle Produire des écrits variés

Résumez ce passage en un paragraphe auquel vous donnerez un titre.

Illustration d'A. ROMBY, *La Belle et la Bête*, © Éditions Milan, 2014.

5

La Bête soupira selon sa coutume, en disant ces mots, et la Belle se coucha toute triste de la voir affligée. Quand elle se réveilla le matin, elle se trouva dans la maison de son père ; et, ayant sonné une clochette qui était à côté de son lit, elle vit venir la servante qui fit un grand cri en la voyant. Le bonhomme accourut à ce cri, et manqua mourir de joie en revoyant sa chère fille ; et ils se tinrent embrassés plus d'un quart d'heure. La Belle, après les premiers transports, pensa qu'elle n'avait point d'habits pour se lever ; mais la servante lui dit, qu'elle venait de trouver dans la chambre voisine un grand coffre plein de robes toutes d'or, garnies de diamants. La Belle remercia la bonne Bête de ses attentions ; elle prit la moins riche de ces robes, et dit à la servante de serrer[21] les autres, dont elle voulait faire présent à ses sœurs ; mais à peine eut-elle prononcé ces paroles, que le coffre disparut. Son père lui dit que la Bête voulait qu'elle gardât tout cela pour elle ; et aussitôt les robes et le coffre revinrent à la même place. La Belle s'habilla ; et, pendant ce temps on fut avertir ses sœurs qui accoururent avec leurs maris ; elles étaient toutes deux fort malheureuses. L'aînée avait épousé un gentilhomme, beau comme le jour ; mais il était si amoureux de sa propre figure, qu'il n'était occupé que de cela, depuis le matin jusqu'au soir, et méprisait la beauté de sa femme. La seconde avait épousé un homme qui avait beaucoup d'esprit ; mais il ne s'en servait que pour faire enrager tout le monde, et sa femme toute la première. Les sœurs de la Belle manquèrent de mourir de douleur, quand elles la virent habillée comme une princesse, et plus belle que le jour. Elle eut beau les caresser[22], rien ne put étouffer leur jalousie, qui augmenta beaucoup, quand elle leur eut conté combien elle était heureuse. Ces deux jalouses descendirent dans le jardin pour y pleurer tout à leur aise, et elles se disaient :

« Pourquoi cette petite créature est-elle plus heureuse que nous ? Ne sommes-nous pas plus aimables qu'elle ?

– Ma sœur, dit l'aînée, il me vient une pensée ; tâchons de l'arrêter ici plus de huit jours ; sa sotte Bête se mettra en colère de ce qu'elle lui aura manqué de parole, et peut-être qu'elle la dévorera.

– Vous avez raison, ma sœur, répondit l'autre. Pour cela, il lui faut faire de grandes

21. ranger.
22. être aimable avec elles.

Illustration d'H. MATTHEW BROCK, *La Belle et la Bête*, début du XXe siècle.

caresses ». Et, ayant pris cette résolution, elles remontèrent, et firent tant d'amitié[23] à leur sœur, que la Belle en pleura de joie. Quand les huit jours furent passés, les 590 deux sœurs s'arrachèrent les cheveux, et firent tant les affligées de son départ, qu'elle promit de rester encore huit jours chez son père.

Cependant la Belle se reprochait le chagrin qu'elle allait donner à sa pauvre Bête, 595 qu'elle aimait de tout son cœur, et elle s'ennuyait de ne plus la voir. La dixième nuit qu'elle passa chez son père, elle rêva qu'elle était dans le jardin du palais, et 600 qu'elle voyait la Bête couchée sur l'herbe et près de mourir, qui lui reprochait son ingratitude. La Belle se réveilla en sursaut, et versa des larmes.

« Ne suis-je pas bien méchante, disait-elle, 605 de donner du chagrin à une Bête qui a pour moi tant de complaisance[24] ? Est-ce sa faute si elle est si laide, et si elle a peu d'esprit ? Elle est bonne, cela vaut mieux que tout le reste. Pourquoi n'ai-je pas 610 voulu l'épouser ? Je serais plus heureuse avec elle, que mes sœurs avec leurs maris. Ce n'est ni la beauté, ni l'esprit d'un mari qui rendent une femme contente : c'est la bonté du caractère, la vertu, la com- 615 plaisance ; et la Bête a toutes ces bonnes qualités. Je n'ai point d'amour pour elle, mais j'ai de l'estime, de l'amitié, de la reconnaissance. Allons, il ne faut pas la rendre malheureuse : je me reprocherais toute 620 ma vie mon ingratitude. »

À suivre...

23. manifestèrent tant de gentillesse.
24. gentillesse.

Lecture

▶ Socle *Comprendre un texte littéraire et l'interpréter*

1. L 530 à 554 : Qu'arrive-t-il à la Belle ?
2. L. 554 à 593 : Quel sentiment les sœurs éprouvent-elles à l'égard de la Belle ? Pourquoi ?
3. Quel plan imaginent-elles ?
4. L. 594-620 a. Quels sentiments la Belle éprouve-t-elle à l'égard de la Bête ? b. Qu'est-ce que cela révèle de son caractère ? Développez vos réponses.

Le trésor des mots

1. « après les premiers transports » (l. 540-541) : d'après le contexte, « transport » signifie-t-il ici « action de porter d'un lieu dans un autre » ou « manifestation d'une vive émotion » ?
2. a. Que signifie « ingratitude » (l. 602) ? b. Pourquoi la Belle se reprocherait-elle son ingratitude ?

Oral

▶ Socle *Participer à des échanges* EMC

Votre image de la Bête a-t-elle évolué depuis le début du conte ? Échangez vos points de vue et justifiez-les.

Écriture

▶ Socle *Produire des écrits variés*

Imaginez le retour de la Belle chez la Bête et rédigez une dizaine de lignes.

6

À ces mots, Belle se lève, met sa bague sur la table, et revient se coucher. À peine fut-elle dans son lit, qu'elle s'endormit ; et, quand elle se réveilla le matin, 625 elle vit avec joie qu'elle était dans le palais de la Bête. Elle s'habilla magnifiquement pour lui plaire, et s'ennuya à mourir toute la journée, en attendant neuf heures du soir ; mais l'horloge eut beau sonner, la 630 Bête ne parut point. La Belle alors craignit d'avoir causé sa mort. Elle courut tout le palais, en jetant de grands cris ; elle était au désespoir. Après avoir cherché partout, elle se souvint de son rêve, et courut dans 635 le jardin vers le canal, où elle l'avait vue en dormant. Elle trouva la pauvre Bête étendue sans connaissance, et elle crut qu'elle était morte. Elle se jeta sur son corps, sans avoir horreur de sa figure ; et, 640 sentant que son cœur battait encore, elle prit de l'eau dans le canal, et lui en jeta sur la tête. La Bête ouvrit les yeux, et dit à la Belle : « Vous avez oublié votre promesse ; le chagrin de vous avoir perdue 645 m'a fait résoudre à me laisser mourir de faim ; mais je meurs content, puisque j'ai le plaisir de vous revoir encore une fois.

– Non, ma chère Bête, vous ne mourrez point, lui dit la Belle, vous vivrez pour de- 650 venir mon époux ; dès ce moment je vous donne ma main, et je jure que je ne serai qu'à vous. Hélas ! je croyais n'avoir que de l'amitié pour vous ; mais la douleur que je sens me fait voir que je ne pourrais vivre 655 sans vous voir. »

À peine la Belle eut-elle prononcé ces paroles qu'elle vit le château brillant de lumière ; les feux d'artifices, la musique, tout lui annonçait une fête ; mais toutes ces 660 beautés n'arrêtèrent point sa vue : elle se retourna vers sa chère Bête, dont le danger la faisait frémir. Quelle fut sa surprise ! La Bête avait disparu, et elle ne vit plus à ses pieds qu'un prince plus beau que l'Amour, 665 qui la remerciait d'avoir fini son enchantement. Quoique ce prince méritât toute son attention, elle ne put s'empêcher de lui demander où était la Bête.

– Vous la voyez à vos pieds, lui dit 670 le prince. Une méchante fée m'avait condamné à rester sous cette figure, jusqu'à ce qu'une belle fille consentît à m'épouser,

Illustration d'A. BARRETT, *La Belle et la Bête*, éditions Gründ, 2007.

et elle m'avait défendu de faire paraître mon esprit. Ainsi, il n'y avait que vous dans le monde, assez bonne pour vous laisser toucher à la bonté de mon caractère ; et, en vous offrant ma couronne, je ne puis m'acquitter des obligations que je vous ai. »[25]

La Belle, agréablement surprise, donna la main à ce beau prince pour se relever. Ils allèrent ensemble au château, et la Belle manqua mourir de joie en trouvant, dans la grande salle, son père et toute sa famille, que la belle dame, qui lui était apparue en songe, avait transportés au château. « Belle, lui dit cette dame qui était une grande fée, venez recevoir la récompense de votre bon choix : vous avez préféré la vertu à la beauté et à l'esprit, vous méritez de trouver toutes ces qualités réunies en une même personne. Vous allez devenir une grande reine : j'espère que le trône ne détruira pas vos vertus. Pour vous, mesdemoiselles, dit la fée aux deux sœurs de Belle, je connais votre cœur et toute la malice[26] qu'il renferme. Devenez deux statues ; mais conservez toute votre raison sous la pierre qui vous enveloppera. Vous demeurerez à la porte du palais de votre sœur, et je ne vous impose point d'autre peine que d'être témoins de son bonheur. Vous ne pourrez revenir dans votre premier état qu'au moment où vous reconnaîtrez vos fautes ; mais j'ai bien peur que vous ne restiez toujours statues. On se corrige de l'orgueil, de la colère, de la gourmandise et de la paresse : mais c'est une espèce de miracle que la conversion d'un cœur méchant et envieux. »

Dans le moment, la fée donna un coup de baguette qui transporta tous ceux qui étaient dans cette salle, dans le royaume du prince. Ses sujets le virent avec joie, et il épousa la Belle qui vécut avec lui fort longtemps, et dans un bonheur parfait, parce qu'il était fondé sur la vertu.

J.-M. LEPRINCE DE BEAUMONT,
« La Belle et la Bête » *Contes moraux pour l'instruction de la jeunesse*, 1757.

25. vous offrir ma couronne ne suffit pas à vous remercier de ce que vous avez fait pour moi.
26. méchanceté.

Le trésor des mots

1. « métamorphose » signifie « changement de forme » : quelles sont les deux métamorphoses qui se produisent dans la fin du conte ?
2. Que signifie « avoir un cœur de pierre » ?

Lecture

▶ Socle *Interpréter un texte littéraire* EMC

1. Comment expliquez-vous la métamorphose de la Bête ?
2. Quel rapport y a-t-il entre la métamorphose des sœurs et leur comportement ?
3. « Vous allez devenir une grande reine : j'espère que le trône ne détruira pas vos vertus. » (l. 692-694) Expliquez cette phrase.

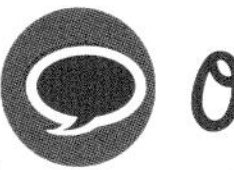

Oral

▶ Socle *Participer à des échanges* EMC

1. Que peut représenter le monstre de ce conte ? Échangez vos idées.
2. Quelle leçon de morale cette histoire de monstre donne-t-elle, selon vous ? Échangez vos idées.

Écriture

▶ Socle *Écrire pour réfléchir et pour apprendre* EMC

Rédigez un paragraphe de bilan dans lequel vous vous demanderez si la Bête est monstrueuse et ce que signifie sa métamorphose.

Lire comprendre interpréter

Je lis et j'échange sur des œuvres complètes

Le cercle des lecteurs

Recueils de contes

▶ Socle *Être un lecteur autonome - Parler en prenant en compte son auditoire - Écouter pour comprendre un message oral*

*Cendrillon, Barbe-Bleue et autres contes***
CH. PERRAULT
© Le Livre de Poche Jeunesse, 2014.
Huit contes du plus célèbre des conteurs français.

*Contes***
J. ET W. GRIMM
Traduction et adaptation M.-H. Robinot-Bichet, © Bibliocollège, 2003.
Huit contes très célèbres des frères Grimm, parmi lesquels « Blanche Neige », suivis d'un groupement de textes : « Sorcières du XXe siècle ».

*Le Roi Grenouille et autres contes***
J. ET W. GRIMM
Traduction A. Georges, © Le Livre de Poche Jeunesse, 2015.
Dix contes des frères Grimm, dont certains très célèbres et d'autres moins connus tels que « Dame Hiver », « Le pêcheur et sa femme », « Le roi Grenouille ou Henri de Fer »…

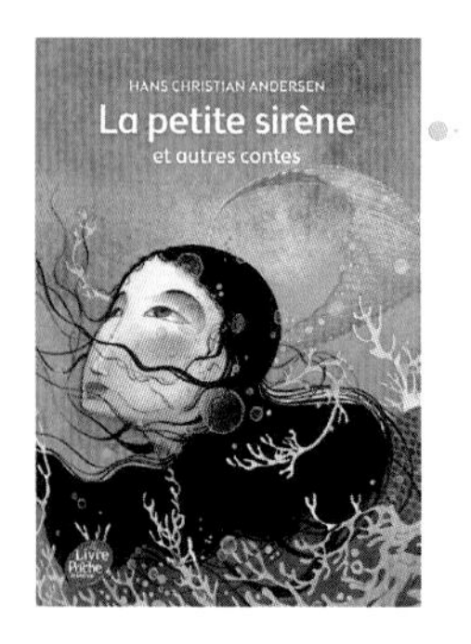

*La Petite Sirène et autres contes***
H. C. ANDERSEN
© Le Livre de Poche Jeunesse, 2014.
Six contes célèbres d'Andersen pleins d'émotions.

*Alice au pays des merveilles***
L. CARROLL
© Le Livre de Poche Jeunesse, 2014.
L'étrange voyage d'Alice dans un monde extraordinaire et magique.

Mon carnet personnel de lecture

Je commence mon carnet de lecture

- *J'indique le titre du livre que j'ai lu et le nom de l'auteur.*
- *Je donne mon avis (J'aime… parce que… ; je n'aime pas… parce que…).*
- *Je fais un (des) dessin(s) ou collage(s) en rapport avec le livre.*

À l'oral

- *Je lis un passage que j'ai choisi.*
- *Je justifie mon choix.*
- *Je réponds aux questions de mes camarades.*

Je pratique l'oral

Mettre en voix un conte à plusieurs

▶ Socle *Lire avec fluidité*

Arbre à monstres

Oscar et Oscarine le cherchèrent très longtemps. Enfin, ils le découvrirent, l'arbre à monstres, derrière un terril. Un arbre superbe : branches qui valsent, baies
5 scintillantes et colorées.
– Mais qu'il est beau, l'arbre à monstres !
Oscar et Oscarine y plongèrent avec délice. Déjà, ils tendaient les mains vers les baies.
– Tu crois que... ?
10 – Est-ce prudent... ?
Ils cueillirent quelques baies et les dégustèrent. Leurs yeux se fermèrent, rétrécirent, s'effacèrent. De même que leur nez, leur bouche, leurs oreilles. Leur
15 corps s'arrondit. Leur peau se polit.
L'arbre à monstres portait deux nouvelles baies, particulièrement lumineuses.

É. WILWERTH, « Loup y es-tu ? »,
J. CHARPENTREAU, *Petite enfance heureuse*, 1987.

Lire par groupes de trois
- Repérez le texte du conteur, les paroles d'Oscar et d'Oscarine ;
- échangez pour comprendre ce qui se passe dans ce conte ;
- cherchez dans un dictionnaire le sens des mots que vous ne comprenez pas ;
- discutez entre vous pour exprimer la leçon transmise par ce conte ;
- échangez en classe entière vos interprétations du conte ;
- répartissez-vous la parole : le conteur, Oscar, Oscarine ;
- choisissez le ton à adopter et le rythme de lecture pour créer l'effet de surprise en insistant sur les passages en couleur.

Lire oralement et commenter une planche de bande dessinée

▶ Socle *Participer à des échanges*

1 Par groupes de trois, lisez la planche de bande dessinée du Vaillant Petit Tailleur, de la page 19.
a. Répartissez-vous la parole entre les deux bulles des deux personnages et le récitatif.
b. Exprimez avec des mots et/ou des sons les petites bulles des vignettes 3, 4 et 5 ainsi que les lettres hors bulle et les étoiles dans les vignettes 5 et 6.

2 Collectivement, commentez cette planche :
a. Par quels moyens le dessinateur a-t-il montré la taille du géant ?
b. Le vaillant petit tailleur correspond-il à ce que vous imaginiez du personnage ?
c. Cette planche vous a-t-elle plu ? Échangez vos avis.

Le vocabulaire de la bande dessinée
- vignette (ou case) : image de bande dessinée, généralement délimitée par un cadre.
- bande : succession de vignettes disposées à l'horizontale.
- planche : ensemble des vignettes d'une page de bande dessinée.
- bulle : espace réservé au dialogue ou à la pensée des personnages à l'intérieur d'une vignette.
- récitatif : commentaire fait par le narrateur dans un encadré.

A Préparer l'écrit et rédiger au brouillon

Sujet 1 Raconter un épisode de conte à partir d'une illustration

Activité guidée

Racontez comment le petit personnage s'est retrouvé dans cette main géante. Imaginez le monstre et la façon dont le petit personnage se sortira de la situation. Votre récit fera au moins une vingtaine de lignes.

Illustration de E. TEIXEIRA COELHO, 1957.

Planifier le récit

1. **Organisez-vous par binômes ou par petits groupes. Oralement, racontez brièvement les étapes de votre histoire.**
2. **Discutez entre vous pour valider votre récit.**

Formuler et écrire au brouillon

3. **Imaginez le monstre : décrivez-le en quelques phrases ou dessinez-le.**
4. **Éventuellement, prévoyez un personnage ou un objet magique qui va aider le héros.**
5. **Vous pouvez donner un nom à chacun des personnages.**

Lancer le récit

6. **Commencez votre récit par :**

Ce jour-là,

7. **Rédigez au brouillon une première version de votre épisode en vous servant du travail préparatoire.**
Vous construirez votre récit en deux paragraphes :

Paragraphe 1
Comment le petit personnage rencontre le monstre et comment il se retrouve dans sa main.

Paragraphe 2
Comment il se tire de cette situation.
Vous intégrerez une brève description du monstre à l'endroit que vous jugez le plus intéressant.
Vous emploierez le passé simple et l'imparfait.
Vous limiterez l'échange de paroles entre les personnages à deux ou trois phrases.

B Améliorer le brouillon et rédiger au propre

La construction du récit

1. Vérifiez les points suivants et corrigez-les si besoin.

Mon récit respecte-t-il le sujet ?	☐ oui	☐ non
Mon récit est-il organisé en deux paragraphes qui correspondent aux différentes étapes ?	☐ oui	☐ non
Mon récit décrit-il le monstre ?	☐ oui	☐ non

L'écriture du récit

2. Améliorez votre récit en veillant à :	Aidez-vous des exercices…
• ponctuer correctement	5 p. 49
• créer une atmosphère de conte	1 à 8 p. 48
• respecter l'accord des verbes avec leur sujet au passé simple et à l'imparfait	1 à 4 p. 49
• employer correctement les temps dans le récit	6 à 8 p. 49

ÉTAPE 5

Rédiger au propre et se relire

3. Recopiez votre texte au propre. Relisez-le plusieurs fois en échangeant avec un(e) de vos camarades pour vérifier successivement :

– la ponctuation ;
– l'accord des verbes avec leur sujet ;
– l'emploi des temps du passé ;
– l'orthographe du vocabulaire des contes.

Sujet 2 Rédiger un conte à partir d'un canevas numérique

Activité en autonomie

Participez à l'atelier d'écriture proposé par le site de la Bibliothèque nationale de France : http://expositions.bnf.fr/contes/pedago/atelier/

Préparation sur le site Internet de la BnF

- Un à un, choisissez les ingrédients parmi ceux qui vous sont successivement proposés :
  – le héros ou l'héroïne ;
  – le départ ;
  – l'arrivée ;
  – la raison ;
  – les épreuves ;
  – un pays inconnu ;
  – les rencontres ;
  – l'objet magique ;
  – la récompense ;
  – la morale.
- Imprimez le canevas de conte ainsi préparé.

Écriture

- À partir de ce canevas, inventez vous-même un conte.
- Écrivez le conte en développant chaque étape selon ce que vous avez appris dans le chapitre.
- Vous emploierez le passé simple et veillerez à l'accord des verbes avec leur sujet.
- Vous vous efforcerez d'enrichir votre récit avec le vocabulaire acquis au cours du chapitre.

Écriture numérique 

- Si vous rédigez votre conte à l'aide d'un traitement de texte, pensez à :
  – justifier votre texte (pour qu'il soit aligné à gauche et à droite) en cliquant sur cette icône :

  – utiliser le correcteur orthographique pour la relecture (Révision/Grammaire et Orthographe) : .

C Travailler la langue pour améliorer l'écrit

Lexique

Le vocabulaire des contes

Les personnages de contes de fées

1 Recopiez et complétez le tableau en regroupant les adjectifs synonymes :
gentil – détestable – orgueilleux – haïssable – charmant – hautain – doux – odieux – fier – agréable.

Adjectifs synonymes	Personnages de contes de fées qu'ils peuvent qualifier

2 Associez à l'ogre et au lutin les adjectifs qui leur correspondent.
A. Le comportement : vorace – facétieux – glouton – affable – monstrueux – espiègle – goulu
B. La taille : minuscule – trapu – gigantesque – géant – frêle – fluet – délicat – énorme – démesuré

3 Recopiez et complétez chaque phrase avec un ou plusieurs de ces verbes que vous accorderez :
administrer – engloutir – ingurgiter – dévorer – jeter un sort à – absorber.
a. La sorcière ... l'enfant.
b. L'ogre goulu ... l'enfant.
c. L'enfant ... le poison.
d. La sorcière ... un breuvage empoisonné à l'enfant.

4 Parmi les personnages de contes, quels sont ceux qui ont des pouvoirs bénéfiques et ceux qui sont maléfiques ?

Le nom « merveille » et sa famille

5 ÉTYMO **Le nom merveille vient du latin *mirari*, « ouvrir grand les yeux » ; la merveille est ce qui fait ouvrir grand les yeux.**
a. Quel radical commun retrouvez-vous dans tous ces mots : *merveilleux, émerveiller, émerveillement.*
b. Quel adverbe en « -ment » pouvez-vous former à partir de « merveille » ?
c. Dans un conte, « merveilleux » signifie-t-il « très beau » ou « qui n'appartient pas à la réalité » ? Donnez une preuve à l'appui de votre réponse.

Objets et animaux maléfiques

6 La sorcière cachera-t-elle *crapauds*, *serpents*, *couleuvres* et *vipères* dans une *ruche*, une *bûche* ou une *cuve* ?

7 Associez chaque adjectif au nom qui lui convient.

champignon •	• foudroyant
poison •	• venimeux
serpent •	• vénéneux

Lieux de contes merveilleux

8 Reproduisez la corolle lexicale et classez-y les mots suivants :
un buisson – une clairière – une margelle – un toit de chaume – des broussailles – un logis – un antre – des ronces – une salle de bal – un seau – des tourelles – un donjon – des orties – un chaudron dans l'âtre – une grotte – un puits – une clairière

Orthographe

L'accord sujet-verbe à la 3e personne à l'imparfait et au passé simple (1)

Leçons 4, 5 et 35, p. 266, 268 et 321

1 En vous aidant du jeu de couleurs, expliquez les terminaisons des verbes dans les phrases A et dans les phrases B.

A. Elle lisait un conte. Jeannot réclama ses parents. La fillette apeurée chercha à se frayer un chemin.

B. Ils lisaient des contes. Les deux enfants réclamèrent leurs parents. Le frère et la sœur cherchèrent à se frayer un chemin.

2 a. Recopiez les phrases et, suivant le modèle, soulignez la terminaison du verbe et reliez celui-ci à son sujet. b. La place du sujet change-t-elle l'accord du verbe ?

Une lumière brill<u>ait</u> au loin. Au loin brill<u>ait</u> une lumière.

A. 1. Une sorcière vivait dans la forêt. **2.** Une fumée épaisse sortit de la cheminée.

B. 1. Dans la forêt vivait une sorcière. **2.** De la cheminée sortit une fumée épaisse.

3 a. Recopiez les phrases suivantes en accordant le verbe avec son sujet que vous soulignerez. Vous emploierez le passé simple. b. Récrivez les phrases en mettant les sujets au pluriel et en accordant les verbes.

1. L'enfant (sortir) de la forêt. **2.** Le loup (hurler) au loin. **3.** L'ogre (partir) aiguiser des couteaux. **4.** Le petit garçon (se perdre) dans le bois.

4 Le jeu des 7 erreurs : récrivez ce passage écrit par un élève distrait en le corrigeant.

Les enfants arrivairent dans une clairiaire. Ils n'avait pas vu que des lutains espiègles venait vers eux. Le premier lutin prena la main du petit garçon et l'entraîna loin de l'entre de l'ogre.

Grammaire

Ponctuer les phrases

5 Récrivez le texte en rétablissant points et majuscules de début de phrase. Vous devrez former cinq phrases.

L'ogre qui se trouvait très fatigué du long chemin voulut se reposer comme il n'en pouvait plus de fatigue, il s'endormit très vite et se mit à ronfler les pauvres enfants eurent très peur le Petit Poucet tira doucement les bottes de l'ogre et les mit aussitôt ces bottes avaient le don de s'agrandir et de se rapetisser selon la jambe de celui qui les chaussait.

D'après CH. PERRAULT, « Le Petit Poucet », *Contes de ma Mère L'Oye.*

Employer l'imparfait et le passé simple

6 a. Dans le texte suivant, quels verbes servent à raconter une action importante ? à décrire la situation, les lieux, les personnages ?

Autrefois deux ogres <u>vivaient</u> en bonne harmonie dans une grotte qui <u>se dissimulait</u> aux regards. Comme ils <u>étaient</u> voraces, ils <u>frappaient</u> par leur embonpoint. Un jour, ils <u>se disputèrent</u> pour un morceau de viande et <u>s'entre-déchirèrent</u>.

b. À quel temps sont conjugués les verbes qui servent à raconter ? à décrire ?

7 Retenez l'essentiel sur l'emploi des temps dans un conte.

Dans un récit, un conte au passé...	
l'imparfait exprime :	le passé simple exprime :
– la situation *Ils demeuraient dans la forêt.*	une action importante qui a lieu à un moment précis ou limité dans le temps *Un matin, ils rencontrèrent un lutin.*
– la description de lieux et de personnages *Leur palais était splendide.*	
– une habitude *Ils allaient tous les jours dans la forêt.*	

8 Récrivez le texte en choisissant les formes verbales qui conviennent.

À l'instant où elle (sentait/sentit) la piqûre, elle (tombait/tomba) sur le lit qui (se trouvait/se trouva) là, et elle (restait/resta) plongée dans un profond sommeil qui (gagnait/gagna) tout le château. Quand le roi et la reine (revenaient/revinrent) et (entraient/entrèrent) dans la salle, ils (s'endormirent/s'endormaient).

D'après J. et W. GRIMM, « La Belle au Bois dormant », *Contes*, 1812.

Je construis mon bilan

Qu'ai-je appris ? ▶ Socle *Les méthodes et outils pour apprendre*

Les éléments d'un conte

Répondez par Vrai ou Faux à chacune de ces affirmations.

a. Un conte comporte des personnages merveilleux.

b. Le héros (L'héroïne) affronte plusieurs épreuves.

c. Le héros (L'héroïne) est aidé(e) par un personnage merveilleux ou un objet magique.

d. Le héros (L'héroïne) craint toujours que le monstre ne le (la) tue.

e. Le héros (L'héroïne) fait preuve de courage.

f. Le héros (L'héroïne) fait toujours preuve de ruse.

g. Un conte comporte une leçon de vie.

Qu'avons-nous compris ? ▶ Socle *Participer à des échanges*

Quels rôles les monstres jouent-ils dans un conte ?

Préparation

Par petits groupes, listez les monstres rencontrés dans le chapitre ou lors de vos précédentes lectures puis répondez à ces questions :

– Pour quelles raisons les monstres des contes font-ils peur ?
– Le héros (L'héroïne) d'un conte l'emporte-t-il (elle) toujours sur le monstre ? Gagne-t-il (elle) par la ruse ou par la force ou par un autre moyen ? Lequel ?
– Le monstre représente-t-il une épreuve à surmonter pour le héros ?
– Tous les monstres des contes sont-ils cruels ?
– Les monstres des contes peuvent-ils nous faire réfléchir sur nous-mêmes ? Pourquoi ?

• EMC Lisez l'article 9 de la Charte de la laïcité.

> **Article 9**
> « La laïcité implique le rejet de toutes les violences et de toutes les discriminations, garantit l'égalité entre les filles et les garçons et repose sur une culture du respect et de la compréhension de l'autre. »

Quel lien faites-vous entre cet article et le monstre dans *La Belle et la Bête* ?

Mise en commun

- Le groupe choisit l'élève qui présentera son travail.
- Chaque groupe présente le résultat de ses échanges.
- La classe échange pour dégager des points communs aux différentes présentations.
- Quelques élèves font le bilan oral de l'échange.

Je rédige mon bilan ▶ Socle *Écrire pour réfléchir et pour apprendre* EMC

En vous aidant du travail oral qui précède, rédigez votre bilan en répondant à ces questions en trois paragraphes :

– Quelles caractéristiques d'un conte avez-vous retenues ?

– Quels peuvent être les rôles d'un monstre dans un conte ?

– Quelles réflexions sur les autres l'étude des monstres dans les contes fait-elle naître en vous ?

J'évalue mes compétences

Chez la sorcière

Hansel et Gretel, abandonnés par leurs parents trop pauvres pour les nourrir, après avoir erré dans une forêt, arrivent devant une petite maison en pain d'épice habitée par une vieille femme.

La vieille femme les prit tous deux par la main et les conduisit dans la maisonnette. Là, elle leur servit de la bonne nourriture, du lait et des omelettes sucrées, des pommes et des noix. Ensuite elle leur apprêta deux beaux petits lits dans lesquels Hansel et Gretel se couchèrent, en se croyant au ciel. (5)

Si amicale que se montrât la vieille, elle était cependant une méchante sorcière qui épiait les enfants et qui n'avait bâti de pain sa maisonnette que pour les attirer. Quand il en tombait un dans sa puissance[1], elle le tuait, le cuisait, et le mangeait, et cela était toujours pour elle un jour de fête. (10) Malgré sa vue basse, la vieille femme avait senti, avec son flair de sorcière, venir près de chez elle, Hansel et Gretel. En les voyant s'approcher tout près de la maisonnette, elle avait ricané en s'écriant méchamment : « Ceux-ci ne m'échapperont pas ! » Le lendemain matin, avant que les enfants ne se réveillent, elle était déjà debout et, en les voyant si joliment reposer avec leurs joues rouges, elle murmurait à (15) part elle[2] : « Voilà tout ce qu'il me faut pour bien me régaler ! »

Elle empoigna alors Hansel de ses mains flétries et noueuses et le porta dans une petite remise[3]. Il eut beau crier à tue-tête, rien n'y fit. Elle l'y enferma derrière une porte à claire-voie[4]. Ensuite, elle alla secouer Gretel pour la réveiller et lui cria : (20)

« Lève-toi donc paresseuse ! va chercher de l'eau et prépare quelque chose de bon pour ton frère qui est dans la remise et qu'il faut engraisser. Quand il sera gras, je le mangerai. » [...]

Tous les matins, la vieille se glissait dans la remise et criait :

« Hansel, tends-moi ton petit doigt, que je sente si tu es bientôt gras. » (25)

Mais Hansel lui tendait un petit os, et comme la vieille avait mauvaise vue et n'y voyait rien, elle s'imaginait que c'était le doigt d'Hansel et s'étonnait qu'il ne pût toujours pas engraisser.

J. et W. GRIMM, *Hansel et Gretel et autres contes*, traduction d'A. Guerne,

1. sous son pouvoir.
2. entre ses dents.
3. hangar.
4. à barreaux.

▶ Socle *Comprendre un texte littéraire et l'interpréter*

1. **Ce texte appartient-il à un conte merveilleux ? Justifiez à l'aide de plusieurs éléments.**
2. **Quel personnage peut-on qualifier de « monstrueux » ? Pourquoi ?**
3. **Selon vous, Hansel sera-t-il sauvé ? Justifiez votre réponse.**
4. **De quel personnage du chapitre rapprocheriez-vous Hansel ? Expliquez en quelques lignes.**

2 Atelier lecture et oral

UTILISABLE EN AP

INTERDISCIPLINARITÉ
HDA – SCIENCES – HISTOIRE

Le loup… et autres monstres légendaires

Partez sur la piste du loup, pour vous faire une idée de la bête entre réalité et fiction.
Puis partagez vos frissons de lecteur au contact d'autres créatures monstrueuses, grâce à la réalisation d'un spectacle de marionnettes !

Qui êtes-vous vraiment, Monsieur le Loup ?

Activité 1

Lire en autonomie les textes et les documents des pages 53 à 62

▶ Socle *Comprendre des documents, des images, des textes littéraires et non littéraires*

1 **Selon les instructions de votre professeur, lisez un ou plusieurs des huit textes et/ou documents suivants.**

❶ Le loup, qu'est-ce que c'est ? > p. 53
❷ Lycaon > p. 54
❸ Le Galoup > p. 55
❹ Le Petit Chaperon rouge > p. 56
❺ Le Loup et l'Agneau > p. 59
❻ La Bête du Gevaudan, réalité ou légende ? > p. 60
❼ Le loup au tribunal > p. 60
❽ Le prédateur > p. 62

2 **Par petits groupes, pour chaque texte ou document dont vous avez la charge :**
a. cherchez le sens des mots que vous ne connaissez pas ;
b. recopiez et remplissez la fiche de lecture.

Fiche de lecture

Le loup Texte ou document n°			
Informations sur le texte ou le document choisi			
Titre :	Genre[1] :	Auteur :	Date :
Informations sur le loup			
Loup réel ou fictif ?			
Caractéristiques du loup (physique, comportement, caractère)			
Loup monstrueux ? Pour quelles raisons ?			

1. Pour chaque texte ou document, le genre de texte dont il s'agit est indiqué. Si vous ignorez le sens du mot définissant le genre, cherchez-le dans un dictionnaire.

1 Documentaire SCIENCES

« Le loup, qu'est-ce que c'est ? »

Même s'il ressemble à un gros chien de traîneau, le loup est un animal sauvage, et on ne le voit pas souvent dans la nature !

Qui est le loup ?

Le loup est un mammifère carnivore qui appartient à la famille des canidés (comme les chiens et les renards). Son nom scientifique est *Canis lupus*. C'est un prédateur, et même un superprédateur : il est capable de capturer de très grosses proies, telles que des chevaux, et de tuer d'autres prédateurs – des renards, par exemple. Dans la nature, on a observé des loups vivant jusqu'à 13 ans, mais il en existe sûrement qui sont morts plus vieux. Un loup en captivité, à l'abri des dangers, vit plus longtemps, jusqu'à une vingtaine d'années.

Dans la gueule du loup

Le loup possède exactement 42 dents. Elles lui servent à déchirer la viande, mais pas à mâcher : le loup avale sa nourriture tout rond !

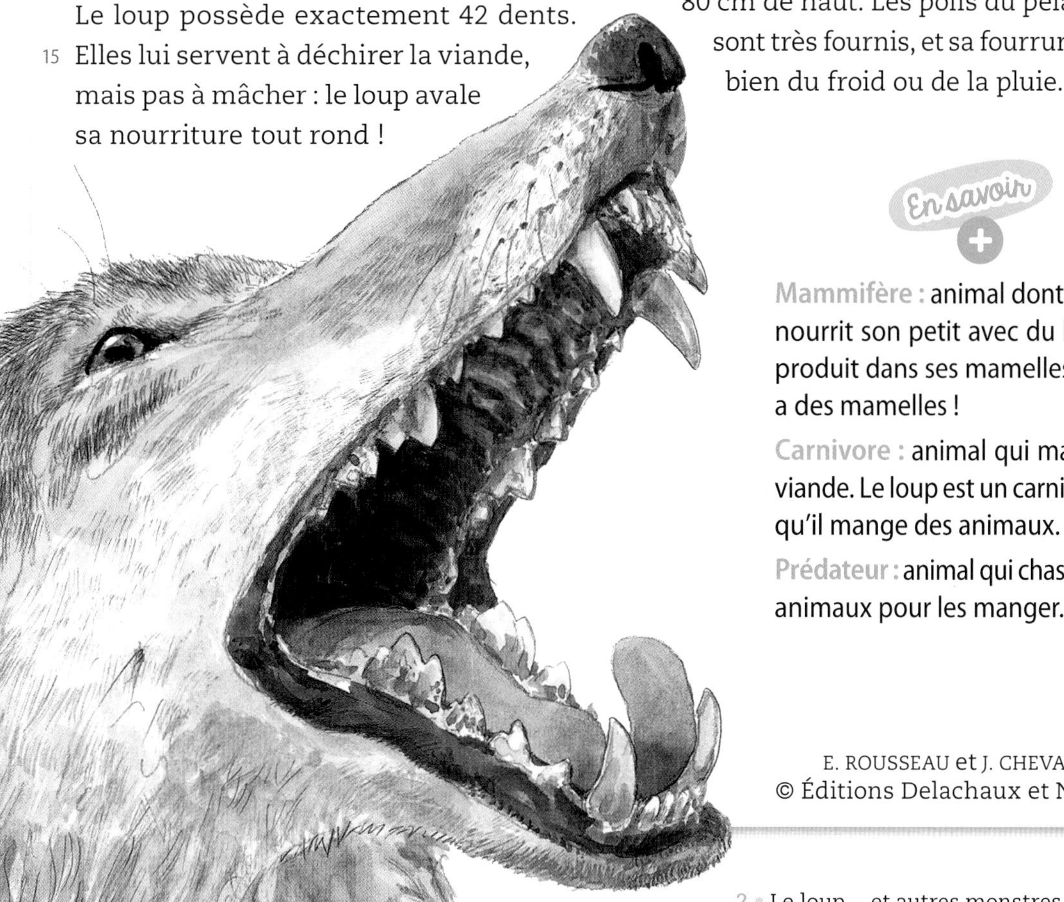

La nuit, tous les loups sont gris ?

Si beaucoup de loups sont de couleur grise, il existe des nuances d'un individu à un autre : certains sont plus clairs, d'autres plus sombres, d'autres encore ont des reflets fauves. On trouve même des individus tout noirs ou tout blancs. Les loups possèdent souvent des particularités : cicatrice à l'oreille, poils plus noirs sur la tête, etc. Certains loups pèsent 25 kg, mais d'autres peuvent atteindre facilement le double. On parle même de très grands loups mâles frôlant les 80 kg ! Du bout de la truffe au bout de la queue, le loup mesure entre 1,30 m et 1,80 m et, au niveau du dos (sans la tête), en moyenne entre 60 et 80 cm de haut. Les poils du pelage du loup sont très fournis, et sa fourrure le protège bien du froid ou de la pluie.

En savoir +

Mammifère : animal dont la femelle nourrit son petit avec du lait qu'elle produit dans ses mamelles. La louve a des mamelles !

Carnivore : animal qui mange de la viande. Le loup est un carnivore parce qu'il mange des animaux.

Prédateur : animal qui chasse d'autres animaux pour les manger.

E. ROUSSEAU et J. CHEVALIER, *Le Loup*,

2 Récit mythologique

Lycaon

La clé des mots

Les Molosses sont un peuple grec mythologique.
• Qu'est-ce qu'un molosse aujourd'hui ?

Le dieu Jupiter raconte aux autres dieux son arrivée chez le roi Lycaon, qui garde en otage des hommes d'un autre peuple, les Molosses*.*

Je donne des signes qui révèlent mon caractère divin et le peuple commence à m'adresser des prières. Tout d'abord, Lycaon se moque de ces marques de respect religieux puis il s'écrie :

– Je vais bien voir, moi, grâce à une épreuve décisive, si c'est un dieu ou un mortel. La vérité sera indiscutable.

Lycaon se prépare à me surprendre et à me donner la mort pendant la nuit, quand je dors profondément. Voilà par quelle épreuve il lui plaisait de connaître la vérité !

Mais cela ne lui suffit pas : avec son épée, il coupe la gorge de l'un des otages[1] envoyés par le peuple des Molosses. Ensuite dans de l'eau bouillante il fait cuire une partie de son corps encore à moitié vivante et l'autre partie, il la fait rôtir sur le feu. À peine avait-il posé ces morceaux sur la table qu'avec ma foudre vengeresse[2], je renverse sur lui sa maison, demeure digne d'un tel maître ! Épouvanté, il s'enfuit. Parvenu dans la campagne silencieuse, il se met à hurler et il s'efforce en vain de parler. Toute sa rage se concentre dans sa bouche : sa soif habituelle de carnage se tourne contre les troupeaux.

Maintenant encore, il se complaît dans le sang. Ses vêtements se changent en poils, ses bras en jambes. Il devient un loup et conserve encore des traces de son ancienne apparence : même couleur claire des poils, même air farouche, mêmes yeux brillants ; il exprime toujours la même férocité.

OVIDE, *Métamorphoses*, Ier siècle av. J.-C., adaptation de C. Bertagna.

1. Dans l'Antiquité, il était fréquent d'envoyer des otages chez son ennemi pour garantir le respect d'un traité.
2. Jupiter, dieu du ciel, peut brandir la foudre.

Le lycaon
(*Lycaon pictus*) SCIENCES

Ce carnivore, aux pattes longues et minces, a de grandes oreilles qui rappellent celles des chauves-souris. Il mesure de 77 à 112 cm, plus la queue, de 30 à 41 cm. Son poids varie entre 17 et 36 kilos. Il se déplace en meute et a une vie sociale intense. [...]
Les lycaons mordent leurs victimes jusqu'à ce qu'elles tombent. En quelques minutes, ces carnassiers ont dévoré l'animal encore vivant !

P. HUET, *En compagnie des loups*, © Éditions Fleurus, 2005.

3 Roman

Le Galoup

Par une nuit d'orage, le jeune Louis de Marfon, âgé de treize ans, se trouve confronté à une bête monstrueuse et terrifiante, la malebeste.

Louis voulait un corps plus fort, plus rapide, plus carnivore... Un corps pour mordre... Un corps pour griffer, chasser et tuer.

Il n'avait que celui de Louis, et il ne lui convenait pas... Alors il le changea.

Pendant quelques secondes, mais quelles secondes ! Louis ne fut plus que douleur et plaisir mêlés.

Douleur, quand, comme une pâte qu'on pétrit, tous ses membres, ses muscles, tirés à hue, tirés à dia[1], pour satisfaire l'autre, se mirent à changer pour se faire plus longs, plus gros, plus puissants.

Plaisir aussi, à en défaillir, de sentir la force monter en lui, l'envahir... De se savoir vif et puissant, libre et dangereux... D'être enfin en accord avec ce qui grondait au plus profond de lui. Plaisir d'être bien plus qu'un homme et bien plus qu'un loup.

Ce fut à peine s'il se rendit compte que ses vêtements, écartelés par ces tombereaux de muscles qui lui poussaient de partout, avaient expiré de toutes leurs coutures.

De toute manière, un poil brun et hirsute en diable lui couvrait maintenant les membres. D'oripeaux pour singe dépilé, il n'en avait nul besoin.

Il n'était plus un pauvre humain, lui, à claquer sa frousse de toutes ses dents devant la bête.

En fait de dents, lui avait des crocs, et des beaux encore, faits pour couper, arracher et déchirer. Il savait sa longue gueule capable de vous broyer os comme brindilles, de percer le crâne de la malebeste pour y chercher la viande.

Cette gueule, il l'ouvrit pour y fabriquer un hurlement de défi, un hurlement qui vint se mêler à celui du vent, long, lugubre, plein de faim et de joie carnassière... celui d'un loup... d'un galoup.

Il ne savait plus très bien, tout à coup, pourquoi l'autre Louis, le Louis sans poil, le Louis faible, l'avait libéré.

Peu lui importait. Ça grondait, au fond de lui, ça voulait mordre et mastiquer, griffer... Ça avait faim.

J.-L. MARCASTEL, *Louis le Galoup*, © Matagot, 2005.

1. tirés dans tous les sens.

Le loup-garou HISTOIRE

On appelle loup-garou une personne qui a le pouvoir de se transformer en loup les soirs de pleine lune. Ce mythe du loup-garou remonte à l'Antiquité grecque et à la mythologie germanique et scandinave.

Au XIIIe siècle, l'Église pensait que les loups-garous étaient des hommes et des femmes qui, ayant vendu leur âme au diable, avaient le pouvoir de se changer en loups quand ils le désiraient. À la Renaissance, des milliers de sorcières et des centaines de loups-garous furent condamnés et envoyés au bûcher.

A. VANDEWIELE et E. BEAUMONT, *Les Loups*, © Éditions Fleurus, 2004.

4 Conte

Le Petit Chaperon rouge

Texte intégral

Illustration de H. MORIN pour *Le Petit Chaperon rouge*, 1910-1920.

Il était une fois une petite fille de village, la plus jolie qu'on eût su voir : sa mère en était folle, et sa mère-grand plus folle encore. Cette bonne femme lui fit faire un 5 petit chaperon rouge qui lui seyait si bien, que partout on l'appelait le Petit Chaperon rouge.

Un jour, sa mère ayant cuit et fait des galettes, lui dit : « Va voir comment se porte 10 ta mère-grand, car on m'a dit qu'elle était malade. Porte-lui une galette et ce petit pot de beurre. »

Le Petit Chaperon rouge partit aussitôt pour aller chez sa mère-grand, qui demeu- 15 rait dans un autre village. En passant dans un bois, elle rencontra compère le Loup, qui eut bien envie de la manger, mais il n'osa, à cause de quelques bûcherons qui étaient dans la forêt. Il lui demanda où elle 20 allait. La pauvre enfant, qui ne savait pas qu'il était dangereux de s'arrêter à écouter un loup, lui dit :

« Je vais voir ma mère-grand, et lui porter une galette, avec un petit pot de beurre, 25 que ma mère lui envoie.

– Demeure-t-elle bien loin ? lui dit le loup.

– Oh ! oui, dit le Petit Chaperon rouge, c'est par-delà le moulin que vous voyez tout là-bas, à la première maison du village.

30 – Eh bien ! dit le Loup, je veux l'aller voir aussi : je m'y en vais par ce chemin-ci, et toi par ce chemin-là, et nous verrons à qui plus tôt y sera.

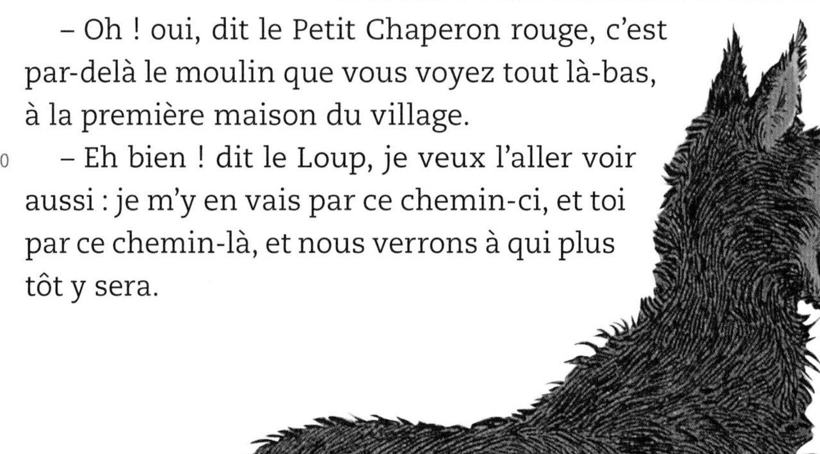

Le Loup se mit à courir de toute sa force par le chemin qui était
35 le plus court, et la petite fille s'en alla par le chemin le plus long, s'amusant à cueillir des noisettes, à courir après des papillons, et à faire des bouquets des petites fleurs qu'elle rencontrait.

Le Loup ne fut pas longtemps à arriver à la maison de la mère-grand ; il heurte : toc, toc.

40 – Qui est là ?

– C'est votre fille, le Petit Chaperon rouge, dit le Loup en contrefaisant sa voix, qui vous apporte une galette et un petit pot de beurre, que ma mère vous envoie. »

La bonne mère-grand, qui était dans son lit, à cause
45 qu'elle se trouvait un peu mal, lui cria : « Tire la chevillette, la bobinette cherra. »

Le Loup tira la chevillette, et la porte s'ouvrit. Il se jeta sur la bonne femme, et la dévora en moins de rien, car il y avait plus de trois jours
50 qu'il n'avait mangé. Ensuite il ferma la porte, et s'alla coucher dans le lit de la mère-grand, en attendant le Petit Chaperon rouge, qui, quelque temps après, vint heurter à la porte : toc, toc.

« Qui est là ? »

55 Le Petit Chaperon rouge, qui entendit la grosse voix du Loup, eut peur d'abord, mais, croyant que sa mère-grand était enrhumée, répondit :

« C'est votre fille, le Petit Chaperon rouge, qui vous apporte une galette et un petit pot de beurre, que ma mère vous envoie.

60 Le Loup lui cria en adoucissant un peu sa voix :

« Tire la chevillette, la bobinette cherra. »

Le Petit Chaperon rouge tira la chevillette, et la porte s'ouvrit. Le Loup, la voyant entrer, lui dit en se cachant dans le lit, sous la couverture :

65 « Mets la galette et le petit pot de beurre sur la huche, et viens te coucher avec moi. »

Illustration de H. MORIN pour *Le Petit Chaperon rouge*, 1910-1920.

Illustration de H. MORIN pour *Le Petit Chaperon rouge*, 1910-1920.

Le Petit Chaperon rouge se déshabille, et va se mettre dans le lit, où elle fut bien étonnée de voir comment sa mère-grand était faite en son déshabillé. Elle lui dit :

« Ma mère-grand, que vous avez de grands bras !

– C'est pour mieux t'embrasser, ma fille !

– Ma mère-grand, que vous avez de grandes jambes !

– C'est pour mieux courir, mon enfant !

– Ma mère-grand, que vous avez de grandes oreilles !

– C'est pour mieux écouter, mon enfant !

– Ma mère-grand, que vous avez de grands yeux !

– C'est pour mieux te voir, mon enfant !

– Ma mère-grand, que vous avez de grandes dents !

– C'est pour te manger !

Et, en disant ces mots, ce méchant Loup se jeta sur le Petit Chaperon rouge, et la mangea.

C. PERRAULT, *Les Contes de ma mère l'Oye*, 1697.

5 Fable

Le Loup et l'Agneau

La raison du plus fort est toujours la meilleure :
Nous l'allons montrer tout à l'heure[1].
Un Agneau se désaltérait
Dans le courant d'une onde pure.
5 Un Loup survient à jeun qui cherchait aventure,
Et que la faim en ces lieux attirait.
« Qui te rend si hardi de troubler mon breuvage ?
Dit cet animal plein de rage :
Tu seras châtié de ta témérité.
10 – Sire, répond l'Agneau, que votre Majesté
Ne se mette pas en colère ;
Mais plutôt qu'elle considère
Que je me vas désaltérant[2]
Dans le courant,
15 Plus de vingt pas au-dessous d'Elle,
Et que par conséquent, en aucune façon,
Je ne puis troubler sa boisson.
– Tu la troubles, reprit cette bête cruelle,
Et je sais que de moi tu médis l'an passé.
20 – Comment l'aurais-je fait si je n'étais pas né ?
Reprit l'Agneau, je tète encor[3] ma mère.
– Si ce n'est toi, c'est donc ton frère.
– Je n'en ai point. – C'est donc quelqu'un des tiens :
Car vous ne m'épargnez guère,
25 Vous, vos bergers, et vos chiens.
On me l'a dit : il faut que je me venge. »
Là-dessus, au fond des forêts
Le Loup l'emporte, et puis le mange,
Sans autre forme de procès.

J. DE LA FONTAINE, *Fables*, 1668.

Illustration de M. DUVAL, *Fables de La Fontaine*, éditions Lito, 2012.

1. tout de suite.
2. je vais boire.
3. encore (orthographe poétique).

Le saviez-vous ?

Le loup, un animal diabolique HISTOIRE

Avec le christianisme, dès le IVe siècle, le loup incarne le Mal et le Péché, car il s'attaque aux agneaux de Dieu, symboles de pureté. Aussi faut-il lutter contre lui et le détruire à tout prix. Au XIIe siècle, l'Église recommande donc aux chrétiens de participer aux battues. Les bergers récitent des prières pour que les loups épargnent leur troupeau.

A. VANDEWIELE et E. BEAUMONT, *Les Loups*, © Éditions Fleurus, 2004.

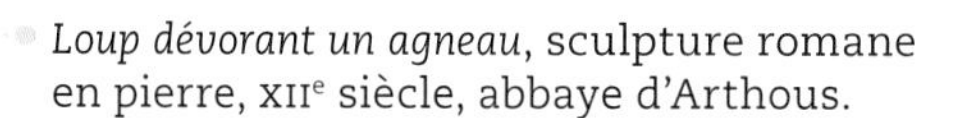

Loup dévorant un agneau, sculpture romane en pierre, XIIe siècle, abbaye d'Arthous.

6 Documentaire Internet

La Bête du Gévaudan, réalité ou légende ?

1 Rendez-vous sur le site du Musée de la Bête du Gévaudan pour découvrir cette célèbre légende : www.musee-bete-gevaudan.com/.

2 Cliquez sur « Musée » puis sur « Histoire de la Bête du Gévaudan ». Lisez le texte et observez les images.

Attaque de la Bête du Gévaudan, 1764, gravure en couleur, BnF.

7 Théâtre

Le loup au tribunal

La pièce raconte le procès du loup.

L'Avocat de la partie civile[1]. – Monsieur le Juge, Messieurs, après avoir entendu les diverses dépositions avec ce qu'elles comportaient de faux témoignages, (5) d'incohérences, etc., je trouve que mon travail est facile. La culpabilité du Loup est prouvée d'une façon indubitable. Les bouleversantes dépositions du Petit Chaperon rouge, et celle plus précise du (10) Chasseur-pêcheur[2], de Monsieur Grimm[3]

1. avocat des victimes.
2. le chasseur qui a ouvert le ventre du loup dans le conte du *Petit Chaperon rouge* dans la version des frères Grimm.
3. auteur du conte *Le Petit Chaperon rouge*.

ont mis en lumière la nature véritable du Loup, sa nature cruelle, ses penchants vils et bas. Contrairement à la loi, il s'est introduit dans la demeure d'autrui, et 15 là, il a perpétré son forfait. Il a attaqué une pauvre vieille femme sans défense et il l'a mangée. Ce fut un plat de résistance seulement car pour dessert il a également avalé le Petit Chaperon rouge. 20 Il ne fait pas de doute que, s'il avait pu, il aurait également mangé le Chasseur s'il ne s'était pas endormi sur le lit. Mon illustre, distingué et talentueux collègue[4] a voulu présenter le Loup comme 25 un être absolument inoffensif, mais sa tentative est impossible. Nous avons bien vu qu'il avait échoué… […]

Le juge condamne le Loup à mort quand l'huissier annonce que le Loup s'est enfui avec le Chasseur, le Petit Chaperon rouge, la Grand-mère et Monsieur Grimm.

L'HUISSIER. – Ils sont partis dans le bois.

LE JUGE. – Bon. On lancera sur le Loup nos 30 chiens policiers. Ils retrouveront sa trace, c'est sûr.

L'HUISSIER. – Ça m'étonnerait.

LE JUGE. – Comment, ça vous étonnerait ?

L'HUISSIER. – Oh oui. Parce que le bois, Votre 35 Honneur, n'est pas un bois ordinaire.

LE JUGE. – De quel bois s'agit-il ?

L'HUISSIER. – C'est un bel embrouillamini, ils ont dit… Du bois des contes de fées, Monsieur le Juge. Ils ont décidé ensemble 40 de repartir dans leur monde à eux, le monde des contes, parce que la justice, à leur avis…

LE JUGE. – Eh bien, parlez…

L'HUISSIER. – La justice, et les juges…

45 LE JUGE. – Mais parlez donc… oh… Mais dites-moi encore, mon ami, dites-moi une chose, êtes-vous sûr que le Petit Chaperon rouge, la Grand-mère et le Chasseur sont partis de leur plein gré.

50 L'HUISSIER. – J'en suis absolument convaincu.

LE JUGE. – Et pourquoi, s'il vous plaît ?

L'HUISSIER. – Parce que le Petit Chaperon rouge était fatigué.

LE JUGE. – Je ne vois pas le rapport.

55 L'HUISSIER. – Il était si fatigué que le Loup l'a pris sur son dos.

LE JUGE. – Et la Grand-mère ?

L'HUISSIER. – Elle était fatiguée aussi. Alors, c'est le Chasseur qui l'a prise sur son dos.

60 LE JUGE. – Et ils sont partis ensemble ?

L'HUISSIER. – Oui, Monsieur le Juge.

LE JUGE. – Fantastique, incroyable, …

L'HUISSIER. – Ils faisaient un tableau charmant tous les quatre…

65 LE JUGE. – Ah oui … Mais pourquoi n'êtes-vous pas parti avec eux ?

L'HUISSIER. – Mais, Monsieur le Juge, ce n'est pas possible.

LE JUGE. – Expliquez-vous.

70 L'HUISSIER. – C'est facile à comprendre, Monsieur le Juge. Je n'appartiens pas à leur monde, moi, ni vous non plus, ni les avocats non plus… Nous faisons partie du monde des hommes, Monsieur 75 le Juge…

LE JUGE. – Alors, il n'y a rien à faire ?

L'HUISSIER. – Rien du tout, Votre Honneur.

Z. PETAN, *Le Procès du loup*,

4. titres flatteurs mais aussi ironiques donnés à l'avocat du loup.

8 Dessin humoristique

Le prédateur

Dessin de P. MELAN, 2014.

Activité 2

Présenter oralement une lecture ▶Socle *Parler en prenant en compte son auditoire*

En vous aidant de votre fiche (p. 52), présentez et expliquez oralement votre document ou votre texte à la classe.

1. Indiquez le titre, l'auteur, le genre.
2. Si c'est un récit, résumez-le.
3. Si c'est un texte documentaire, faites une liste des informations principales à retenir.
4. Expliquez ce qui caractérise le loup dans votre document ou votre texte.

Activité 3

Partager des points de vue : que penser du loup ? (EMC)

▶Socle *Participer à des échanges*

1. a. Associez chacune des expressions figurées de la liste A à son sens dans la liste B.

A. Expressions figurées autour du mot « loup »	B. Sens des expressions
• Un froid de loup • Entre chien et loup • Faim de loup • Être connu comme le loup blanc • Jeune loup • Hurler avec les loups • Crier au loup • Se jeter dans la gueule du loup	• Fin de journée, lorsqu'on distingue mal les formes • Une température glaciale • Avertir d'un danger • Personne très ambitieuse • Appétit vorace • Foncer aveuglément vers un danger • Imiter les autres • Avoir une grande célébrité

b. Quelles images du loup ces expressions reflètent-elles ?

2. À partir de l'étude et de la présentation des textes et documents des pages 53 à 62, ainsi que des expressions figurées, répondez à ces questions :
a. quelle image du loup vous faites-vous ?
b. que peut signifier l'expression « L'homme est un loup pour l'homme » ?
c. quel sens figuré le mot « loup » peut-il avoir aujourd'hui ?

Peurs et frissons : monstres légendaires

Activité 4

Réaliser un spectacle de marionnettes pour présenter un monstre

▶ Socle Parler en prenant en compte son auditoire

Préparation

1 Choisissez un des monstres légendaires proposés ci-dessous, issus de différentes cultures :
– sorcières (Baya Yaga…) ;
– créatures géantes et dévorantes (géants, ogres, Yéti, vampires, Oiseau-roc, Éfrit) ;
– monstres tentaculaires et serpentins (dragons, serpents géants, monstre du Loch Ness, Karkadann…).

« Un dragon », illustration anonyme, 1890.

« Le Yéti », illustration de G. D'ACHILLE pour *Les Monstres et bêtes mythiques*, 1975.

« La sorcière Solokha », illustration de S. ALIMOV, 2004.

2 Pour vos recherches, lisez un ou plusieurs des récits proposés ci-dessous ou d'autres suggérés par le (la) documentaliste du CDI :
- **Sorcières :** J. et W. GRIMM, *Hansel et Gretel* ; *Vassilissa la Belle et autres contes* ; M. NDIAYE, *La Diablesse et son enfant* ; C. VAN ALLSBURG, *Le Balai magique* ; M. DEPLESCHIN, *Verte* ; P. GRIPARI, *La Sorcière de la rue Mouffetard*…
- **Créatures géantes et dévorantes :** *Contes et légendes, Ogres et géants* ; *Contes des Mille et Une Nuits* ; S. LEBEAU, *L'Ogrelet* ; F. BERNARD et F. ROCCA, *La Comédie des ogres* ; O. WILDE, *Le Géant égoïste*…
- **Monstres tentaculaires et serpentins :** *Contes des Mille et Une Nuits*…

3 Cherchez les principales caractéristiques du monstre en vous aidant de la fiche de lecture sur le loup, p. 52.

4 Oralement, préparez un petit discours à la 1re personne dans lequel le monstre va se présenter.

5 Fabriquez une marionnette du monstre :
a. utilisez une vieille chaussette ou un vieux gant en laine que vous décorerez pour qu'il ressemble à votre monstre ;
b. collez des yeux, une langue, des oreilles, etc., découpés dans du papier et coloriés.

Présentation

6 Animez le monstre avec votre main et faites-le se présenter.
Vous veillerez à être audible, à parler distinctement et à effrayer ou à amuser votre public.

Récits d'aventures

Sur les traces de jeunes aventuriers

Quelles émotions partagées entre le héros et le lecteur du roman d'aventures ?

Lire, comprendre, interpréter

Je pratique l'oral

Organiser le travail d'écriture

Je construis mon bilan

J'évalue mes compétences

Quel(s) sentiment(s) l'enfant éprouve-t-il selon vous ? Pourquoi ?

Photographie de J. LUND, montage d'A.-D. NANAME, 2016.

Je m'interroge et je m'informe sur...

▶ Socle *Comprendre des textes, des documents et des images et les interpréter*

Les récits d'aventures et les mangas

Quels récits d'aventures ai-je déjà rencontrés ?

❶ À quoi pensez-vous quand on parle de « récits d'aventures » ?

❷ À l'école, vous avez sans doute lu un ou plusieurs livres dont le héros est un enfant à qui il arrive des aventures. Lesquels ?

Le trésor des mots

aventure, n. f. : ÉTYMO mot emprunté au latin *adventura*, « ce qui doit arriver », formé sur le verbe latin *advenire* « arriver, se produire ».
1. Ce qui arrivera probablement dans l'avenir, dans l'existence de quelqu'un : « l'aventure de la vie ».
2. Synonyme de « hasard » : « d'aventure » : par hasard ; « errer à l'aventure ».
3. Ce qui arrive à quelqu'un n'importe quand, n'importe où, comme par hasard, généralement avec un aspect frappant : « Il m'est arrivé une curieuse aventure : j'ai rencontré mon sportif préféré. »
4. Actions frappantes en raison des difficultés à surmonter et des imprévus rencontrés : « roman ou film d'aventures » : riches en péripéties (événements imprévus).

• Proposez une définition d'« aventurier ».

Les romans d'aventures pour la jeunesse

1850

Premières collections de livres pour enfants
• le Nouveau Magasin des enfants de Pierre-Jules Hetzel : les romans d'aventures scientifiques de Jules Verne ;
• la Bibliothèque rose de l'éditeur Louis Hachette : les premiers romans d'aventures pour les enfants.

Après 1945

Premiers livres de poche à prix réduit et multiplication des Bibliothèques verte et rose, avec de nombreux récits d'aventures.

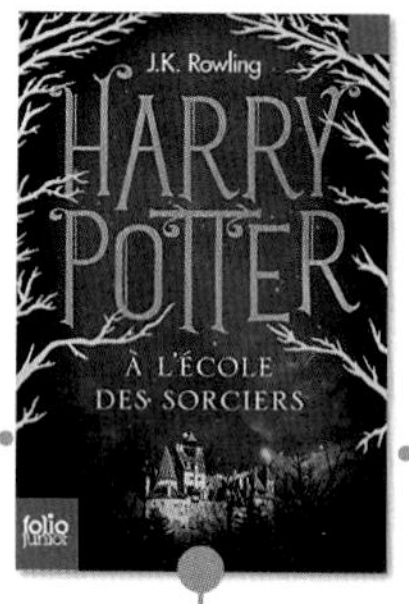

Années 1990-2000

Succès :
• des « livres dont vous êtes le héros » créant une lecture jeu de piste ;
• des romans historiques d'aventures ;
• des aventures d'Harry Potter, venues d'Angleterre ;
• des mangas, venus du Japon.

❸ Avez-vous déjà lu un livre d'une de ces collections ? Si oui, présentez-le.

❹ Choisissez une des couvertures et dites quelles aventures elle vous fait imaginer.

Les mangas, des récits d'aventures ?

LES MANGAS
des BD made in Japan

DES ESTAMPES TRÈS VIVANTES

Durant l'ère Edo[1] se produit un grand développement économique et culturel qui va entraîner l'essor de l'édition au Japon. Bientôt apparaissent des *ehon,* des ouvrages illustrés pour enfants et même des *kibyôshi*, qui subdivisent la page en cases. Les estampes[2], ou *u-kiyo-e,* qui connaissent un grand succès à l'époque d'Hokusai[3], vont être une source d'inspiration pour les dessinateurs de manga. […]

HOKUSAÏ, « Combat de Kendô », *La Manga*, estampe du XIXe siècle, BnF.

DE LA CARICATURE À LA BD !

Ce sont des caricaturistes qui, au début du 20e siècle, ouvrent la voie à la bande dessinée japonaise. [...] Les années 1920 voient apparaître les premiers magazines comportant des bandes dessinées manga, tel *Shônen Kurabu* (Club des garçons). Les jeunes lecteurs y découvrent par exemple le manga *Norakuro* racontant les aventures d'un chien noir paresseux engagé dans l'armée impériale.

TEZUKA, LE ROI DU MANGA !

Au lendemain de la Seconde Guerre mondiale, sous l'influence d'un jeune directeur en médecine surdoué en dessin, les mangas vont connaître un véritable boum ! Osamu Tezuka (1928-1989), qu'on surnomme « le dieu du manga », publie son premier manga à 18 ans et devient le plus célèbre des *mangakas.* […] Ses histoires se déroulent sur des centaines de pages : c'est lui qui invente le « story manga », le « manga à histoire » inspiré des dessins animés américains.

O. TEZUKA, *Astro Boy*, 1962.

À CHACUN SON MANGA

Peu à peu, les mangas se spécialisent en fonction de leur public. Les adolescents japonais dévorent des *shônen manga* qui font la part belle à l'aventure et à la bagarre, avec toujours beaucoup d'humour. Leurs héros sont des samouraïs, des ninjas, des pirates, des sportifs ou des héros de science-fiction… Les filles préfèrent rêver devant les histoires sentimentales de petites filles douées de pouvoirs magiques, les *shôjo manga.*

1. période de l'histoire japonaise allant de 1603 à 1889.
2. images imprimées.
3. grand peintre japonais, né en 1760, inspirateur du manga.

Le Petit Léonard, n° 195, © Éditions Faton, le 30 septembre 2014.

5 Quelles sont les étapes de l'histoire du manga ?

6 Comment l'article définit-il les héros de manga ? S'agit-il d'enfants ?

7 Le manga est-il un récit d'aventures ?

8 Si vous avez déjà lu des mangas, donnez le titre de celui que vous avez préféré et justifiez votre choix.

Une galopade effrénée

André Dhôtel (1900-1991)

Cet écrivain français a reçu un prix littéraire pour *Le Pays où l'on n'arrive jamais*.

Le jeune Gaspard, attiré par un cheval égaré, s'est retrouvé par hasard sur le dos de l'animal qui l'a emporté dans la forêt.

Gaspard serra le cou de l'animal avec tendresse et le cheval repartit bientôt d'un pas plus calme, tandis que la tempête se déchaînait.

Le soleil brilla encore pendant quelques minutes à l'horizon 5 et Gaspard l'apercevait vaguement au travers des nappes de pluie. Puis tout l'éclat du jour disparut. Ayant franchi la région des bruyères, le cheval entra sous une futaie de gros ormes[1]. À chaque instant Gaspard s'attendait à voir un éclair écraser l'un des arbres, mais la foudre capricieuse tombait au hasard. 10 Gaspard se souciait peu de la pluie qui collait ses vêtements à son corps. Il regardait avec une angoisse émerveillée les éclairs qui roulaient leurs boules de feu entre les troncs. De temps à autre une branche éclatait avec un grand craquement.

À l'extrémité de la futaie, où le terrain s'élevait peu à peu, il 15 y avait une butte que le cheval gravit, puis ce fut une longue ligne de crêtes[2] où des érables nains[3] s'élevaient. Le cheval tournait autour des érables. « Où veut-il me conduire ? » songeait Gaspard. Et puis il dit à haute voix : « Où veux-tu me conduire ? » Le cheval s'arrêta, 20 hennit doucement, puis repartit. L'orage s'apaisait peu à peu. Les lignes de pluie se dissipèrent, mais ce fut vers le bas et non dans le ciel que soudain les perspectives[4] s'ouvrirent tout d'un coup. Gaspard aperçut alors un énorme ravin qui se creusait presque sous les pieds 25 du cheval et dévalait dans l'immensité jusqu'aux rives d'un grand fleuve. « La Meuse[5] », murmura Gaspard.

Jamais il n'avait vu la Meuse. Il ne s'imaginait pas qu'elle coulait au milieu des forêts. Il serra le cou du cheval entre ses deux bras. Le cheval comprit le désir 30 de Gaspard et demeura immobile, tandis que l'enfant contemplait le fleuve. Les nuages fuyaient maintenant. C'était un terrible, mais rapide orage. Bientôt le ciel bleu apparut. Il ne faisait pas tout à fait nuit. Le long du ravin un cerf descendait au fleuve.

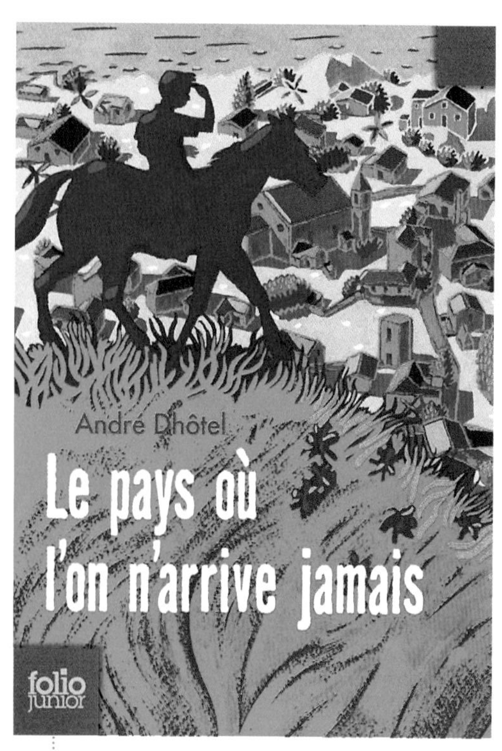

N. THER, *Le Pays où l'on n'arrive jamais*, illustration de couverture, © Folio Junior, 1997.

1. ensemble de grands arbres.
2. sommets.
3. sorte de petits arbres.
4. vues d'ensemble.
5. fleuve du Nord de la France.

Le cheval reprit sa marche au moment où les étoiles se mirent à briller. Il se dirigea vers le fond de la vallée par un chemin en pente douce. Il passa derrière les murs d'une usine qui surgissait de la forêt. Mais il s'éloigna aussitôt et remonta vers une autre pente. D'en haut, Gaspard vit briller une petite ville dont les lumières se reflétaient dans la Meuse. Le cheval regagna le fond de la forêt.

« Où allons-nous dormir ? » murmura Gaspard. Il ne songeait plus à Lominval[6]. Il avait l'idée qu'il ne reverrait plus le village. Ce qu'il ferait, comment il vivrait, il ne se le demandait pas. La faim le tiraillait, cependant.

Le cheval reprit un train d'enfer à travers les arbres que l'on distinguait à peine dans l'obscurité. Gaspard sentit d'énormes branches qui passaient au-dessus de sa tête et faisaient en passant une sorte de souffle. Il se colla contre la crinière et il y cacha son visage. Il avait les yeux pleins de larmes. « Est-ce que tu veux me tuer ? » murmura-t-il. Ce n'était pas la mort qui l'effrayait, mais la pensée que le cheval, qu'il avait commencé à aimer, le trahissait cruellement. Toutefois, après une heure d'angoisse, l'animal prit le petit trot, et Gaspard put apercevoir à travers ses larmes une lande où s'élevait une maison en ruine. [...]

– Voilà un lieu étrange, murmura Gaspard en sautant à terre.

A. DHÔTEL, *Le Pays où l'on arrive jamais*, © Éditions Horay, 1955.

M. DANIAU, *Le Pays où l'on n'arrive jamais*, illustration de couverture, © Éditions J'ai lu, 1999.

La clé des mots

Un train d'enfer signifie « une allure excessive ».
• Que signifie l'expression : « aller bon train » ?

6. le village de Gaspard.

Lecture

▶ Socle *Comprendre un texte littéraire et l'interpréter*

1. Dans quels paysages et conditions météorologiques l'aventure de Gaspard se déroule-t-elle ?
2. Quels sentiments successifs Gaspard ressent-il au fil du texte ? Expliquez.
3. Quels sont les rapports entre Gaspard et l'animal ? Développez votre réponse en citant le texte.
4. En quoi peut-on parler d'« aventure » (voir p. 66) pour ce qui arrive à Gaspard ? Justifiez.
5. Quel sentiment le lecteur peut-il éprouver à l'égard de Gaspard ? Expliquez.

Écriture

▶ Socle *Produire des écrits variés*

Gaspard met pied à terre et entre dans la maison en ruine. Racontez la suite du texte en une quinzaine de lignes.

Lecture d'image

▶ Socle *Identifier et analyser une œuvre d'art*

A. Laquelle de ces deux illustrations de couverture associez-vous le plus au texte ? Pourquoi ?
B. À votre tour, réalisez un dessin qui illustre le texte.

Une surprenante découverte

Jules Verne (1828-1905)

Cet écrivain français a écrit 80 « Voyages extraordinaires », romans d'aventures et de science-fiction destinés à la jeunesse.

Le jeune Axel qui a suivi son oncle, le professeur Lidenbrock, dans son voyage au centre de la Terre, s'est perdu. Il vient de le retrouver mais ne sait pas où ils sont.

D'abord je ne vis rien. Mes yeux déshabitués de la lumière se fermèrent brusquement. Lorsque je pus les rouvrir, je demeurai encore plus stupéfait qu'émerveillé.

« La mer ! m'écriai-je.

5 – Oui, répondit mon oncle, la mer Lidenbrock, et, j'aime à le croire, aucun navigateur ne me disputera l'honneur de l'avoir découverte et le droit de la nommer de mon nom ! »

Une vaste nappe d'eau, le commencement d'un lac ou d'un océan, s'étendait au-delà des limites de la vue. Le rivage, large-10 ment échancré[1], offrait aux dernières ondulations des vagues un sable fin, doré, parsemé de ces petits coquillages où vécurent les premiers êtres de la création. Les flots s'y brisaient avec ce murmure sonore particulier aux milieux clos et immenses. Une légère écume s'envolait au souffle d'un vent modéré, et quelques 15 embruns m'arrivaient au visage. Sur cette grève légèrement inclinée, à cent toises[2] environ de la lisière[3] des vagues, venaient mourir les contreforts de rochers énormes qui montaient en s'évasant[4] à une incommensurable[5] hauteur. Quelques-uns, déchirant le rivage de leur arête aiguë, formaient des caps et des 20 promontoires rongés par la dent du ressac[6]. Plus loin, l'œil suivait leur masse nettement profilée sur les fonds brumeux de l'horizon.

C'était un océan véritable, avec le contour capricieux des rivages terrestres, mais désert et d'un aspect effroyablement sauvage.

Si mes regards pouvaient se promener au loin sur cette 25 mer, c'est qu'une lumière « spéciale » en éclairait les moindres détails [...]. C'était comme une aurore boréale, un phénomène cosmique[7] continu, qui remplissait cette caverne capable de contenir un océan. [...]

Le mot « caverne » ne rend évidemment pas ma pensée 30 pour peindre cet immense milieu. Mais les mots de la langue humaine ne peuvent suffire à qui se hasarde dans les abîmes du globe.

Je ne savais pas, d'ailleurs, par quel fait géologique expliquer l'existence d'une pareille excavation[8]. Le refroidissement du 35 globe avait-il donc pu la produire ? Je connaissais bien, par les récits des voyageurs, certaines cavernes célèbres, mais aucune ne présentait de telles dimensions. [...]

La clé des mots

Le nom grève signifie ici « rivage ».
- Relevez dans le paragraphe le champ lexical de la mer et de son littoral.

1. creusé.
2. unité de mesure.
3. limite.
4. en s'élargissant.
5. qu'on ne peut pas mesurer.
6. aller et retour violent des vagues.
7. ici, atmosphérique.
8. trou dans le sol.

Mon imagination se sentait impuissante devant cette immensité.

40 Toutes ces merveilles, je les contemplais en silence. Les paroles me manquaient pour rendre mes sensations. [...] À des sensations nouvelles, il fallait des mots nouveaux, et mon imagination ne me les fournissait pas. Je regardais, je pensais, j'admirais avec une stupéfaction mêlée d'une certaine quantité d'effroi.

J. VERNE, *Voyage au centre de la Terre*, 1864.

Le trésor des mots

▶ Socle *Acquérir la structure, le sens et l'orthographe des mots*

Relevez tous les mots du texte exprimant une émotion.

Lecture

▶ Socle *Comprendre un texte littéraire et l'interpréter*

1. a. Pourquoi Axel est-il « stupéfait » ? b. Par quels aspects de la mer est-il frappé (l. 8 à 23) ?
2. Selon vous, la description de la lumière est-elle présentée comme poétique ? scientifique ? les deux ? Justifiez.
3. Pour quelles raisons Axel ne trouve-t-il pas de mots pour expliquer ce qu'il voit ?
4. Le lecteur peut-il partager les émotions du narrateur ? Pourquoi ?

Écriture

▶ Socle *Écrire pour réfléchir et pour apprendre*

Expliquez en un paragraphe pour quelles raisons cette aventure provoque de nombreuses émotions chez Axel. Employez le vocabulaire étudié.

Oral

▶ Socle *Lire avec fluidité - Parler en tenant compte de son auditoire*

1. Sélectionnez un passage de cinq à dix lignes qui vous a frappé(e) et lisez-le en cherchant à faire partager l'émotion d'Axel.
2. Faites une brève recherche sur les aurores boréales et présentez-la. SCIENCES

Illustration d'É. RIOU pour *Voyage au centre de la Terre*, 1864.

Sur le qui-vive

Mark Twain
(1835-1910)

Écrivain américain auteur des *Aventures de Tom Sawyer* et de sa suite, *Les Aventures d'Huckleberry Finn*.

Le narrateur, un jeune garçon, a fui son ivrogne de père qui a cherché à le tuer.

Cette fois, j'étais tranquille. Je savais maintenant que personne ne viendrait me chercher ici. J'allai prendre mon chargement dans le canot et installai mon campement dans l'épaisseur des bois. Je fis une tente de mes couvertures pour y mettre mes affaires à l'abri de la pluie. Je réussis à pêcher un poisson-chat, à lui ouvrir le ventre à coups de scie et, au crépuscule, j'allumai le feu pour mon souper. Puis je préparai les lignes et les mis en place pour avoir du poisson le lendemain matin.

À la nuit tombée, je couvris mon feu, content de ma journée. Mais, peu à peu, la solitude me pesa ; aussi j'allai m'asseoir sur la rive pour écouter le clapotis de l'eau. Je comptai les étoiles, les troncs qui passaient sur la rivière, les radeaux, et bientôt j'allai dormir. Il n'y a pas de meilleure façon de passer le temps quand vous languissez[1] un peu, faute de compagnie ; ça ne dure pas, et bientôt vous n'y pensez plus.

Trois jours et trois nuits passèrent ainsi, sans aucun changement, tous pareils. Mais, le jour suivant, je m'en allai explorer l'île. J'en étais le patron ; tout m'appartenait, pour ainsi dire, et je voulais tout connaître, mais surtout je voulais faire passer le temps. Je découvris des fraises bien mûres et fameuses, puis des raisins verts, des framboises vertes et des mûres vertes qui commençaient à se former. Tout ça serait utile en son temps.

Je flânai ainsi dans les grands bois, jusqu'à un endroit qui ne devait pas être loin de l'extrémité de l'île. J'avais apporté mon fusil, mais je n'avais encore rien tiré, par précaution ; j'avais pourtant bien l'intention de tuer quelque gibier plus près du camp. À ce moment, je faillis poser le pied sur un serpent de bonne taille qui se faufila à travers l'herbe et les fleurs ; je me mis à courir à ses trousses pour essayer de l'avoir ; je galopai parmi les arbres et, tout d'un coup, je sautai en plein sur les cendres d'un feu encore fumant.

Mon cœur bondit dans ma poitrine. Sans jeter un coup d'œil en arrière, je rabattis le chien[2] de mon fusil et filai en douce sur la pointe des pieds,

1. vous vous ennuyez.
2. partie de l'arme.

Illustration de E.W KEMBLE pour *Les Aventures de Huckleberry Finn*, 1885.

aussi vite que possible. De temps en temps, je m'arrêtais pour
40 écouter dans l'épaisseur du feuillage, mais je haletais si fort que je n'entendais rien d'autre. Je me glissai un peu plus loin, m'arrêtai de nouveau et je continuai longtemps ainsi. Si je faisais craquer une branche, il me semblait qu'on me coupait le souffle et que je n'en avais plus qu'une moitié... et la plus
45 petite par-dessus le marché !

De retour au camp, je ne me sentais pas très fier. Mais je dis : « Ce n'est pas le moment de faire l'imbécile ! » Aussi je remis toutes mes affaires dans le canot pour les cacher, j'éteignis le feu et j'en éparpillai les cendres pour faire croire qu'il datait
50 de l'année dernière, puis je grimpai sur un arbre.

J'y restai bien deux heures, mais sans rien voir, sans rien entendre ; et pourtant, au moins mille fois, il me sembla entendre et voir des choses. Enfin, je ne pouvais pas passer ma vie là-haut ; aussi je finis par redescendre, mais je ne quittai
55 plus la profondeur du bois, et j'étais tout le temps **sur le qui-vive.** Je n'eus rien d'autre à manger que quelques baies[3] qui restaient du déjeuner.

M. TWAIN, *Les Aventures de Huckleberry Finn* [1884], trad. de S. Nétillard, © Éditions de La Farandole, 1973.

3. fruits sauvages.

La clé des mots

• Observez la formation de l'expression **sur le qui-vive** et expliquez-la en vous aidant du contexte.

Lecture

▶ Socle *Comprendre un texte littéraire et l'interpréter*

1. L. 1 à 16 **a.** Qu'est-ce qui caractérise la nouvelle vie du narrateur ? Expliquez en citant le texte. **b.** Quel sentiment éprouve-t-il ?
2. L. 17 à 24 **a.** Que fait le narrateur ? **b.** Quels nouveaux sentiments éprouve-t-il ?
3. L. 25 à 45 **a.** À quels dangers le narrateur est-il confronté ? **b.** Quelles sont ses réactions ? Comment les expliquez-vous ?
4. L. 46 à 57 **a.** Que fait le narrateur ? **b.** Comment expliquez-vous son comportement ?
5. Quelle aurait été votre réaction à la place du narrateur ? Pourquoi ?

Le trésor des mots

▶ Socle *Acquérir la structure, le sens et l'orthographe des mots*

« Mon cœur bondit dans ma poitrine ». Quelle émotion cette phrase exprime-t-elle ? Comment l'expliquez-vous ?

Écriture

▶ Socle *Écrire pour réfléchir et pour apprendre*

En un paragraphe, faites le portrait du caractère du narrateur dans ce passage.

Oral

▶ Socle *Parler en prenant en compte son auditoire*

Imaginez une suite à ce texte : le narrateur affronte un nouveau danger.
– Au brouillon, notez quelques idées, sans rédiger de phrases.
– Racontez votre suite à vos camarades en mettant en valeur le danger et les réactions du narrateur.

Danger extrême

Yann Martel
(né en 1963)

Cet auteur, né en Espagne de parents québécois, a écrit *L'Histoire de Pi*, un grand roman d'aventures.

À la suite d'un naufrage, le jeune Indien Pi se retrouve dans un canot de sauvetage en présence d'un tigre du Bengale nommé Richard Parker et du cadavre d'une hyène que le tigre a tuée.

Quand les yeux **ambrés** de Richard Parker rencontrèrent les miens, le regard était intense, froid, fixe, aucunement frivole ou amical ; ils annonçaient un sang-froid parfait sur le point d'exploser de colère. Ses oreilles remuèrent et pivotèrent. 5 Une de ses babines commença à monter puis à descendre. La canine jaune ainsi révélée avec fausse modestie était aussi longue que mon plus long doigt.

Chaque poil de mon corps était dressé, hurlant de peur.

C'est à ce moment-là que le rat apparut. Venu de nulle part, 10 un rat brun tout maigre surgit sur le banc latéral, nerveux et hors d'haleine. Richard Parker sembla aussi étonné que moi. Le rat sauta sur la toile et courut dans ma direction. Lorsque je vis cela, à la fois sous le choc et la surprise, mes jambes m'abandonnèrent et je faillis tomber dans le casier[1]. Devant 15 mes yeux incrédules[2], le rongeur rebondit sur les différentes parties du bateau, sauta sur moi et me grimpa sur la tête, où je sentis dans mon cuir chevelu ses petites griffes s'agrippant de toutes leurs forces.

Les yeux de Richard Parker avaient suivi le rat. Ils étaient 20 maintenant fixés sur ma tête.

Il compléta le mouvement de rotation de sa tête en tournant lentement son corps, déplaçant ses pattes antérieures latéralement[3] le long du banc de côté. Il se laissa tomber sur le plancher du bateau avec une lourde facilité. Je pouvais voir le dessus de sa 25 tête, son dos et sa longue queue recourbée. Il avait les oreilles à plat sur le crâne. En trois pas, il était au milieu du bateau. Sans effort, la moitié de son corps se dressa en l'air et ses pattes de devant vinrent s'appuyer sur le rebord roulé de la toile.

Il était à moins de trois mètres de moi. Sa tête, sa poitrine, 30 ses pattes – aïe ! si grosses, si grosses ! Ses dents – tout un bataillon dans une gueule. Il se préparait à monter sur la toile. J'allais mourir.

Mais la mollesse de la toile lui paraissait bizarre et l'incommodait. Prudemment il y exerça une pression. Il leva des yeux 35 anxieux. D'être exposé à autant de lumière et d'espace libre ne lui plaisait pas non plus. Et le roulis du bateau continuait de l'importuner. L'espace d'un instant, Richard Parker hésita.

La clé des mots

L'**ambre** est une résine dure de couleur jaune doré ou rougeâtre.
• Que signifie le groupe nominal « les yeux ambrés » ?

1. caisse de secours du canot.
2. qui ne peuvent croire ce qu'ils voient.
3. de côté.

J'attrapai le rat et le lançai dans sa direction. […] Richard Parker ouvrit la gueule et le rat, poussant 40 des cris perçants, y fut englouti comme une balle de base-ball dans le gant d'un receveur[4]. Sa queue sans poil disparut comme une nouille qu'on aspire dans la bouche.

Il parut satisfait de l'offrande. Il recula et 45 retourna sous la toile. Immédiatement, mes jambes reprirent vie. Je bondis et soulevai une nouvelle fois le couvercle du casier pour bloquer l'espace entre le banc de proue et la toile.

J'entendis un bruyant reniflement et le bruit 50 d'un corps qu'on traînait. Le déplacement de son poids fit un peu tanguer le bateau. Je commençai à entendre les sons d'une gueule qui mange. Je risquai un coup d'œil sous la toile. Je le vis au milieu du bateau. Vorace, il dévorait l'hyène par gros 55 morceaux. L'occasion n'allait pas se renouveler. Je me penchai et retirai les gilets de sauvetage qui restaient – six en tout – et la dernière rame. J'en améliorerais le radeau.

Y. MARTEL, *L'Histoire de Pi*, trad. de N. et É. MARTEL,

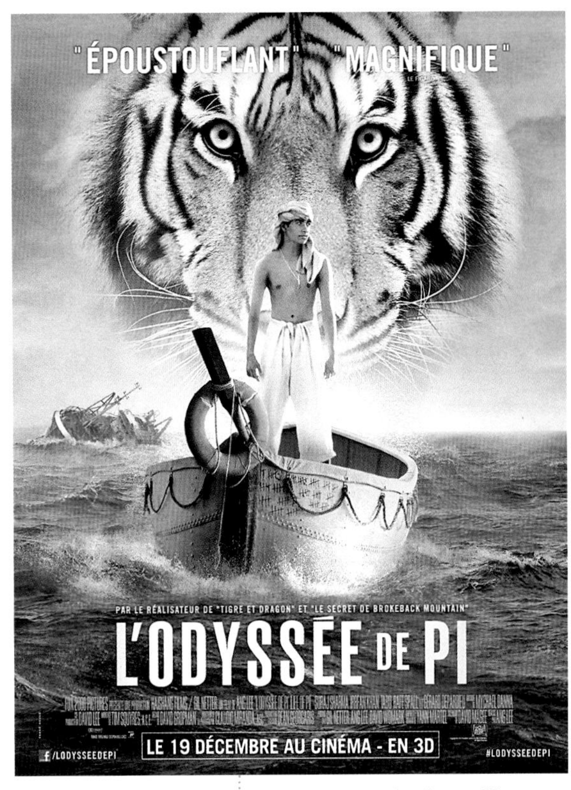

L'Odyssée de Pi, un film de Ang Lee, 2012.

4. celui qui reçoit la balle.

Le trésor des mots

1. D'après le contexte, « frivole » (l. 3) signifie-t-il « amusé » ou « menaçant » ?
2. Reproduisez le dessin suivant et, en vous aidant d'un dictionnaire, placez correctement les mots suivants : *la proue, la poupe, le roulis, le tangage.*

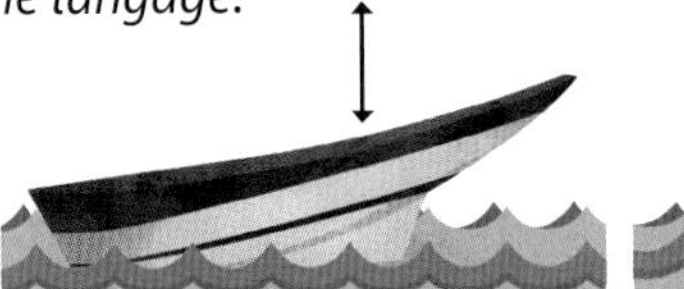

Lecture

▶ Socle *Comprendre un texte littéraire et l'interpréter*

1. Où l'aventure se déroule-t-elle ? Justifiez en citant le texte.
2. À quels dangers le jeune Pi est-il confronté ? Comment réagit-il ? Expliquez.
3. De quelles qualités fait-il preuve ? Justifiez.
4. Quels sentiments éprouve-t-il successivement ? Expliquez.
5. a. Qui est le narrateur de l'aventure ? b. À votre avis, qu'est-ce que cela fait naître chez le lecteur ?

Oral

▶ Socle *Participer à des échanges dans des situations diversifiées*

Par binôme, échangez pour identifier les points forts et les points faibles des deux adversaires en présence dans ce texte.

Écriture

▶ Socle *Écrire pour réfléchir et pour apprendre*

En vous appuyant sur la fin du texte, expliquez quel est le projet de Pi et si, à votre avis, ce projet a des chances de réussir.

Parcours de lecture guidé

▶Socle *Être un lecteur autonome*

Le Col des Mille Larmes

Xavier-Laurent PETIT

A Lire au fil des chapitres

Lisez le roman étape par étape. Aidez-vous des questions pour garder une trace de votre lecture, soit dans votre carnet de lecture soit lors d'échanges oraux.

Chapitres 1 et 2

1. Où l'histoire se situe-t-elle ?
2. Qui est Ryham ? Qu'apprend-on de sa famille ?
3. Quelle décision prend-il ? Que se passe-t-il ?

Chapitres 3 à 5

4. Quelles sont les relations de Galshan avec son père ?
5. Qu'arrive-t-il à Galshan ?
6. Quelles nouvelles successives Galshan et sa mère apprennent-elles ?

Chapitres 6 à 10

7. Que se passe-t-il ?
8. Qui est Baytar ? Qu'apprend-on sur lui ?

Chapitres 11 à 15

9. Quelle est la décision prise ?
10. Quel est le mode de vie de Baytar ? Qu'apprend-on sur ce mode de vie ?

Chapitres 16 à 20

11. Quels nouveaux personnages découvrez-vous ?
12. Quelle aventure Uugan a-t-il vécue dans sa jeunesse ?
13. Que découvre Galshan ?

Chapitres 21 à 27

14. Quels dangers les personnages affrontent-ils ?

Chapitres 28 à 31

15. Quelles aventures ces chapitres racontent-ils ?

Chapitre 32 à la fin

16. Quel est le dénouement de l'histoire ?

B Définir les caractéristiques du récit d'aventures

1. Quels sont les principaux rebondissements de l'histoire ?
2. Quels obstacles les personnages ont-ils à affronter ?
3. Quelles émotions les personnages ressentent-ils ?
4. Quelle leçon le personnage de Galshan et celui de Ryham tirent-ils de cette aventure ?

C Réagir au récit

1. Qu'apprend-on grâce à ce récit d'aventures ? Répartissez-vous le travail par petits groupes pour traiter un des points suivants :
   a. la vie sauvage et nomade ;
   b. les rapports familiaux ;
   c. l'être humain et la nature.
   Présentez votre travail à la classe.
2. Individuellement, dites si vous avez été captivé(e) ou non par ce récit d'aventures et pourquoi.

Le cercle des lecteurs

Récits d'aventures

▶ Socle *Parler en prenant en compte son auditoire*

*Tempête sur Shangri-La**
M. MORPURGO
© Éditions Gallimard, collection « Folio Junior », 2001.
L'incroyable aventure d'une fille de douze ans avec un grand-père pas comme les autres, en quête d'un passé perdu.

*L'Épouvantail et son valet**
P. PULLMAN
© Éditions Gallimard, collection « Folio Junior », 2010.
Les aventures fantaisistes d'un épouvantail à tête de navet en compagnie d'un jeune garçon débrouillard.

*L'Enfant Océan**
J.-C. MOURLEVAT
© Pocket Jeunesse, 1999.
Racontée dans une langue très moderne, la recherche de l'océan par sept frères fuyant leur père qui a menacé de les tuer.

*L'Homme des vagues**
H. VERLOMME
© Éditions Gallimard, collection « Folio Junior », 2009.
L'été de tous les dangers pour le jeune Kevin en raison de Bud le surfeur australien.

*La Baie des requins**
X. VAXELAIRE
© Flammarion Jeunesse, 2013.
Une aventure de pirates pour le jeune Bastien qui veut défendre son père accusé de meurtre.

Mon carnet personnel de lecture

Je poursuis mon carnet de lecture (voir méthode p. 44)

- *Je copie un passage d'une aventure que je trouve particulièrement captivante (dix lignes maximum).*
- *Je fais un (des) dessin(s) ou collage(s) en rapport avec ce passage.*

À l'oral

- *Je lis le passage que j'ai choisi.*
- *Je justifie mon choix.*
- *Je réponds aux questions de mes camarades.*

Lire et dire un poème

UTILISABLE EN AP

▶ Socle *Lire avec fluidité*

CONSEILS

Entraînez-vous à lire le poème :
- Marquez les pauses courtes indiquées par les / et les pauses plus longues indiquées par les //.
- Respectez les liaisons marquées par les ‿.
- Prenez votre souffle pour exprimer le rêve évoqué dans les vers 1 à 8.
- Marquez une rupture pour les deux derniers vers.

Apprenez le poème strophe (groupe de vers) par strophe.
- Récitez oralement (ou par écrit si cela vous aide) plusieurs fois chaque strophe puis enchaînez-les.
- Entraînez-vous à réciter le poème devant quelqu'un ou devant un miroir.
- Si vous le pouvez, enregistrez-vous et écoutez-vous pour vérifier que vous avez bien respecté les conseils.

Les Voiles

Quand j'étais jeune et fier et que j'ouvrais mes‿ailes,
Les‿ailes de mon âme à tous les vents des mers,
Les voiles[1]‿emportaient ma pensée avec‿elles, //
Et mes rêves flottaient sur tous les flots‿amers.

5 Je voyais dans ce vague où l'horizon se noie
Surgir / tout verdoyants de pampre[2] et de jasmin[3] /
Des continents de vie et des‿îles de joie
Où la gloire et l'amour m'appelaient de la main.

J'enviais chaque nef[4] qui blanchissait l'écume,
10 Heureuse d'aspirer‿au rivage inconnu, //
Et maintenant, / assis au bord du cap qui fume, /
J'ai traversé ces flots et j'en suis revenu.

A. DE LAMARTINE, *Œuvres posthumes*, 1873.

1. voiliers. 2. raisin. 3. fleur parfumée. 4. bateau.

Répondez aux questions suivantes puis partagez vos réponses avec la classe.

1. De quelles aventures l'enfant rêvait-il ?
2. Pour vous, que représentent les voiles et les ailes dans le poème ?

C. D. FRIEDRICH, *Les Étapes de la vie*, 1834-35.

Exposer une recherche au CDI : les romans d'aventures historiques dont les héros sont des enfants

▶ Socle *Parler en prenant en compte son auditoire - Lire avec fluidité*

Recherche

Effectuez une recherche au CDI.

- Cherchez dans les rayons, soit au rayon « romans », soit au rayon « histoire » ;
- Faites une recherche par mots clés dans la base informatique du CDI, si vous y avez accès : « romans historiques » ou bien le nom de la période historique qui vous intéresse (Égypte, Grèce, Rome, Moyen Âge,...) ou bien le titre d'une collection spécialisée dans ce type de romans (par exemple « La Cabane magique », Bayard Jeunesse).

Présentation orale

Une fois le livre sélectionné, lisez la quatrième de couverture et les premières pages pour vous faire une idée.

1. Expliquez votre démarche (pourquoi et comment vous avez fait votre recherche).
2. Expliquez votre choix (quelles raisons vous ont attiré(e) vers ce livre).
3. Lisez le début du roman de façon fluide et claire.
4. Dites si vous avez finalement envie de lire ce livre et pourquoi.

Échanger : Pourquoi les enfants lisent-ils des romans d'aventures ?

▶ Socle *Participer à des échanges dans des situations diversifiées*

1 Par petits groupes :

- Discutez pour :
  – choisir dans le nuage de mots ceux qui vous donnent envie de lire des romans d'aventures ;
  – chercher des titres de romans que vous pouvez relier à ces mots.
- Classez les éléments retenus, cherchez comment vous allez les présenter.

enfant trouvé
double identité
nature vierge
mystère familial
événements historiques
rêve
dépaysement
animaux sauvages
survie à une catastrophe
amitié
solidarité
frissons
courage du héros (de l'héroïne)
dangers
épreuves

2 Collectivement :

- Partagez vos idées en respectant ces règles de l'oral :
  – écoutez-vous les uns les autres et respectez les idées d'autrui ;
  – prenez la parole à tour de rôle ;
  – parlez distinctement ;
  – soyez audible (parlez assez fort).
- Cherchez ensemble à dégager les raisons qui sont communes au plus grand nombre d'élèves.

▶ Socle *Parler en prenant en compte son auditoire - Adopter une attitude critique par rapport au langage produit*

3 Individuellement :

Un élève fait le bilan des échanges.
Un autre élève évalue son camarade, sous le contrôle de la classe, avec ces critères :

A-t-il fait un bilan fidèle ?
A-t-il parlé distinctement ?
A-t-il attiré l'attention de la classe ?
A-t-il employé une langue correcte ?
S'est-il bien fait entendre ?

Sujet 1 Raconter une aventure à partir d'une bande dessinée Activité guidée

Racontez la scène représentée par cet extrait de bande dessinée et poursuivez le récit en imaginant une aventure qui fera suite au dessin.

HERGÉ, *Tintin au Tibet*, © Hergé/Moulinsart, 201

A Préparer l'écrit et rédiger au brouillon

1. **Organisez-vous par binômes ou par petits groupes et étudiez la bande dessinée. Interrogez-vous notamment sur les points suivants :**
   - Où sont Tintin et Milou ? Qu'est-ce qui caractérise le paysage ?
   - Quels sentiments Tintin éprouve-t-il ?
   - Quels éléments de la bande dessinée évoquent une aventure ?
2. **Partagez vos travaux et discutez pour savoir quelle aventure pourrait faire suite à ce passage et quel pourrait être le comportement des personnages.**

3. **En tenant compte des échanges avec vos camarades, notez :**
   - les éléments à retenir pour transformer le dessin en récit rédigé ;
   - quelques éléments pour l'aventure qui suivra le dessin.

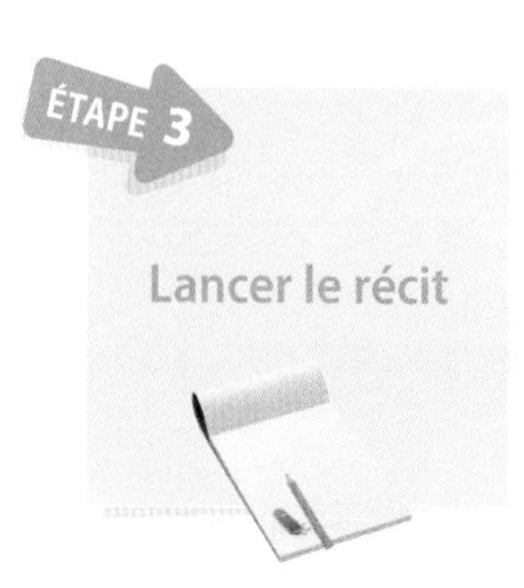

4. **Rédigez au brouillon une première version de votre récit en vous servant du travail préparatoire :**
   Votre récit comportera ces éléments :
   - une partie qui reprend la bande dessinée ;
   - une nouvelle aventure qui fait suite au dessin ;
   - une évocation des réactions et des sentiments des personnages.
   Votre récit se fera au présent.

B Améliorer le brouillon et rédiger au propre

ÉTAPE 4

Améliorer son brouillon en mobilisant les ressources de la langue

Lexique
Orthographe
Grammaire

La construction du récit

1. Vérifiez les points suivants et corrigez-les si besoin.

Mon récit respecte-t-il les éléments de la bande dessinée :		
• les personnages ?	☐ oui	☐ non
• le lieu ?	☐ oui	☐ non
• l'aventure représentée ?	☐ oui	☐ non
Mon récit comporte-t-il une nouvelle aventure ?	☐ oui	☐ non
Mon récit évoque-t-il les réactions et les émotions des personnages ?	☐ oui	☐ non

L'écriture du récit

2. Améliorez votre récit en veillant à :	Aidez-vous des exercices…
• évoquer le paysage de montagne et de la tempête	1 à 6 p. 82
• exprimer les réactions et les sentiments des personnages	7 et 8 p. 82
• conjuguer correctement les verbes	1 à 3 p. 83
• écrire correctement au pluriel les noms et les verbes	4 à 5 p. 83
• ponctuer correctement les phrases	6 p. 83
• employer des phrases exclamatives et interrogatives	7 à 10 p. 83

ÉTAPE 5

Rédiger au propre et se relire

3. Recopiez votre texte au propre ou tapez-le en traitement de texte. Relisez-le plusieurs fois en échangeant avec un(e) de vos camarades pour vérifier successivement :
– la ponctuation ;
– la conjugaison des verbes réguliers au présent ;
– le pluriel des noms et des verbes ;
– l'orthographe du vocabulaire de la montagne, de la tempête, des réactions face au danger.

Sujet 2 Raconter une suite de scène d'aventure (Activité en autonomie)

Poursuivez le récit ci-dessous en imaginant ce qui pourrait arriver à l'héroïne.
Elle s'arrête, cherchant quelle direction prendre. Les yeux plissés, elle tente de percer l'épaisseur du brouillard.

CONSEILS

- Imaginez d'abord qui pourrait être l'héroïne, le lieu de l'aventure, ce que l'héroïne a pu faire avant, puis ce qui peut lui arriver (progression, rencontre, danger affronté…). Si vous le souhaitez, notez vos idées.
- Commencez votre récit en recopiant le texte proposé.
- Poursuivez en racontant la progression de l'héroïne et/ou la rencontre qu'elle fait, le danger qu'elle affronte.
- Pensez à :
  – exprimer les réactions de l'héroïne en employant des phrases exclamatives ;
  – conjuguer correctement les verbes au présent ;
  – bien orthographier le pluriel des verbes et des noms.

C Travailler la langue pour améliorer l'écrit

Lexique

La montagne et la tempête

1 a. Recopiez le dessin et légendez-le avec les groupes nominaux suivants. Attention, parfois plusieurs noms peuvent se ranger dans le même rectangle.
la cime – le versant – le sommet – le pied – la paroi – la pente – le pic – le piton rocheux

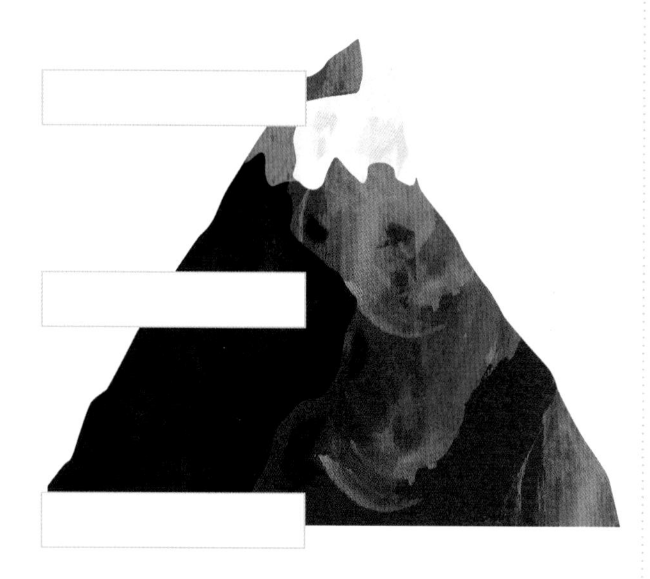

b. Complétez les groupes verbaux suivants avec un (ou plusieurs) des groupes nominaux ci-dessus. Attention à la modification de certains articles.

1. Escalader ...
2. Dévaler ...
3. Se suspendre ...
4. Atteindre ...
5. Se hisser à ...
6. S'agripper à ...
7. Grimper à ...
8. Glisser sur ...
9. S'accrocher à ...
10. Gravir ...

2 a. Classez ces noms selon qu'on peut les employer pour : a. le vent ; b. la neige ; c. les deux.
bourrasque – rafale – coup – avalanche – tourmente – tourbillon – flocon – manteau – amoncellement – tapis
b. Employez chacun des noms surlignés dans une phrase qui révèle son sens.

3 Complétez les phrases avec ces verbes que vous conjuguerez au présent et que vous accorderez.
se perdre – cesser – s'amonceler – s'enfoncer – tomber – ensevelir – fondre – recouvrir

Chaque matin, la neige ... à gros flocons. Elle ... la terre et ... tout comme dans un tombeau. Les villageois ... dans les amas de neige qui ... ; certains ... dans cette étendue éblouissante. Puis, chaque après-midi, la neige ... de tomber et, peu à peu, ... sous les rayons du soleil.

4 Lesquels de ces adjectifs ou participes passés qualifient : a. l'aspect visuel de la neige ; b. la texture de la neige ?
sale – durcie – épaisse – fine – fondante – éblouissante – fraîche – glacée – poudreuse – immaculée

5 Regroupez les adjectifs et participes passés de l'exercice 4 par : a. groupes de synonymes ; b. couples d'antonymes.

6 Oralement, décrivez une tempête de neige en utilisant des mots des exercices 1 à 4.

Réactions face au danger

7 Reproduisez le schéma ci-dessous qui reprend les cases de la bande dessinée de la double page précédente, et placez-y des mots qui correspondent à chaque case.

Verbes et groupes verbaux :
hurler – grelotter – penser – décider – s'exclamer – crier – jeter (pousser) un cri – s'inquiéter – réfléchir – regretter – surmonter

Participes :
épuisé – exténué – harassé – lassé – fatigué – résolu – déterminé – angoissé

Noms :
surprise – effroi – étonnement – stupéfaction – frayeur – épuisement – détermination – colère – combativité

8 Oralement, racontez une scène de danger en utilisant plusieurs mots de l'exercice 7.

Orthographe

Les verbes réguliers au présent de l'indicatif

Leçon 7, p. 272

1 a. Observez et mémorisez la lettre finale de chaque forme verbale à la 3e personne du singulier. b. Quel est l'infinitif de chaque verbe ?
La jeune fille avance péniblement. Elle gravit avec peine la pente ; son ami sort de la cabane à quelques pas puis il prend le même chemin.

2 Quelle est la marque de personne commune à tous ces verbes à la 3e personne du pluriel ?
Les jeunes filles avancent péniblement. Elles gravissent avec peine la pente ; leurs amis suivent à quelques pas puis ils perdent leur trace.

3 a. Conjuguez ces verbes au présent.
1. Il (escalader). **2.** Il (reprendre) sa hache. **3.** Elle (tendre) la main à son ami. **4.** Elle (saisir) le piton rocheux. **5.** Elle (gémir) sous la douleur. **6.** Elle (voir) mal à cause de la tempête. **7.** Elle ne (pouvoir) plus avancer.

b. Récrivez les verbes au pluriel.

Le pluriel des noms et des verbes

4 Recopiez les phrases : entourez en bleu la marque de pluriel des noms, en noir celle des verbes.
1. Ils ferment les portes. **2.** Elles observent les traces de loups. **3.** Ils marchent longuement à travers les prés. **4.** Elles ne posent jamais leurs sacs.

5 Un élève distrait a oublié tous les pluriels des noms et des verbes. Corrigez son texte.

Les tempête successives cause de gros dégât. Les marche de la maison sont détruites. Les montagnard apporte de lourdes bûche pour les remplacer. Ils pense y arriver avant l'arrivée des prochaines rafale de vent. Ils coupe le bois et place de nouvelles poutre pour réparer l'escalier.

Grammaire

Ponctuer un texte

6 Récrivez le texte en rétablissant la ponctuation manquante marquée par des ◊.

Le vent de nord se leva avec le jour ◊ Aux pieds des voyageurs ◊ la vallée émergeait de la nuit ◊ Uugan leva les yeux vers les sommets qui ◊ là-haut ◊ disparaissaient peu à peu dans les nuages ◊ Il fit la grimace ◊ On va vers le mauvais temps ◊
Ils grimpèrent encore près de trois heures avant d'apercevoir le col ◊ Galshan tremblait
◊ Tu veux qu'on s'arrête ◊ proposa Uugan pour la dixième fois ◊
Mais elle secoua la tête ◊

D'après X.-L. PETIT, *Le Col des Mille Larmes*, 2004.

Construire des phrases simples : exclamation et interrogation

Leçon 23, p. 302

7 a. Par quel signe de ponctuation toutes ces phrases se terminent-elles ? b. Recopiez les phrases en soulignant les mots exclamatifs quand il y en a. c. Expliquez oralement l'accord des mots surlignés en rose. d. Identifiez le mode des verbes en rose.
1. Comme il fait froid ! **2.** Que tu me fais peur ! **3.** Quelle peur tu m'as faite ! **4.** Avance donc plus vite ! **5.** Quel vent ! **6.** Ouvre grand tes yeux ! **7.** Ne t'inquiète pas !

8 Récrivez et complétez ces phrases pour les rendre exclamatives.
1. … ce sommet est haut… **2.** … belle vue depuis ce sommet… **3.** Passe devant moi… **4.** Attention … Ne passe pas là… **5.** … ce voyage est épuisant… **6.** … chemin abrupt…

9 Quelles différences repérez-vous entre les phrases interrogatives (b.) et les phrases (a.) ?
1. a. Tu vois ce sommet. **b.** Vois-tu ce sommet ? **2. a.** Tu peux me suivre. **b.** Peux-tu me suivre ? **3. a.** La tempête se calme. **b.** La tempête se calme-t-elle ? **4. a.** L'arrivée est proche. **b.** L'arrivée est-elle proche ?

10 Récrivez les phrases de façon à en faire des phrases interrogatives.
1. Il arrive au sommet. **2.** Tu vois les traces de l'ours. **3.** Les skieurs dévalent la pente. **4.** Le vent souffle violemment. **5.** La cabane résiste aux assauts du vent. **6.** Les amis ont peur.

Je construis mon bilan

Qu'ai-je appris ? ▸Socle *Les méthodes et outils pour apprendre*

En vous appuyant sur les textes étudiés dans le chapitre, recopiez et complétez cette carte mentale.

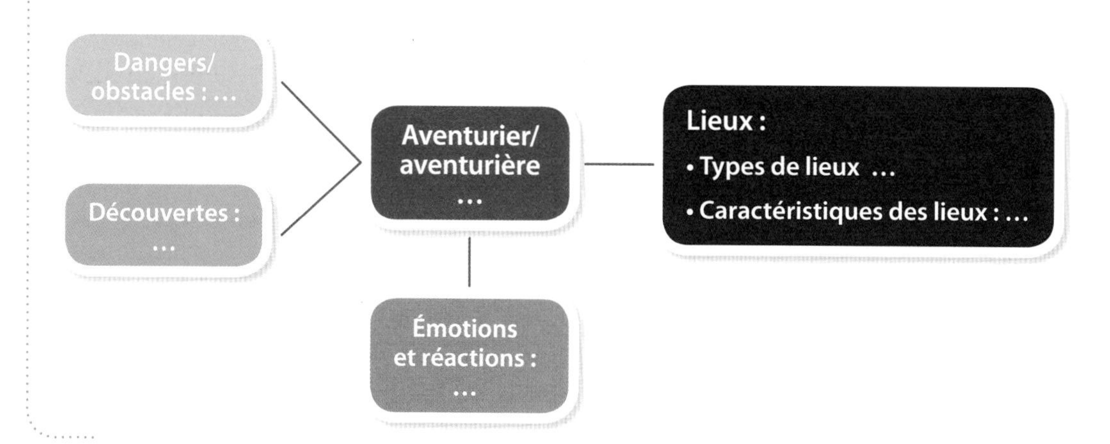

Qu'avons-nous compris ? ▸Socle *Participer à des échanges dans des situations diversifiées*

1 Lisez les groupes verbaux suivants :

s'identifier au héros ou à l'héroïne
oublier le quotidien tester son courage
découvrir de nouveaux horizons
éprouver des émotions rêver

2 Échangez pour :
– vous assurer du sens de ces groupes verbaux ;
– savoir quels sont les groupes verbaux qui conviennent aux personnages des récits d'aventures, aux lecteurs, aux deux ;
– illustrer chaque groupe verbal par un ou plusieurs exemples ;
– proposer éventuellement d'autres groupes verbaux pour caractériser les récits d'aventures.

Je rédige mon bilan ▸Socle *Écrire pour réfléchir et pour apprendre*

En vous aidant du travail qui précède, rédigez un paragraphe pour expliquer, au choix :
– quels ingrédients, selon vous, sont nécessaires pour créer un bon roman d'aventures ;
ou
– ce que vous aimez (ou non) dans les récits d'aventures ;
ou
– quel récit d'aventures vous préférez et pourquoi.

J'évalue mes compétences

Au bord de la rivière

Le narrateur, un jeune garçon, est parti à la recherche d'une rivière dont il a beaucoup entendu parler mais qu'il ne connaît pas. Il vient de la découvrir.

Sur le sable on voyait des traces de pieds nus. Elles s'en allaient de l'eau vers la digue. Les empreintes étaient larges, puissantes. Elles avaient une allure animale. J'eus peur. Le lieu était solitaire, sauvage. On entendait gronder les eaux. Qui hantait cette anse cachée, cette plage secrète ?

En face, l'île restait silencieuse. Son aspect cependant me parut menaçant. Je me sentais seul, faible, exposé. Mais je ne pouvais pas partir. Une force mystérieuse me retenait dans cette solitude. Je cherchai un buisson où me dissimuler. Ne m'épiait-on pas ? Je me glissai sous un fourré épineux, à l'abri. Le sol doux y était couvert d'une mousse souple et moelleuse. Là, invisible, j'attendis, tout en surveillant l'île.

D'abord je ne vis rien. Sur moi s'étendait l'ombre des feuillages ; les insectes dansaient toujours ; parfois s'envolait un oiseau ; l'eau coulait, ralentie par la sinuosité de la plage ; le temps passait, monotone, et l'air devenait tiède. Je m'assoupis.

Longtemps je dus rester dans le sommeil.

Comment fus-je réveillé ? Je ne sais. Quand j'ouvris les yeux, étonné de me retrouver sous ce buisson, le soleil était bas, et l'après-midi touchait à sa fin. Rien ne semblait changé autour de moi. Et cependant je restais immobile, au fond de ma cachette, dans l'attente de quelque événement.

Tout à coup, au milieu de l'île, entre le feuillage des arbres, s'éleva un fil de fumée, pur, bleu. L'île était habitée. Mon cœur battit. J'observai avec attention le rivage opposé, mais vainement. Personne n'apparut. Au bout d'un moment la fumée diminua ; elle semblait se retirer peu à peu dans les bouquets d'arbres, comme si la terre invisible l'eût absorbée. Il n'en resta rien.

Le soir tombait. Je sortis de ma retraite et revins vers la plage.

Ce que je découvris m'épouvanta. À côté des premières traces que j'avais relevées sur le sable, d'autres, encore fraîches, marquaient le sol. Ainsi pendant que je dormais quelqu'un était passé près de mon refuge. M'avait-on vu ?

H. BOSCO, *L'Enfant et la Rivière*,
© Éditions Gallimard, 1953.

▶ Socle *Comprendre un texte littéraire et l'interpréter – Établir des liens entre des productions littéraires*

1 **Où l'aventure se situe-t-elle ? Quelles sont les caractéristiques du paysage décrit ? Répondez en citant des mots du texte.**

2 **En vous aidant du contexte, dites si : a. une anse (l. 7) désigne ici la poignée d'une tasse ou une échancrure dans le rivage ; b. une retraite (l. 43) désigne ici un lieu où l'on se retire ou une cessation d'activité.**

3 **Quelles émotions successives le jeune garçon éprouve-t-il ? À quoi sont-elles dues ? Expliquez.**

4 **Ce passage comporte-t-il les caractéristiques d'un récit d'aventures ? Justifiez votre réponse.**

5 **De quel(s) texte(s) rencontré(s) dans le chapitre pourriez-vous rapprocher cet extrait ? Pourquoi ?**

L'aventure et la vie sauvage

INTERDISCIPLINARITÉ
HDA – GÉOGRAPHIE – SCIENCES ET TECHNOLOGIE

Partez à l'aventure et goûtez à la vie sauvage en pratiquant l'oral pour devenir un lecteur autonome.

Activité 1

Écouter et échanger pour comprendre un texte

▶ Socle *Écouter pour comprendre un texte lu - Participer à des échanges*

Collectivement, découvrez les textes de l'atelier par l'écoute orale des extraits lus par votre professeur ou par un comédien.

1. Relisez silencieusement les textes des pages 87 à 94.

Organisez-vous par petits groupes.

2. En vous aidant des questions posées, échangez pour expliquer le contenu des textes et dire quelle(s) émotion(s) ils font naître chez le lecteur.
3. Expliquez les mots qui vous ont paru difficiles.
Vous pourrez ensuite faire un petit dictionnaire de ces mots.

Pour chaque groupe, un rapporteur présentera le travail à la classe.

La carte des aventures des textes de l'atelier

Le Grand Nord

Sur la grande piste

Jack London
(1876-1916)

Après une enfance misérable et de nombreux petits métiers, cet écrivain américain s'est formé lui-même et a publié de nombreux récits sur la vie dans le Grand Nord américain.

Il se retourna et contempla le chemin qu'il avait parcouru. Le Yukon s'étalait large d'un mile et caché sous trois pieds de glace. Et cette glace était ensevelie sous autant de pieds de neige. Tout était d'un blanc pur, avec de légères ondulations 5 là où des blocs s'étaient entassés lorsque le gel avait saisi le fleuve.

Au nord et au sud, aussi loin que portait son regard, l'homme ne voyait que blancheur, interrompue seulement par un mince trait sombre et sinueux qui apparaissait, au sud, au détour 10 d'une île couverte de pins et serpentait, sinueux, vers le nord, où il s'effaçait derrière une autre île couverte de sapins. Ce mince trait sombre était la piste – la grande piste – qui menait au sud, à cinq miles, à Chilcoot Pass, à Dyea et à l'eau salée. [...] Mais tout cela – la piste mystérieuse, lointaine, mince comme 15 un cheveu, l'absence de soleil dans le ciel, le froid terrible, l'atmosphère étrange et fantastique – l'homme n'en était pas impressionné. Ce n'était pas à cause d'une longue habitude.

Il était un nouveau venu dans la région, un *chechaquo*, et c'était son premier hiver. Ce qui lui faisait défaut, c'était l'ima- 20 gination. Il avait l'esprit vif et avisé quant aux choses de la vie, mais seulement aux choses, pas à leur signification. Cinquante degrés au-dessous de zéro représentaient quatre-vingts et quelques degrés de gel[1]. C'était un fait, il en éprouvait le froid et l'inconfort, et rien de plus. Cela ne l'entraînait pas à méditer 25 sur sa fragilité de créature au sang chaud ni, en général, sur la fragilité de l'homme qui ne peut vivre qu'entre d'étroites limites de températures.

J. LONDON, *Construire un feu* [1907], traduction de C. Le Bœuf, © Actes Sud, 1995.

1. température en degrés Fahrenheit, soit environ - 62 ° Celsius.

1 a. Dessinez le paysage tel que vous vous le représentez.
b. Expliquez votre dessin à la classe et confrontez-le avec ceux de vos camarades.

2 Que ressent l'homme face à ce paysage ? Expliquez.

Illustration de M. A. C. QUARELLO, *L'Appel de la forêt*, Sarbacane, 2015.

Un chien dans le Grand Nord

Le chien Buck a été volé à ses maîtres californiens pour être vendu comme chien de traîneau à des chercheurs d'or dans le Grand Nord américain.

Ses progrès (ou son recul ?) furent rapides. Il acquit des muscles d'acier et devint insensible à toute forme de douleur. Il se donna, tant intérieurement qu'extérieurement, une organisation spéciale. Il pouvait manger n'importe quoi, même des choses répugnantes. Ses sucs gastriques extrayaient les moindres particules de sa nourriture, les envoyaient aux extrémités de son corps et le pourvoyaient de tissus exceptionnellement résistants. Sa vue et son odorat augmentèrent. Bientôt, l'acuité de son ouïe fut telle que, dans son sommeil, il percevait le bruit le plus léger et savait tout de suite si ce bruit annonçait ou non un péril. Il apprit à arracher avec ses crocs la glace accumulée entre ses doigts. Quand il avait soif, il cherchait l'eau. Si elle était recouverte de glace, il la cassait à l'aide de ses pattes antérieures raidies. Il prévoyait la direction du vent longtemps avant de creuser son trou pour la nuit. Ainsi, il se trouvait toujours bien abrité et dormait d'un sommeil tranquille.

L'expérience n'était pas sa seule source d'enseignement. Son instinct assoupi se réveillait. S'il avait pu s'analyser, il aurait compris que l'héritage de ses ancêtres domestiqués se détachait de lui. Heureusement, il reprenait peu à peu conscience des origines de son espèce, à l'époque si lointaine où les bandes de chiens sauvages sillonnaient la forêt primitive et se nourrissaient des proies qu'ils rencontraient sur leur route. Il n'eut aucune peine à apprendre à combattre à la façon des loups, en utilisant ses crocs, en se ruant sur l'adversaire et ne se dérobant à son tour.

J. LONDON, *L'Appel de la forêt* [1903],
traduction de J. Muray, © Livre de Poche Jeunesse, 2002.

L'Appel de la forêt, film de K. ANNAKIN, 1972.

1. Comment Buck se transforme-t-il ? Pour quelle raison ?
2. D'après ce texte et celui de la page 87, l'homme et l'animal doivent-ils s'adapter à la nature sauvage ? Justifiez votre réponse.

Matin dans une réserve africaine

Le narrateur se trouve dans une réserve du Kenya, non loin du Kilimandjaro, la plus haute montagne d'Afrique.

Joseph Kessel
(1898-1979)

Aviateur et écrivain français, il a écrit de grands romans d'aventures inspirés par ses voyages.

Maintenant les bêtes étaient là.

Non plus en éveil, en méfiance, et rassemblées sous l'influence de la crainte par troupes, hardes, files et bandes, selon la race, la tribu, la famille, mais confondues et mêlées 5 au sein d'une sécurité ineffable dans la trêve de l'eau en paix avec la brousse, elles-mêmes et l'aurore.

À la distance où je me trouvais, il n'était pas possible de distinguer l'inflexion des mouvements, ou l'harmonie des couleurs, mais cette distance ne m'empêchait pas de voir 10 que les bêtes se comptaient par centaines et centaines, que toutes les espèces voisinaient, et que cet instant de leur vie ne connaissait pas la peur ou la hâte.

Gazelles, antilopes, girafes, zèbres, rhinocéros, buffles, éléphants – les animaux s'arrêtaient ou se déplaçaient au pas 15 du loisir, au gré de la soif, au goût du hasard.

Le soleil encore doux prenait en écharpe les champs de neige qui s'étageaient au sommet du Kilimandjaro. La brise du matin jouait avec les dernières nuées. Tamisés par ce qui restait de brume, les abreuvoirs et les pâturages foisonnaient 20 de mufles et de naseaux, de flancs sombres, dorés, rayés, de cornes droites, aigües, arquées ou massives, et de trompes et de défenses, composaient une tapisserie fabuleuse, suspendus à la grande montagne de l'Afrique.

Quand et comment je quittai la véranda pour me mettre 25 en marche, je ne sais. Je ne m'appartenais plus. Je me sentais appelé par les bêtes vers un bonheur qui précédait le temps de l'homme.

J. KESSEL, *Le Lion*, © Éditions Gallimard, 1958.

1. Qu'est-ce que la brousse ? Qu'est-ce qui caractérise la vie des animaux dans la réserve ?
2. Quelle impression générale se dégage de la scène ? Quel effet produit-elle sur le personnage qui la regarde ?

Atelier oral et lecture

La vie dans la jungle

Rudyard Kipling
(1865-1936)

Écrivain anglais qui a vécu en Inde jusqu'à l'âge de six ans.

Père Loup enseigna à Mowgli sa besogne, et le sens de toutes choses dans la Jungle, jusqu'à ce que chaque frisson, chaque souffle de l'air chaud dans la nuit, chaque ululement[1] des hiboux au-dessus de sa tête, chaque bruit d'écorce égratignée 5 par la chauve-souris au repos un instant dans l'arbre, chaque saut du plus petit poisson dans la mare prissent[2] juste autant d'importance pour lui // que pour un homme d'affaires / son travail de bureau.

Lorsqu'il n'apprenait pas, il se couchait au soleil et dormait, 10 puis il mangeait, se rendormait ; lorsqu'il se sentait sale ou qu'il avait trop chaud, il se baignait dans les mares de la forêt, et lorsqu'il manquait de miel (Baloo[3] lui avait dit que le miel et les noix étaient aussi bons à manger que la viande crue), il grimpait aux arbres pour en chercher ; et Bagheera lui avait 15 montré comment s'y prendre. S'allongeant sur une branche, la panthère appelait : « Viens ici, Petit Frère ! » et Mowgli commença par grimper à la façon du paresseux : mais par la suite il osa se lancer à travers les branches presque aussi hardiment que le Singe Gris. [...]

20 Il se méfiait des hommes, parce que Bagheera lui avait montré une boîte carrée, avec une trappe, si habilement dissimulée dans la Jungle qu'il marcha presque dessus, et elle lui avait dit que c'était un piège. Ce qu'il aimait par-dessus tout, c'était s'enfoncer avec Bagheera au chaud cœur noir de 25 la forêt, pour dormir tout le long de la journée, et voir, quand venait la nuit, comment Bagheera s'y prenait pour tuer : de droite, de gauche, au caprice de sa faim, et de même faisait Mowgli – à une exception près. Aussitôt l'enfant en âge de comprendre, Bagheera lui dit qu'il ne devait jamais toucher au 30 bétail, parce qu'il avait été racheté, dans le Conseil du Clan[4], au prix de la vie d'un taureau.

La Jungle t'appartient, dit Bagheera, et tu peux y tuer tout ce que tu es assez fort pour atteindre ; mais, en souvenir du taureau qui t'a racheté, tu ne dois jamais tuer ou manger du 35 bétail jeune ou vieux. C'est la Loi de la Jungle.

R. KIPLING, *Le Livre de la jungle* [1884], traduction de L. Fabulet et R. d'Humières, © Le Sorbier, 2009.

1. cri.
2. prennent.
3. l'ours, ami de Mowgli.
4. Mowgli a été élevé par le Clan de Loups et capturé par Shere Khan, l'ennemi du Clan. Bagheera sauve Mowgli en l'échangeant contre un taureau.

Illustration de G. PACHECO, *Le Livre de la jungle*, 2013.

1. a. Qui est Mowgli : un être humain ou un animal ? b. Qui fait son éducation ? c. De quelles manières ? Expliquez.
2. Qu'est-ce que la jungle ? Qu'est-ce qui caractérise la vie dans la jungle ?
3. Quel est le rapport de Mowgli avec les hommes ?
4. Comparez les présentations de la vie dans la réserve, p. 89, et dans la jungle. Donnent-elles une impression de sauvagerie ? Échangez et justifiez vos points de vue.

Activité 2

Lire avec expressivité

▶ Socle *Lire avec fluidité*

1. Entraînez-vous à lire avec fluidité et expressivité le passage en bleu dans le texte de Kipling, p. 90 :
a. faites ressortir le rythme des phrases : la répétition de « chaque » et de « lorsqu'il », la succession des verbes d'action ;
b. marquez une légère pause après le trait oblique, une pause plus importante après le double trait ;
c. prononcez plus doucement le passage entre parenthèses.
2. Choisissez un passage d'un autre texte de l'atelier qui vous a plu et entraînez-vous à le lire avec fluidité et expressivité.

Atelier oral et lecture

La mer

Nuit interminable en mer

Aux îles Scilly, au large de l'Angleterre, Gracie et Daniel sont partis pêcher en cachette pour aider leurs familles dans le besoin.

Michael Morpurgo
(né en 1943)

Cet écrivain anglais, qui a commencé à écrire pour ses élèves, a publié une quarantaine de romans pour la jeunesse.

Le courant avait dû nous dévier de notre route ; nous nous trouvions sûrement quelque part entre Samson et Bryher, puisque l'on entendait encore dans le lointain Scilly Rock[1], mais Daniel n'en était plus très sûr. Nous continuâmes à ramer jusqu'à ce que nos bras n'en puissent plus, mais pas la moindre terre ne se profilait à travers le brouillard. Au bout d'une demi-heure, nous dûmes reconnaître que nous étions bel et bien perdus. Nous nous laissâmes dériver, tendant l'oreille pour guetter le bruit du ressac contre des rochers ou tout ce qui aurait pu nous indiquer où nous nous trouvions. Mais on aurait dit que le brouillard estompait les bruits comme il nous cachait les îles que nous savions proches. Même les sifflements de quelques ramasseurs d'huîtres invisibles étaient assourdis et, lorsque la nuit tomba, on ne les entendit plus du tout.

Étrangement, l'obscurité nous procura une sorte de réconfort car elle nous était familière. Même Daniel qui n'aimait pas trop le noir sembla soulagé de voir la nuit tomber. Nous cherchions à présent à percer les ténèbres, dans l'espoir d'entrevoir sur la côte une lumière capable de nous guider. Nous étions blottis l'un contre l'autre, silencieux, enveloppés dans la voile humide, scrutant inlassablement la nuit impénétrable, l'oreille aux aguets, écoutant le clapotis des vagues contre la coque ou leur sourd fracas contre les falaises.

M. MORPURGO, *Le Jour des baleines* [1985], © 1985 Michael Morpurgo. Published by Egmont UK Ltd and used with permission, traduction de A. Krief, © Éditions Gallimard Jeunesse, 1997.

1. les bruits sur l'île de Scilly Rock.

1. Qui sont les personnages ? Quelle aventure leur arrive-t-il ? Quels sont leurs sentiments ? Comment ces sentiments s'expliquent-ils d'après le texte ?
2. Quel rôle l'ouïe joue-t-elle dans cette scène ? Pourquoi ?

R. H. LEVER, *Le Port de pêche de Nantucket*, huile sur toile, 1936.

Face à la pleine mer

J. M. G. Le Clézio
(né en 1940)

Cet écrivain français et mauricien a toujours été fasciné par les voyages et la préservation de la planète.

La scène se situe au nord-est des États-Unis sur l'île de Nantucket, dans l'océan Atlantique.

Je me souviens, quand j'avais dix ans, avec les garçons de Nantucket, nous avons emprunté la barque du vieux John Nattick et nous avons navigué à travers la lagune, jusqu'au bout, jusqu'au village de Wauwinet, là où la bande de terre 5 est si mince qu'on entend l'océan gronder sur les brisants, de l'autre côté. Nous avons abordé sur la plage et nous avons couru à travers les dunes jusqu'à ce que nous soyons face à la pleine mer. C'était la fin de l'après-midi, au mois de juin, je m'en souviens très bien, nous avons guetté l'horizon, pour 10 voir revenir les navires des chasseurs. Le ciel était vide et la mer avançait avec ses vagues bordées d'écume qui couraient obliquement vers nous. Nous avons attendu longtemps, jusqu'au crépuscule, les yeux brûlés par le vent de la mer. Puis nous sommes rentrés à Nantucket, où nous attendaient les coups 15 de fouet. Il me semble aujourd'hui qu'à peine un battement de cœur me sépare de cet instant, quand sur la plage j'essayais en vain d'apercevoir un navire, portant accroché à son flanc une proie, entouré de son nuage d'oiseaux.

Après, nous sommes allés souvent voir le vieux Nattick sur 20 le port. Il nous parlait du temps où les Indiens étaient seuls sur l'île, et chassaient les baleines debout à la proue des canots, le harpon à la main. En ce temps-là, les baleines croisaient dans le canal entre Nantucket et le cap Cod, elles étaient si nombreuses qu'elles formaient comme une ombre noire sur la mer, avec les 25 jets de vapeur qui jaillissaient au-dessus d'elles.

J. M. G. LE CLÉZIO, *Pawana*, © Éditions Gallimard, 1992.

1. Qu'attendaient les enfants ? Quel sentiment le narrateur éprouvait-il alors ?
2. Qu'apprend-on sur les baleines dans ce texte ?

Chasse à la baleine

Herman Melville
(1819-1891)

Très jeune, cet écrivain américain embarque comme matelot sur un baleinier. *Moby Dick* est un roman mondialement connu.

– Eh bien, messieurs, Moby Dick est une baleine blanche, célèbre sur toute la surface des océans, une baleine jusqu'ici invincible et qui semble bien « immortelle »... mais ce serait là une trop longue histoire. Sachez seulement qu'en 5 quelques secondes tout l'équipage du *Town-Ho* fut sur les dents. La voie d'eau[1] ? Personne n'y pensait plus. En moins de temps qu'il n'en faut pour le dire, les baleinières furent mises à la mer. Steelkilt était ce qu'on appelle « l'homme de l'avant » du second[2]. Son rôle était de tenir et de manœuvrer la ligne 10 au bout de laquelle était fixé le harpon. Par quel miracle le harponneur de Radney fut-il le premier à lancer son arme ? Toujours est-il que la baleine, solidement accrochée, se mit à fuir à une vitesse indescriptible. Puis, brusquement, elle s'arrêta. L'embarcation heurta le dos du monstre. Radney se tenait 15 à la proue, lance en main, pour achever, comme il convient, le travail commencé par le harponneur. Déséquilibré par le choc, il tomba en avant. Sur quoi ? Je vous le donne en mille. Sur le dos de la baleine ! Affolé, il sauta dans l'eau et tenta de s'éloigner à la nage. Mais, soulevant un nuage d'écume, 20 Moby Dick se retourna, saisit le nageur dans sa gueule formidable et se remit à fuir à une allure encore plus rapide.

1. trou dans la coque par lequel l'eau pénètre dans un bateau.
2. assistant du capitaine.

Gravure, XIXe siècle.

« Que fit Steelkilt ? Que pouvait-il faire ? Sa vie et celle de ses compagnons étaient en jeu. Sans réfléchir, car il ne songeait plus à sa vengeance, il tira son couteau et trancha la ligne qu'il tenait dans sa main. Libérée, la baleine, emportant Radney, repartit avec la promptitude de l'éclair et disparut bientôt à l'horizon. »

H. MELVILLE, *Moby Dick* [1851], texte abrégé, traduction de J. Muray, © Le Livre de Poche Jeunesse, 2014.

1. Qui est Moby Dick ?
2. Résumez cette scène.
3. Comparez les rapports des hommes avec le monde marin dans les trois textes des pages 92 à 94.

Activité 3

Exprimer un point de vue

▶ Socle *Parler en prenant en compte son auditoire*

1. En vous appuyant sur les textes que vous avez lus :
   – listez les lieux où les personnages évoluent ;
   – expliquez en quoi ces lieux sont sauvages ;
   – expliquez la place de l'homme dans ces lieux.
2. Lequel des livres dont vous avez lu les extraits avez-vous envie de lire ? Pourquoi ? Expliquez ce qui motive votre choix : lieu, personnages, écriture du texte…

Activité 4

Présenter une lecture personnelle

▶ Socle *Parler en prenant en compte son auditoire*

Après la lecture d'un des romans de l'atelier ou d'un autre roman d'aventures choisi au CDI, présentez-le à vos camarades en suivant la méthode indiquée p. 44 dans Le cercle des lecteurs.

Activité 5

Rechercher et présenter une affiche de cinéma

▶ Socle *Parler en prenant en compte son auditoire*

1. Cherchez sur Internet des affiches de films correspondant à : *L'Appel de la forêt, Le Lion, Le Livre de la jungle, Moby Dick.*
2. Choisissez une affiche et décrivez-la : ce qui figure sur la photographie ou le dessin, les couleurs, la taille des éléments...
3. Donnez votre avis sur l'affiche en le justifiant.

Activité 6 — INTERDISCIPLINARITÉ — SCIENCES ET TECHNOLOGIE–GÉOGRAPHIE

Exposer une recherche documentaire

▶ Socle *Parler en prenant en compte son auditoire*

Choisissez un des lieux ou un des animaux sauvages rencontrés dans l'atelier. Faites des recherches au CDI ou sur Internet à son sujet et présentez-le à la classe.

CONSEILS

- Ouvrez un moteur de recherche.
- Sélectionnez l'onglet « Images ».
- Tapez le titre de l'œuvre suivi du mot « film ».

Récits d'aventures

Robinson, un aventurier hors du commun

Quels défis Robinson relève-t-il ?

Lire, comprendre, interpréter

À partir de ces images, imaginez ce qui a pu arriver à Robinson.

Lire comprendre interpréter

Je m'interroge et je m'informe sur...

UTILISABLE EN AP

▶ Socle *Comprendre des textes, des documents et des images et les interpréter*

Le mythe de Robinson Crusoé

Du roman de Daniel Defoe à celui de Michel Tournier

La clé des mots

On nomme **mythe** une histoire qui fait réfléchir sur l'être humain, racontée au fil des siècles par différents auteurs et artistes qui la remanient, chacun à sa façon.

1 D'après les encadrés de la carte, expliquez :
a. quels événements de l'actualité ont inspiré Daniel Defoe ;
b. quelles modifications il a apportées dans son roman ;
c. ce que Michel Tournier a emprunté à l'aventure d'Alexandre Selkirk et au roman de Daniel Defoe.

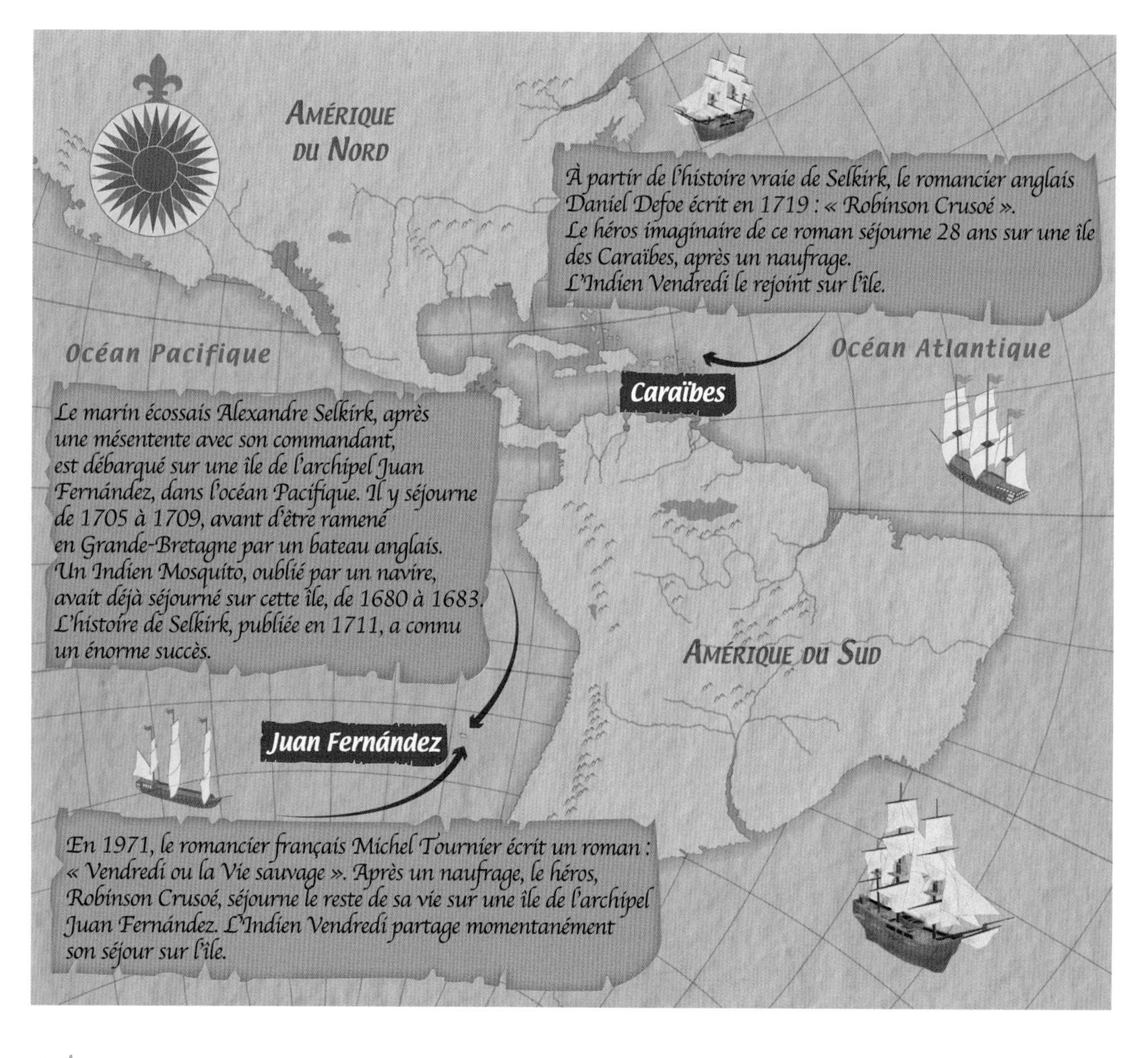

L'influence de Robinson sur de jeunes lecteurs

Voici deux extraits de romans dans lesquels les narrateurs font référence à Robinson.

(1) Couverture pour une édition de 1895.

(2) Couverture pour une édition des années 1880.

Extrait 1

Il est nuit.
Je m'en aperçois tout d'un coup. Combien y a-t-il de temps que je suis dans ce livre ? [...]
J'ai le cou brisé, la nuque qui me fait mal, la poitrine creuse :
5 je suis resté penché sur les chapitres sans lever la tête, sans entendre rien, dévoré par la curiosité, collé aux flancs de Robinson, pris d'une émotion immense, remué jusqu'au fond de la cervelle et jusqu'au fond du cœur ; et en ce moment où la lune montre là-bas un bout de corne, je fais passer dans le
10 ciel tous les oiseaux de l'île, et je vois se profiler la tête longue d'un peuplier comme le mât du navire de Crusoé ! Je peuple l'espace vide de mes pensées, tout comme il peuplait l'horizon de ses craintes ; debout contre cette fenêtre, je rêve à l'éternelle solitude et je me demande où je ferai pousser du pain...
15 La faim me vient : j'ai très faim.
Vais-je être réduit à manger ces rats que j'entends dans la cale de l'étude[1] ? Comment faire du feu ? J'ai soif aussi. Pas de bananes ! Ah ! lui, il avait des limons[2] frais ! Justement j'adore la limonade ! Clic, clac ! on farfouille dans la serrure.
20 Est-ce Vendredi ? Sont-ce des sauvages ?

J. VALLÈS, *L'Enfant*, 1879.

1. la salle de permanence où le narrateur, puni, a été enfermé.
2. citrons.

Extrait 2

Rouget était tout à tour mon fidèle Vendredi, une tribu de sauvages, un équipage révolté, tout ce qu'on voulait. Moi-même, en ce temps-là, je ne m'appelais pas Daniel
5 Eyssette : j'étais cet homme singulier, vêtu de peaux de bêtes, dont on venait de me donner les aventures, master Crusoé lui-même. Douce folie ! Le soir, après souper, je relisais mon Robinson, je l'apprenais par
10 cœur ; le jour, je le jouais, je le jouais avec rage, et tout ce qui m'entourait, je l'enrôlais dans ma comédie. La fabrique n'était plus la fabrique ; c'était mon île déserte, oh ! bien déserte. Les bassins jouaient le
15 rôle d'Océan. Le jardin faisait une forêt vierge. Il y avait dans les platanes un tas de cigales qui étaient de la pièce et qui ne le savaient pas.

A. DAUDET, *Le Petit Chose*, 1868.

▶ **Socle** *Comprendre et interpréter des textes littéraires*

2 Quelles émotions l'enfant du roman de J. Vallès éprouve-t-il à la lecture du roman de D. Defoe ? Expliquez.

3 Dans l'extrait 2, de quelles manières le jeune Daniel manifeste-t-il sa passion pour Robinson Crusoé ? Expliquez.

4 Ce genre d'expérience de lecteur ou de spectateur vous est-il déjà arrivé ? Expliquez.

5 D'après l'ensemble des documents de cette double page, dites en quoi l'histoire de Robinson peut-elle être qualifiée de mythe.

▶ **Socle** *Écouter pour comprendre un texte lu*

6 Pour entrer dans le roman, écoutez le début du récit lu par votre professeur ou par un comédien.

La souille, une expérience dangereuse

Michel TOURNIER (1924-2016)

Cet auteur français a écrit des romans, des contes et nouvelles pour les jeunes et les adultes.

Robinson, seul rescapé d'un naufrage, échoue sur une île déserte. Pour tenter de fuir, il entreprend de construire un bateau, L'Évasion, *mais sa tentative est un échec.*

Pendant les heures les plus chaudes de l'été, les sangliers et leurs cousins d'Amérique du Sud, les pécaris, ont l'habitude de s'enfouir le corps dans certains marécages de la forêt. Ils battent l'eau du marécage avec leurs pattes jusqu'à ce qu'elle forme une sorte de boue très liquide, puis ils s'y enfoncent en ne laissant passer que leur tête, et se trouvent ainsi à l'abri de la chaleur et des moustiques.

Découragé par l'échec de *L'Évasion*[1], Robinson avait eu l'occasion de suivre un jour un troupeau de pécaris qu'il avait vus s'enfouir ainsi dans leur souille. Il était si triste et si fatigué qu'il avait eu envie de faire comme ces animaux. Il avait enlevé ses vêtements et s'était laissé glisser dans la boue fraîche, en ne laissant passer à la surface que son nez, ses yeux et sa bouche. Il passait des journées entières, couché ainsi au milieu des lentilles d'eau[2], des nénuphars et des œufs de grenouilles. Les gaz qui se dégageaient de l'eau croupie[3] lui troublaient l'esprit. Parfois il se croyait encore dans sa famille à York, il entendait les voix de sa femme et de ses enfants. Ou bien il s'imaginait être un petit bébé dans un berceau, et il prenait les arbres que le vent agitait au-dessus de sa tête pour des grandes personnes penchées sur lui.

Quand il s'arrachait le soir à la boue tiède, la tête lui tournait. Il ne pouvait plus marcher qu'à quatre pattes, et il mangeait n'importe quoi le nez au sol, comme un cochon. Il ne se lavait jamais, et une croûte de terre et de crasse séchées le couvrait des pieds à la tête.

La clé des mots

- Le verbe souiller signifie-t-il « tacher » ou « nettoyer » ?
- Qu'est-ce qu'une « souillon » ? une « souillure » ?

Illustration de T. PRUGNE, 2016.

Un jour qu'il broutait une touffe de cresson dans une mare, il crut entendre de la musique. C'était comme une symphonie du ciel, des voix d'anges accompagnées par des accords de 30 harpe. Robinson pensa qu'il était mort et qu'il entendait la musique du paradis. Mais en levant les yeux, il vit pointer une voile blanche à l'est de l'horizon. Il se précipita jusqu'au chantier de *L'Évasion* où traînaient ses outils et où il retrouva son briquet. Puis il courut vers l'eucalyptus[4] creux, enflamma 35 un fagot de branches sèches, et le poussa dans la gueule qu'ouvrait le tronc au ras du sol. Un torrent de fumée âcre[5] en sortit aussitôt, mais le feu parut tarder à prendre.

D'ailleurs à quoi bon ? Le navire se dirigeait droit sur l'île. Bientôt il allait jeter l'ancre à proximité de la plage, et une 40 chaloupe allait s'en détacher. Avec des rires de fou, Robinson courait en tous sens à la recherche d'un pantalon et d'une chemise qu'il finit par trouver sous la coque de *L'Évasion*. Puis il courut vers la plage, tout en se griffant le visage pour démêler la barbe et les cheveux qui lui faisaient un masque 45 de bête. Le navire était tout près maintenant, et Robinson le voyait distinctement incliner gracieusement toute sa voilure vers les vagues crêtées d'écume.

À suivre...

1. nom de l'embarcation construite par Robinson, qu'il n'a pas pu mettre à la mer.
2. plantes aquatiques.
3. corrompue, stagnante.
4. grand arbre au feuillage très odorant.
5. piquante.

Lecture

▶ Socle *Comprendre un texte littéraire et l'interpréter*

1 a. En vous aidant des lignes 1 à 21 et de l'image, décrivez avec vos propres mots ce qu'est une « souille ». b. Pourquoi Robinson se livre-t-il à l'expérience de la souille ? c. Comment Robinson se comporte-t-il dans la souille ?

2 Quels dangers cette expérience fait-elle courir à Robinson ? Expliquez en citant plusieurs passages du texte.

3 Pensez-vous que Robinson pourra être sauvé par le navire ? Justifiez.

Écriture

▶ Socle *Produire des écrits variés*

Imaginez la suite du texte. Rédigez dix à quinze lignes.

Lire en autonomie

▶ Socle *Être un lecteur autonome*

Cette rubrique vous aidera à lire le roman en entier. Lisez les chapitres 1 à 6.

1. Quelles sont les premières occupations de Robinson sur l'île ?
2. Quel est son projet ? Réussit-il ?
3. Quelles sont ses résolutions à la fin du chapitre 6 ?

Le mode de vie de Robinson

Robinson a compris qu'il devenait fou et que le bateau qu'il avait cru voir arriver n'était qu'une hallucination.

Il tourna le dos à la mer qui lui avait fait tant de mal en le fascinant depuis son arrivée sur l'île, et il se dirigea vers la forêt et le massif rocheux.

Durant les semaines qui suivirent, Robinson explora l'île méthodiquement et tâcha de repérer les sources et les abris naturels, les meilleurs emplacements pour la pêche, les coins à noix de coco, à ananas et à choux palmistes[1]. Il établit son dépôt général dans la grotte qui s'ouvrait dans le massif rocheux du centre de l'île. Il y transporta tout ce qu'il put arracher à l'épave[2] qui avait résisté par chance aux tempêtes des mois précédents. Après avoir entreposé les quarante tonneaux de poudre noire au plus profond de la grotte, il y rangea trois coffres de vêtements, cinq sacs de céréales, deux corbeilles de vaisselle et d'argenterie, plusieurs caisses d'objets hétéroclites – chandeliers, éperons, bijoux, loupes, lunettes, canifs, cartes marines, miroirs, dés à jouer – une malle de matériel de navigation, câbles, poulies, fanaux[3], lignes, flotteurs, etc., enfin un coffret de pièces d'or et de monnaies d'argent et de cuivre. Les livres qu'il trouva dans les cabines de l'épave avaient tellement été lavés par l'eau de mer et la pluie que le texte imprimé en était effacé, mais Robinson pensa qu'en faisant sécher ces pages blanches au soleil, il pourrait les utiliser pour écrire son journal, à condition de trouver un liquide pouvant tenir lieu d'encre.

Ce liquide lui fut fourni par un poisson qui pullulait alors près de la falaise du Levant, le diodon, ou poisson-hérisson. C'est un animal redoutable avec sa mâchoire puissante et les piquants venimeux qui hérissent son corps. En cas de danger, il se gonfle d'air et devient rond comme une boule, et, comme tout cet air est accumulé dans son ventre, il flotte alors sur le dos, sans paraître gêné par cette posture. En remuant avec un bâton l'un de ces poissons échoués sur le sable, Robinson avait remarqué que tout ce qui entrait en contact avec son ventre prenait une couleur rouge tenace et voyante qui pourrait lui tenir lieu d'encre. Il se hâta de tailler une plume de vautour, et il put sans attendre tracer ses premiers mots sur

1. bourgeons comestibles de certains palmiers.
2. restes de *La Virginie* qui a fait naufrage.
3. lanternes de marine.

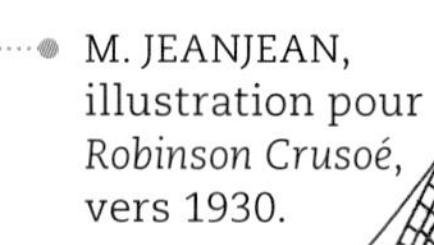

M. JEANJEAN, illustration pour *Robinson Crusoé*, vers 1930.

une feuille de papier. Il décida alors d'écrire chaque jour dans
40 le livre le plus gros les faits principaux qui lui seraient arrivés. Sur la première page du livre, il dressa la carte géographique de l'île et il inscrivit au-dessous le nom qu'il venait de lui donner : Speranza, ce qui veut dire *l'espérance*, car il était décidé à ne plus jamais se laisser aller au désespoir.

45 Parmi les animaux de l'île, les plus utiles seraient à coup sûr les chèvres et les chevreaux qui s'y trouvaient en grand nombre, pourvu qu'il parvienne à les domestiquer. Or si les chevrettes se laissaient assez facilement approcher, elles se défendaient farouchement dès qu'il tentait de les traire. Il construisit donc
50 un enclos en liant horizontalement des perches sur des piquets qu'il habilla ensuite de lianes entrelacées. Il y enferma des chevreaux très jeunes qui y attirèrent leurs mères par leurs cris. Robinson libéra ensuite les petits et attendit plusieurs jours. Alors les pis[4] gonflés de lait commencèrent à faire souffrir les
55 chèvres qui se laissèrent traire avec empressement.

À suivre...

La clé des mots

ÉTYMO
Domestiquer vient du latin *domus*, « la maison ».
- Qu'est-ce qu'un animal domestique ?
- Proposez un antonyme de « domestique ».

4. mamelles.

Lecture

▶ Socle *Comprendre un texte littéraire et l'interpréter*

1. Listez dans l'ordre les différentes activités de Robinson.
2. « Il tourna le dos » : observez les autres verbes dont Robinson est le sujet (l. 1 à 12). Quel comportement de Robinson font-ils apparaître ?
3. a. De quelles qualités Robinson fait-il preuve dans les l. 18 à 55 ? b. Ces activités le rapprochent-elles de la vie civilisée ou de la vie sauvage ? Développez vos réponses.
4. Comment Robinson nomme-t-il son île ? Pourquoi ? Comment la considérait-il à son arrivée ?

Oral

▶ Socle *Participer à des échanges*

Le mode de vie de Robinson sur l'île a-t-il évolué après l'épisode de la souille ? Échangez vos points de vue.

Le trésor des mots

En vous appuyant sur l'énumération des lignes 12 à 18, comment comprenez-vous l'adjectif « hétéroclite » ?

Lire en autonomie

▶ Socle *Être un lecteur autonome* (EMC)

Lisez les chapitres 7 à 13.

1. Résumez en une phrase chacun des six articles de la Charte de l'île.
2. À quels dangers Robinson est-il confronté ?
3. Selon vous, que manque-t-il à la forme de civilisation mise en place par Robinson ?

Écriture

▶ Socle *Produire des écrits variés*

Vous êtes Robinson et vous racontez dans votre journal de bord la découverte des objets dans l'épave de *La Virginie* et leur transport dans l'île. Votre récit sera rédigé à la première personne.

L'arrivée de Vendredi

Robinson assiste de loin, terrifié, à un sacrifice humain exécuté par des Indiens cannibales qui ont fait halte sur l'île. Il sauve un jeune Indien désigné comme future victime par ses compagnons.

M. JEANJEAN, illustration pour *Robinson Crusoé*, vers 1930.

À quelques mètres de là, dans un massif de palmiers nains, l'Indien rescapé inclinait son front jusqu'au sol et cherchait à tâtons de la main le pied de Robinson pour le poser en signe de soumission sur sa nuque. [...]

Robinson s'était longtemps demandé comment il appellerait l'Indien. Il décida finalement de lui donner le nom du jour où il l'avait recueilli. C'est ainsi que le second habitant de l'île s'appela *Vendredi*.

Quelques mois plus tard, Vendredi avait appris assez d'anglais pour comprendre les ordres de son maître. Il savait aussi défricher, labourer, semer, herser, repiquer, sarcler, faucher, moissonner, battre, moudre, pétrir et cuire le pain. Il savait traire les vaches, faire du fromage, ramasser les œufs de tortue, en faire une omelette, raccommoder les vêtements de Robinson et cirer ses bottes. C'était devenu un serviteur modèle. Le soir, il endossait une livrée de laquais[1] et assurait le service du dîner du gouverneur. Puis il bassinait[2] son lit avec une boîte en fer remplie de braises[3]. Enfin il allait s'étendre sur une litière qu'il tirait contre la porte de la maison et qu'il partageait avec Tenn[4].

Robinson, lui, était content parce qu'il avait enfin quelqu'un à faire travailler, et à qui il pouvait tout enseigner de la civilisation. Vendredi savait maintenant que tout ce que son maître lui ordonnait était bien, que tout ce qu'il lui défendait était mal. Il est mal de manger plus que la portion prévue par Robinson. Il est mal de fumer la pipe, de se promener tout nu et de se cacher pour dormir quand il y a du travail. Vendredi avait appris à être soldat quand son maître était général, enfant de chœur quand il priait, maçon quand il construisait, porteur quand il voyageait, rabatteur[5] quand il chassait, et à balancer le chasse-mouches au-dessus de sa tête quand il dormait.

Robinson avait une autre raison d'être content. Il savait maintenant que faire de l'or et des pièces de monnaie qu'il avait sauvées

1. enfilait une tenue de domestique.
2. chauffait.
3. petits morceaux de bois brûlant.
4. chien de Robinson.
5. personne qui fait courir le gibier vers le chasseur.

de l'épave de *La Virginie*. Il payait Vendredi. Un demi-souverain d'or par mois. Avec cet argent, Vendredi achetait de la nourriture
40 en supplément, des petits objets d'usage courant venant aussi de *La Virginie*, ou tout simplement une demi-journée de repos – la journée entière ne pouvant être achetée. Il s'était fait un hamac entre deux arbres où il passait tout son temps libre.

Le dimanche était naturellement le plus beau jour de la
45 semaine. Le matin, le gouverneur se faisait apporter par son serviteur une sorte de canne qui ressemblait à la fois au sceptre[6] d'un roi et à la crosse[7] d'un évêque, et abrité sous une ombrelle en peau de chèvre que Vendredi portait derrière lui, il marchait respectueusement dans toute l'île, inspectant
50 ses champs, ses rizières et ses vergers, ses troupeaux et ses constructions en cours.

À suivre…

La clé des mots

Gouverneur : personne placée à la tête d'un territoire.
• Donnez trois mots de la même famille.

6. et 7. bâtons, insignes de pouvoir.

Le trésor des mots

Voici une liste de verbes :
défricher – herser – repiquer – sarcler – faucher – moissonner – pétrir

a. Lesquels désignent des étapes de la culture du blé ?

b. Lequel concerne la préparation du pain ?

Oral

▶ Socle *Lire avec fluidité - Participer à des échanges*

1. a. Lisez à haute voix les lignes 13 à 19. Quel est l'effet produit ? b. Qu'apprend-on ainsi sur le personnage de Vendredi ?

2. Pourquoi Robinson est-il « content » de l'arrivée de Vendredi ? Échangez vos points de vue.

Écriture

▶ Socle *Produire des écrits variés*

À la manière de M. Tournier, récrivez la phrase qui commence par « Vendredi avait appris… » (l. 11-13) en imaginant d'autres situations qui évoquent le même rapport de force entre les personnages.

Lecture

▶ Socle *Comprendre un texte littéraire et l'interpréter*

1. a. Quelle est l'attitude de l'Indien dans le premier paragraphe ? b. Quel nom Robinson donne-t-il à l'Indien ? Pourquoi ?

2. L. 11 à 35 : quelles relations Robinson et Vendredi entretiennent-ils ? Expliquez.

3. L. 36 à 51 : a. Qui est le « gouverneur » ? b. Comment ce personnage se comporte-t-il ? Justifiez avec des mots du texte.

4. Selon vous, Vendredi peut-il être considéré comme l'esclave de Robinson ? Expliquez.

Lire en autonomie

▶ Socle *Être un lecteur autonome*

Lisez les chapitres 14 à 19.

1. Vendredi est-il utile à Robinson ? Expliquez.
2. Que fait Vendredi avec la tortue ? avec le vautour ?
3. Que se passe-t-il quand Robinson se retire dans la grotte ?
4. Robinson et Vendredi sont-ils heureux ? Justifiez.
5. Quel événement se produit au chapitre 19 ?

Après l'explosion, une nouvelle vie

Par accident, Vendredi a mis le feu à la poudre que Robinson avait entreposée dans la grotte. Il a ainsi provoqué une immense explosion.

Ainsi toute l'œuvre qu'il [Robinson] avait accomplie sur l'île, ses cultures, ses élevages, ses constructions, toutes les provisions qu'il avait accumulées dans la grotte, tout cela était perdu par la faute de Vendredi. Et pourtant, il ne 5 lui en voulait pas. La vérité, c'est qu'il en avait assez depuis longtemps de cette organisation ennuyeuse et tracassière, mais qu'il n'avait pas le courage de la détruire. Maintenant, ils étaient libres tous les deux. Robinson se demandait avec curiosité ce qui allait se passer, et il comprenait que ce serait 10 désormais Vendredi qui mènerait le jeu. [...]

Vendredi commença leur nouvelle vie par une longue période de siestes. Il passait des journées entières dans le hamac de lianes tressées qu'il avait tendu entre deux palmiers au bord de la mer. Il bougeait si peu que les oiseaux venaient se poser 15 dans les arbres tout près de lui. Alors il tirait sur eux avec sa sarbacane[1], et, le soir, il faisait rôtir avec Robinson le produit de cette sorte de chasse, certainement la méthode la plus paresseuse qui existât.

De son côté, Robinson avait commencé à se transformer 20 complètement. Avant il portait des cheveux très courts, presque ras, et tout au contraire une grande barbe qui lui donnait un air de grand-père. Il coupa sa barbe – qui avait été d'ailleurs assez abîmée par l'explosion – et il laissa pousser ses cheveux qui formèrent des boucles dorées sur toute sa tête. 25 Du coup, il paraissait beaucoup plus jeune, presque le frère de Vendredi. Il n'avait plus du tout la tête d'un gouverneur et encore moins d'un général.

Son corps aussi s'était transformé. Il avait toujours craint les coups de soleil, d'autant plus qu'il était roux. 30 Quand il devait rester au soleil, il se couvrait des pieds à la tête, mettait un chapeau et n'oubliait pas de surcroît sa grande ombrelle en peau de chèvre. Aussi il avait une peau blanche et fragile comme celle d'une poule plumée.

1. tube pour lancer de petits projectiles en soufflant.

La clé des mots

• L'expression mener le jeu est-elle employée au sens propre ou figuré ?

Illustration pour *Robinson Crusoé*, XIXe siècle.

35 Encouragé par Vendredi, il commença à s'exposer nu au soleil. D'abord il avait été tout recroquevillé, laid et honteux. Puis il s'était épanoui. Sa peau avait durci et avait une teinte cuivrée. Il était fier maintenant de sa poitrine bombée et de ses muscles saillants. 40 Il s'exerçait avec Vendredi à toutes sortes de jeux. Ils faisaient la course sur le sable, ils se défiaient à la nage, au saut en hauteur, au lancer des bolas[2]. Robinson avait appris également à marcher sur les mains, comme son compagnon. Il faisait « les pieds 45 au mur » contre un rocher, puis il se détachait de ce point d'appui et partait lourdement, encouragé par les applaudissements de Vendredi.

Mais surtout il regardait faire Vendredi, il l'observait, et il apprenait grâce à lui comment 50 on doit vivre sur une île déserte du Pacifique.

À suivre...

2. boules réunies par des liens pour capturer les animaux.

Illustration pour *Robinson Crusoé*, XIXe siècle.

Lecture

▶ Socle *Comprendre un texte littéraire et l'interpréter*

1. a. Qu'a fait disparaître l'explosion ? b. Quelle est la réaction de Robinson ? Pourquoi ?
2. L. 11 à 18 : en quoi consiste « leur nouvelle vie » ?
3. Qu'est-ce qui caractérise la transformation de Robinson ?
4. a. Quel est le nouveau rôle de Vendredi ? Expliquez. b. Quel lien faites-vous entre ce passage et le titre du roman ?

Oral

▶ Socle *Parler en prenant en compte son auditoire - Écouter pour comprendre un propos* EMC

Quelle leçon de vie l'auteur transmet-il dans la dernière phrase ? Développez votre point de vue qui sera ensuite discuté par la classe.

Écriture

▶ Socle *Produire des écrits variés*

« Vendredi passait de longues heures à confectionner des arcs et des flèches. »
Poursuivez ce récit en imaginant quelques activités adaptées à la vie sur cette île déserte du Pacifique.

Lire en autonomie

▶ Socle *Être un lecteur autonome*

Lisez les chapitres 20 à 34 et répondez aux questions suivantes.

1. Quels jeux Vendredi invente-t-il ? Dans quel but ?
2. Quelles formes de poésie Vendredi fait-il découvrir à Robinson ?
3. Quels animaux jouent un rôle dans ces chapitres ? Quels sont ces rôles ?
4. Quel élément provoque la fin du roman ? Quelle est la décision de Robinson ?

Le dénouement ou le sens du roman

Un voilier anglais, le Whitebird, a jeté l'ancre au large de l'île. Robinson et Vendredi y ont été reçus plusieurs fois mais Robinson a refusé l'offre de retourner en Angleterre.

Alors Robinson commença à battre toute l'île en appelant Vendredi. Il courut d'une plage à l'autre, des falaises aux dunes, de la forêt aux marécages, du chaos rocheux aux prairies, de plus en plus désespéré, trébuchant et criant, de plus 5 en plus convaincu que Vendredi l'avait trahi et abandonné. Mais pourquoi, pourquoi ?

Alors il se souvint de l'admiration de Vendredi pour le beau bateau blanc, et comme il se balançait heureusement en riant d'une vergue à l'autre au-dessus des flots. C'était cela : 10 Vendredi avait été séduit par ce nouveau jouet, plus magnifique que tous ceux qu'il avait construits lui-même dans l'île.

Pauvre Vendredi ! Car Robinson se souvenait aussi des horribles détails que Joseph, le second, lui avait donné sur la traite des Noirs qui se pratiquait entre l'Afrique et les plantations 15 de coton d'Amérique. Sans doute le naïf Indien était-il déjà au fond de la cale du *Whitebird*, dans les fers des esclaves... [...]

Une pierre roula. Robinson recula. Un corps obstrua la fente et s'en libéra par quelques contorsions. Et voici qu'un enfant se tenait devant Robinson, le bras droit replié sur son front 20 pour se protéger de la lumière ou en prévision d'une gifle. Robinson était abasourdi.

– Qui es-tu ? Qu'est-ce que tu fais là ? lui demanda-t-il.

– Je suis le mousse du *Whitebird*, répondit l'enfant. Je voulais m'enfuir de ce bateau où j'étais malheureux. Hier, pendant 25 que je servais à table du commandant, vous m'avez regardé avec bonté. Ensuite j'ai entendu que vous ne partiez pas. J'ai décidé de me cacher dans l'île et de rester avec vous.

– Et Vendredi ? As-tu vu Vendredi ? insista Robinson.

– Justement ! Cette nuit, je m'étais glissé sur le pont et j'allais 30 me mettre à l'eau pour essayer de nager jusqu'à la plage, quand j'ai vu un homme aborder en pirogue. C'était votre serviteur métis[1]. Il est monté à bord avec une petite chèvre blanche. Il est entré chez le second qui paraissait l'attendre. J'ai compris qu'il resterait sur le bateau. Alors j'ai nagé jusqu'à la pirogue 35 et je me suis hissé dedans. Et j'ai pagayé jusqu'à la plage.

La clé des mots

La traite des Noirs : nom donné au commerce des esclaves.
• D'après le texte, dites où ces hommes étaient achetés et vendus, et dans quelles conditions on les transportait.

1. issu de deux personnes d'origines ethniques différentes.

Illustration de V. DUTRAIT, 2005.

– C'est pour cela que les deux bateaux[2] sont là ! s'exclama Robinson.

– Je me suis caché dans les rochers, poursuivait le mousse. Maintenant le *Whitebird* est parti sans moi, et je vivrai avec
40 vous !

– Viens avec moi, lui dit Robinson.

Il prit le mousse par la main, et, contournant les blocs, il commença à gravir la pente menant au sommet du piton rocheux qui dominait le chaos. Il s'arrêta à mi-chemin et regarda
45 son nouvel ami. Un pâle sourire éclaira le visage maigre, semé de taches de rousseur. Il ouvrit la main et regarda la main qui y était blottie. Elle était mince, faible, mais labourée par les travaux grossiers du bord. [...]

Robinson sentait la vie et la joie qui entraient en lui et le
50 regonflaient. Vendredi lui avait enseigné la vie sauvage, puis il était parti. Il avait maintenant ce petit frère dont les cheveux – aussi rouges que les siens – commençaient à flamboyer au soleil. Ils inventeraient de nouveaux jeux, de nouvelles aventures, de nouvelles victoires. Une vie toute neuve allait
55 commencer, aussi belle que l'île qui s'éveillait dans la brume à leurs pieds.

2. la pirogue de Vendredi et une barque offerte à Robinson par le commandant du *Whitebird*.

Illustration de T. PRUGNE, 2016.

– Comment t'appelles-tu ? demanda Robinson au mousse.

– Je m'appelle Jean Neljapaev. Je suis né
60 en Estonie, ajouta-t-il comme pour excuser son nom difficile.

– Désormais, lui dit Robinson, tu t'appelleras *Dimanche*. C'est le jour des fêtes, des rires et des jeux. Et pour moi tu seras
65 pour toujours l'enfant du dimanche.

M. TOURNIER, *Vendredi ou la Vie sauvage*,

Le trésor des mots

Quel est le sens de ces mots quand ils sont employés à propos d'un navire ?
la cale – le mousse – le second – la vergue

Lecture

▶ Socle *Comprendre un texte littéraire et l'interpréter*

1. Quel choix Vendredi a-t-il fait ? Quel risque encourt-il ?
2. Quels sentiments Robinson éprouve-t-il ? Pour quelles raisons ?
3. Qu'apprend-on sur le nouveau personnage ? Relevez un nom qui caractérise le lien qui va se tisser entre lui et Robinson.
4. Comment définiriez-vous la « vie toute neuve » qui s'offre à Robinson ? Expliquez.

Oral

▶ Socle *Participer à des échanges dans des situations diversifiées* EMC

1. Selon vous, Robinson jouera-t-il le même rôle avec Dimanche qu'avec Vendredi ? Justifiez.
2. Que pensez-vous de la décision de Vendredi ?
3. Comment comprenez-vous le titre choisi par M. Tournier pour sa réécriture du mythe ?

Écriture

▶ Socle *Produire des écrits variés* EMC

Si vous aviez été à la place de Robinson, auriez-vous choisi de rester sur l'île ou de partir ? Développez votre réponse en un bref paragraphe.

Lire en autonomie

▶ Socle *Être un lecteur autonome*

Lisez le chapitre 35.

1. Quelle est la tentation de Robinson sous l'effet du chagrin ?
2. Pour vérifier que vous avez bien compris le sens du roman, complétez les phrases suivantes par les noms de personnages qui conviennent.
   a. … met en place la civilisation sur l'île.
   b. … civilise … .
   c. … fait exploser la civilisation de … .
   d. … initie … à la vie sauvage.
   e. … rejoint la civilisation.

Lire comprendre interpréter

Je lis et j'échange sur des œuvres complètes

▶ Socle *Être un lecteur autonome - Produire des écrits variés*

Le cercle des lecteurs

Robinsonnades

Le personnage de Robinson a un succès tel qu'il a donné son nom à un type de récits d'aventures, où un personnage se retrouve isolé dans un monde sauvage dans lequel il doit survivre.

*Deux ans de vacances***
J. VERNE
© Le Livre de Poche Jeunesse, 2003.
Quinze jeunes garçons font naufrage sur une île déserte du Pacifique…

*Le Diable dans l'île***
CH. DE MONTELLA
© Flammarion, Castor Poche, 2000.
Deux frères entrent en rivalité lors d'une expédition sur une île proche du continent austral…

*Le Royaume de Kensuké**
M. MORPURGO
© Éditions Gallimard, Folio Junior, 2007.
Un jeune garçon échoué sur une île déserte au milieu du Pacifique découvre qu'il n'est pas seul…

*Le Robinson du métro**
F. HOLMAN
© Casterman Poche, 2010.
Le jeune Slake vit seul dans le métro new-yorkais pendant cent vingt et un jours…

Ma carte de l'île

Ma création

- Imaginez et réalisez une carte qui, pour vous, évoque l'île ou son équivalent dans le roman.
- Placez-y quelques lieux, personnages et faits marquants.
- Choisissez de brefs passages du roman correspondant aux éléments de votre carte.

À l'oral

- Pour présenter votre carte à la classe, vous lirez les passages retenus de façon expressive et expliquerez pourquoi ils vous ont paru importants.
Veillez à ne pas révéler la fin du roman.

Je pratique l'oral

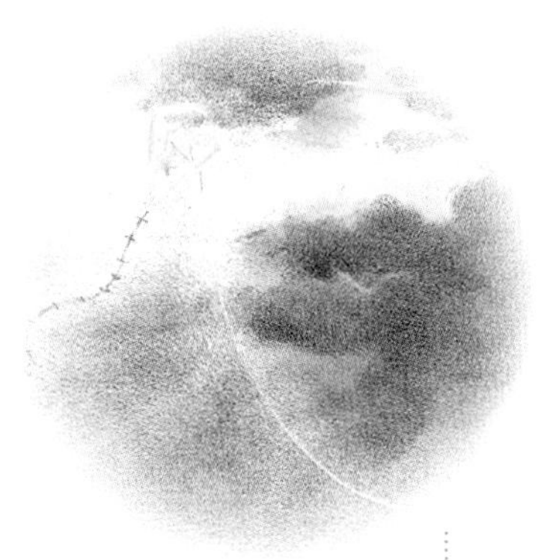

Gravure 1875.

Mettre en voix un passage du roman

UTILISABLE EN AP

▶ Socle *Lire avec fluidité - Adopter une attitude critique par rapport au langage produit*

Andoar-volant et Andoar-chantant

Une tourmente s'était levée, et on voyait dans le ciel livide la lune glisser rapidement comme un disque entre les nuages déchirés. Vendredi entraîna Robinson vers le cyprès. Bien avant d'arriver en vue de l'arbre, Robinson crut entendre un concert céleste où se mêlaient des flûtes et des violons. Le vent redoublait de violence quand les deux compagnons parvinrent au pied de l'arbre-chantant. Attaché court à sa plus haute branche, le cerf-volant vibrait comme une peau de tambour, tantôt immobile et frémissant, tantôt emporté dans de furieuses embardées. Sous la lumière changeante de la lune, les deux ailes de vautour s'ouvraient et se fermaient au gré des bourrasques. Ainsi Andoar-volant et Andoar-chantant semblaient réunis dans la même sombre fête. Et il y avait surtout cette musique grave et belle, si déchirante qu'on aurait dit la plainte du grand bouc, mort en sauvant Vendredi.

Serrés tous trois sous un rocher, Robinson, Vendredi et la chevrette Anda regardaient de tous leurs yeux ce spectacle terrible, et ils écoutaient de toutes leurs oreilles ce chant qui semblait à la fois tomber des étoiles et monter des profondeurs de la terre.

M. TOURNIER, *Vendredi ou la Vie sauvage*, chapitre 33, © Éditions Gallimard, 1971.

1. Lisez ou écoutez cet extrait, puis échangez pour expliquer ce que vous avez compris.
2. Entraînez-vous à mettre en voix le passage de façon à souligner l'alternance entre **harmonie** et **violence**. Veillez à respecter les liaisons marquées par le signe ‿.
3. Évaluez la mise en voix du passage par vos camarades.
   a. Pour cela, élaborez en classe une fiche d'évaluation de la mise en voix d'un texte. Vous pourrez retenir des critères tels que :
   – ne pas buter sur les mots ;
   – respecter la ponctuation et les liaisons ;
   – être audible.
   b. Échangez pour compléter la liste.

Lire et présenter un passage du roman

▶ Socle *Lire avec fluidité - Parler en prenant en compte son auditoire*

1. Choisissez un passage qui vous a plu dans le roman de M. Tournier.
2. Lors de votre présentation orale :
   – situez ce passage ;
   – lisez-le de façon à le mettre en valeur ;
   – expliquez votre choix.

Jouer au portrait araucan

▶ Socle *Participer à des échanges dans des situations diversifiées*

Par petits groupes, imaginez un « portrait araucan en cinq touches » à la manière de celui proposé par Vendredi.

« C'est une mère qui te berce, c'est un cuisinier qui sale ta soupe, c'est une armée de soldats qui te retient prisonnier, c'est une grosse bête qui se fâche, hurle et trépigne quand il fait du vent, c'est une peau de serpent aux mille écailles qui miroitent au soleil. Qu'est-ce que c'est ?
– C'est l'Océan ! triompha Robinson. »

CONSEILS

- Choisissez un objet ou un élément à faire deviner (par exemple l'océan).
- Retenez cinq caractéristiques de cet objet ou de cet élément (par exemple, le mouvement des flots, l'eau salée, etc.).
- Exprimez chaque caractéristique de manière imagée (par exemple la mère qui berce, le cuisinier qui sale, etc.).
- Utilisez cinq fois l'expression « C'est … qui … ».
- Concluez par la question : « Qu'est-ce que c'est ? ». La classe doit trouver la réponse.

Échanger et argumenter à propos d'émissions télévisées inspirées de Robinson Crusoé

▶ Socle *Participer à des échanges dans des situations diversifiées*

De nombreuses émissions de télé-réalité et des séries (*Koh-Lanta*, *Lost*, etc.) s'inspirent des aventures de Robinson Crusoé pour montrer comment repousser ses limites dans un milieu sauvage et hostile : selon vous, s'agit-il de robinsonnades ? Pourquoi ces émissions ont-elles du succès ?

CONSEILS

Préparation

Par petits groupes :
- choisissez une émission que vous connaissez ;
- listez les éléments qui en font une vraie et/ou une fausse robinsonnade ;
- réfléchissez aux raisons du succès de cette émission.

Échange

- Chaque groupe expose à la classe l'émission retenue ainsi que les éléments qui en font une vraie et/ou une fausse robinsonnade.
- Collectivement, la classe cherche à dégager les caractéristiques communes à ces émissions et à expliquer les raisons de leur succès.

A Préparer l'écrit et rédiger au brouillon

Sujet 1 Raconter en insérant une description (Activité guidée)

Robinson part en exploration pour découvrir l'île où il vient d'échouer. Racontez en insérant de brèves descriptions des lieux parcourus.

Dessin de CH. GAULTIER dans *Robinson Crusoë* de D. DEFOE, t. 2, © Delcourt, 2007.

ÉTAPE 1 — Planifier le récit

1. a. **Mentalement, racontez-vous brièvement la progression de Robinson depuis la plage vers l'intérieur de l'île.**
   b. **Vous pouvez également dessiner cette progression.**
   Aidez-vous si besoin de la vignette de bande dessinée ci-dessus.
2. **Par binômes, confrontez vos propositions et listez les lieux parcourus par Robinson.**

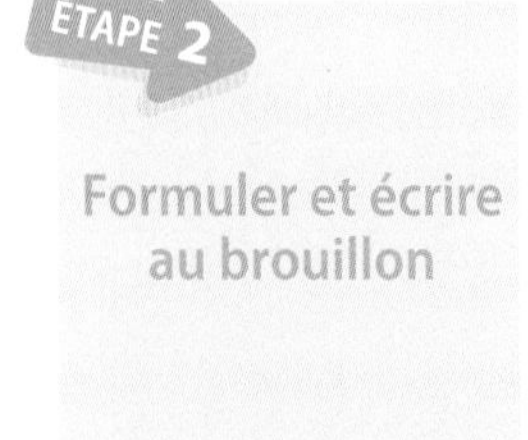

ÉTAPE 2 — Formuler et écrire au brouillon

3. **Choisissez au moins deux lieux à décrire plus précisément.**
4. **Listez pour chaque lieu ce que Robinson peut percevoir à l'aide de ses sens (voir, entendre, sentir, toucher).**
5. **Pour raconter l'avancée de Robinson, lesquels de ces verbes de mouvement emploieriez-vous pour une progression : a. lente et difficile ? b. rapide et facile ?**
   se glisser – foncer – se faufiler – ramper – bondir – s'agripper – se traîner – se hisser – courir – se courber – grimper – gravir – dévaler – détaler – escalader
6. **Lesquels des verbes ci-dessus, emploieriez-vous pour indiquer que Robinson : a. monte ? b. descend ?**

ÉTAPE 3 — Lancer le récit

7. **Commencez votre récit à partir du moment où Robinson est sur la plage où il s'est échoué.**
8. **Rédigez au brouillon une première version de votre récit en vous servant du travail préparatoire.**
   – Vous alternerez des passages de récit et de description.
   – Dans les descriptions vous ferez appel aux différents sens.
   – Vous emploierez le passé simple pour le récit et l'imparfait pour les descriptions.

B Améliorer le brouillon et rédiger au propre

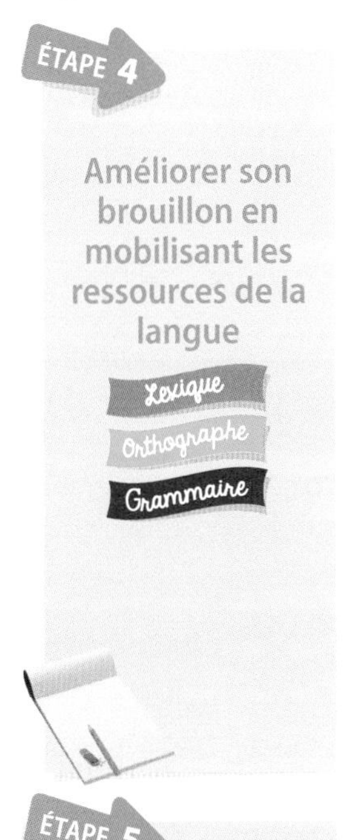

La construction du récit

1. Vérifiez les points suivants et corrigez-les si besoin.

Mon récit respecte-t-il la consigne ?	☐ oui	☐ non
Mon récit présente-t-il une progression de Robinson dans au moins deux lieux ?	☐ oui	☐ non
Mon récit emploie-t-il des verbes de mouvement précis ?	☐ oui	☐ non
Mon récit comporte-t-il la description d'au moins deux lieux ?	☐ oui	☐ non
Mes descriptions font-elles appel à différents sens ?	☐ oui	☐ non

L'écriture du récit

2. Améliorez votre texte en veillant à :	**Aidez-vous des exercices…**
• employer le lexique des paysages insulaires	1 à 11 p. 116
• respecter les accords dans le groupe nominal	1 à 5 p. 117
• exprimer la chronologie de la progression de Robinson	6 à 10 p. 117

ÉTAPE 5

Rédiger au propre et se relire

3. Recopiez votre texte au propre. Relisez-le plusieurs fois en échangeant avec un(e) de vos camarades pour vérifier successivement :

– la ponctuation ;
– les accords dans le groupe nominal ;
– l'emploi des temps du passé ;
– l'orthographe du vocabulaire des paysages insulaires et des verbes de déplacement.

Sujet 2 Raconter les aventures d'un Vendredi d'aujourd'hui

Activité en autonomie

Racontez la première journée d'un Indien d'Amérique ou d'un aborigène d'Australie qui arrive dans une ville, avec ses réactions face à la vie moderne.

CONSEILS

- Au brouillon, vous listerez :
  – les objets et habitudes de vie qui peuvent poser problème ;
  – les sensations vécues ;
  – les sentiments éprouvés par le nouveau Vendredi.
- Vous choisirez quelques faits marquants de la journée.
- Vous ferez votre récit à la 1re ou à la 3e personne du singulier, au présent ou au passé.
- Vous commencerez votre récit par : « À mon (son) arrivée, … ».
- Vous veillerez à bien faire les accords dans les groupes nominaux.

Sujet 3 Défendre une opinion

Activité en autonomie

Aimeriez-vous vivre une robinsonnade ? Laquelle ? Pourquoi ?

CONSEILS

- Dans un premier paragraphe, expliquez ce que pourrait être une robinsonnade aujourd'hui (lieu isolé, vie sauvage, éléments hostiles, etc.).
- Dans un second paragraphe, donnez vos arguments en faveur ou en défaveur de ce type d'expérience.
- Vous veillerez à bien faire les accords dans les groupes nominaux.

C Travailler la langue pour améliorer l'écrit

Lexique

Paysages insulaires

La mer et le littoral

1 Parmi ces noms et groupes nominaux, quel est celui qui ne désigne pas des mouvements marins ?
les lames – le flux – le reflux – la vague – la houle – une mer d'huile – le ressac – la marée – un rouleau – les flots

2 Reproduisez le dessin de la vague et légendez-le avec ces trois noms.
la crête – le creux – l'écume

3 a. Classez ces verbes selon que vous les emploieriez pour décrire des flots calmes ou agités.
mugir – clapoter – se fracasser – rouler – déferler – bercer – murmurer – se gonfler – se déchaîner – gronder – bouillonner – miroiter – scintiller – se briser
b. Parmi ces verbes, quels sont ceux qui évoquent le bruit de la mer ?

4 a. Retrouvez les quatre couples de synonymes.
l'algue – la baie – la côte – le golfe – la grève – la plage – le rivage – le varech
b. Employez les noms *baie*, *côte*, *grève*, *plage*, chacun dans une phrase où ils ne désignent pas un élément marin.

5 Les noms *dune*, *falaise*, *récif* désignent-ils une côte plate ou escarpée ? Proposez une définition pour chacun de ces noms.

6 En employant au moins cinq mots des exercices précédents, rédigez un paragraphe dans lequel vous décrirez un paysage de bord de mer.

L'intérieur des terres

7 a. Parmi ces noms, lesquels sont synonymes ?
un antre – une caverne – un piton – un rocher – un massif – une grotte – un précipice – une ravine
b. Complétez les phrases avec un ou plusieurs de ces noms.
1. Robinson escalade .... **2.** Vendredi pénètre dans le fond d'.... **3.** Le bouc tombe du haut d'.... .

8 a. Classez par ordre croissant ces trois noms désignant un groupe d'arbres.
bois – bosquet – forêt
b. Qu'appelle-t-on *un rideau d'arbres* ? *un bouquet d'arbres* ? *la lisière* ou *l'orée d'un bois* ?
c. Qu'est-ce qu'*une clairière* ? *un sentier* ?

9 Dessinez un arbre et légendez-le avec les noms proposés. Attention aux synonymes.
la branche – la cime – l'écorce – la frondaison – le fût – la racine – le rameau – la sève – le tronc

10 Recopiez et complétez le tableau à l'aide des verbes suivants.
se courber – craquer – vaciller – se balancer – siffler – se tordre – gémir – murmurer – se déraciner –onduler – bruire – trembler

Mouvements des arbres	Bruits des arbres

11 Poursuivez ce début de paragraphe en décrivant les mouvements et les bruits de la forêt, à l'aide du vocabulaire des exercices 7 à 10.
« Robinson ramassa une branche pour s'en faire une canne et s'enfonça dans la forêt... »

A. MORALES AJUBEL, illustration pour *Robinson Crusoé*, © Éditions Plume de carotte, 2008.

Orthographe

Les accords dans le groupe nominal (1)

▶ *Leçon 34 p. 318*

1 Dans les groupes nominaux suivants, repérez les mots qui s'accordent avec les noms en vert.

une île déserte mais hospitalière – ce long fleuve tumultueux – ces falaises escarpées et dangereuses – une vaste prairie ensoleillée – des fruits savoureux et sucrés – ses cultures abondantes

2 Récrivez les groupes nominaux de l'exercice 1 au singulier ou au pluriel, en faisant les accords.

3 Récrivez les groupes nominaux en accordant les mots entre parenthèses avec le nom en vert.

[(Un) (vieux) femme, (maigre) et (échevelé)] allait et venait en chancelant [parmi (l') hommes (réuni) en cercle]. Elle respirait [(le) (lourd) fumée (blanc) qui s'élevait du feu]. [(Son) (méchant) yeux (vif)] se tournèrent vers l'un des hommes tandis que [(son) bouche (ouvert)] proférait [(de) (sombre) malédictions].

D'après M. TOURNIER, *Vendredi ou la Vie sauvage*, 1971.

4 Accordez les mots en italique dans les groupes nominaux en tenant compte du nom.

[*Certain* champignons *rouge* à pois *jaune*] devaient être vénéneux car [de *petite* chèvres] étaient mortes après en avoir brouté [de *simple* fragments *mêlé* à l'herbe]. Robinson en tira [*un* boisson *brun* et *doux* dans laquelle il fit tremper de *petit* grains de blé]. Puis il répandit [*ce* grains *empoisonné*] [sur *le* passages *habituel* des rats].

D'après M. TOURNIER, *Vendredi ou la Vie sauvage*, 1971.

5 Le jeu des sept erreurs. Recopiez ce texte écrit par un élève distrait et corrigez-le.

Les bolas, armes redoutable très répandue en Amérique du Sud, sont formées de trois galets rond attaché à des cordelettes réunie en étoiles. Vendredi persuada Robinson qu'on pouvait se servir des bolas comme d'armes terrible capable de défoncer la poitrine d'un ennemi.

D'après M. TOURNIER, *Vendredi ou la Vie sauvage*, 1971.

Grammaire

La chronologie : de l'oral à l'écrit

6 a. Observez cette transcription d'un récit oral. Quel rôle les mots en vert jouent-ils ? Où ces mots sont-ils placés ?

Robinson aperçoit le bouc au sommet d'un rocher. Et alors il serre entre ses dents le collier de lianes qu'il s'est fabriqué. Et après il s'approche de l'animal. Mais alors celui-ci s'avance d'un mètre et passe ses cornes autour de Vendredi. Et après le bouc tourne la tête de côté et puis Vendredi perd l'équilibre. Et puis il tombe du rocher.

b. Observez la version écrite de ce récit. Quelles modifications repérez-vous ?

Robinson aperçoit le bouc au sommet d'un rocher. Il serre alors entre ses dents le collier de lianes qu'il s'est fabriqué puis il s'approche de l'animal. Mais celui-ci s'avance d'un mètre, passe ses cornes autour de Vendredi et tourne la tête de côté. Vendredi perd l'équilibre et tombe du rocher.

D'après M. TOURNIER, *Vendredi ou la Vie sauvage*, 1971.

7 Classez ces indicateurs de temps pour exprimer une suite d'actions : a. rapide ; b. lente.

tout à coup – peu à peu – progressivement – soudain – aussitôt – brusquement – petit à petit

8 Récrivez le texte b. de l'exercice 6 en y intégrant des indicateurs de l'exercice 7.

9 Récrivez le texte en enchaînant les actions avec des indicateurs de l'exercice 7.

Pour sa cabane, Robinson devait faire dans le sol un grand trou et y planter des pieux. Il déblaya la terre avec sa pelle. Il consolida les parois. Il les lissa.

10 Transposez ce récit de l'oral à l'écrit.

a. Supprimez les mots de liaison inutiles, comme dans l'exercice 6.

b. Employez des indicateurs de l'exercice 7.

Vendredi ramassa une pierre. Et il la lança au ras de l'eau pour faire des ricochets. Alors la pierre rebondit sept fois sur l'eau. Et puis elle s'y enfonça sans éclaboussures. Alors le chien Tenn s'élança dans l'eau.

Je construis mon bilan

Qu'ai-je appris ? ▸Socle *Les méthodes et outils pour apprendre*

Robinson et les robinsonnades

1 Répondez par VRAI ou FAUX à chacune de ces affirmations.

a. L'histoire de Robinson est inspirée d'un fait réel.

b. Le compagnon de Robinson se nomme Jeudi.

c. Robinson est un personnage qui a fait rêver des générations de lecteurs.

d. Ces auteurs ont écrit une histoire de Robinson : D. Defoe, M. Tournier.

e. M. Tournier a voulu montrer la supériorité de la culture de Robinson.

f. Vendredi a initié Robinson à la vie sauvage.

2 Parmi les choix suivants, quelle est la bonne définition d'une « robinsonnade » ?

a. La famille de Robinson.

b. Une île déserte.

c. Un récit de survie sur une île déserte ou en milieu hostile.

Qu'avons-nous compris ? ▸Socle *Participer à des échanges*

Robinson, un mythe pour faire rêver et réfléchir

Préparation

1. Par petits groupes :
– listez les éléments de l'histoire de Robinson qui peuvent intéresser le lecteur.
– à partir du schéma ci-contre, échangez pour définir quels liens relient Robinson aux éléments proposés.

2. Chaque groupe choisit l'élève qui présentera le résultat de ses échanges.

Mise en commun

3. Chaque groupe présente son travail.

4. La classe échange pour dire quelles réflexions sur l'homme on peut faire à partir de l'histoire de Robinson.

5. Individuellement, rédigez un paragraphe sur les points qui vous ont paru les plus importants.

Je rédige mon bilan ▸Socle *Écrire pour réfléchir et pour apprendre*

1 Voici les principales caractéristiques d'une robinsonnade :

a. l'éloignement de la famille ou de la société ;

b. l'exploration d'une île ou d'un milieu hostile ;

c. la fascination et la peur de la solitude ;

d. une nature merveilleuse ou monstrueuse ;

e. l'espoir de voir arriver un bateau ou un secours ;

f. l'organisation d'une vie civilisée ;

g. la recherche de compagnons ;

h. des échanges avec un personnage représentant l'état sauvage.

2 Développez une de ces caractéristiques en vous appuyant sur les textes que vous avez lus.

J'évalue mes compétences

La rencontre de Robinson

Après des années passées sur l'île déserte, Robinson découvre une empreinte sur le rivage. Il part en exploration. Le récit se fait à la première personne.

Et c'est alors que je le vis ;

il était là, juste en face de moi, posté dans une savane ; il mâchonnait des baies rouges [...] ; il devait être très âgé ; le poil gris ; les yeux sombres et ternis ; sa mâchoire bougeait convulsivement [...], il me regardait sans surprise mais aussi sans aucune amitié, juste contrarié de me voir déranger sa quiétude[1] ; après l'avoir salué avec le plus de cérémonie possible, j'entrepris de lui parler doucement ; il recula de deux pas, en tressaillant ; je m'arrêtai en m'imprégnant d'une lenteur apaisante ; veillant à l'élégance de mes gestes, je lui montrai une à une les douceurs que je lui destinais ; il demeura sans réaction ; je m'assis dans la savane, et lui montrai comment je dégustais quelques-unes des savoureuses merveilles que je sortais de mes calebasses[2] ; je disposais tout le reste devant moi, et d'un geste avenant[3] l'invitais au partage ; son odeur était si forte qu'elle envahissait la savane et s'imposait à mes narines ; elle était... ; *elle ne m'était pas étrangère...* ; soudain, je fus saisi d'un tremblement de mon esprit ; mais il y avait tant de sagesse dans ses yeux, que je lui parlai de nouveau ; je lui dis ce que je croyais être et que j'avais vécu ; je lui parlai de l'île, de la frégate[4], des rats, des chats, de mes champs, de mes ruches, de mon navire, enraciné, de mes tentatives pour quitter l'île sur des radeaux de gomme[5] et de bambous... ; en pure perte ; je persistai encore à lui détailler bien des péripéties, jusqu'au moment où il se recula et commença à s'éloigner ; c'est alors que je vis... ses cornes de bouc... et que je mis à brailler de surprise et de honte... ;

ce vieux bouc m'avait paru bien plus humain que moi ! ... ; me croyant tombé fou, je me précipitai dans le sombre d'une ravine où je me recroquevillai de désespoir ; impossible de comprendre ce qui m'arrivait-là ; une telle hallucination était le signe d'un éboulement de mon esprit.

P. CHAMOISEAU, *L'Empreinte à Crusoé*,

1. tranquillité. 2. fruits du calebassier qui servent de récipients. 3. aimable. 4. navire. 5. sorte de colle naturelle.

▶ Socle *Comprendre un texte littéraire et l'interpréter - Être un lecteur autonome*

1. **Comment ce récit commence-t-il ? Quels indices préparent à la révélation ? Quel est l'effet produit sur le lecteur ?**
2. **De quelles qualités le personnage rencontré par Robinson fait-il preuve ?**
3. **Comment Robinson se comporte-t-il avec ce personnage ? Pourquoi ?**
4. **Quel passage évoque l'épisode de la souille ?**
5. **Ce passage peut-il être qualifié de « robinsonnade » ? Expliquez.**

Le monstre dans l'Antiquité

6 Les épreuves d'Ulysse et d'Héraclès

Pourquoi le héros antique affronte-t-il des monstres ?

Lire, comprendre, interpréter

Je pratique l'oral

Organiser le travail d'écriture

Je construis mon bilan

J'évalue mes compétences

« Ulysse et les Sirènes », illustration de MORGAN pour l'album *Les grandes légendes de la mythologie grecque*, © Gautier-Languereau, 2013.

▶ Socle *Comprendre des textes, des documents et des images et les interpréter*

La mythologie et l'*Odyssée*

Des Titans aux dieux de l'Olympe

- Les Grecs et les Romains ont de nombreux dieux : leur religion est polythéiste (du grec *poly*, « nombreux » et *théos*, « dieu »).
- Pour les Grecs, le Ciel (*Ouranos*) et la Terre (*Gaïa*) sont les premiers parents. Leurs enfants, les Titans, règnent sur l'univers jusqu'à ce que leur chef, Cronos, soit détrôné par un nouveau dieu, Zeus.
- Zeus vit sur le mont Olympe, entouré de dieux et de déesses « olympiens » qui ont des fonctions particulières : Zeus règne sur le ciel, Poséidon sur la mer et Hadès sur les Enfers.
- Les Romains adoptent les dieux grecs en modifiant leurs noms.

Les dieux olympiens

1. Quel est l'attribut (le signe reconnaissable) de chaque dieu ou déesse ? Pour répondre, observez les dessins, faites une recherche au CDI ou sur le site Mythologica.
2. Cherchez le nom latin correspondant à chaque divinité grecque.

Dieux, héros et monstres : des mondes aux limites floues

Le nom « héros » désigne :
a. un demi-dieu
b. un personnage accomplissant avec courage des exploits hors du commun.

Le comportement des dieux

Les dieux :
– se comportent comme des hommes ;
– fréquentent les mortels, les protègent ou les punissent ;
– transforment parfois les humains en monstres pour se venger ;
– s'unissent parfois à des mortels et ont alors pour enfants des demi-dieux, nommés « héros ».

Les héros et les mythes

- Au cours de voyages périlleux, des **héros** courageux affrontent des monstres qui terrifient les hommes.
- Les **mythes** racontent les histoires de ces personnages. La **mythologie** est peuplée d'êtres fabuleux ou monstrueux.
- Certains de ces monstres servent à expliquer des phénomènes naturels terrifiants (volcans, rochers marins, etc.).

L'*Odyssée* ou le voyage de tous les dangers

La clé des mots

Une épopée est un long récit en vers racontant les exploits d'un héros.
- Quel est l'adjectif de la même famille ?

- L'*Odyssée* tire son nom de son héros, Ulysse (*Odusseus* en grec).
- Elle fait suite à l'*Iliade* qui raconte le siège de la ville de Troie par les Grecs.
- Ces deux épopées étaient la base de l'éducation en Grèce.
- On les attribue à Homère, poète grec représenté comme aveugle, qui aurait vécu au VIIIe siècle avant J.-C. C'était un aède, conteur musicien qui allait de cour royale en cour royale.
- Aujourd'hui, on raconte l'*Odyssée* sous de multiples formes, dont la bande dessinée.

L'*Odyssée* raconte le long et difficile voyage d'Ulysse : près de dix ans d'épreuves !
Protégé par la déesse Athéna, Ulysse part avec ses compagnons de Troie en Asie Mineure (Turquie actuelle) pour rentrer dans son île d'Ithaque en Grèce.

En chemin, il s'arrête chez les Lotophages, qui offrent à ses compagnons du lotos, la plante de l'oubli ; dès qu'ils y goûtent, ils ne veulent plus rentrer.
Ulysse s'enfuit vite mais, dès lors, lui-même et ses compagnons rencontrent des monstres et des êtres fabuleux qui les mettent en danger et retardent leur retour. Le dieu Poséidon, dont il a provoqué la colère, s'acharne contre lui.

La déesse Calypso le retient des années auprès d'elle. Mais quand elle lui propose de devenir immortel, il préfère revenir chez les humains, auprès de sa femme Pénélope et de son fils Télémaque.

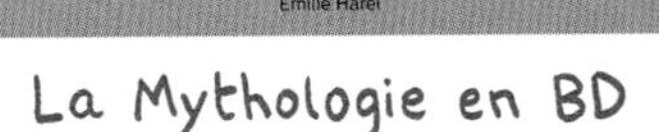

3 Qui était Homère ?

4 **a.** Que raconte l'*Odyssée* ? **b.** ÉTYMO Que désigne le mot « odyssée » aujourd'hui ? Expliquez-le en vous aidant de l'histoire d'Ulysse.

5 **a.** À quels types de dangers Ulysse est-il confronté ? Aidez-vous de ces couvertures de bandes dessinées pour répondre. **b.** Quel choix Ulysse fait-il : celui de devenir immortel ou de rester un être humain ?

Le Cyclope Polyphème

Ulysse et ses compagnons arrivent sur l'île des Cyclopes et s'installent dans la caverne de l'un de ces géants, Polyphème. De retour avec ses moutons, celui-ci ferme la grotte avec un énorme rocher, puis découvre le petit groupe. Ulysse explique qu'ils rentrent de la guerre de Troie et, par prudence, prétend que leur navire s'est fracassé sur les rochers.

Le Cyclope au cœur cruel se lève brusquement, saisit deux de mes compagnons et les écrase contre la pierre de la grotte. Il déchire leurs membres palpitants, prépare son repas, et, semblable au lion des montagnes, il dévore les chairs et 5 les entrailles. À cette vue, le désespoir s'empare de nos âmes.

Le lendemain, quand parut l'Aurore aux doigts roses, le Cyclope allume de nouveau son bois desséché, saisit deux autres compagnons et les dévore. Puis le monstre pousse hors de l'antre[1] ses grasses brebis ; il enlève sans effort la roche 10 immense de la porte, et il la remet ensuite aussi facilement qu'il aurait placé le couvercle d'un carquois[2].

Et moi, je reste dans la grotte, méditant ma vengeance. Je taille en pointe un énorme tronc d'un olivier verdoyant placé par le Cyclope dans l'étable ; je l'endurcis encore en l'exposant 15 à la flamme étincelante. Nous tirons au sort ceux qui plongeront ce pieu dans l'œil du Cyclope pendant son sommeil.

Le soir, le géant revient en conduisant ses brebis à la belle toison ; il pousse dans la grotte ses troupeaux. Il soulève l'énorme roche, la replace à l'entrée de sa caverne, s'assied, trait ses brebis 20 et ses chèvres bêlantes, et rend les agneaux à leurs mères ; puis il saisit de nouveau deux de mes compagnons et les mange. Alors je m'approche du monstre, en tenant une coupe remplie d'un vin aux sombres couleurs, et je lui dis : « Tiens, Cyclope, bois de ce vin, puisque tu viens de manger de la chair humaine. »

25 Le monstre prend la coupe, et boit ; ce doux breuvage lui plaît tant qu'il m'en demande une seconde fois : « Verse-moi encore de ce vin délectable, et dis-moi quel est ton nom, afin que je te donne, comme étranger, un présent qui te réjouisse. »

Trois fois j'en donne au Cyclope, et trois fois il en boit 30 outre mesure. Aussitôt que le vin s'est emparé de son esprit, je lui adresse ces douces paroles : « Cyclope, tu me demandes mon nom ; je vais te le dire ; mais fais-moi le présent de l'hospitalité comme tu me l'as promis. Mon nom est *Personne* : c'est ainsi que m'appellent mon père et ma mère, 35 et tous mes fidèles compagnons. »

La clé des mots

Le nom **Cyclope** est formé des radicaux grecs *cycl*, « le cercle », et *ops*, « le regard ».
• Quel est le rapport entre le nom et le physique du personnage ?

1. la caverne.
2. étui dans lequel on range les flèches d'un arc.

Ulysse et ses compagnons aveuglant Polyphème, scène peinte sur une coupe grecque, attribuée au peintre du Cavalier, IVe siècle avant J.-C., BnF, Paris.

Le monstre cruel me répond : « *Personne*, lorsque j'aurai dévoré tous tes compagnons, je te mangerai le dernier : tel sera pour toi le présent de l'hospitalité. »

Le Cyclope tombe à la renverse, dompté par le sommeil. Ivre, il vomit le vin et les morceaux de chair humaine. Je chauffe alors le pieu dans la cendre et rassure mes compagnons. Quand le tronc d'olivier est assez chauffé, je le retire tout brûlant du feu. Mes amis saisissent le pieu pointu, l'enfoncent dans l'œil du Cyclope, et je le fais tourner en appuyant dessus avec force.

Le sang chaud en jaillit, la vapeur de la pupille ardente brûle ses paupières et son sourcil. Le monstre pousse des hurlements affreux qui font retentir la caverne. Nous nous enfuyons, épouvantés. Le monstre appelle à grands cris les Cyclopes voisins. Ceux-ci, à son cri, accourent, entourent sa caverne et lui demandent ce qui le tourmente : « Pourquoi, Polyphème, pousses-tu de telles clameurs dans la nuit divine et nous réveilles-tu ? T'a-t-on volé tes brebis ? Quelqu'un veut-il te tuer par force ou par ruse ? »

Et le robuste Polyphème leur répond du fond de son antre : « Ô amis, c'est *Personne* qui me tue par ruse et non par force. »

Ils lui répondent ainsi : « Si personne ne te fait violence, puisque tu es seul, tu souffres donc de folie : c'est ton père Poséidon qu'il faut supplier. »

Et moi, je ris au fond de moi car mon nom et ma ruse les avaient parfaitement trompés.

HOMÈRE, *Odyssée*, chant IX, traduction et adaptation de C. Bertagna.

Lecture

▶ Socle *Comprendre un texte littéraire et l'interpréter*

1. Qui raconte l'histoire ?
2. Qu'est-ce qui caractérise le physique et le comportement du Cyclope ? Appartient-il au monde humain ou surnaturel ? Citez le texte à l'appui de votre réponse.
3. Quels sentiments Ulysse et ses compagnons éprouvent-ils devant le monstre (l. 1 à 5) ?
4. a. Quels moyens Ulysse emploie-t-il pour affaiblir et vaincre le Cyclope ? b. Quelle est la ruse d'Ulysse à la fin du texte ?
5. Quelles qualités d'Ulysse sont révélées à travers son affrontement avec Polyphème ? Expliquez.

Oral

▶ Socle *Participer à des échanges*

1. Dans cet affrontement, est-ce la sauvagerie ou la civilisation humaine qui l'emporte ? Expliquez.
2. Voyez-vous des ressemblances entre ce monstre et ceux des contes ? Échangez vos avis.

Le trésor des mots

▶ Socle *Acquérir la structure, le sens et l'orthographe des mots*

En grec ancien, langue d'origine de ce texte, le même mot signifie « personne » et « ruse ». Expliquez le choix de ce nom par Ulysse (l. 34).

La magicienne Circé

Des compagnons d'Ulysse explorent l'île où ils ont abordé.

Ils trouvèrent, dans une vallée, en un lieu découvert, la demeure de Circé, construite en pierres polies. Et tout autour erraient des loups montagnards et des lions. Circé les avait domptés avec des breuvages perfides. Ils ne se jetaient pas sur 5 les hommes, mais ils les approchaient en remuant leurs longues queues, comme des chiens caressant leur maître qui se lève du repas, car il leur donne toujours quelques bons morceaux.

Alors Polytès, chef de mes hommes, parla le premier : « Ô amis, une femme, tissant une grande toile, chante d'une belle 10 voix dans cette demeure, et tout le mur en résonne. Est-ce une déesse ou une mortelle ? Poussons rapidement un cri. » Il les persuada ainsi, et ils appelèrent en criant. Circé sortit aussitôt, et, ouvrant les belles portes, elle les invita. Tous la suivirent imprudemment sauf Euryloque qui resta dehors, soupçonnant 15 un piège. Circé, ayant fait entrer mes compagnons, les fit asseoir sur des sièges et sur des trônes. Elle mêla, avec du vin de Pramnios, du fromage, de la farine et du miel doux ; mais elle mit dans le pain des poisons, afin de leur faire oublier la terre de la patrie. Elle leur offrit ce breuvage qu'ils burent, et, 20 aussitôt, les frappant d'une baguette, elle les renferma dans les étables à porcs. Ils avaient la tête, la voix, le corps et les poils du porc, mais leur esprit était le même qu'auparavant. Ils pleuraient, ainsi renfermés.

Informé par Euryloque, Ulysse veut sauver ses compagnons. Le dieu Hermès le met en garde et lui remet un contrepoison.

Je m'arrêtai à la porte de la déesse aux belles boucles, je criai, 25 et la déesse entendit ma voix. Elle sortit aussitôt, ouvrit la porte brillante et m'invita. Quant à moi, je la suivis, le cœur affligé. Elle m'introduisit puis me fit asseoir sur un siège aux clous d'argent, beau et artistement travaillé ; sous mes pieds se trouvait un tabouret. Elle me prépara un breuvage dans 30 une coupe d'or, m'invitant à boire, y jeta un poison, méditant mon malheur. Mais, quand elle me l'eut donnée et que je l'eus vidée, je ne ressentis aucun effet.

Alors, elle me frappa de sa baguette, me parla et m'appela : « Tu as en toi un esprit rebelle aux sortilèges. Tu es donc Ulysse 35 aux mille ruses, celui dont Hermès, le messager rapide à la ba-

La clé des mots

• Ulysse aux mille ruses : ce qualificatif correspond-il à ce que vous savez déjà d'Ulysse ? Justifiez.

guette d'or, me prédisait toujours qu'il viendrait. Mais, allons ! Remets donc ton épée au fourreau, et ayons désormais une mutuelle confiance. »

Ainsi parla-t-elle, mais moi, je lui répliquai : « Ô Circé, comment peux-tu m'ordonner d'être aimable avec toi, toi qui, dans ton manoir, as changé mes compagnons en porcs ? Toi qui me retiens ici et cherches à me tromper pour me tendre de lâches pièges. Mais moi, je ne saurais t'obéir, si tu n'acceptais pas, déesse, de t'engager par un grand serment à ne pas me tendre un nouveau piège. » Ainsi parlai-je, et aussitôt elle jura de s'en abstenir, comme je le demandais.

HOMÈRE, *Odyssée*, chant X, traduction et adaptation de C. Bertagna.

E. BURNE-JONES, *Circé verse le poison dans un vase en attendant l'arrivée d'Ulysse*, 1863-1869, aquarelle sur papier, collection particulière.

Lecture

▶ Socle *Comprendre un texte littéraire et l'interpréter*

1. Que découvrent les compagnons d'Ulysse sur l'île ?
2. Quelle est l'attitude de Circé avec les compagnons d'Ulysse ? Citez le texte à l'appui de votre réponse.
3. Qu'arrive-t-il aux compagnons d'Ulysse ? Racontez.
4. a. Qu'arrive-t-il à Ulysse ? b. De quelles qualités fait-il preuve ?

Oral

▶ Socle *Participer à des échanges*

Circé est-elle un monstre ? Quels qualificatifs pouvez-vous lui appliquer ? Échangez vos idées.

Écriture

▶ Socle *Produire des écrits variés*

Comparez l'épreuve du Cyclope et celle de Circé : les personnages, les lieux, la ruse employée par Ulysse et l'épreuve.

Histoire des arts

▶ Socle *Identifier et analyser une œuvre d'art*

A. Quels éléments du texte repérez-vous dans le tableau ?

B. Comment Circé est-elle rendue effrayante ? Répondez en vous intéressant à ses gestes, à sa position, au décor, aux couleurs.

Les Sirènes

Ulysse et ses compagnons redevenus hommes ont repris la mer.

Je m'adressai à mes compagnons : « Certes, il ne faut pas que l'un ou même deux d'entre vous sachent ce que m'a prédit la divine Circé. Mais je veux tout vous dire afin que nous mourrions en connaissance de cause ou qu'évitant le danger, nous puissions échapper à la mort et au destin. Le premier conseil de Circé est d'éviter la voix ensorcelante des Sirènes. À moi seul elle donne la permission de les entendre. Mais, il faut que je sois attaché par de robustes liens et qu'immobile et droit, je reste fixé au pied du mât. Et si je vous prie de me détacher, vous devrez resserrer mes liens. » Soudain le vent tombe et le calme plat s'établit sur les flots qu'un dieu est venu endormir.

Alors, avec mon épée de bronze, je découpe un grand rond de cire que je découpe en petits morceaux et malaxe dans mes mains. Ainsi chauffée par mes doigts puissants, la cire s'amollit vite. Puis je bouche les oreilles de tous mes compagnons avec cette cire. Et eux me lient les bras et les pieds et m'attachent au mât ; assis sur les bancs, de leurs rames, ils frappent les flots écumeux.

Nous passons en vitesse mais notre navire rapide qui les frôle de près n'échappe pas aux Sirènes. Elles entonnent leur chant mélodieux : « Viens, viens, Ulysse, si célèbre, gloire des Achéens[1], arrête ton navire, pour écouter notre voix. Jamais un noir vaisseau n'a doublé notre cap sans écouter les doux sons qui sortent de notre bouche ; puis les marins s'éloignent, heureux et pleins de savoir, car nous savons tout ce qu'à Troie,

1. nom donné aux Grecs.

Ulysse résistant aux Sirènes, mosaïque romaine, IIIe siècle après J.-C., musée national du Bardo, Tunis.

25 les Grecs et les Troyens ont souffert par la volonté des dieux et tout ce qui arrive sur la terre nourricière. »

Elles chantaient ainsi, faisant résonner leur belle voix et mon cœur se remplissait du désir de les entendre. Je fronce les sourcils pour faire signe à mes compagnons de me détacher. 30 Mais, se courbant en avant, ils continuent à ramer, tandis que deux d'entre eux me résistent et resserrent mes liens.

Nous dépassons les Sirènes et bientôt nous n'entendons plus leur voix ensorcelante. Alors mes fidèles compagnons se hâtent d'enlever la cire qui bouchait leurs oreilles et de 35 détacher mes liens.

HOMÈRE, *Odyssée*, chant XII, traduction et adaptation de C. Bertagna.

Lecture

▶ Socle *Comprendre un texte littéraire et l'interpréter*

1 a. Quel danger menace Ulysse et ses compagnons ? b. Échappent-ils à ce danger ? Racontez.

2 a. À quel animal les Sirènes ressemblent-elles ? b. Est-ce l'idée que vous vous en faites ? c. Que cherchent-elles à faire avec leurs paroles (l. 19 à 26) ?

3 a. Quel privilège Circé a-t-elle accordé à Ulysse ? Qu'est-ce que cela révèle du héros ? b. Quels sont les rapports d'Ulysse avec ses compagnons ? Expliquez.

Histoire des arts

▶ Socle *Identifier et analyser une œuvre d'art*

A Lisez la légende de l'image et l'encadré Le saviez-vous ? Qu'est-ce qu'une mosaïque ?

B a. Observez la mosaïque : à quel animal les Sirènes ressemblent-elles ? Pourquoi ?
b. La Sirène de gauche tient à la main des flûtes. Quel rapport cela a-t-il avec le texte d'Homère ?

C La scène est-elle conforme à celle d'Homère ? Expliquez.

Oral

▶ Socle *Participer à des échanges*

Pour vous, les Sirènes sont-elles des monstres ? Échangez vos points de vue.

Écriture

▶ Socle *Recourir à l'écriture pour réfléchir et pour apprendre*

Face aux Sirènes, Ulysse se comporte-t-il comme un héros tout-puissant ou comme un homme avec ses faiblesses ? Expliquez.

Le saviez-vous ?

Qu'est-ce qu'une mosaïque ?

Dans le domaine du décor, l'art romain accorde une place de choix à la mosaïque, disposée sur les plafonds, les parois mais surtout au sol. Cette technique consiste à créer des compositions à base de petits cubes de pierre de différentes couleurs ou plus rarement de brique ou de pâte de verre appelées tesselles. Les « tesselles » sont disposées sur une préparation de mortier frais qui se solidifie en séchant.

Cette technique héritée des Grecs a tout d'abord un rôle pratique. Les surfaces ainsi couvertes sont solides et peuvent être lessivées plus aisément. Les sujets sont puisés dans la mythologie mais aussi dans les scènes quotidiennes.

Magazine en ligne du Grand Palais, 8 juin 2010, www.grandpalais.fr.

Charybde et Scylla

Circé avait informé Ulysse des dangers qui l'attendraient après avoir échappé aux Sirènes.

La clé des mots

• Que signifie l'expression actuelle « tomber de Charybde en Scylla » : a. aller de monstre en monstre ; b. aller de danger en danger ; c. « aller d'une femme à une autre » ?

« Je vais t'indiquer les chemins qui s'ouvrent des deux côtés. Là sont des roches saillantes, appelées par les dieux bienheureux "Roches Errantes". Au milieu du premier rocher se trouve une caverne obscure tournée vers le couchant ; c'est 5 là, noble Ulysse, qu'il faut diriger ton vaisseau. Un homme, jeune encore, qui, de son creux navire, lancerait une flèche contre cette grotte, n'en atteindrait pas le fond. Scylla pousse d'affreux rugissements, sa voix est semblable à celle d'un jeune lion ; et personne ne se réjouit à la vue de ce monstre terrible, 10 pas même un dieu ! Scylla possède douze griffes horribles et six cous d'une longueur démesurée ; à chacun d'eux est attachée une tête effrayante où paraît une triple rangée de dents serrées et nombreuses, auxquelles est accrochée la mort noire. Le milieu de son corps est plongé dans la vaste caverne, ce 15 monstre ne fait sortir du gouffre que ses têtes hideuses ; il les promène autour de l'écueil[1], puis saisit et dévore les dauphins, les chiens de mer et les énormes baleines que nourrit par milliers la bruyante Amphitrite[2]. Aucun marin ne se glorifie d'avoir échappé sain et sauf aux fureurs de ce monstre terrible, 20 car Scylla saisit toujours un homme par chacune de ses têtes et l'arrache à son navire à la proue couleur d'azur.

Ulysse, l'autre écueil que tu verras est plus bas, très près de l'autre. À son sommet s'élève un figuier chargé de feuilles ; au-dessous de ce figuier est la formidable Charybde, qui, trois 25 fois par jour, engloutit sans cesse l'eau noire et la rejette, et trois fois encore l'avale en poussant des mugissements effroyables. Qu'il ne t'arrive donc point de passer en ces lieux lorsque Charybde absorbe les eaux de la mer ; car nul ne pourrait t'arracher à la mort, pas même le puissant Poséidon. Rapproche-toi de 30 Scylla et dirige ton navire en effleurant l'écueil. »

J'adresse aussitôt à Circé ces paroles :

« Déesse, dis-moi toute la vérité. Si j'évite la funeste Charybde, pourrai-je combattre l'autre monstre quand il attaquera mes guerriers ? »

35 La plus noble des déesses me répond en ces termes :

« Malheureux ! Sache donc alors que Scylla ne peut être privée de la vie : elle est immortelle. Scylla est un monstre terrible, sauvage, cruel, qu'on ne peut combattre ; il est impossible

1. rocher dangereux.
2. divinité marine.

de se défendre contre elle, et
40 le plus sûr est de fuir. Si tu restes auprès de Scylla pour lutter avec elle, je crains bien que, s'élançant de nouveau, elle n'engloutisse autant de
45 guerriers qu'elle a de têtes. Navigue donc avec vitesse, en implorant la mère de Scylla, Cratais, qui donna le jour à ce monstre ; elle l'empêchera
50 peut-être de s'élancer sur vous tous. »

HOMÈRE, *Odyssée*, chant XII, traduction et adaptation de C. Bertagna.

A. ALLORI, *Charybde et Scylla*, 1575, fresque du cycle d'Ulysse, Banque toscane, Florence.

Lecture

▶ Socle *Comprendre un texte littéraire et l'interpréter*

1. a. Charybde et Scylla sont-ils des monstres masculins ou féminins ? b. Relevez les expressions qui décrivent Scylla puis dessinez ce monstre. c. Où vit Scylla ? d. Que fait Charybde chaque jour ?
2. Que symbolisent Charybde et Scylla pour des marins ? Répondez en citant le texte.
3. Ulysse peut-il espérer les vaincre ? Pourquoi ?

Histoire des arts

▶ Socle *Donner un avis argumenté sur ce que représente ou exprime une œuvre d'art*

A. a. À quoi reconnaissez-vous Scylla ? b. Charybde ?

B. Quelle caractéristique de chaque monstre le peintre cherche-t-il ainsi à montrer ?

C. De quelles manières le peintre représente-t-il la monstruosité du danger ?

Écriture

▶ Socle *Produire des écrits variés - Recourir à l'écriture pour réfléchir et pour apprendre*

1. Rédigez le passage du bateau d'Ulysse entre Charybde et Scylla, en tenant compte des informations du texte.
2. Expliquez ce qui fait de l'*Odyssée* une épopée, en vous aidant de la définition p. 123.

Oral

▶ Socle *Lire avec fluidité - Interpréter des textes littéraires*

1. Entraînez-vous à lire le passage en vert de façon à le rendre terrifiant.
2. D'après les quatre extraits étudiés, que représentent les monstres dans le trajet de retour d'Ulysse ? Expliquez.

Parcours de lecture guidé

▶ Socle *Être un lecteur autonome*

L'Épopée d'Héraclès, le héros sans limites

Jacques CASSABOIS

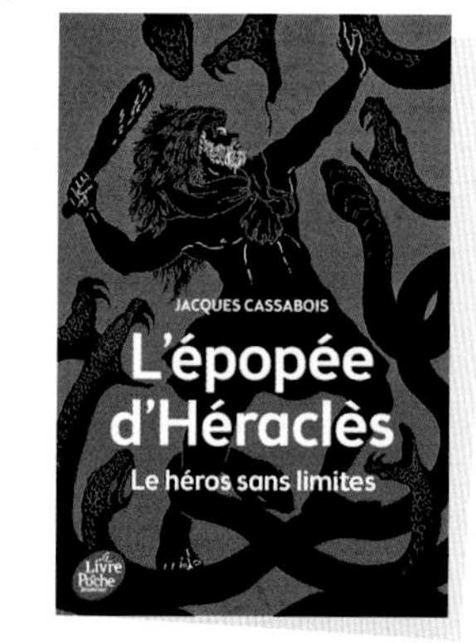

A Découvrir Héraclès

▶ Socle *Comprendre des documents et des images et les interpréter*

Lisez les documents des p. 132-133.

1. Dans quel pays les villes de Thèbes et de Tirynthe se situent-elles ?
2. Pourquoi les Grecs considéraient-ils Héraclès comme un « héros » ?
3. a. Pourquoi Héra est-elle hostile à Héraclès ? b. Pourquoi fait-elle naître Eurysthée avant Héraclès ?
4. Quel lien de parenté relie Eurysthée à Persée ? à Héraclès ?
5. Quels sont les deux autres noms d'Héraclès ?

B S'interroger à partir de la couverture

1. Décrivez ce que vous voyez sur la couverture.
2. Quelles sont les couleurs employées ? Quel effet produisent-elles ?
3. Quel(s) lien(s) faites-vous entre cette illustration et le titre du chapitre du manuel ?
4. Quelles hypothèses de lecture pouvez-vous faire ?

Les origines d'Héraclès

À Thèbes, une nuit, Zeus a séduit la reine Alcmène en se faisant passer pour son mari, Amphitryon. De retour de la guerre, le roi comprend ce qui s'est passé : Alcmène attend un enfant de Zeus.

Quand la naissance approche, Zeus se vante de l'arrivée d'un descendant de Persée, futur roi de Tirynthe, et annonce que tout le monde lui obéira. Pour éviter cela, l'épouse de Zeus, la déesse Héra, jalouse, retarde l'accouchement d'Alcmène et avance la naissance d'un autre descendant de Persée, Eurysthée : ainsi ce sera Eurysthée qui sera tout-puissant. Alcmène finit par mettre au monde l'enfant de Zeus.

L'arbre généalogique d'Héraclès

Persée ······ Andromède

Alcaios — Électryon — Sthénélos

Amphitryon ······ Alcmène ······ Zeus — Eurysthée

Iphidès — Héraclès

Personnage masculin

Personnage féminin

Comment s'appelle-t-il ?

À la naissance de l'enfant, Alcmène et Amphitryon le nomment Alcée (ou Alcide), ce qui signifie « le Fort ».

Plus tard, pour plaire à Héra qui continue à nuire à l'enfant, ils appelleront celui-ci Héraclès, nom composé de *Héra* et de *kléos* , « gloire ».

Les Romains lui donneront le nom d'Hercule.

Les lieux de ses exploits

C Lancer la lecture

5. Pour découvrir :
a. la naissance et la petite enfance d'Héraclès, lisez les extraits des pages 133 à 136 du manuel ;
b. l'éducation d'Héraclès, lisez le chapitre 3 du récit de J. Cassabois.

Naissance d'un enfant hors du commun

L'enfant était magnifique. Souple, charpenté[1], charnu[2], et d'une taille mirobolante[3] qui faisait se demander comment le ventre d'une femme avait pu l'abriter. Des bras puissants, un port de tête altier[4], et des yeux grands où perçait un regard de feu. [...]

Mais l'accouchement d'Alcmène n'était pas terminé. Un autre petit nichait encore en elle et sortit, à une nuit du premier, pour respirer à l'air libre. Plus chétif que son jumeau, il avait déjà appris à lui laisser la place. Ses parents l'appelèrent Iphiclès.

– Celui-ci est mon fils ! reconnut Amphitryon en le voyant. Puisqu'il a été porté par la même mère, il dormira dans le même berceau que son frère.

Il alla chercher le bouclier de roi des Taphiens qu'il avait conservé comme trophée[5] et y coucha les deux enfants sur une peau de mouton.

Au même instant, Zeus, le père biologique d'Alcée qui venait d'apprendre la nouvelle, ne décolérait pas. Héra s'était jouée de lui et triomphait. Que faire ? Reconnaître sa défaite forcément, et... négocier.

– D'accord, tu as gagné ! admit-il. Mon fils obéira à Eurysthée, qui lui dictera son programme de travail. Je ne discute pas. Mais quand il l'aura accompli, accepte au moins qu'il soit récompensé. Il aura bien mérité l'immortalité, non ?

Cela lui coûtait de quémander cette faveur, mais l'essentiel de son projet serait ainsi sauvegardé : un homme serait parvenu à se hisser au niveau des dieux, et cet exploit ferait trembler l'humanité.

1. solide. 2. ici, musclé. 3. extraordinaire. 4. noble.
5. butin de guerre.

La perspective d'un tel résultat avait de quoi adoucir sa blessure d'amour-propre.

Héra prit son temps pour lui répondre.

– D'accord ! dit-elle. Il sera immortel et sa place est d'ores et déjà réservée... à condition qu'il monte l'occuper ! Pour cela, il devra accomplir tout ce qu'on exigera de lui. Et ne te méprends pas[6], il ne jouira d'aucun privilège, d'aucune facilité. Qu'il soit ton fils lui donnera beaucoup de devoirs et peu de droits ! Crois-moi, il va en voir de toutes les couleurs, ton futur arc-en-ciel, et je veillerai personnellement à ce qu'il ne s'écarte jamais de sa voie.

– Je sais que je peux compter sur toi, approuva Zeus avec ironie. Marché conclu !

Lui aussi veillerait au bon déroulement du parcours et ne se priverait pas de donner à son protégé tous les coups de pouce qu'il jugerait nécessaires.

À suivre...

6. ne te trompe pas.

Lecture

▶ Socle *Comprendre un texte littéraire et l'interpréter*

1. Pour quelles raisons peut-on dire qu'Héraclès est un enfant hors du commun ? Expliquez.
2. Qui est Iphiclès ?
3. Quel rôle Eurysthée va-t-il jouer dans la vie d'Héraclès ?
4. Pourquoi Héra dit-elle qu'Héraclès devra « monter » occuper sa place d'immortel (l. 44) ? Pour répondre, relisez la page 122 et regardez la carte de la page 133.
5. **a.** Que pensez-vous du comportement des dieux dans ce passage ? Est-ce conforme à ce que vous avez appris p. 122 ? **b.** Selon vous, quelles conséquences cela pourrait-il avoir sur la suite des événements ?

L'attaque des serpents

Au bout de huit mois, Héra voulut se faire une idée du développement de l'enfant divin. Une nuit, elle se glissa dans la chambre à coucher et lâcha deux serpents venimeux. Deux reptiles puissants, parfaitement informés de leur mission. Ils glissèrent vers le berceau à une vitesse foudroyante. Iphiclès, le premier, sentit leur présence. Il hurla et réveilla Alcée, puis, horrifié, tomba du bouclier et parvint à s'éloigner en rampant. Les fauves ne lui accordèrent aucune attention. Ils regardaient Alcée, lequel, sans tressaillir, les observait. Dressés de part et d'autre de lui, leurs gueules béantes éclairaient la nuit, pareilles à deux brandons[1].

C'est alors que l'enfant sentit une force brûlante se déployer dans son ventre. Un feu d'envie lui remuait les entrailles et le poussait à l'action. Ses bras se détendirent soudain, comme la corde d'un arc, au moment où les tueurs attaquaient. Ses mains crochèrent les cous épais, ses doigts s'enfoncèrent dans les chairs. Les reptiles, piégés, se débattirent, fouettant le sol, serrant dans leurs anneaux le corps de l'enfant pour le pulvériser. Mais le souffle commença à leur manquer. Brutalement, ils dénouèrent leur étreinte. L'adversaire, maître d'eux, venait de les broyer.

30 Amphitryon, alerté par les hurlements de son fils arrivait, l'épée nue, accompagné d'Alcmène épouvantée. Des esclaves suivaient avec des torches. Tous furent saisis d'effroi en découvrant le carnage. Alcée trônait dans le 35 tumulte, assis dans son berceau, d'horribles colliers d'écailles enroulés autour du corps. Il souriait, fier, et son sourire stupéfia.

La nouvelle de l'exploit se répandit dans le palais, dans la ville ; tous s'interrogeaient :

40 – Ces serpents, qui les a apportés ?

– On n'a jamais vu de tels monstres dans la contrée[2].

Un nom s'imposait, une ombre froide qui enveloppait le cœur d'Alcmène.

45 – Héra ! murmura-t-elle. Elle est revenue, je la sens !

La déesse était là, précisément, invisible, profitant de l'émoi, et observant Alcée.

– *Bonne réponse, petit ! Tu as senti le feu et* 50 *tu maîtrises déjà bien son énergie*, jugeait-elle avec détachement. *Tu promets... Attendons la suite.*

Alcée, lui, la voyait. Il babilla[3].

On avait envoyé chercher Tirésias, le 55 devin aveugle qui voyait le sens caché des événements. On voulait savoir, entendre des réponses qui rassurent. Cet attentat, qui l'avait commis ? Pourquoi ?

Il arriva, guidé par sa fille, alors qu'Hé-60 ra s'éloignait. Le devin perçut le courant frais de sa présence. Alors, il s'adressa à l'assemblée.

– Cet enfant est promis à de grandes

1. torches enflammées.
2. région.
3. parla comme le font les bébés.

Histoire des arts

▶ **Socle** *Identifier et analyser une œuvre d'art*

A En vous aidant du texte, décrivez l'Hercule de la fresque.

B **a.** Qui sont les deux personnages à droite sur la fresque ? Comment les identifiez-vous ? **b.** Que représente l'aigle au centre de la fresque ?

C Qui est la femme à gauche sur la fresque ? Quel sentiment éprouve-t-elle ? Comment est-ce suggéré ?

D Quels personnages du récit de J. Cassabois ne figurent pas sur la fresque ?

Hercule étouffant les serpents, vers 75 après J.-C., fresque, villa des Vetii, Pompéi, Italie.

choses, déclara-t-il. Il combattra les monstres qui se terrent dans l'obscurité des cœurs ; il détrônera des rois qui ne méritent pas leur pouvoir. Il affrontera la mort les yeux dans les yeux, souffrira mille maux, traversera de noirs désespoirs et la confiance le relèvera. Il rénovera aussi la foi[4].

Sa prédiction fit tomber un silence glacial, car Tirésias, inspiré par Athéna, ne se trompait jamais.

J. CASSABOIS, *L'Épopée d'Héraclès, le héros sans limites*,

4. Il rendra la religion plus pure.

Lecture

▶ **Socle** *Comprendre un texte littéraire et l'interpréter*

1. a. Comment les serpents attaquent-ils ? b. Quelle est la réaction de chaque enfant ?
2. a. Comment l'assistance réagit-elle ? b. Que révèle cette scène à tous ?
3. Quel portrait d'Héraclès peut-on faire à partir de ce passage ? Expliquez.

Le trésor des mots

▶ **Socle** *Acquérir la structure, le sens et l'orthographe des mots*

1. Quels groupes nominaux désignent les serpents ? Quel effet produisent-ils sur le lecteur ? Pourquoi ?
2. Que signifie « une force herculéenne » ?

D Les douze travaux : s'interroger sur les épreuves d'Héraclès (EMC)

Chapitres 4 à 19

Lisez ces chapitres et, par groupes, répartissez-vous les épreuves d'Héraclès.

Lecture

1. Résumez l'épreuve choisie en quelques lignes.
2. Pour cette épreuve :
a. choisissez un bref passage décrivant le monstre ou l'épreuve, recopiez-le dans votre carnet de lecture, illustrez-le par un dessin ou une reproduction d'œuvre d'art ;
b. entraînez-vous à lire ce passage de façon à en exprimer l'horreur ;
c. expliquez, en citant le texte, ce que représente le monstre, et en quoi la victoire sur le monstre forme Héraclès.

Travail collectif

3. Mettez en commun vos recherches :
a. Que représentent les monstres affrontés par Héraclès ? b. Quelles leçons de vie peut-on tirer de ces épreuves ?

E Comprendre le destin final d'Héraclès

Chapitres 20-21

Lisez ces chapitres.

1. Expliquez oralement le rôle des trois femmes (Omphale, Iolé et Déjanire) dans la vie d'Héraclès.
2. Héraclès devient-il immortel comme son père Zeus le voulait ? Expliquez.

F Bilan

Dans votre carnet de lecture, expliquez :
a. en quoi l'histoire d'Héraclès est une épopée ;
b. ce qui vous a marqué(e) dans l'histoire de ce héros.

Lire comprendre interpréter

▶ Socle *Être un lecteur autonome - Produire des écrits variés*

Je lis et j'échange sur des œuvres complètes

Le cercle des lecteurs

Monstrueuses histoires mythologiques

Récits

Jason et le défi de la Toison d'or **

N. PORCAR

© Nathan, 2014.

Jason, fils du roi d'Iolcos, a été dépossédé du trône par son oncle Pélias. Pour reprendre le royaume de son père, il devra rapporter la Toison d'or et surmonter bien des épreuves…

Thésée revenu des Enfers **

H. HUGO

© Nathan, 2012.

Le destin tragique de Thésée, de retour des Enfers : réussira-t-il à apporter la paix et la république à la cité d'Athènes ?

Ariane contre le Minotaure **

M.-T. DAVIDSON

© Nathan, 2012.

Tous les neuf ans, quatorze Athéniens sont offerts au puissant roi de Crète Minos, afin d'être dévorés par le Minotaure.

Album

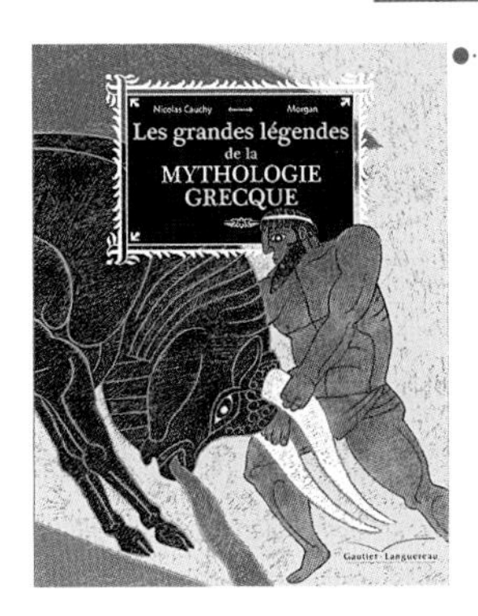

Les grandes légendes de la mythologie grecque *

N. CAUCHY

© Gautier-Languereau, Coll. « Légendes de la mythologie », 2013.

Découvrez dans un album de jeunesse, les épreuves de Thésée parti à la recherche de son père inconnu et celles de Jason, parti chercher la Toison d'or.

Mon carnet personnel de lecture

Je poursuis mon carnet de lecture (voir méthode, p. 44).

Je choisis de résumer une des épreuves du héros qui m'a marqué(e) et j'explique mon choix.

À l'oral

Je présente mon livre et plus particulièrement l'épreuve que j'ai choisie.

Je lis un extrait de cette épreuve de façon à rendre la scène saisissante.

Écouter et dire un poème

▶ Socle *Écouter pour comprendre un texte lu - Participer à des échanges - Lire avec fluidité*

1. Écoutez le poème lu par votre professeur ou un comédien.
2. Échangez pour vérifier votre compréhension du poème, pour définir comment rendre le caractère ensorcelant des Sirènes.
3. Apprenez le poème, seul(e) ou à plusieurs.
4. Éventuellement, prévoyez un accompagnement musical.

Les Sirènes

Les Sirènes chantaient… Là-bas, vers les îlots,
Une harpe d'amour soupirait, infinie ;
Les flots voluptueux ruisselaient d'harmonie
Et des larmes montaient aux yeux des matelots. [...]

5 Jusqu'au bout, aux mortels condamnés par le sort,
Chœur fatal[1] et divin, elles faisaient cortège ;
Et, doucement captif entre leurs bras de neige,
Le vaisseau descendait, radieux, dans la mort !

La nuit tiède embaumait… Là-bas, vers les îlots,
10 Une harpe d'amour soupirait, infinie ;
Et la mer, déroulant ses vagues d'harmonie,
Étendait son linceul[2] bleu sur les matelots. [...]

A. SAMAIN, « Les Sirènes », *Au jardin de l'infante*, 1893.

1. ensemble de voix qui entraîne vers la mort.
2. drap dans lequel on enveloppe les morts.

S'exprimer à partir de documents visuels et sonores (HISTOIRE – GÉOGRAPHIE) UTILISABLE EN AP

▶ Socle *Écouter pour comprendre un message oral - Parler en prenant en compte son auditoire*

Dans l'exposition « Dans le sillage d'Ulysse », sur le site Internet de la Bibliothèque nationale de France, consultez la carte figurant à cette page : http://expositions.bnf.fr/homere/escales.

1. Observez la carte. Le voyage d'Ulysse se situe-t-il dans un monde réel ou surnaturel ? Justifiez.
2. Cliquez sur « Royaume d'Ulysse » et sur « Civilisation ». Lisez le texte puis expliquez ce que vous avez appris.
3. Cliquez sur les noms des épisodes étudiés dans le chapitre (les Cyclopes, Circé, Les Sirènes, Charybde et Scylla) et à chaque fois sur l'onglet « Civilisation ». Expliquez ce que vous avez compris.
4. Écoutez le récit de l'épisode des Lestrygons et racontez-le à la classe qui jugera de la fidélité de votre récit.

Dire et jouer un dialogue théâtral UTILISABLE EN AP

▶ Socle *Lire avec fluidité - Adopter une attitude critique par rapport au langage produit*

Par groupes de deux, apprenez cet extrait d'une pièce grecque antique.

Ulysse arrive sur une île inconnue et interroge Silène, venu à sa rencontre.

ULYSSE. – Quelle est cette région, et qui sont ceux qui l'habitent ?
SILÈNE. – L'Etna, le lieu le plus élevé de la Sicile.
ULYSSE. – Où y a-t-il des murs et des remparts de cité ?
SILÈNE. – Il n'y en a pas ; sur ces promontoires, pas d'êtres humains, étranger.
5 ULYSSE. – Qui habite cette terre ? Des bêtes sauvages ?
SILÈNE. – Des Cyclopes ; ils ont des cavernes, pas de maisons.
ULYSSE. – Qui est leur chef ? Ou bien ont-ils un État démocratique[1] ?
SILÈNE. – Ce sont des nomades : personne n'obéit à personne.
ULYSSE. – Cultivent-ils l'épi de Déméter[2] ? Sinon, de quoi vivent-ils ?
10 SILÈNE. – De lait, de fromage et de la chair des moutons.
ULYSSE. – Possèdent-ils la liqueur de Bacchus[3], le jus de la vigne ?
SILÈNE. – Non ; ils habitent une terre ingrate.
ULYSSE. – Sont-ils hospitaliers, et respectent-ils le droit sacré de l'hospitalité ?
SILÈNE. – Pour eux, la viande la plus agréable est celle de l'étranger.
15 ULYSSE. – Que dis-tu ? Ils aiment manger de la chair humaine ?
SILÈNE. – Personne n'est venu ici sans être égorgé.

EURIPIDE, *Le Cyclope*, traduction de Chantal Bertagna.

1. où le peuple a le pouvoir.
2. déesse du blé et de la moisson.
3. dieu du vin.

CONSEILS
- Vérifiez que vous avez bien compris : **a.** Pourquoi Ulysse pose-t-il des questions ? **b.** Quel sentiment éprouve-t-il à la fin du texte ?
- Entraînez-vous à lire et enchaîner les répliques.
- Apprenez chacun votre rôle en trouvant le ton qui convient.
- Répétez en vous corrigeant l'un l'autre.

A Préparer l'écrit et rédiger au brouillon

Sujet 1 Raconter une aventure d'Ulysse Activité guidée

Imaginez et rédigez la suite de ce récit raconté par Ulysse.

Éole me donne une outre[1] faite avec la peau d'un bœuf de neuf années : dans cette outre sont renfermés les vents. Éole est en effet maître des vents : il les apaise ou les excite à son gré. Ce dieu attache l'outre avec une chaîne d'argent. Puis il la place dans mon vaisseau pour qu'aucun de ces vents ne puisse sortir ; il fait souffler seulement le doux zéphyr, afin qu'il pousse nos vaisseaux vers les rivages de notre patrie. Mais cela ne devait pas encore s'accomplir ! L'imprudence et la curiosité de mes compagnons vont causer notre malheur !

D'après *Odyssée*, chant x.

1. sorte de sac, qui sert à transporter des liquides.

TIBALDI, *Éole donnant à Ulysse l'outre des vents*, fresque, 1550-1551.

ÉTAPE 1 — Planifier le récit

1. **Organisez-vous par binômes ou par petits groupes et cherchez des idées sur :**
   - ce que peuvent être « l'imprudence et la curiosité » des compagnons d'Ulysse ;
   - le malheur qu'elles peuvent causer ;
   - les réactions des uns et des autres face à cette épreuve.

   Vous ferez attention à respecter les éléments du texte ci-dessus et ce que vous avez appris d'Ulysse et de ses compagnons.

ÉTAPE 2 — Formuler et écrire au brouillon

2. **En tenant compte des propositions ci-dessus et des échanges avec les autres, notez :**
   - ce qui provoque l'épreuve ;
   - des mots ou groupes de mots pour évoquer le monde marin : paysages, vent, mer… ;
   - quelques indications pour les réactions et émotions des personnages.

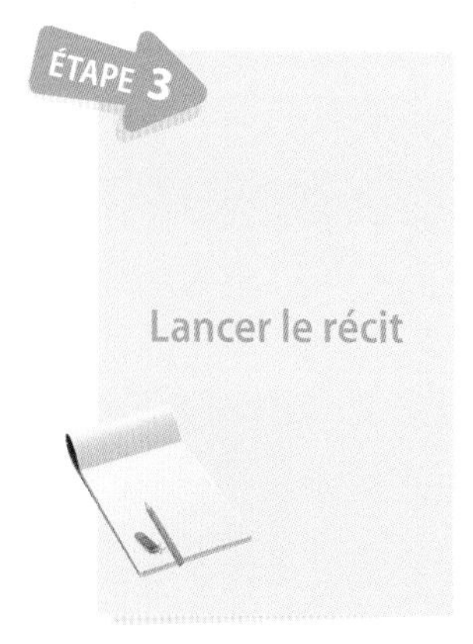

ÉTAPE 3 — Lancer le récit

3. **Rédigez au brouillon une première version de votre récit en vous servant du travail préparatoire.**

   Votre récit comportera ces éléments :
   - la navigation après le départ de chez Éole ;
   - l'imprudence et la curiosité des compagnons d'Ulysse ;
   - le malheur auquel ils sont confrontés ;
   - les actions et les émotions des personnages dans cette épreuve.

   Votre récit se fera à la première personne et au présent.
   Vous terminerez par :

   Finalement, les vents se calment et nous poursuivons notre périple.

B Améliorer le brouillon et rédiger au propre

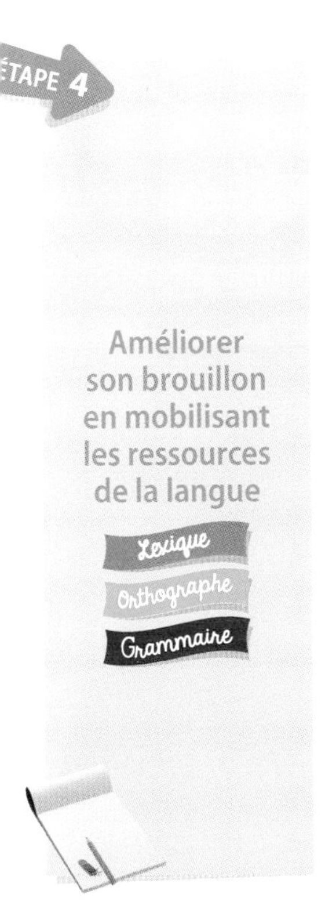

ÉTAPE 4

Améliorer son brouillon en mobilisant les ressources de la langue

Lexique
Orthographe
Grammaire

La construction du récit

1. **Vérifiez les points suivants et corrigez-les si besoin :**

Mon récit respecte-t-il le sujet ?	☐ oui	☐ non
Mon récit comporte-t-il ces éléments :		
• la navigation après le départ de chez Éole ?	☐ oui	☐ non
• une action imprudente des compagnons ?	☐ oui	☐ non
• le déchaînement monstrueux des vents et de la mer ?	☐ oui	☐ non
• la phrase finale ?	☐ oui	☐ non
Mon récit évoque-t-il les émotions des personnages ?	☐ oui	☐ non

L'écriture du récit

2. **Améliorez votre récit en veillant à :**	**Aidez-vous des exercices...**
• exprimer la violence des vents et de la mer	1 à 7 p. 142
• exprimer les émotions et sentiments des personnages	8 à 10 p. 142
• respecter les accords dans le groupe nominal	1 et 2 p. 143
• respecter l'accord des verbes avec leur sujet	3 et 4 p. 143
• employer des reprises nominales et pronominales dans le récit	5 à 7 p. 143

ÉTAPE 5

Rédiger au propre et se relire

3. a. **Recopiez votre texte au propre.**
b. **Relisez-le plusieurs fois en échangeant avec un(e) de vos camarades pour vérifier successivement :**
– la ponctuation ;
– les accords dans le groupe nominal ;
– l'accord des verbes avec leur sujet ;
– l'orthographe du vocabulaire marin et de celui des émotions.

Sujet 2 Raconter à partir d'une expression homérique

Activité en autonomie

Racontez une scène au cours de laquelle vous n'avez pas cédé aux chants des Sirènes.

CONSEILS

- L'expression d'origine homérique « céder aux chants des Sirènes » est devenue une expression imagée. Signifie-t-elle : « s'endormir profondément », « accepter de chanter », ou « se laisser tenter par quelque chose de séduisant, d'attirant » ?
- Imaginez une histoire qui montre que vous n'avez pas cédé au chant des Sirènes.
- Racontez aux temps du passé ou au présent.
- Pensez aux accords dans le groupe nominal et à l'accord des verbes avec leur sujet.

Travailler la langue pour améliorer l'écrit

Lexique

Les aventures marines

Leçons 56 et 57, p. 360 et 362

1 Recopiez ces noms en les classant en deux listes de synonymes.
une odyssée – une embarcation – une nef – un vaisseau – une pérégrination – un périple – un navire – un bateau – une errance – un bâtiment – une navigation – un esquif

2 a. Que signifie « un écueil » au sens propre ? au sens figuré ?
b. Parmi les noms suivants, quels sont ceux qui pourraient remplacer « écueil » employé dans un texte au sens propre ? au sens figuré ?
une épreuve – un récif – un péril – un danger – un brisant – un rocher – un roc

3 Puisez dans la coque de navire les mots et classez-les en trois colonnes :

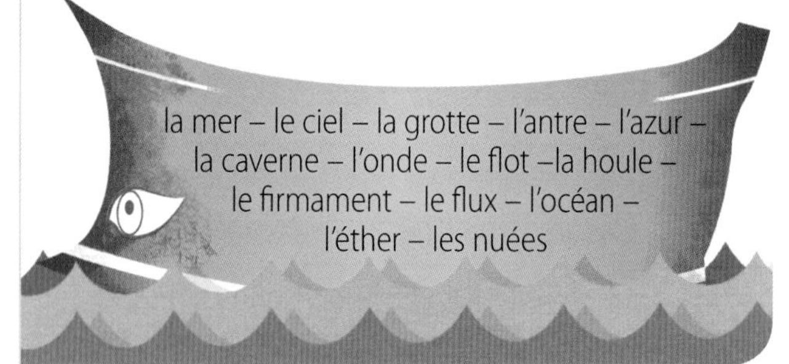

4 Complétez les phrases avec le verbe qui convient que vous conjuguerez au présent et que vous accorderez. Parfois plusieurs solutions possibles.
déferler – submerger – se briser – engloutir – recouvrir – anéantir

1. Les flots déchaînés ... sur les rochers. **2.** Une immense vague ... le navire. **3.** La marée montante ... sur le rivage. **4.** Le navire ... sur les rochers. **5.** Un fort coup de vent ... la barque. **6.** Un paquet de mer ... le pont du navire.

5 Dans ce nuage de mots, quels sont ceux : a. qui concernent un vent violent ; b. qui expriment le bruit d'un vent violent ?

ouragan bourrasque tornade bise zéphyr fracas cyclone rafale brise déferlement vacarme

6 Lequel de ces verbes ne peut pas être associé au bruit que fait un vent violent ?
gronder – hurler – murmurer – hurler – siffler – vrombir

7 a. Classez ces adjectifs selon qu'ils qualifient. a. une brise ; b. une tornade.
fraîche – tiède – impétueuse – douce – déchaînée – violente – embaumée – parfumée

b. Rédigez environ cinq lignes pour décrire une tempête en mer en utilisant le vocabulaire vu dans cette partie.

Émotions et sentiments

Leçons 55 et 57, p. 358 et 362

8 En vous aidant de l'étymologie grecque de ces noms désignant des sentiments, employez chacun d'eux dans une phrase qui en révèle le sens.
1. la nostalgie : *nostos*, « le retour », et *algos*, « la souffrance ».
2. la mélancolie : *mélas*, « noir », et *colia*, « humeur ».
3. la colère : *choléra*, « maladie ».

9 a. Classez ces synonymes de « peur » en deux listes : a. peur faible ; b. peur forte.
inquiétude – panique – effroi – frayeur – épouvante – terreur – angoisse – appréhension

b. Donnez les verbes correspondant à ces noms.

10 a. Relevez les groupes de mots exprimant les émotions d'Ulysse et de ses compagnons.
b. Quel sentiment les personnages éprouvent-ils ?

À l'approche de Charybde, nous entendîmes un grondement immense. Frappés de crainte, mes compagnons lâchèrent les avirons de leurs mains. L'horrible Scylla arracha six marins de la nef et les dévora immédiatement. J'entendis leurs cris et vis leurs mains tendues. Ils m'appelaient encore, criant mon nom pour la dernière fois avec désespoir.

D'après HOMÈRE, *Odyssée*.

Orthographe

Les accords dans le groupe nominal (2)

Leçon 34, p. 318

1 Recopiez le texte en accordant avec chaque nom en vert l'adjectif ou le participe passé entre parenthèses.

Ulysse quitte l'île (merveilleux) de Circé sur un radeau (construit) de ses mains (habile). Mais Poséidon déclenche une (violent) tempête. Les flots (déchaîné) ballotent le (malheureux) Ulysse.

2 Recopiez le texte en insérant dans les groupes nominaux en bleu les adjectifs et participes suivants, que vous accorderez.

houleux – magnifique – vigoureux – immortel – verni – innombrable – long – cruel

Quand il rencontre un voyageur, il plante en terre sa rame et il offre à Poséidon un sacrifice : un bélier, un taureau et un porc. Puis il retourne chez lui offrir des sacrifices aux dieux. Enfin, la mort vient, loin de la mer, mettre un terme à la vieillesse de celui qui a vu des peuples au cours de son voyage.

D'après HOMÈRE, *Odyssée*.

L'accord sujet-verbe au présent aux 3es personnes (2)

Leçon 35, p. 321

3 Recopiez les phrases en conjuguant les verbes au présent.

1. Le Cyclope (manger) deux compagnons. **2.** Ulysse et un compagnon (donner) du vin au Cyclope. **3.** Ils (parler) au géant pour l'amadouer. **4.** Le Cyclope (avaler) tout le vin. **5.** Ulysse et son ami (attendre) que le Cyclope soit endormi. **6.** Ils (planter) alors le pieu dans son œil.

4 Récrivez les phrases à la première personne : a. du singulier ; b. du pluriel.

1. À la vue de la vague, il tremble et il frémit. **2.** Il gémit sous le choc. **3.** Il prend la rame et saisit un cordage. **4.** Il veut mettre le navire au sec mais il ne le peut pas. **5.** Il prie les dieux immortels et il demande leur protection.

Employer des reprises nominales et pronominales

Pour enrichir un récit, appliquez deux actions pour mieux écrire : couper et remplacer.

5 Recopiez ces phrases en soulignant de trois couleurs différentes les groupes nominaux et les pronoms reprenant : a. Ulysse et ses compagnons ; b. Éole ; c. Ulysse.

1. Ulysse et ses compagnons arrivent à l'île d'Éole. Le dieu des vents les accueille fort bien. **2.** Curieux de leurs aventures, il les héberge et il les soigne un mois durant. **3.** Au bout d'un mois, le héros aux mille ruses exprime le désir de partir et ses compagnons partagent son désir. La divinité leur offre alors un vent favorable.

6 Récrivez ces couples de phrases en employant des pronoms et des groupes nominaux pour supprimer les répétitions.

1. Éole prend soin d'enfermer les autres vents contraires dans un sac en cuir. **Éole** place **ce sac** dans le bateau d'Ulysse. **2.** Cette outre est particulière. **Cette outre** ne doit jamais être ouverte, sinon les vents contraires seraient libérés. **3.** D'abord, Ulysse tient la barre ; tout se passe bien et Ithaque est en vue. Mais le dixième jour, près **d'Ithaque**, **Ulysse** s'endort.

7 Corrigez ce texte fautif en remplaçant les pronoms en gras par un de ces groupes de mots de façon à supprimer toute ambiguïté.

l'équipage – le divin Ulysse – l'ouragan - l'un d'eux – le bateau

*Pendant le sommeil d'Ulysse, ses compagnons s'intéressèrent au sac. **Il** donna un avis funeste aux autres ; d'un commun accord, **il** s'empara de ce cadeau. Quand **il** s'en aperçut, il était trop tard : un vent violent ballottait déjà le navire. **Il** se déchaîna des heures durant : **il** menaçait d'être submergé.*

Je construis mon bilan

Qu'ai-je appris ?

▶ Socle *Les méthodes et outils pour apprendre*

1 Recopiez et complétez le schéma en y plaçant ces monstres.
le Cyclope – le lion de Némée – l'hydre de Lerne – Scylla – les Sirènes – les oiseaux de Stymphale

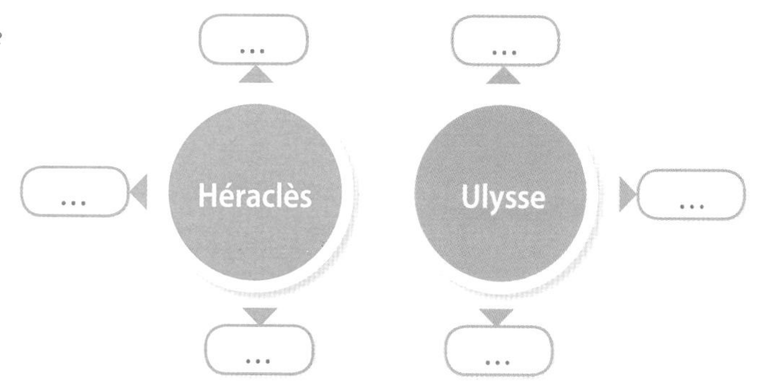

2 Répondez aux questions suivantes :

a. Dans l'Antiquité, comment nommait-on un demi-dieu ?

b. ÉTYMO « protéiforme » signifie « qui a de multiples formes ».
Citez au moins un monstre mythologique protéiforme.

c. ÉTYMO « anthropophage » vient du grec *anthropos*, « être humain », et *phagein*, « manger ». Citez au moins un monstre mythologique anthropophage.

d. Qu'est-ce qu'une odyssée ?

e. Que signifie « une force herculéenne » ?

f. Qu'est-ce qu'une épopée ?

Qu'avons-nous compris ?

▶ Socle *Participer à des échanges dans des situations diversifiées*

Lisez ces questions, préparez les réponses mentalement ou au brouillon, puis échangez avec vos camarades.

Ulysse

1 De quelle(s) qualité(s) Ulysse fait-il preuve dans ses épreuves ? Expliquez.

2 Les Lotophages font manger la fleur de l'oubli.

a. À quelles autres occasions Ulysse et ses compagnons sont-ils soumis à la tentation de l'oubli ?

b. En quoi l'oubli éloigne-t-il du monde des humains ?

Héraclès

3 a. **Qu'est-ce qui caractérise le jeune Héraclès ? Cela le rend-il humain ou monstrueux ?**

b. **Qu'apprend le héros Héraclès au fil de ses épreuves ?**

Héros et monstre

4 Selon vous, l'image d'entrée du chapitre (p. 121) reflète-t-elle le contenu du chapitre ? Expliquez.

Je rédige mon bilan

▶ Socle *Recourir à l'écriture pour réfléchir et pour apprendre*

Expliquez en deux paragraphes d'une dizaine de lignes :

– pourquoi Ulysse et Héraclès ont dû affronter des monstres ;

– quelles qualités ils ont montrées dans ces épreuves.

J'évalue mes compétences

Hercule et Cacus

Le monstre Cacus terrorise les habitants de l'Aventin, colline de la Rome antique. Il a volé à Hercule des bœufs et les a cachés dans sa caverne où il s'est réfugié. Hercule le poursuit.

Déjà Hercule était là, cherchant un accès, regardant partout, grinçant des dents. Trois fois, bouillant de colère, il fait le tour de la colline de l'Aventin, trois fois il essaie de forcer la porte de pierre, sans résultat. Trois fois, il s'assied dans la vallée, épuisé. Sur le dos de la caverne se dressait un rocher pointu, entouré de toutes parts de rochers abrupts. Le sommet de ce rocher penchait à gauche vers le fleuve. Hercule, s'étant placé à droite, l'ébranla en appuyant dans le sens contraire, l'arracha à ses racines profondes, puis brusquement le poussa dans le vide. Sous cette poussée, le ciel immense gronde comme le tonnerre, les rives sursautent et le fleuve, épouvanté, reflue. Alors apparut, privé de son toit, l'antre de Cacus, palais immense, et l'on découvrit ses profondes cavernes ténébreuses. C'était comme si la terre, s'entrouvrant largement sous un choc violent, dévoilait les Enfers. Ainsi Cacus est soudain surpris par cette lumière inattendue, prisonnier au creux de son antre et plus rugissant que jamais. Et d'en haut, Hercule l'écrase sous ses projectiles, faisant arme de tout et l'accablant de branches et de pierres énormes. Le monstre, voyant qu'il ne peut plus fuir le danger, vomit de sa gueule une fumée sombre, fumée qui plonge son antre dans une obscurité épaisse qui le cache aux regards. Il crée ainsi dans la grotte une nuit pleine de fumée où le feu se mêle aux ténèbres. Hercule, fou de colère, ne le supporta pas. À travers les flammes, il se précipita d'un saut à l'endroit où la fumée était la plus épaisse, et où l'immense caverne bouillonnait dans un nuage noir. Alors il saisit Cacus qui crache inutilement ses feux dans l'obscurité ; il le serre, faisant un nœud de ses bras, et sans le lâcher, l'étrangle en lui faisant jaillir les yeux de la tête et en privant sa gorge de sang. Aussitôt, on arrache les portes, la sombre caverne est grande ouverte, les bœufs dont Cacus avait nié le vol, apparaissent au grand jour. Le cadavre sans forme est traîné par les pieds au-dehors.

VIRGILE, *Énéide*, chant VIII, traduction et adaptation de C. Bertagna.

▸ Socle *Comprendre un texte littéraire et l'interpréter*

1. **Quelles sont les caractéristiques du monstre Cacus ?**
2. **Où Cacus s'est-il réfugié ? À quoi ce lieu est-il comparé ?**
3. a. **Comment Hercule s'y prend-il pour affronter Cacus ? Expliquez.**
   b. **Quel adjectif emploieriez-vous pour qualifier le combat ? Expliquez.**
4. a. **À quel(s) autre(s) personnage(s) mythologique(s) rencontré(s) dans le chapitre pouvez-vous comparer Cacus ? Pourquoi ?**
   b. **Le comportement d'Hercule dans ce texte est-il conforme à ce que vous savez des héros antiques ? Expliquez.**

Parcours artistique et culturel

▶ Socle *Comprendre des textes littéraires et des images et les interpréter - Contrôler sa compréhension, être un lecteur autonome*

Spectaculaires métamorphoses !

Embarquez dans le monde merveilleux d'Ovide en découvrant, de façon de plus en plus autonome, plusieurs récits (p. 146 à 156) et réalisez une « mythothèque » originale à partir d'autres récits !

A Découvrir les *Métamorphoses* d'Ovide : mythologie et frissons

Le saviez-vous ?

- Les *Métamorphoses*, un très long poème de 12 000 vers, racontent des centaines de mythes gréco-latins qui commencent avec les origines du monde et se finissent sous le règne d'Auguste.
- Certains d'entre eux cherchent à expliquer des phénomènes naturels.
- Ces récits donnent à voir des monstres et des transformations vraiment spectaculaires.
- Les *Métamorphoses* d'Ovide ont inspiré des centaines de peintures et de sculptures que l'on peut voir dans les musées du monde entier, ainsi que de nombreuses œuvres musicales.

OVIDE
(43 av. J.-C.-17 ap. J.-C.)

Ce poète latin connaît un vif succès à Rome, notamment auprès du premier empereur, Auguste.

Qu'est-ce qu'un récit de métamorphose d'Ovide ? Hda

Polyphème, Galatée et Acis

Le Cyclope Polyphème aime Galatée, une divinité marine, qui lui préfère Acis, le fils de Séméthus, divinité fluviale. Voici le récit de Galatée.

Polyphème se lève et va et vient à travers les bois et les monts qui lui sont familiers. Tout à coup, à un moment où nous étions loin de craindre un tel danger, le monstre m'aperçoit avec Acis : « Je vous vois, nous crie-t-il, je vais faire en sorte 5 que ce rendez-vous d'amour soit pour vous le dernier. » Sa voix était aussi effroyable qu'on pouvait l'attendre d'un Cyclope irrité : ce cri fit frémir l'Etna[1]. Moi, saisie d'épouvante, je plonge

La clé des mots

Le nom **métamorphose**, du grec *méta*, « après » et *morphè*, « forme », signifie « changement de forme ».
• Citez des exemples de métamorphoses naturelles.

dans la mer voisine ; mais Acis avait pris la fuite en disant : « Viens à mon secours, Galatée, je t'en supplie ; venez à mon
10 secours, mes parents ; je suis mort, si vous ne me recevez pas dans votre royaume. » Le Cyclope le poursuit ; il arrache de la montagne un quartier de roc et le lance en avant ; quoique seule une extrémité atteigne Acis, il en est écrasé tout entier. Alors mes sœurs et moi, nous faisons tout ce que le destin
15 nous permettait de faire ; nous lui donnons la nature fluviale de son père Séméthus. Sous l'énorme masse coulait un sang rouge sombre ; en un instant, cette couleur commence à pâlir ; elle devient semblable à celle d'un fleuve troublé par un orage ; **peu à peu** c'est une source limpide ; **puis** le bloc, qui
20 s'est brisé, s'entrouvre ; par les fentes surgissent les longues tiges de roseaux vigoureux et au creux du rocher grondent des eaux jaillissantes ; **tout à coup**, ô prodige ! il en sort jusqu'à la ceinture un jeune homme dont le front porte une couronne de roseaux enlacés autour de cornes naissantes. Pourtant,
25 même sous cette forme, c'est toujours Acis, changé en fleuve, et ce fleuve a gardé l'ancien nom du héros.

OVIDE, *Métamorphoses*, livre XIII, traduction et adaptation de C. Bertagna.

1. volcan de Sicile, où, selon les Anciens, vivait le Cyclope.

A. OTTIN, *Polyphème surprenant Galatée dans les bras d'Acis*, Fontaine Médicis, 1866, jardin du Luxembourg, Paris.

Lecture ▸ Socle *Comprendre un texte littéraire et l'interpréter*

1. **a.** Que savez-vous de Polyphème (voir p. 124) ? **b.** Pourquoi poursuit-il Galatée et Acis ?
2. Où Galatée se met-elle à l'abri ? Pourquoi fait-elle ce choix ?
3. En quoi Acis est-il métamorphosé ? Comment Galatée explique-t-elle ce choix ?
4. **a.** Lisez attentivement le passage en bleu puis expliquez comment se déroule cette métamorphose. **b.** À quoi les indicateurs de temps en gras dans ce passage servent-ils ?

Histoire des arts ▸ Socle *Identifier et analyser une œuvre d'art*

A. Présentez l'œuvre d'art : nature de l'œuvre, titre, artiste, date, lieu d'exposition.

B. Quels éléments du récit d'Ovide reconnaissez-vous ?

C. Comment le sculpteur a-t-il rendu le caractère spectaculaire de la scène ?

De l'humanité à l'animalité

Latone et les paysans lyciens

Jalouse, Junon poursuit la déesse Latone qui a eu deux enfants, Apollon et Diane, avec Jupiter. Arrivée en Lycie, assoiffée, Latone supplie des paysans de la laisser boire ainsi que ses enfants.

La clé des mots

Le nectar était la boisson des dieux de l'Olympe.
• Aujourd'hui un nectar désigne-t-il une boisson agréable ou désagréable ?

« Je ne me préparais pas à laver ici mes membres et mon corps fatigué, mais à soulager ma soif. Tandis que je parle, ma bouche manque de salive, ma gorge se serre et laisse à peine passer mes paroles. Une gorgée d'eau sera pour moi un nectar ; et je reconnaîtrai que je vous dois la vie ; car vous m'aurez donné la vie avec cette eau. Que mes enfants vous émeuvent, eux qui, de mon sein, vous tendent les bras. »

Qui n'aurait pas été ému par les douces paroles de Latone ? Mais eux persistent à repousser celle qui les supplie ; ils ajoutent des menaces au cas où elle ne s'éloignerait pas, puis des injures. Mais ce n'est pas assez : de leurs pieds et de leurs mains, ils troublèrent le lac lui-même et, du fond du marais, sautant çà et là, ils soulevèrent la vase bourbeuse, par méchanceté. La colère chassa la soif : aussitôt, Latone cesse de supplier ces gens indignes et ne supporte plus de prononcer des paroles impropres pour une déesse ; elle s'écria : « Pour l'éternité, vivez dans votre étang. »

Les prières de la déesse s'accomplissent : avec joie, ils restent sous les ondes[1] : **tantôt**, ils plongent tout leur corps au fond du marécage, **tantôt** ils montrent leur tête, nagent à la surface ; **souvent**, ils se posent sur la rive de l'étang, **souvent** ils se retirent dans les eaux froides. Mais ils exercent **encore** leurs méchantes langues à des querelles et, sans honte, bien que cachés sous l'eau, ils essaient de prononcer des propos injurieux. Leur voix **désormais** est devenue rauque, leur gorge gonflée s'enfle, et leurs injures dilatent leurs larges bouches. Leur tête rejoint leurs épaules ; leur cou semble disparaître ; leur dos verdit, leur ventre, devenu la plus grosse partie de leur corps, blanchit, et, dans les profondeurs bourbeuses, ils sautent, métamorphosés en grenouilles.

OVIDE, *Métamorphoses*, livre VI,
traduction et adaptation de C. Bertagna.

1. les eaux.

G. et B. MARSY, sculpture du bassin de Latone, 1668-1670, Château de Versailles.

Écriture

▶ Socle *Ecrire pour réfléchir et pour apprendre*

Recopiez le tableau suivant et complétez les deux premières lignes.

Tableau des métamorphoses				
Texte	**Qui est métamorphosé ?**	**Par qui ?**	**En quoi ?**	**Quelles parties du corps sont transformées ?**
Polyphème, Galatée et Acis	Acis			
Latone et les paysans lyciens				
Le roi Midas				
Persée				

Histoire des arts

▶ Socle *Identifier et analyser une œuvre d'art*

A Présentez l'œuvre d'art : nature de l'œuvre, titre, artiste, date, lieu d'exposition.

B **a.** Comment la métamorphose des paysans est-elle exprimée ? **b.** Comment l'attitude des personnages est-elle rendue ? Vous semble-t-elle joyeuse ou dramatique ?

Oral

▶ Socle *Participer à des échanges dans des situations diversifiées - Lire avec fluidité à l'oral*

1 Expliquez le rapport entre le comportement des paysans lyciens et ce qu'ils sont devenus après la métamorphose.

2 En vous aidant des éléments en gras et en respectant le rythme donné par la ponctuation, entraînez-vous à lire le passage en bleu de façon à rendre spectaculaire la progression de la métamorphose.

Le roi Midas

Le roi Midas a déjà manifesté sa bêtise en demandant au dieu Bacchus de changer en or tout ce qu'il toucherait. Quand il comprend qu'il ne peut plus manger ni boire, il demande pardon à Bacchus qui le débarrasse de ce don encombrant.

Dégoûté de la richesse, Midas n'aime plus désormais que la campagne : il a décidé d'habiter dans la forêt avec le dieu Pan. Mais son intelligence est restée bien mince et sa sottise va encore une fois lui jouer un mauvais tour !

5 Bien au-dessus de la mer qu'il domine, s'élève la haute montage du Tmolus : c'est là que Pan prend plaisir à amuser les nymphes[1] de ses chants tout en jouant de la flûte qu'il a inventée[2]. Or, voici qu'un beau jour Pan proclame que son talent est plus grand que celui d'Apollon ; il ose défier le dieu
10 dans un concours musical dont le Tmolus sera lui-même l'arbitre[3]. Aussitôt la puissante montagne prend ses dispositions : elle s'assied, écarte de ses oreilles la forêt qui les couvre ;

La clé des mots

ÉTYMO Pan est une divinité aux pieds de bouc, inventeur de la flûte qui porte son nom. Il effrayait ses ennemis par les bruits qu'il faisait.
• Que signifie aujourd'hui la « panique » ?

1. divinités des fleuves.
2. la flûte de Pan faite avec des roseaux assemblés.
3. la montagne est personnifiée.

D. ZANPIERI, dit LE DOMINIQUIN (et assistants), *Le Jugement de Midas* (détail), 1616-1618, fresque, National Gallery, Londres.

une couronne de vieux chênes lui fait une sombre chevelure et des glands pendent sur ses tempes. 15 Alors, le Tmolus penche la tête et regarde le premier concurrent :

– Le juge est prêt ! dit-il.

Aussitôt Pan se met à souffler dans les tuyaux de sa flûte : il en tire une mélodie champêtre[4] qui 20 charme Midas, debout près de lui.

Pan a terminé : le Tmolus se tourne vers Apollon et toute la forêt qui couvre sa tête a suivi son mouvement. Le brillant fils de Jupiter[5] a couronné ses cheveux blonds des lauriers[6] du mont Parnasse[7] ; les 25 plis de ses vêtements descendent jusqu'à terre. Sa main gauche soutient une lyre[8] ornée d'ivoire et de pierres précieuses ; sa main droite tient un archet : sa pose est celle d'un virtuose de la musique. Ses doigts savants touchent les cordes. Le Tmolus tombe sous le charme 30 des sons divins que le dieu fait résonner sur ses pentes : la montagne proclame que les roseaux de Pan sont vaincus par la lyre d'Apollon et tout le monde s'empresse d'approuver son jugement. Seul, Midas ose discuter : il déclare que l'arbitre est injuste. Apollon, furieux, décide **alors** de ne pas laisser la 35 forme humaine à des oreilles si grossières qu'elles ne sont pas capables d'apprécier sa musique ! Il les allonge, les remplit de poils grisâtres et les rend mobiles. Midas, **cependant**, conserve tout le reste d'un homme : puni dans cette seule partie de son corps, il a **désormais** des oreilles d'âne !

A. COLLOGNAT, *25 métamorphoses d'Ovide*, © Le Livre de Poche Jeunesse, 2014.

Illustration de J. RAY, 2012.

4. musique en harmonie avec la nature.
5. Apollon.
6. plante préférée d'Apollon.
7. montagne où vit Apollon.
8. instrument de musique à cordes.

Écriture

▶ Socle *Écrire pour réfléchir et pour apprendre*

Complétez votre tableau des métamorphoses (voir p. 149).

Oral

▶ Socle *Participer à des échanges dans des situations diversifiées - Lire avec fluidité à l'oral*

1. Expliquez le rapport entre le comportement de Midas et la métamorphose qu'il subit.
2. Entraînez-vous à lire le passage en bleu de façon à rendre spectaculaire la progression de la métamorphose.

Histoire des arts

▶ Socle *Identifier et analyser une œuvre d'art*

A. Présentez l'œuvre d'art page 150 : nature de l'œuvre, titre, artiste, date, lieu de conservation.

B. Comment identifiez-vous Apollon, Pan et Midas ?

C. Quels autres éléments du récit d'Ovide repérez-vous dans cette œuvre ?

Les exploits de Persée

Persée

Persée est fier d'être le fils du maître des dieux. Persée vole : il a déjà laissé derrière lui d'innombrables terres, lorsqu'il baisse les yeux sur l'Éthiopie, le pays du roi Céphée. Le royaume est alors en plein bouleversement à cause de l'orgueil de Cassiopée, l'épouse de Céphée. En effet, la reine a osé se vanter d'être plus belle que les divines néréides[1], dont le palais se trouve sous la mer, et pour la punir de cette audace, Neptune a envoyé un monstre marin ravager le pays. Le roi, affolé, a déjà consulté l'oracle[2] pour savoir comment apaiser la colère du dieu et la réponse est tombée, terrible : c'est sa propre fille, Andromède, que Céphée doit offrir en pâture au monstre pour expier[3] les insolents discours de sa mère. La mort dans l'âme, le roi a dû se résoudre à conduire sa fille au sacrifice.

La jeune princesse est attachée sur un rocher qui surplombe la mer. Malgré l'horreur de la situation, sa beauté resplendit : on pourrait la prendre pour une merveilleuse statue sculptée dans le marbre par le plus grand des artistes si ses cheveux ne flottaient pas au gré du vent et si ses larmes ne coulaient pas sur ses joues. Persée la voit : aussitôt séduit, il admire les charmes qu'il aperçoit ; il en oublie presque

1. divinités marines.
2. sorte de prêtre qui exprimait la volonté des dieux.
3. réparer.

E. BURNE-JONES, « Le rocher du destin et le destin accompli », détail du feuillet 3 des *Dessins sur l'histoire de Persée*, 1875-1876, gouache, or et plume sur papier, Tate Gallery, Londres.

de battre les airs de ses ailes ! À son insu, les feux de l'amour ont déjà pénétré dans son cœur. Il s'arrête et descend ; à peine a-t-il posé le pied par terre qu'il s'écrie :

– Belle inconnue, tu n'es pas faite pour porter de pareilles chaînes ! C'est celles de l'amour qui devraient t'attacher ! De grâce, réponds-moi : comment t'appelles-tu ? Quel est le nom de ce pays ? Pourquoi es-tu ainsi enchaînée ?

Andromède se tait ; c'est une pure jeune fille innocente : elle n'ose pas regarder un homme, elle n'ose pas lui parler. Si elle avait pu se détacher, elle aurait caché son visage dans ses mains, mais elle ne peut que pleurer et ses yeux se remplissent de larmes. Cependant, Persée insiste et Andromède a peur de paraître coupable si elle ne lui répond pas : elle dit son nom, celui de son pays, et elle raconte comment la vanité de sa mère est la cause de son malheur.

Tandis que la princesse parle encore, la mer se met à bouillonner : dans un fracas épouvantable, un monstre surgit des vagues et s'avance vers le rocher ; sa taille est gigantesque et son corps couvert d'écailles semble couvrir toute la surface de l'eau. Andromède pousse un cri ; son père et sa mère courent vers elle mais ils savent qu'ils sont trop faibles pour la secourir. Ils ne peuvent que se lamenter en embrassant leur fille attachée au rocher.

– Vous aurez plus tard le temps de pleurer ! leur dit alors Persée, mais nous n'avons qu'un instant pour sauver votre fille. Si je la demandais en mariage, moi, Persée, fils de Jupiter et de Danaé, moi qui ai vaincu la Gorgone à la tête hérissée de serpents, moi qui vole dans le ciel porté par des ailes légères, je suis sûr que vous me choisiriez comme gendre de préférence à tous les autres prétendants. Mais je veux faire plus que me présenter avec ces titres de gloire : avec l'aide des dieux, je veux obtenir Andromède parce que je l'aurai méritée. Si je réussis à la sauver grâce à mon courage, je demande qu'elle soit à moi : telle est ma condition !

Céphée et Cassiopée acceptent : comment auraient-ils pu refuser dans la situation où ils étaient ! Ils promettent au héros intrépide leur fille pour épouse et leur royaume pour dot[4].

Cependant, semblable à un navire rapide qui fend les vagues écumantes, le monstre approche en écartant les flots. Déjà il n'était plus qu'à un jet de fronde du rivage, quand, tout à coup, Persée frappe le sol de ses pieds pour s'élancer dans l'air : son ombre réfléchie par la surface de l'eau semble voler sur la mer ; le monstre la voit et se met à la combattre. Persée s'abat alors sur son dos comme un aigle qui saisit un serpent par derrière pour éviter d'être mordu, et il plonge son épée recourbée dans son épaule droite. Atteint d'une profonde blessure, le monstre bondit et se dresse dans l'air de toute sa taille gigantesque. Il rugit : tantôt il se cache sous l'eau, tantôt il tourne sur lui-même comme un sanglier féroce pour-

4. argent qu'apporte une jeune fille en se mariant.

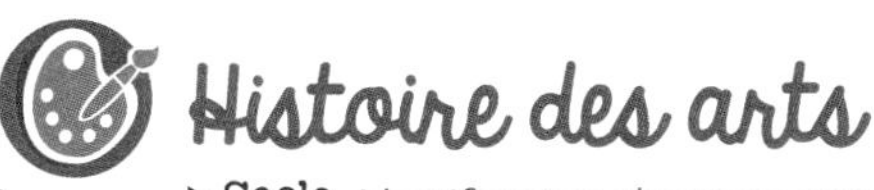

▶ **Socle** *Identifier et analyser une œuvre d'art*

A Présentez les œuvres d'art (p. 152 à 155) : nature des œuvres, titres, artistes, dates, lieux de conservation.

B En vous aidant du texte, expliquez grâce à quoi vous identifiez dans ces trois œuvres d'art : Persée, Andromède, le monstre marin, Méduse.

C **a.** Pourquoi peut-on dire que ces œuvres sont des sortes de bandes dessinées ?
b. Comment les différents monstres sont-ils rendus effrayants dans chacune des œuvres ?
c. Décrivez par écrit une des œuvres en vous aidant du récit d'Ovide et des échanges en classe.

suivi par une meute de chiens. Grâce à ses ailes, Persée échappe à la gueule béante qui essaie de le mordre et, à grands coups d'épée, il frappe sans relâche : sur le dos hérissé d'écailles, sur les flancs, sur la queue qui ressemble à celle d'un poisson. Le monstre vomit des flots de sang mêlés aux flots de la mer : ils arrosent les ailes de Persée qui sent ses sandales s'alourdir. Le héros n'ose plus s'envoler car il a peur de tomber. Il a aperçu un écueil dont la pointe se dresse au-dessus des vagues. Il le prend pour appui et, tandis qu'il tient la pointe du roc de sa main gauche, il plonge trois ou quatre fois son épée dans le ventre du monstre, sans lui laisser aucun répit.

Des applaudissements et des cris de joie retentissent sur le rivage. Le monstre est mort : son corps sanglant a disparu dans la mer. Ravis, Céphée et Cassiopée félicitent le héros : ils le considèrent désormais comme leur gendre et comme le sauveur de leur royaume. Délivrée de ses chaînes, Andromède s'avance et se jette dans les bras de ses parents.

Persée a délivré Andromède. Il est encore tout couvert du sang du monstre marin qu'il vient de tuer. Il se lave les mains dans l'eau. Comme il veut aussi nettoyer sa besace[5] du sang qui la couvre, il a posé près de lui la tête de Méduse aux cheveux hérissés de serpents pour qu'elle ne s'abîme pas sur les rochers ; il lui a fait un lit de tiges et de feuillages qui poussent comme des algues au fond de la mer. Mais au contact de la tête monstrueuse qui possède le pouvoir de pétrifier tous les êtres vivants, ces tiges fraîchement coupées, encore pleines de sève, se mettent à rougir et à durcir instantanément. C'est là l'origine du corail car, depuis ce temps, ses branches ont conservé la même propriété : tendres et

5. sac.

P. DI COSIMO, *Persée délivrant Andromède*, 1510-1513, huile sur toile, Galerie des Offices, Florence.

E. BURNE-JONES, « Persée poursuivi par les Gorgones », *Dessins sur l'histoire de Persée*, gouache, or et plume sur papier, 1875-1876, Tate Gallery, Londres.

flexibles sous l'eau, elles durcissent à l'air
140 jusqu'à avoir la dureté de la pierre.

Une fois lavé, Persée élève un autel pour honorer les dieux ; après avoir fait un sacrifice, il épouse Andromède. Le roi Céphée a préparé une superbe fête de mariage pour
145 sa fille : il donne un grand festin dans la plus belle salle de son palais. On chante, on danse, on boit et on écoute des histoires. Tous les convives sont impatients d'entendre Persée raconter comment il a obtenu la tête
150 effrayante aux cheveux hérissés de serpents.

– Au pied du mont Atlas, explique alors le héros, se trouve une grotte protégée par des rochers très escarpés. C'est là qu'habitent les deux Grées[6] qui gardent le chemin
155 conduisant aux Gorgones. Il faut savoir que ces vieilles femmes n'ont qu'un seul œil pour deux et qu'elles sont donc obligées de se le prêter tour à tour. Après une longue marche, je parviens à la grotte :
160 tandis que l'une des Grées remettait l'œil à l'autre, je tends discrètement ma main à la place de celle qui allait le saisir, et je m'en empare. Grâce à cet œil qui voit tout, je trouve facilement ma route, au travers
165 des forêts et des montagnes, pour arriver au palais des Gorgones. Chemin faisant, j'avais aperçu partout, dans les champs et sur les sentiers, des hommes transformés en statues, des animaux pétrifiés
170 par Méduse. Oui, je savais que c'était le nom de celle des trois Gorgones qui avait le pouvoir de transformer en pierre tous ceux qui regardaient son visage hideux. Mais j'avais pris mes précautions : une fois
175 entré dans son palais sans faire de bruit, je m'étais placé derrière une colonne pour l'observer, non pas elle, bien sûr, mais son image qui se reflétait sur la surface de bronze finement polie du bouclier que je
180 tenais dans ma main gauche. Et j'attends.

Alors, tandis que le monstre avait fini par s'endormir ainsi que tous les serpents qui sifflaient sur sa tête, je sors mon épée recourbée et je tranche son cou sans hésiter ! [...]

185 L'un des convives veut savoir pourquoi Méduse est la seule des trois sœurs Gorgones à avoir une tête hideuse hérissée de serpents. Persée répond :

6. nom grec signifiant les « Vieilles ».

Le trésor des mots

1. ÉTYMO En latin, *petrus* désigne une pierre. Que signifie « pétrifier » ? « pétrole » ?
2. ÉTYMO De nos jours : a. qu'est-ce qu'une méduse ? b. Que signifie le verbe « méduser » ? c. Quel rapport y a-t-il entre ces mots et le personnage mythologique dont ils proviennent ?

– Apprenez tous que Méduse brillait jadis de tout l'éclat d'une exceptionnelle beauté et qu'un grand nombre de prétendants se la disputaient. Ses cheveux surtout étaient magnifiques : j'ai connu des voyageurs qui l'ont vue et qui me l'ont raconté. C'est Neptune qui fut la cause de son malheur, à ce que l'on dit : tombé sous son charme, le dieu de la mer l'entraîna dans un temple de Minerve où il abusa d'elle[7]. Horrifiée d'un tel acte sacrilège[8], la chaste[9] déesse détourna les yeux et cacha son visage sous son égide[10]. Pour se venger, elle changea aussitôt les cheveux de Méduse en serpents.

A. COLLOGNAT, *25 métamorphoses d'Ovide*, © Le Livre de Poche Jeunesse, 2014.

7. il la viola.
8. un comportement aussi peu respectueux des lois divines.
9. pure.
10. bouclier merveilleux.

Oral

▶ Socle *Participer à des échanges dans des situations diversifiées*

Par petits groupes puis collectivement, échangez pour répondre à ces questions et pour confronter vos réponses.

1. Voici les événements tels qu'on les découvre au fil de la lecture. Rétablissez l'ordre chronologique dans lequel ils se sont déroulés :
   a. Andromède est condamnée à être livrée à un monstre marin.
   b. Persée délivre Andromède.
   c. Les tiges se transforment en corail.
   d. Méduse pétrifie les hommes.
   e. Persée affronte les Gorgones.
   f. Persée coupe la tête de Méduse.
   g. Méduse est métamorphosée en monstre.
2. Racontez oralement cette histoire en rétablissant la chronologie des événements.
3. a. Quelles sont les métamorphoses causées par Méduse ? b. Laquelle explique un phénomène naturel ?
4. Décrivez les deux monstres en vous aidant du texte et des images.
5. À quelles leçons de vie ce récit invite-t-il à réfléchir ?

Écriture

▶ Socle *Écrire pour réfléchir et pour apprendre*

Complétez votre tableau des métamorphoses.

Percy Jackson : Le Voleur de foudre, film de C. COLUMBUS, 2010.

Histoire des arts

▶ Socle *Identifier et analyser des œuvres d'art*

Prenez connaissance du résumé du film de C. Columbus, observez le photogramme, puis répondez aux questions.

> Percy, un jeune New-Yorkais de 17 ans, apprend qu'il est un demi-dieu, descendant du dieu Poséidon. Mais, accusé d'avoir volé l'éclair de son oncle Zeus, Percy doit prouver son innocence. Sur sa route, il devra affronter des ennemis mythologiques bien décidés à l'arrêter.

a. D'après ce que vous savez du personnage mythologique, quel rôle le téléphone portable peut-il jouer dans la scène ?
b. Pourquoi, selon vous, un film du XXIe siècle reprend-il des histoires mythologiques antiques ?

B Réaliser et présenter une "mythothèque"

▶ Socle *Comprendre des textes littéraires, des documents et des images, et les interpréter - Contrôler sa compréhension, être un lecteur autonome - Parler en prenant en compte son auditoire*

Préparation

1. Seul(e) ou en groupe, choisissez un personnage mythologique dans une de ces adaptations pour la jeunesse des *Métamorphoses*.
2. Lisez le récit choisi.
3. Faites des recherches complémentaires au CDI et sur Internet, par exemple sur les sites suivants :
   - www.mythologica.fr, un site consacré aux mythologies du monde entier ;
   - www.antiquite.ac-versailles.fr, le Musée vivant de l'Antiquité.
4. a. Sélectionnez des informations importantes : principales étapes de la « vie » du personnage, caractéristiques du personnage. Pour la métamorphose, servez-vous du tableau p. 149 pour sélectionner les informations.

   b. Choisissez des images représentant le personnage ou sa métamorphose, ou réalisez-les vous-même.
5. Préparez une présentation sur le support de votre choix (boîte, affiche, album, magazine, diaporama numérique, etc.).

*Les Métamorphoses**
OVIDE
Traduction de M.-Th. Adam
© Éditions Gallimard, Coll. « Folio Junior », 2010.

*20 métamorphoses d'Ovide**
Adaptation d'A. Collognat
© Le Livre de Poche Jeunesse, 2014.

*16 métamorphoses d'Ovide**
Adaptation de F. Rachmuhl
© Flammarion Jeunesse, 2010.

Réalisation

- En accord avec votre professeur, montez une exposition des projets qui forment la « mythothèque » de la classe.

- Rendez votre projet attractif et innovant.
- Mettez en valeur les informations et rendez-les compréhensibles par tous. Soyez créatif(ve) !

Présentation orale ▶ Socle *Parler en prenant en compte son auditoire*

- Entraînez-vous à présenter votre projet.

- Ordonnez les éléments à présenter et justifiez vos choix.
- Racontez un épisode de la vie du personnage retenu et/ou sa métamorphose.
- Articulez clairement.
- Réglez le volume de la voix afin d'être audible.
- Évitez un ton monotone.
- Regardez en direction de l'auditoire.
- Employez un langage correct, sans familiarités.
- Prévoyez des réponses à d'éventuelles questions.

– Présentez votre projet en quelques minutes, de façon à le défendre : choix du récit, du support.

– Répondez aux questions éventuelles de vos camarades.

– Et, pourquoi pas, procédez à un vote pour élire les meilleurs projets !

Le chant du monde en poésie

Comment la poésie crée-t-elle et célèbre-t-elle des mondes ?

Lire, comprendre, interpréter

Je pratique l'oral

Organiser le travail d'écriture

Je construis mon bilan

J'évalue mes compétences

Cherry Blossom Tree, sculpture de J. HARVEY BROWN, 2015.

1. Décrivez l'image.
2. Quels liens faites-vous entre cette œuvre d'art et la poésie ?

Jeux et créations visuels

Animaux gonflables

Si la petite fourmi
Grandit
Grandit
Grandit
5 Grandit
Deviendra-t-elle
Un crocodile Odile
Et si l'éléphant
Rapetisse
10 Rapetisse
Rapetisse
Rapetisse
Deviendra-t-il
Une souris Valérie
15 Ou un p'tit rat Sarah

C. HALLER, *in* J. CHARPENTREAU, *Jouer avec les poètes*, © Le Livre de Poche Jeunesse, 2015.

Lecture

▶ Socle *Comprendre un texte littéraire et l'interpréter*

a. Observez la disposition du poème et les caractères d'imprimerie employés. Que remarquez-vous ? b. Lisez le poème. Le sens correspond-il à la forme choisie ? Expliquez. c. Comment comprenez-vous le titre du poème ?

Scriptoforme de la tortue

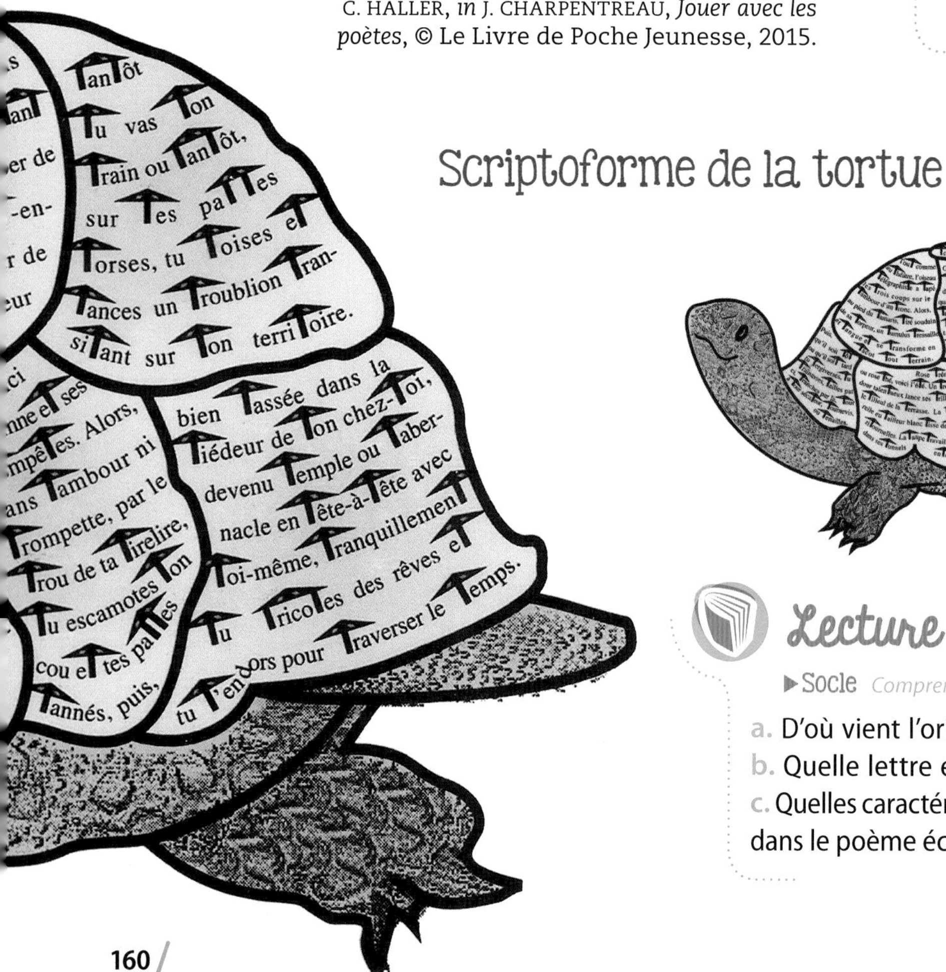

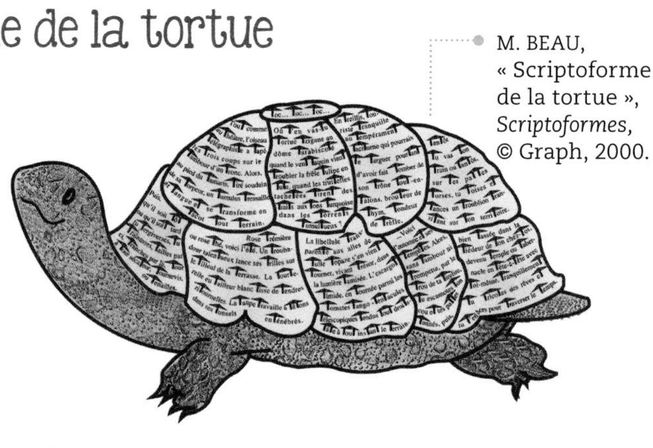

M. BEAU, « Scriptoforme de la tortue », *Scriptoformes*, © Graph, 2000.

Lecture

▶ Socle *Comprendre un texte littéraire et l'interpréter*

a. D'où vient l'originalité du poème ? Expliquez.
b. Quelle lettre est mise en valeur ? Pourquoi ?
c. Quelles caractéristiques de la tortue apparaissent dans le poème écrit sur l'écaille en bas à droite ?

Le Rébus des souris

ricettes / Les	riceaux / les
(dansent)	fflés / tout es
cis / sans ,	bien en / été :
terrain / Le	est / veillé .

s'entend un bruit :

dain / Le chat 7 et veillé !

N. PRÉVOST, « Le Rébus des souris »,
in J. CHARPENTREAU, *Jouer avec les poètes*,
© Le Livre de poche Jeunesse, 2015.

Lecture

▶ Socle *Comprendre un texte littéraire et l'interpréter*

a. Observez les deux premières fractions. Que signifie le trait ? Quels mots de la famille de « souris » pouvez-vous alors lire ?
b. Pour les cinquième et septième fractions, par quel élément faut-il commencer la lecture et quel nouveau sens le trait prend-il ?
c. Comment comprenez-vous le titre du poème ?

Écriture

▶ Socle *Produire des écrits variés*

Récrivez le poème pour qu'il soit lisible et grammaticalement correct.

Aux innocents les mains pleines

[...] Approchez vos mains de la flamme
jusqu'à voir le feu au travers
avec ses courants et ses lames
et ses sirènes aux yeux verts
5 jusqu'à voir les grands fonds du feu
avec leurs poissons de sommeil
et les longs navires sans yeux
leurs équipages de soleil
et leur forêt d'algues de paille
10 qui flambe et brille au fond du feu
prisonniers des mains et des mailles
qui font et défont les filets du feu.

C. ROY, « Aux innocents les mains pleines » (extrait), *Poésies*, © Éditions Gallimard, 1942.

Lecture

▶ Socle *Comprendre un texte littéraire et l'interpréter*

a. Quel élément naturel est mis en valeur en bleu ? en rouge ? b. Pourquoi l'association de ces deux éléments naturels crée-t-elle un monde imaginaire et poétique ?

Écriture

▶ Socle *Produire des écrits variés*

Recopiez sans fautes le poème de C. Roy et réalisez un dessin qui illustre ce monde poétique.

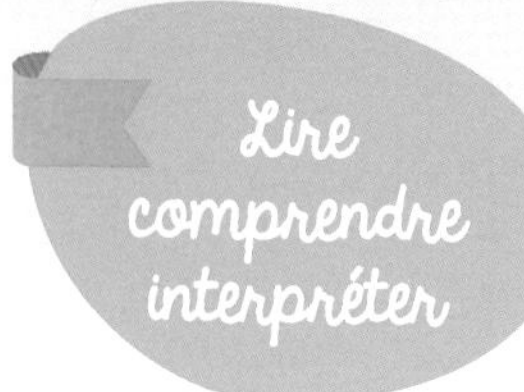

La Tour de 300 mètres construite en 300 vers

A. BOURGADE, « La Tour de 300 mètres construite en 300 vers », 1889, gravure, musée Carnavalet, Paris.

Lecture

▶ Socle *Comprendre un texte littéraire et l'interpréter*

a. Lisez le texte correspondant au sommet de la tour Eiffel : que raconte-t-il ? b. Expliquez ce qu'est un calligramme (du grec *kalos*, « beau » et *gramme*, « écrire, dessiner »).

Écriture

▶ Socle *Produire des écrits variés*

Réalisez un calligramme célébrant un lieu ou un monument de votre région.

Aux sources de la poésie

▶ Socle *Comprendre un texte littéraire et l'interpréter*

Par petits groupes :
– répartissez-vous les poèmes des pages 163 à 165 ;
– après avoir lu le(s) poème(s), répondez aux questions ci-contre. Puis partagez le résultat de vos recherches avec le reste de la classe.

1. En observant les mots en couleur et l'association de ces mots, dites :
   – quels sont les ingrédients nécessaires pour faire naître un poème ;
   – quelle(s) émotion(s) les poèmes évoquent pour vous ;
   – quelle(s) sensation(s) ces poèmes expriment.
2. Expliquez le titre du ou des poèmes quand il y en a un.
3. Selon les poètes, qu'apporte la poésie aux lecteurs ?

En somme, Avec les mots,

n somme,
Avec les mots,

C'est comme avec les herbes,
Les chemins, les maisons, tout cela
5 Que tu vois dans la plaine
Et que tu voudrais prendre.

Il faut les laisser faire,
Par eux se laisser faire,

Ne pas les bousculer, les contrarier,
10 Mais les apprivoiser en se faisant
Soi-même apprivoiser.

Les laisser parler, mais,
Sans qu'ils se méfient,
Leur faire dire plus qu'ils ne veulent,
15 Qu'ils ne savent,

De façon à recueillir le plus possible
De vieille sève en eux,

De ce que l'usage du temps
A glissé en eux de concret[1].

GUILLEVIC, « En somme, avec les mots… »,
Inclus, © Éditions Gallimard, 1973.

Illustration de F. PLACE, pour *L'Atlas des géographes d'Orbae*, Casterman, 1996.

1. réel.

La Chenille

Le travail mène à la richesse.
Pauvres poètes, travaillons !
La chenille en peinant sans cesse
Devient le riche papillon.

G. APOLLINAIRE, « La Chenille »,
Le Bestiaire ou Cortège d'Orphée, 1911.

Bien placés bien choisis

Bien placés bien choisis
quelques mots font une poésie
les mots il suffit qu'on les aime
pour écrire un poème
5 on ne sait pas toujours ce qu'on dit
lorsque naît la poésie
faut ensuite rechercher le thème
pour intituler le poème
mais d'autres fois on pleure on rit
10 en écrivant la poésie
ça a toujours kékchose d'extrême
un poème

R. QUENEAU, « Bien placés bien choisis... »,
L'Instant fatal, © Éditions Gallimard, 1946.

Chanson du vitrier

Comme c'est beau
ce qu'on peut voir comme ça
à travers le sable, à travers le verre
à travers les carreaux
5 tenez regardez par exemple
comme c'est beau
ce bûcheron
là-bas au loin
qui abat un arbre
10 pour faire des planches
pour le menuisier
qui doit faire un grand lit
pour la petite marchande de fleurs
qui va se marier
15 avec l'allumeur de réverbères[1]
qui allume tous les soirs les lumières
pour que le cordonnier puisse voir clair
en réparant les souliers du cireur
qui brosse ceux du rémouleur[2]
20 que affûte les ciseaux du coiffeur
qui coupe le ch'veu au marchand d'oiseau
qui donne ses oiseaux à tout le monde
pour que tout le monde soit de bonne humeur.

J. PRÉVERT, « Chanson du vitrier »,
Histoires, © Éditions Gallimard, 1946.

1. personne qui allumait les lampadaires au gaz.
2. personne qui aiguise les couteaux et les ciseaux.

Leçon de poésie

Si j'étais un poème
écrit par un enfant,
je creuserais des trous dans les émotions fortes
pour regarder à l'intérieur,
5 pour en connaître la couleur.

Puis je caresserais
les pattes des matous,
le bec des hirondelles,
le poli des cailloux,
10 le rugueux des moustaches,
pour voir comment ça fait.

J'écouterais longtemps tout ce qui fait du bruit,
le froissement des feuilles,
la craie sur le tableau,
15 le cliquetis[1] des clés qui ouvrent les mystères,
les pas sur les pavés.

Je fourrerais mon nez partout où ça sent drôle,
partout où ça sent bon,
et même où ça ne sent
20 ni l'œillet ni la rose.

Il me faudrait tout ça pour qu'un enfant m'écrive
et me nomme poème.
Des bouquets d'émotions,
Des tas de sensations
25 véritables,
vécues.

Après, il chercherait des mots pour vous le dire.

CH. POSLANIEC, « Leçon de poésie », *Le chat de mon école marque toujours midi*,
© Lo Païs d'enfance, 2002.

Photographie de Y. POPKOVA, *Ballons*.

1. bruit métallique.

Oral

▶ Socle *Participer à des échanges dans des situations diversifiées*

1. Lequel des poèmes des pages 163 à 165 évoque le mieux pour vous la création poétique ?
2. Selon vous, le photographe a-t-il mis en application la leçon de poésie de Poslaniec dans la photographie de cette page ?
Défendez votre point de vue et échangez-le avec ceux de vos camarades.

Lire comprendre interpréter

Chants d'ombre et de lumière

Le Chat et le Soleil

Le chat ouvrit les yeux,
Le soleil y entra.
Le chat ferma les yeux,
Le soleil y resta.

5 Voilà pourquoi, le soir
Quand le chat se réveille,
J'aperçois dans le noir
Deux morceaux de soleil.

M. CARÊME, « Le Chat et le Soleil », *L'Arlequin*, © Fondation Maurice Carême.

Lecture

▶ Socle *Comprendre un texte littéraire et l'interpréter*

1. À quel moment de la journée la première **strophe** correspond-elle ? la seconde strophe ? Justifiez.
2. À quoi le poète compare-t-il les yeux du chat ? Sur quelle particularité de l'animal le poète s'est-il appuyé pour écrire son poème ? Expliquez.
3. Êtes-vous sensible à ce poème ? Justifiez votre réponse.

La clé des mots

Une **strophe** est un groupement de vers.
• Combien de strophes le poème comporte-t-il ?

Oral

▶ Socle *Lire avec fluidité*

1. a. Observez et prononcez les passages en bleu dans le poème. Que remarquez-vous ?
   b. En vous reportant au **Vocabulaire de la poésie** p. 171, dites comment se nomment des fins de vers.
2. a. Par binômes, dites le poème à deux voix : un(e) élève dira les vers 1 et 3 de chaque strophe, l'autre les vers 2 et 4. Veillez à faire entendre les rimes.

Écriture

▶ Socle *Produire des écrits variés*

Choisissez un animal et, à la manière de M. Carême, rédigez un bref poème dans lequel vous donnerez à voir autrement une de ses particularités. Vous écrirez une ou deux strophes en vers et emploierez des rimes.

Soleil couchant

Le **chaume** est une paille longue dont on se sert pour faire des toits.
• « Le nid se tait, l'homme est rentré sous le chaume qui fume » : s'agit-il ici du nid d'un oiseau ? Expliquez.

Les ajoncs[1] éclatants, parure du granit[2],
Dorent l'âpre[3] sommet que le couchant allume ;
Au loin, brillante encor par sa barre d'écume,
La mer sans fin commence où la terre finit.

5 À mes pieds c'est la nuit, le silence. Le nid
Se tait, l'homme est rentré sous le **chaume** qui fume.
Seul, l'Angélus[4] du soir, ébranlé dans la brume,
À la vaste rumeur de l'Océan s'unit.

Alors, comme du fond d'un abîme, des traînes[5],
10 Des landes, des ravins, montent des voix lointaines
De pâtres[6] attardés ramenant le bétail.

L'horizon tout entier s'enveloppe dans l'ombre,
Et le soleil mourant, sur un ciel riche et sombre,
Ferme les branches d'or de son rouge éventail.

J.-M. DE HEREDIA, « Soleil couchant », *Les Trophées*, 1893.

1. plantes épineuses à fleurs jaunes. 2. roche dure. 3. rude. 4. sonnerie de cloche annonçant une prière. 5. bordures des forêts ou chemins creux. 6. gardiens de troupeaux.

Photographie de N. ROSING.

Oral

▶ Socle *Écouter pour comprendre un texte lu – Lire avec fluidité*

1. Écoutez le poème lu par votre professeur ou par un comédien.
2. Entraînez-vous à dire le poème en respectant les liaisons marquées par le signe ‿, en prononçant les « e » et en ne prononçant pas les « e ».

Écriture

▶ Socle *Produire des écrits variés*

À votre tour, rédigez une strophe de quatre vers dans laquelle vous donnerez à voir et à entendre un paysage de votre choix. Vous respecterez une disposition de rimes en ABBA (voir **Le vocabulaire de la poésie** p. 171).

Lecture

▶ Socle *Comprendre un texte littéraire et l'interpréter*

1. Quel paysage le poète présente-t-il ? Essayez de le dessiner.
2. Quels éléments du titre retrouvez-vous dans le poème ?
3. À travers quels sens (vue, ouïe, odorat, goût, toucher) le poète perçoit-il le paysage ? Répondez en citant des mots du poème.
4. Quelles images le poète emploie-t-il dans les deux derniers vers ? Expliquez-les.

L'Heure du berger

La lune est rouge au brumeux horizon ;
Dans un brouillard qui danse, la prairie
S'endort fumeuse, et la grenouille crie
Par les joncs[1] verts où circule un frisson ;

5 Les fleurs des eaux referment leurs corolles[2] ;
Des peupliers profilent aux lointains,
Droits et serrés, leurs spectres[3] incertains ;
Vers les buissons errent les lucioles[4] ;

Les chats-huants[5] s'éveillent, et sans bruit
10 Rament l'air noir avec leurs ailes lourdes,
Et le zénith[6] s'emplit de lueurs sourdes.
Blanche, Vénus émerge, et c'est la Nuit.

P. VERLAINE, « L'Heure du berger »,
Poèmes saturniens, 1866.

1. plantes.
2. ensemble des pétales.
3. fantômes.
4. insectes lumineux.
5. chouettes.
6. haut du ciel.

Lecture

▶ Socle *Comprendre un texte littéraire et l'interpréter*

1. Où la scène se situe-t-elle ?
2. Comment qualifieriez-vous l'atmosphère du lieu ? Justifiez votre réponse.
3. Relisez le dernier vers : quelle opposition souligne-t-il ?
4. Que raconte le poème ?

Oral

▶ Socle *Écouter pour comprendre un texte lu – Lire avec fluidité*

1. Écoutez le poème lu par votre professeur ou par un comédien.
2. Entraînez-vous à dire le poème en respectant les liaisons marquées par le signe ‿, en prononçant les « e » et en ne prononçant pas les « e ». Vous pouvez vous enregistrer puis écouter votre diction en repérant si vous avez bien respecté les deux consignes.

Le trésor des mots

La planète Vénus a reçu le surnom d'« étoile du Berger », car c'est le premier point brillant à apparaître dans le ciel le soir et le dernier à disparaître le matin.

• Comment expliquez-vous le titre du poème ?

Écriture

▶ Socle *Produire des écrits variés*

À votre tour, décrivez en une strophe de quatre vers un paysage auquel vous donnerez une atmosphère particulièrement triste ou joyeuse, sombre ou lumineuse…

Ballade à la lune

C'était, dans la nuit brune
Sur le clocher jauni,
La lune
Comme un point sur un i.

5 Lune, quel esprit sombre
Promène au bout d'un fil,
Dans l'ombre,
Ta face et ton profil ?

Es-tu l'œil du ciel borgne[1] ?
10 Quel chérubin cafard[2]
Nous lorgne[3]
Sous ton masque blafard[4] ?

N'es-tu rien qu'une boule,
Qu'un grand faucheux[5] bien gras
15 Qui roule
Sans pattes et sans bras ?
[…]

Est-ce un ver qui te ronge
Quand ton disque noirci
S'allonge
20 En croissant rétréci ?

Qui t'avait éborgnée,
L'autre nuit ? T'étais-tu
Cognée
À quelque arbre pointu ?

25 Car tu vins, pâle et morne[6]
Coller sur mes carreaux
Ta corne
À travers les barreaux.

A. DE MUSSET, « Ballade à la lune », *Contes d'Espagne et d'Italie*, 1830.

Photographie de L. LAVEDER.

1. qui ne voit que d'un œil.
2. ange rapporteur.
3. regarde du coin de l'œil.
4. d'un blanc terne.
5. araignée des champs à pattes longues et fines.
6. triste.

Lecture

▶ Socle *Comprendre un texte littéraire et l'interpréter*

1. a. À quoi le poète compare-t-il la lune et le clocher dans la première strophe ? b. Cette image vous paraît-elle bien choisie ? Justifiez.
2. a. Relevez les autres images associées à la lune : quel lien chacune a-t-elle avec la lune ? b. Ces images sont-elles rassurantes ? Expliquez.
3. À laquelle de ces images êtes-vous le (la) plus sensible ? Pourquoi ?

Le trésor des mots

Relevez les différents mots du poème qui correspondent à chacune des formes de la lune.

Oral

▶ Socle *Lire avec fluidité*

1. Recopiez les deuxième et troisième strophes du poème et, en vous appuyant sur **Le vocabulaire de la poésie** p. 171, faites le décompte des syllabes.
2. Entraînez-vous à dire le poème en faisant ressortir les images et le vers 3 de chaque strophe.

Écriture

▶ Socle *Produire des écrits variés*

À votre tour, décrivez la lune en une strophe de quatre vers. À la manière de Musset, vous créerez une image pour évoquer la forme de la lune que vous aurez choisie : un croissant, une demi-lune ou une pleine lune.

Lire comprendre interpréter

La Nuit

Elle est venue la nuit de plus loin que la nuit
à pas de vent de loup de fougère[1] et de menthe
voleuse de parfum impure fausse nuit
fille aux cheveux d'écume issus de l'eau dormante

5 Après l'aube la nuit tisseuse de chansons
s'endort d'un songe lourd d'astres et de méduses
et les jambes mêlées au fuseau[2] des saisons
veille sur le repos des étoiles confuses

Sa main laisse glisser les constellations
10 le sable fabuleux des mondes solitaires
la poussière de Dieu et de sa création
la semence[3] de feu qui féconde[4] les terres

Mais elle vient la nuit de plus loin que la nuit
à pas de vent de mer de feu de loup de piège
15 bergère sans troupeau glaneuse[5] sans épis
aveugle aux lèvres d'or qui marche sur la neige.

C. ROY, « La Nuit », *Poésies*,

1. plante des sous-bois.
2. sorte de bobine allongée.
3. graine.
4. rend fertiles.
5. personne qui ramasse les épis restés dans un champ après la moisson.

Oral

▶ Socle *Écouter pour comprendre un texte lu*

1. À tour de rôle, par petits groupes, faites une première lecture orale du poème.
2. Comparez vos lectures et échangez pour comprendre le sens général du poème.
3. Après étude du poème en classe, entraînez-vous à le dire en exprimant ce qu'il fait naître en vous.

Lecture

▶ Socle *Comprendre un texte littéraire et l'interpréter*

1. À qui le poète compare-t-il la nuit ? Justifiez en citant des passages du poème.
2. Parmi toutes les images proposées par le poète, laquelle préférez-vous ? Pourquoi ?
3. Quel passage du poème évoque pour vous le mieux la nuit ? Expliquez pourquoi.
4. Quelle atmosphère particulière se dégage de ce poème, selon vous ? Expliquez.

Le trésor des mots

a. L'expression « à pas de loup » signifie-t-elle : en bondissant ? discrètement ? à grands pas ?

b. Où trouve-t-on cette expression dans le poème ? Comment le poète joue-t-il avec cette expression ? Expliquez.

Écriture

▶ Socle *Produire des écrits variés*

À votre tour, rédigez une ou deux strophes qui comportent une évocation poétique de la nuit. Avant de rédiger votre poème, demandez-vous à quel personnage vous pourriez associer la nuit.

V. VAN GOGH,
La Nuit étoilée, 1888,
huile sur toile, musée
d'Orsay, Paris.

Histoire des arts ▶ Socle *Comprendre une image et l'interpréter*

A Que voyez-vous sur le tableau : au centre ? à l'arrière-plan ? au premier plan ?

B **a.** Quelles couleurs le peintre a-t-il utilisées ?
b. Comment a-t-il éclairé la scène ? Expliquez.

C Pour vous *La Nuit étoilée* de Van Gogh est-elle une nuit d'ombre ou de lumière ? Expliquez votre point de vue.

D Rédigez une strophe de quatre vers en écho à ce tableau.

Le vocabulaire de la poésie

• **Le vers**

Visuellement, un **vers** n'occupe pas toute une ligne et commence par une majuscule. Il ne correspond pas nécessairement à une phrase.

• **La strophe**

Une **strophe** est un ensemble de vers. Les strophes sont séparées par un espace.

• **Le décompte des syllabes**

– Une **syllabe** est un ensemble de lettres qui se prononce d'une seule émission de voix :
« C'était » a deux syllabes « C'é » + « tait »
– Pour repérer et compter les syllabes, on les sépare par un tiret oblique :

C'é/tait/, dans/ la/ nuit/ brun(e),
1 2 3 4 5 6

– Le « **e muet** » compte pour une syllabe, seulement quand il est placé entre deux consonnes :

Sur/ l**e**/ clo/cher/ jau/ni,
1 2 3 4 5 6

Com/m(**e**) un/ point/ sur/ un/ i.
1 2 3 4 5 6

– À la rime le « e muet » ne compte jamais pour une syllabe, y compris pour les mots se terminant par « -es » ou « -ent » : La/ lun(**e**)
1 2

• **Les rimes**

– On nomme « **rimes** » les échos sonores en fin de vers.
– Pour nommer la disposition des rimes, on attribue une lettre de l'alphabet à chaque nouvelle rime.
– La même lettre correspond à des rimes semblables.

C'était, dans la nuit brune, (A)
Sur le clocher jauni, (B)
La lune (A)
Comme un point sur un i. (B)

Lire comprendre interpréter

▶ Socle *Être un lecteur autonome*

Parcours de lecture guidé

Antoine de Saint-Exupéry (1900-1944)

Cet écrivain français était aviateur.

Le Petit Prince

Antoine de Saint-Exupéry

A Lire le roman

Selon un rythme donné par votre professeur, lisez le roman par étapes.
À tour de rôle, selon l'organisation faite par le professeur, des élèves proposeront à la classe un résumé d'un des chapitres.

B Échanger pour mieux connaître les personnages

▶ Socle *Parler en prenant en compte son auditoire*

Par groupes, choisissez un des personnages suivants et répondez oralement aux questions pour faire sa connaissance. Un rapporteur par groupe restituera les réponses à la classe.

Le narrateur adulte

1. Chapitres I à IX, XVII, XXIV à XXVII : qui raconte l'histoire à la 1re personne ?
2. a. Quel est le métier du narrateur ? b. En quoi ressemble-t-il à celui de l'auteur ?
3. L'histoire racontée par le narrateur a-t-elle pu être vécue par Saint-Exupéry ? Justifiez.
4. Chapitres II, XXIV, XXV, XXVII et dernière page : quels sentiments le narrateur éprouve-t-il pour le Petit Prince ?

Le Petit Prince

1. D'où le Petit Prince vient-il ?
2. Expliquez son nom.
3. Lors de ses rencontres, comment se comporte-t-il avec : sa rose, le narrateur, les autres personnes, le renard ?

Les amis du Petit Prince

1. Quels sont les deux principaux amis du Petit Prince en dehors de l'aviateur ?
2. Qu'ont-ils de particulier ? Expliquez.

C Comprendre la dimension poétique du roman

▶ Socle *Comprendre un texte littéraire et l'interpréter*

1. Chapitre V : qu'est-ce qui caractérise la planète du Petit Prince ? les autres planètes ? Expliquez.
   De quelles planètes est-il question dans le roman ? Sont-elles des créations poétiques ? Expliquez.
2. Chapitre II : quelles réactions du Petit Prince surprennent le narrateur ? Expliquez pourquoi.
3. Chapitres IV et XXII : quelles différences de comportement remarquez-vous entre les adultes et le Petit Prince ?
4. Les dessins de l'auteur apportent-ils pour vous une note poétique ? Justifiez votre réponse.

D Exprimer un point de vue

1. Quels liens pouvez-vous établir entre le regard du Petit Prince et celui des poètes sur le monde ? Expliquez.
2. Quel(s) sentiment(s) avez-vous éprouvé(s) à la lecture de ce roman ? Expliquez.

Le cercle des lecteurs

Recueils et anthologies poétiques

▶ Socle *Exploiter les ressources expressives et créatives de la parole*

*Jaffabules**
P. CORAN
© Le Livre de Poche Jeunesse, 2010.
Une soixantaine de poèmes du monde de l'enfance qui s'amusent avec les mots.

*Les Poèmes de la souris verte**
J.-L. MOREAU
© Le Livre de Poche Jeunesse, 2003.
Des poèmes pleins d'invention, de fantaisie et de jeux sur les mots.

*Poèmes de la lune et de quelques étoiles**
J. JOUBERT
© L'École des loisirs, 1992.
Poèmes sur la Lune, le Soleil et les étoiles, illustrés par des œuvres de peintres célèbres.

*À mots croisés**
B. FRIOT
© Milan Poche Junior, 2004.
Un recueil dans lequel le poète joue avec les mots et réfléchit à leur pouvoir.

*Poésie, j'écris ton nom, Introduction à la poésie***
M. DUSZYNSKI
© Flammarion, 2010.
Une quarantaine de poèmes du Moyen Âge à nos jours réunis autour de plusieurs thèmes.

Mon carnet personnel de lecture

Je poursuis mon carnet de lecture (voir méthode, p. 44).

- *Je recopie un poème, je l'illustre et j'explique mon choix.*

À l'oral

- *Je choisis un poème.*
- *Je m'entraîne pour le lire de manière expressive devant la classe, en tenant compte de ce que j'ai appris dans ce chapitre sur les liaisons, la prononciation des « e », les pauses à respecter.*

Je pratique l'oral

Organiser un récital poétique

▶ Socle *Participer à des échanges - Lire avec fluidité*

Célébration des saisons

1 Préparation en groupes

a. Par groupes de quatre :
- répartissez-vous les quatre saisons ;
- cherchez les mots que vous ne comprenez pas ;
- expliquez en quoi le poème évoque la saison ;
- dites ce que vous ressentez à la lecture du poème.

b. Apprenez chacun(e) votre poème.

c. Entraînez-vous à dire le poème pour le faire vivre.

Printemps

Tout est lumière, tout est joie.
L'araignée au pied diligent
Attache aux tulipes de soie
Les rondes dentelles d'argent.

5 La frissonnante libellule
Mire les globes de ses yeux
Dans l'étang splendide où pullule
Tout un monde mystérieux.

La rose semble, rajeunie,
10 S'accoupler au bouton vermeil
L'oiseau chante plein d'harmonie
Dans les rameaux pleins de soleil.

Sous les bois, où tout bruit s'émousse,
Le faon craintif joue en rêvant ;
15 Dans les verts écrins de la mousse,
Luit le scarabée, or vivant. [...]

V. HUGO, « Printemps »,
Les Rayons et les Ombres, 1840.

Été

C'est l'été. Le soleil darde
Ses rayons intarissables
Sur l'étranger qui s'attarde
Au milieu des vastes sables.
5 Comme une liqueur subtile
Baignant l'horizon sans borne,
L'air qui du sol chaud distille
Fait trembloter le roc morne.
Le bois des arbres éclate.
10 Le tigre rayé, l'hyène,
Tirant leur langue écarlate,
Cherchent de l'eau dans la plaine. [...]
Il n'est pas de grotte creuse
Où la chaleur ne pénètre.
15 Aucune vallée ombreuse
Où de l'herbe puisse naître. [...]
Déjà le soleil s'incline
Et dans la mer murmurante
Va, derrière la colline,
20 Mirer sa splendeur mourante. [...]

CH. CROS, « Été », *Le Coffret de santal*, 1873.

Haïku

Pluie de nacre
sur les tables –
les pruniers perdent leurs fleurs

Y. BUSON, « Pluie de nacre... », *in Haïku. Anthologie du poème court japonais*, traduction de C. Atlan et Z. Bianu, © Éditions Gallimard, 2002.

Haïku

Pas après pas
dans les montagnes d'été –
soudain la mer !

K. ISSA, « Pas après pas... », *in Haïku. Anthologie du poème court japonais*.

Automne

Le vent sauvage de Novembre,
Le vent,
L'avez-vous rencontré le vent,
Au carrefour des trois cents routes,
5 Criant de froid, soufflant d'ahan[1],
L'avez-vous rencontré le vent,
Celui des peurs et des déroutes ;
L'avez-vous vu, cette nuit-là,
Quand il jeta la lune à bas,
10 Et que, n'en pouvant plus,
Tous les villages vermoulus
Criaient, comme des bêtes,
Sous la tempête ?

Sur la bruyère, infiniment,
15 Voici le vent hurlant,
Voici le vent cornant Novembre.

É. VERHAEREN, « Automne »,
Les Villages illusoires, 1895.

1. péniblement.

Hiver

C'est l'hiver sans parfum ni chants.
Dans le pré, les brins de verdure
Percent de leurs jets fléchissants
La neige étincelante et dure.
5 Quelques buissons gardent encor
Des feuilles jaunes et cassantes
Que le vent âpre et rude mord
Comme font les chèvres grimpantes.
Et les arbres silencieux
10 Que toute cette neige isole
Ont cessé de se faire entre eux
Leurs confidences bénévoles. [...]
– Vous êtes las, vous êtes nus,
Plus rien dans l'air ne vous protège,
15 Et vos cœurs tendres ou chenus
Se désespèrent sur la neige.
– Et près de vous, frère orgueilleux,
Le sapin où le soleil brille
Balance les fruits écailleux
20 Qui luisent entre ses aiguilles.

A. DE NOAILLES, « Hiver »,
Le Cœur innombrable, 1901.

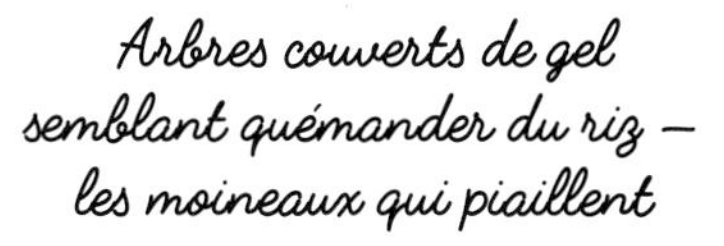

Haïku

Sur une branche nue
Un corbeau s'est posé
Soir d'automne

BASHÔ, *Cinq cents haïkaï*, traduction de Muraoka,
© éd. La Délirante, 1979.

Haïku

Arbres couverts de gel
semblant quémander du riz –
les moineaux qui piaillent

K. ISSA, « Arbres couverts de gel », in *Haïku. Anthologie du poème court japonais.*

2 Organisation collective

Prévoyez :
– une salle, une disposition qui se prête à un récital poétique ;
– le matériel nécessaire à un éventuel accompagnement musical (instrument ou enregistrement) ;
– une affiche, si le récital doit avoir lieu devant d'autres classes ;
– les critères d'évaluation : mémorisation, diction, portée de la voix, rythme, expressivité, etc. ;
– l'ordre de passage des groupes d'élèves.

3 Présentation et évaluation

▶ Socle *Parler en prenant en compte son auditoire - Adopter une attitude critique*

a. Avancez-vous à tour de rôle, en respectant l'ordre de passage prévu.

b. Annoncez le titre et l'auteur du poème.

c. Dites le poème de façon rythmée pour exprimer vos sentiments et sensations.

d. Écoutez attentivement les poèmes des autres groupes pour les évaluer.

Sujet 1 Rédiger une leçon d'écriture poétique (Activité guidée)

Comme le poète C. Poslaniec, imaginez et rédigez une leçon d'écriture poétique.

A Préparer l'écrit et rédiger au brouillon

ÉTAPE 1

Découvrir une méthode pour préparer une écriture poétique

1. a. Lisez les conseils du poète C. Poslaniec.

Dessiner avec des objets

On rassemble une quinzaine d'objets, n'importe lesquels, ramassés n'importe où. Par exemple : un dé à coudre, deux coquelicots, un crayon de couleur jaune, un caillou, un peigne, un bout de ficelle, un canif, etc.
Ensuite on dispose ces objets par terre, ou sur une table, en cherchant à
5 faire un dessin : un visage, un paysage, une maison, un oiseau, une main… n'importe quoi, et même un dessin qui ne ressemble à rien.
Puis on regarde longtemps et on laisse les idées monter toutes seules dans sa tête. Quand elles viennent, on écrit.

C. POSLANIEC, *Poèmes tout frais pour les enfants de la dernière pluie*, © Scandéditions La Farandole, 1993.

b. Vérifiez si vous avez bien compris la méthode en associant chaque crayon à l'étape correspondante :
Regarder longtemps le dessin * Disposer les objets pour former un dessin * Rassembler des objets * Écrire le poème * Laisser les idées monter dans la tête

étape 1 | étape 2 | étape 3 | étape 4 | étape 5

2. Lisez ce poème de C. Poslaniec.
Cela pourra donner, par exemple, pour les objets cités plus haut :

Vieil ogre au sourire de peigne
tes yeux rouges ne me font pas peur
et puis ton nez est bien trop lourd
pour que tu ouvres grand la bouche.
5 Si tu m'embêtes
je te plierai en quatre, en huit,
comme un canif,
je te ferai entrer tout cru
tout au fond de mon dé à coudre,
10 et d'un seul trait de mon crayon
je te ferai sourire jaune.

C. POSLANIEC, *Poèmes tout frais pour les enfants de la dernière pluie*, © Scandéditions La farandole, 1993.

3. Répondez aux questions suivantes :
a. Quel dessin le poète a-t-il formé ?
b. Quel objet contribue à ce dessin ?
c. Comment le poète se sert-il des autres objets dans son poème ?
d. Que signifie le jeu de mots du dernier vers ?

ÉTAPE 2

Formuler et écrire au brouillon

4. À votre tour, choisissez quatre ou cinq objets et suivez la méthode Poslaniec.
– Rédigez une première version de votre poème en imitant celui de Poslaniec.
– Votre poème doit évoquer un dessin.
– Votre poème doit comporter au moins trois objets et un jeu de mots.
– Votre poème sera écrit en vers.

Améliorer le brouillon et rédiger au propre

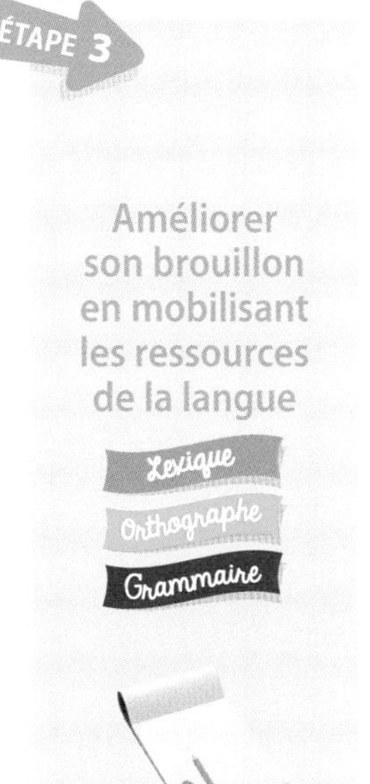

La construction du poème

1. **Vérifiez les points suivants et corrigez-les si besoin :**

Mon poème évoque-t-il bien un dessin ?	☐ oui ☐ non
Ai-je bien joué sur les mots ?	☐ oui ☐ non
Ai-je pensé à ponctuer mes phrases et à mettre une majuscule en début de phrase ?	☐ oui ☐ non

La qualité de la langue

2. **Améliorez votre poème en veillant à :**	**Aidez-vous des exercices…**
• l'enrichir avec un jeu de mots	1 à 7 p. 178 et 1 à 6 p. 179
• ponctuer correctement	7 à 9 p. 179
• accorder les attributs du sujet	10 et 11 p. 179

La qualité de la langue

3. **Vérifiez les accords des verbes avec leur sujet à la 1re personne et à la 2e personne.**

4. **Recopiez votre texte au propre et relisez-le plusieurs fois pour vérifier :**
– la ponctuation ;
– les accords ;
– l'orthographe des mots avec lesquels vous avez joué.

Écrire un poème élastique

Lisez ce poème et comptez les syllabes dans chaque vers : que remarquez-vous ?
À la manière de C. Norac, inventez une suite à ce poème en respectant le code d'écriture.

Poème élastique
Je
t'écris
un poème
qui va grandir,
s'allonger d'un pied
à chaque vers tracé
sans plus jamais s'arrêter
jusqu'à remplir tout l'Univers
(veux-tu m'aider à le rétrécir ?)
………………………………
……………………………

C. NORAC « Poème élastique »,
in J. CHARPENTREAU, *Jouer avec les poètes*,
© Le Livre de Poche Jeunesse, 2015.

Sujet 3 — Activité en autonomie

Écrire un poème sur les chiffres

À la manière du poème de J. Vuaillat, rédigez deux quatrains sur deux autres chiffres de votre choix.

Les chiffres

1
Droit comme un if [1]
il se dresse vindicatif [2]
et, premier en arithmétique
s'imagine être unique

2
Deux pieds, deux mains,
deux yeux, deux seins,
ils vont par deux
comme le couple humain

1. arbre.
2. vengeur.

J. VUAILLAT, *in* J. CHARPENTREAU, *Jouer avec les poètes*, © Le Livre de Poche Jeunesse, 2015.

C Travailler la langue pour améliorer l'écrit

Lexique

Sens propre et sens figuré

Leçon 56 p. 360

1 a. Quel est le sens habituel de l'expression qui constitue le titre du poème ? b. Quel sens C. Roy lui donne-t-il dans son poème ?

L'Enfant qui est dans la lune
Cet enfant, toujours dans la lune,
S'y trouve bien, s'y trouve heureux.
Pourquoi le déranger ? La lune
Est un endroit d'où l'on voit mieux.

C. ROY, « L'Enfant qui est dans la lune », *Enfantasques*, © Éditions Gallimard, 1974.

2 En vous aidant des dessins, faites correspondre chaque expression de la liste A à son sens figuré dans la liste B.

A. avoir un cœur d'or – être sur un petit nuage – avoir la main verte – faire la pluie et le beau temps – être dans ses petits souliers

B. être un bon jardinier – être mal à l'aise – être très généreux – décider de tout – être très heureux

3 Choisissez une des expressions de l'exercice 2 et, à la manière de C. Roy, rédigez un petit poème qui jouera sur le sens propre et le sens figuré de l'expression.

Des homophones

4 a. Lisez oralement l'extrait de poème. Que remarquez-vous pour les mots en bleu ?

b. Les mots en bleu sont des homophones. Proposez une définition simple de chaque mot.

Joue-je ?
Jeu de mou[1]
Pour le félin
Jeu de moues[2]
5 Pour le vilain [...]
Jeu de mors[3]
Pour le roussin[4]
Jeu de morts
Pour l'assassin

R. GÉLIS, « Joue-je ? », *Nouveaux trésors de la poésie pour enfants, anthologie de Georges Jean*, © Cherche Midi, 2003.

1. poumon animal.
2. expression d'un visage mécontent.
3. pièce métallique passée dans la bouche du cheval.
4. cheval de grande taille.

5 Repérez dans le poème les mots homophones du mot en acrostiche de couleur rouge.

Poséidon, père du Cyclope,
Affronte Athéna aux yeux pers.
Il obtient des dieux, ses pairs,
Réunis sur l'Olympe, une vengeance
Extrême qui perd Ulysse en mer.

6 a. Retrouvez les noms homophones qui se cachent derrière ces définitions en vers. b. Quelle différence d'écriture y a-t-il entre l'homophone de la série A de celui de la série B ?

A. Elle est le résultat d'au moins une addition
Ou bête dont la vie est une punition.
Qui est-ce ? La □□□□□.

B. Fleuve de Picardie qui donne carte blanche
À la baie où ses eaux s'en vont faire la Manche.
Qui est-ce ? La □□□□□.

P. CORAN, P. LEMAÎTRE, *L'Atelier de poésie*, © Casterman, 2007.

7 a. Cherchez dans un dictionnaire au moins deux sens différents pour chacun des noms suivants : glace – mine – aiguille – lettre – plage – pièce
b. À la manière de l'exercice 6, rédigez deux phrases pour faire deviner à la classe deux homophones à partir d'un de ces noms.

Orthographe

Jeux sur les sons : des mots qui s'enchaînent

1 a. Recopiez les vers suivants et soulignez les sons communs aux noms et aux verbes.

Le hareng harangue,
L'anguille enguirlande,
Le mérou rouspète,
La raie réfléchit.

P. CORAN, P. LEMAITRE, *L'Atelier de poésie*,
© Casterman, 2007.

2 a. Recopiez les noms suivants en deux colonnes selon qu'ils sont masculins ou féminins :
carpe – perche – maquereau – rascasse – limande – rouget

b. Pour chaque nom, proposez un verbe à l'infinitif dont la première syllabe reprend la dernière syllabe du nom. Ex. *carpe → peler*

3 À la manière des vers de l'exercice 1, rédigez six vers à partir des noms de l'exercice 2. Vous conjuguerez les verbes au présent de l'indicatif.

Jeux sur les sons : des homophones

4 a. Cherchez trois homophones de « cour », de « sang » et de « verre ». b. Donnez le sens de chacun d'eux.

5 Formez des couples d'homophones à partir des mots ou groupes de mots suivants :
Ex. *déranger / des rangées ; le son / leçon*
départ – démontre – la pelle – les arts – des montées

6 Rédigez quelques vers qui jouent avec deux couples d'homophones de l'exercice 5.

Grammaire

Jeux de phrases : la ponctuation

7 Classez ces signes de ponctuation en deux colonnes selon qu'ils interviennent en fin de phrase ou à l'intérieur d'une phase.
Le point d'exclamation, les deux-points, le point-virgule, le point, la virgule, le point d'interrogation.

8 a. Dites plusieurs fois à voix haute le quatrain suivant. b. Récrivez-le en remplaçant les barres obliques par le signe de ponctuation qui convient.

Rêve
Qui n'a rêvé de gloire et de fortune /
De longs voyages aux émouvantes arrivées /
Qui n'a même / distrait / rêvé de la lune /
Penché sur le ciel et près de chavirer /

C. HALLER, « Rêve d'enfant », *Poèmes du petit matin*,
© Le Livre de Poche Jeunesse, 1994.

9 a. Dites plusieurs fois à voix haute ce second quatrain du poème de C. Haller. b. Récrivez-le en restituant la ponctuation qui convient.

Qui n'a couru les mille et quatre chemins
Chemins d'espoir et chemins d'infortune
Ah qu'aujourd'hui est beau quand il y a demain
Dans la douceur des soirs au plein sommet des dunes

C. HALLER, « Rêve d'enfant », *Poèmes du petit matin*,
© Le Livre de Poche Jeunesse, 1994.

Jeux de phrases : l'attribut du sujet

10 a. Quelle est la fonction des mots en bleu ? b. Les vers 3 à 5 sont-ils corrects du point de vue de la grammaire ? du sens ?

Le monde à l'envers
[…]
– C'est bien mon enfant :
Joue avec les mots.
– Le triangle est rond.
La neige est chaude.
Le soleil est bleu. […]

A. BOSQUET, *Le cheval applaudit*,
© Éditions ouvrières / Éditions de l'Atelier, 1978.

11 Poursuivez le poème de l'exercice 10 en rédigeant trois vers qui jouent sur le même effet de surprise sujet / attribut du sujet.

Je construis mon bilan

Qu'ai-je appris ? ▶Socle *Les méthodes et outils pour apprendre*

Sensation

Par les soirs bleus d'été, j'irai dans les sentiers,
Picoté par les blés, fouler l'herbe menue :
Rêveur, j'en sentirai la fraîcheur à mes pieds.
Je laisserai le vent baigner ma tête nue.

5 Je ne parlerai pas, je ne penserai rien,
Mais l'amour infini me montera dans l'âme ;
Et j'irai loin, bien loin, comme un bohémien,
Par la Nature, – heureux comme avec une femme.

A. RIMBAUD, *Poésies*, 1870.

1. **De combien de vers et de strophes ce poème est-il constitué ?**
2. **Recopiez les vers 1 et 2 et marquez le décompte de syllabes à l'aide de barres obliques (/).**
3. **Quelle est la disposition des rimes ?**

Qu'avons-nous compris ? ▶Socle *Comprendre des textes et les interpréter*

Quand est-ce qu'un poème est bon ou pas bon ?

Quand en lisant tu ris, tu souris, tu t'amuses
ou quand les mots t'entraînent à rêver à ton tour
Quand ils jouent du violon, du tam-tam ou
du fifre[1] dans ton oreille qui savoure
5 quand ils font saliver ton désir de caresses
quand ils sentent le bois, la vague ou le pollen
au cœur de ta pupille
quand ils sont dans la bouche des friandises
ou des fruits de fourrure
10 Quand ils réveillent en toi un souvenir perdu
quand ils disent à voix haute tes secrets
les plus lourds
ou qu'ils devinent en toi d'étranges
pays lointains à la lisière desquels tu
15 craignais d'être seul.

Quand après eux tu te découvres plus grand et
plus enfant, plus vrai, plus vulnérable[2]
plus fort et sûrement plus fragile.

Quand ils te donnent enfin l'envie de dire,
20 de peindre le cœur des choses ou de danser
ta vie, de chanter comme un arbre, d'aller
comme le vent, le regard ou la main…

Tu rencontres alors un poème
d'un ami inconnu !

J.-H. MALINEAU, *Qui que quoi quand la poésie : réponses d'un poète*, © J.-H. Malineau, 2000.

1. flûte.
2. faible.

1. **Lisez ce poème, d'abord silencieusement puis à voix haute.**
2. **Sélectionnez trois passages qui vous rappellent un ou plusieurs poèmes de ce chapitre.**
3. **Expliquez ce qui justifie pour vous ce rapprochement.**

Je rédige mon bilan

▶Socle *Écrire pour réfléchir et pour apprendre*

Rédigez un bilan du chapitre en répondant à chaque question en un paragraphe.

- Que signifie pour vous le titre du chapitre : « Le chant du monde en poésie » ?
- Selon vous, pourquoi lire et/ou écrire de la poésie ?

J'évalue mes compétences

Celui qui entre par hasard

Celui qui entre par hasard dans la demeure d'un poète
Ne sait pas que les meubles ont pouvoir sur lui
Que chaque nœud du bois[1] renferme davantage
De cris d'oiseaux que tout le cœur de la forêt
5 Il suffit qu'une lampe pose son cou de femme
À la tombée du soir contre un angle verni
Pour délivrer soudain mille peuples d'abeilles
Et l'odeur de pain frais des cerisiers fleuris
Car tel est le bonheur de cette solitude
10 Qu'une caresse toute plate de la main
Redonne à ces grands meubles noirs et taciturnes[2]
La légèreté d'un arbre dans le matin.

R.-G. CADOU, « Celui qui entre par hasard »,
Hélène ou le Règne végétal, © Seghers, 2011.

1. défaut du bois.
2. ici, froids, tristes.

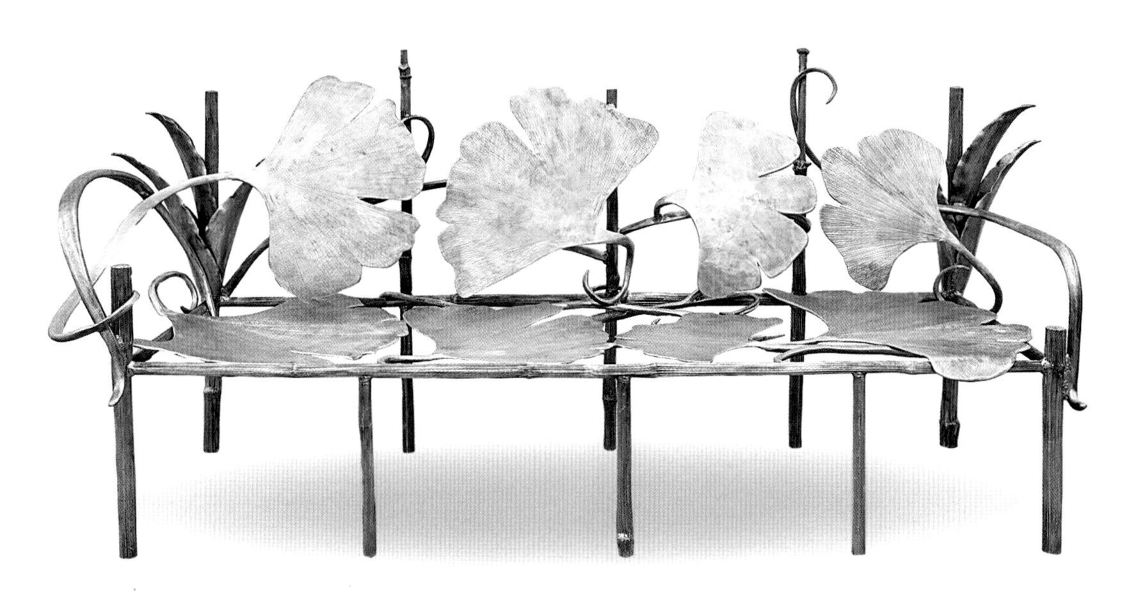

F.-X. et C. LALANNE, *Les Berces adossées*, bronze, 2015.

▶ **Socle** *Comprendre un texte littéraire et l'interpréter - Comprendre une image et l'interpréter*

1. **Quelles sont les particularités des meubles dans la demeure d'un poète, selon R.-G. Cadou ? Expliquez.**
2. **Lesquels des cinq sens (vue, ouïe, odorat, toucher ou goût) ce poème évoque-t-il ? Justifiez en citant le texte.**
3. **Quel sentiment domine dans ce poème ? Expliquez.**
4. **À quel(s) poème(s) du chapitre ce poème fait-il écho ? Expliquez.**
5. **Quel lien pouvez-vous établir entre le meuble des Lalanne et le poème de R.-G. Cadou ?**
6. **Apprenez ce poème et récitez-le en faisant attention aux liaisons.**

9

Parcours d'éducation culturelle

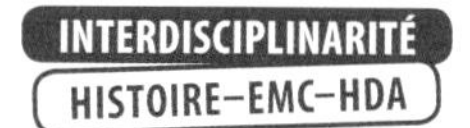

Explorez dans de nombreuses cultures, des récits de création du monde et de l'être humain. Dans l'histoire des religions, ces récits ont une place importante. Des auteurs modernes se sont inspirés de ces récits pour créer des œuvres originales.

A Lire et comprendre des récits de création dans différentes cultures

« Tablette du Déluge », relatant l'épopée de Gilgamesh, VIIe siècle avant J.-C., trouvée à Ninive (Irak), British Museum, Londres.

Le saviez-vous ?

L'Épopée de Gilgamesh a été rédigée en écriture cunéiforme sur douze tablettes d'argile il y a environ 3 200 ans en Mésopotamie. Ce poème, de trois mille vers, un des premiers textes littéraires de l'humanité, raconte les exploits du cruel roi sumérien (mésopotamien) Gilgamesh, dont on ignore s'il a réellement existé.

▶ Socle *Comprendre des textes, des documents et des images et les interpréter*

Lisez plusieurs de ces récits et répondez aux questions pour tester votre compréhension.

La création d'Enkidou

Les dieux sont les créateurs du monde : ils ont tiré de la Mer la première motte d'argile dont ils ont façonné le monde. Ils ont mêlé leur sang à la boue et touillé[1] ce mélange pour donner
5 naissance à l'humanité. Ils ont doté les hommes d'un esprit, pour les protéger de l'oubli. Puis ils leur ont remis la houe[2], le couffin[3], le moule à briques, pour qu'ils fassent pousser les plantes et construisent le pays. [...]

10 C'est dans une steppe[4] pareille qu'Ea et Arourou[5] s'installent. La terre, ici, n'a pas la finesse des alluvions[6] apportées par les crues de l'Euphrate. Elle est grossière, parsemée d'écorces et de graviers. Mais c'est le bon matériau pour l'œuvre

1. mélangé. 2. outil pour labourer. 3. panier. 4. vaste étendue avec végétation sèche. 5. déesse-mère mésopotamienne qui a créé les hommes avec le dieu Ea. 6. dépôts.

qu'ils ont promis d'accomplir. Un homme rudimentaire. Un être tout d'un bloc, à la fibre compacte et dure. Une flamme brûlera en lui, mais charbonneuse, comme l'aube avant le lever du jour.

Ea, sans attendre, creuse comme s'il ouvrait un fossé, dans le sol, puis crache dans la terre et commence à pétrir. [...]

Arourou chantonne pendant qu'Ea malaxe. Son chant s'étend sur la steppe comme une tente, étouffe tous les bruits, endort chaque être animé. Les dieux sont seuls. Ils créent.

Lorsque du matériau monte une vapeur, Arourou prend la relève d'Ea. Elle modèle la créature et lui donne sa forme. Après quoi, elle cueille un rameau de tamaris[7] et fouette le pâton inerte[8] pour y éveiller la vie, puis elle rejoint Ea et tous deux observent à l'écart.

C'est l'instant du mystère. Quel être, réellement, se prépare à naître ? Sans doute, son destin est tracé : conçu pour servir de rival à Gilgamesh. [...]

Dans le grand corps immobile, la vie commence à chauffer. La terre croûte en surface. Des écailles sèches tombent. Une peau grenue[9] apparaît sous la gangue[10]. La poitrine frémit. Le souffle circule, cherche la narine.

Arourou et Ea se regardent. Leur créature est achevée et il est temps, pour eux, de quitter les lieux. Pendant qu'ils s'éloignent, le mystère se défait, la steppe retrouve sa mouvance et le nouvel être s'accroupit en grognant. Il hume le vent, se dresse sur ses jambes, fait claquer ses mâchoires.

Le sillage des dieux ne s'est pas encore refermé. Satisfaits de leur ouvrage, ils échangent, de créateur à créateur, leurs pensées intimes. [...]

– Nous l'avons descendu du Ciel pour qu'il accomplisse notre plan, confie Arourou. La terre, dorénavant, n'est plus tout à fait la même.

– Quelque chose va changer, en effet. La créature est encore dans la nuit, mais elle connaîtra le jour. Enkidou...

J. CASSABOIS, *Le Premier Roi du monde, L'Épopée de Gilgamesh*,

Bas-relief représentant Gilgamesh entouré d'Enkidou, IXe siècle av. J.-C., trouvé à Tell-Halaf (Syrie), Musée d'Alep, Syrie.

7. arbuste à petites fleurs. 8. morceau de pâte sans vie. 9. contraire de lisse. 10. la croûte.

La clé des mots

rudimentaire : du latin *rudimentum* « apprentissage, débuts, essais », « premiers éléments d'une science, d'un art ».
• Qu'est-ce qu'un homme rudimentaire ?

Lecture ▸ Socle *Comprendre un texte littéraire et l'interpréter*

1. a. Que créent les dieux mésopotamiens ? b. Est-ce leur première création ? c. Quels matériaux utilisent-ils ?
2. Quelles sont les étapes de cette création ? Expliquez.
3. À quels signes voit-on que la création prend vie ?

Parcours d'éducation culturelle

Fragment de manuscrit de la mer Morte, découvert dans une grotte de Qumran, IIe-Ier siècle av. J.-C.

Le saviez-vous ?

- La Bible (du grec *biblia*, « les livres ») est le recueil des écritures sacrées du judaïsme (Bible hébraïque) et du christianisme (Ancien et Nouveau Testaments).
- La Bible hébraïque est composée de trois parties, dont la plus connue est la Torah.
- La Bible raconte la création dans les deux premiers chapitres de la Genèse (Ancien Testament).
  Les plus anciens récits bibliques datent du temps d'Abraham (vers 1800 av. J.-C.) mais n'ont été écrits que beaucoup plus tard.
- La Bible chrétienne est organisée en deux parties : l'Ancien Testament (qui correspond pour une grande part à la Bible hébraïque avec un ordre différent) et le Nouveau Testament.

La clé des mots

En grec, *genesis* signifie « naissance, origine ».
Que signifie le titre de la première partie de la Bible : la Genèse ?

« La Création du monde », enluminure de *La Bible de Souvigny*, Bibliothèque municipale Moulins, entre 1175 et 1200, BnF.

La Genèse

Au commencement, Élohim[1] créa les cieux et la terre. La terre était déserte et vide. Il y avait des ténèbres au-dessus de l'Abîme, et l'esprit d'Élohim planait au-dessus des eaux.

Élohim dit : « Qu'il y ait de la lumière ! » et il y eut de la lumière. Élohim vit que la lumière était bonne et Élohim sépara la lumière des ténèbres. Élohim appela la lumière Jour et il appela les ténèbres Nuit. Il y eut un soir, il y eut un matin : premier jour.

Élohim dit : « Qu'il y ait un firmament[2] au milieu des eaux, et qu'il sépare les eaux d'avec les eaux. » Élohim fit donc le firmament et il sépara les eaux qui sont au-dessous du firmament d'avec les eaux qui sont au-dessus du firmament. Et il en fut ainsi. Élohim appela le firmament Cieux. Il y eut un soir, il y eut un matin : deuxième jour.

Élohim dit : « Que les eaux qui sont de dessous les cieux s'amassent en un seul lieu et qu'apparaisse la Sèche ! » Il en fut ainsi. Élohim appela la sèche Terre et il appela l'amas des eaux Mers. Élohim vit que c'était bien.

1. nom donné à Dieu dans l'Ancien Testament. 2. ciel.

Élohim dit : « Que la terre produise du gazon, de l'herbe émettant de la semence, des arbres fruitiers faisant du fruit selon leur espèce, qui aient en eux leur semence sur la terre ! » Il en fut ainsi : la terre fit sortir du gazon, de l'herbe émettant 25 de la semence selon son espèce, et des arbres faisant du fruit, qui ont en eux leur semence selon leur espèce. Élohim vit que c'était bien. Il y eut un soir, il y eut un matin : troisième jour.

« La Création de la mer », enluminure de la *Bible latine*, Nicolas Jeanson, Venise, 1476, BnF.

Élohim dit : « Qu'il y ait des luminaires[3] au 30 firmament des cieux, pour séparer le jour de la nuit et qu'ils servent de signes pour les saisons, pour les jours et pour les années ! Qu'ils servent de luminaires dans le firmament des cieux, pour luire au-dessus 35 de la terre ! » Il en fut ainsi. Élohim fit donc les deux grands luminaires, le grand luminaire pour dominer sur le jour et le petit luminaire pour dominer sur la nuit, et aussi les étoiles. Élohim les plaça au 40 firmament des cieux pour luire sur la terre, pour dominer sur le jour et sur la nuit, pour séparer la lumière des ténèbres. Élohim vit que c'était bien. Il y eut un soir, il y eut un matin : quatrième jour.

45 Élohim dit : « Que les eaux foisonnent d'une foison d'animaux vivants, et que des volatiles volent au-dessus de la terre, à la surface du firmament des cieux ! » Élohim créa donc les grands dragons et 50 tous les animaux vivants qui remuent, ceux dont les eaux foisonnent, selon leur espèce et tout volatile ailé selon son espèce. Élohim vit que c'était bien. Élohim les bénit, en disant : « Fructifiez et multi-55 pliez-vous, remplissez les eaux dans les mers ; et que les volatiles se multiplient sur la terre ! » Il y eut un soir, il y eut un matin : cinquième jour.

Élohim dit : « Que la terre fasse sortir des animaux vivants selon leur espèce : bestiaux, reptiles, bêtes sauvages, 60 selon leur espèce ! » Il en fut ainsi. Élohim fit donc les bêtes sauvages selon leur espèce, les bestiaux selon leur espèce et tous les reptiles du sol selon leur espèce. Élohim vit que c'était bien.

3. étoiles, planètes.

Paradis terrestre, XIe siècle, Turquie.

Élohim dit : « Faisons l'homme à notre image, à notre ressemblance ! Qu'ils aient autorité sur les poissons de la mer et sur les oiseaux des cieux, sur les bestiaux, sur toutes les bêtes sauvages et sur tous les reptiles qui rampent sur la terre ! » Élohim créa donc l'homme à son image, à l'image d'Élohim, il le créa. Il les créa mâle et femelle. Élohim les bénit et Élohim leur dit : « Fructifiez et multipliez-vous, remplissez la terre, et soumettez-la, ayez autorité sur les poissons de la mer et sur les oiseaux des cieux, sur tout vivant qui remue sur la terre ! ». Élohim dit : « Voici, que je vous ai donné toute herbe émettant semence, qui se trouve sur la surface de toute la terre, et tout arbre qui a en lui fruit d'arbre, qui émet semence : ce sera pour votre nourriture. À toute bête sauvage, à tout oiseau des cieux, à tout ce qui rampe sur la terre, à tout ce qui a en soi âme vivante, j'ai donné toute herbe verte en nourriture. » Il en fut ainsi.

Élohim vit tout ce qu'il avait fait et voici que c'était très bien. Il y eut un soir, il y eut un matin : sixième jour.

La Bible, Genèse I, 1-31, traduction É. Dhorme,

Lecture

▶ Socle *Comprendre des textes et des images et les interpréter*

1. Qui est le créateur ? Comment est-il nommé ? Quel rôle la parole joue-t-elle ?
2. Combien de jours la création dure-t-elle ? Quelles sont les étapes de cette création ?
3. Quelles sont les caractéristiques de l'être humain ?
4. Décrivez chaque image des pages 184 à 186 en vous aidant du texte.

Le saviez-vous ?

Le Coran (de l'arabe *Qu'ran* « récitation ») :
- est le livre saint des musulmans et contient, selon l'islam, les termes employés par Allah pour parler au prophète Mahomet (570-632) ;
- est organisé en « sourates » (sortes de chapitres), composées de « versets » (petits paragraphes) ;
- comporte de nombreux passages évoquant un des aspects de la création.

Coran, extrait d'un manuscrit, XIe-XIIIe siècles, Andalousie.

La création dans le Coran

Sourate 7, verset 54 :

Votre Seigneur est Dieu :
Il a créé en six jours les cieux et la terre en six jours [...]

Sourate 20, verset 53 :

[...] Il a fait descendre du ciel une eau
avec laquelle nous faisons germer
toutes sortes de plantes.

Sourate 21, verset 33 :

C'est Lui qui a créé la nuit et le jour,
le soleil et la lune ;
chacun voguant dans une orbite.

Sourate 25, verset 53 :

C'est Dieu qui a fait confluer les deux mers :
l'une est douce, agréable au goût ;
l'autre est salée, amère.
Il a placé entre les deux une barrière,
une limite infranchissable.

Sourate 31, versets 10 et 11 :

Il a créé les cieux sans colonnes visibles ;
Il a jeté sur la terre des montagnes comme des piliers
Afin qu'elle ne branle pas et vous non plus [...]

Sourate 36, verset 34 :

Nous y avons placé
des jardins de palmiers et de vignes ;
Nous y avons fait jaillir des sources [...]

Sourate 53, verset 45 :

Il a créé le couple, mâle et femelle [...]

Le Coran, édition de D. MASSON,
© Gallimard, coll. La Pléiade, 1967.

Lecture

▶ Socle *Comprendre un texte et l'interpréter*

1. Quelles sourates évoquent : a. la stabilité de la terre ; b. l'harmonie terrestre ; c. la fertilité ; d. l'organisation du monde ; e. la création du règne végétal ; f. la création de l'être humain ?
2. Dans ces sourates, quels éléments vous paraissent décrire la réalité ?

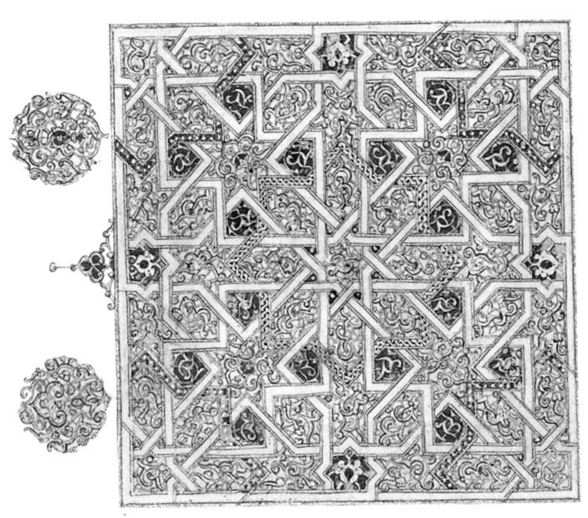
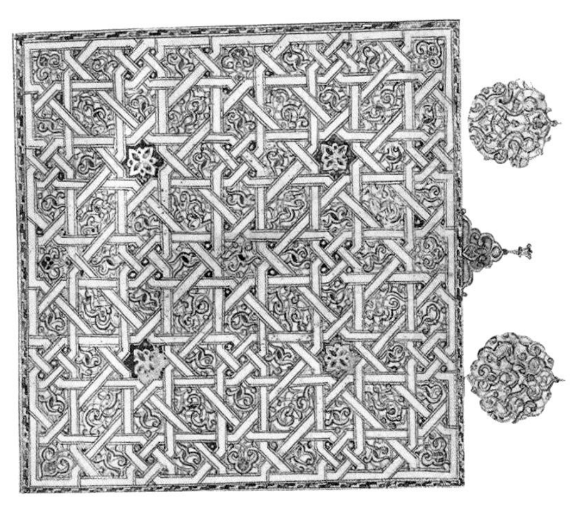

Coran, Carrés à décor géométrique sur fond d'arabesques, 1304, BnF.

Du chaos à l'être humain

Avant la formation de la mer, de la terre, et du ciel qui les environne, la nature dans l'univers n'offrait qu'un seul aspect ; on l'appela chaos, masse grossière, informe, mélange confus d'éléments qui se combattaient entre 5 eux. L'air, la terre, et les eaux étaient confondus : la terre était sans solidité, l'eau n'était pas fluide, l'air était privé de lumière. Les éléments étaient ennemis ; aucun d'eux n'avait sa forme actuelle.

Un dieu, ou la nature plus puissante, sépara le ciel de 10 la terre, la terre des eaux, l'air le plus pur de l'air le plus grossier. Après que ce dieu, quel qu'il soit, eut ainsi débrouillé et divisé la matière, il arrondit la terre pour qu'elle soit égale dans toutes ses parties. Il ordonna qu'elle soit entourée par la mer, et la mer fut soumise au pouvoir des 15 vents, sans pouvoir franchir ses rivages. Ensuite il forma les fontaines, les vastes étangs, et les lacs, et les fleuves. Ce dieu dit, et les plaines s'étendirent, les vallons s'abaissèrent, les montagnes élevèrent leurs sommets, et les forêts se couvrirent de verdure.

20 La terre fut divisée en cinq régions qui correspondent à celles du ciel qui l'environne. La zone du milieu, brûlée par le soleil, est inhabitable ; celles qui sont vers les deux pôles se couvrent de neige et de glace éternelles ; les deux autres, placées entre les zones polaires et la zone du mi- 25 lieu, ont un climat tempéré par le mélange du chaud et du froid. Étendu sur les zones, l'air, plus léger que la terre et que l'eau, est plus pesant que le feu.

À peine tous ces corps étaient-ils séparés, soumis à des lois éternelles, les astres, longtemps obscurcis dans la masse 30 informe du chaos, commencèrent à briller dans les cieux. Les étoiles et les dieux s'y installèrent, afin qu'aucune région ne soit sans habitants. Les poissons peuplèrent l'eau ; les quadrupèdes, la terre ; les oiseaux, les plaines de l'air. Un être plus noble et plus intelligent, fait pour dominer 35 sur tous les autres, manquait encore à ce grand ouvrage. L'homme naquit. L'homme, distingué des autres animaux dont la tête est inclinée vers la terre, put contempler les astres et fixer ses regards sublimes dans les cieux.

OVIDE, *Métamorphoses*, I, adaptation C. Bertagna.

Le saviez-vous ?

Le poète romain Ovide a raconté de multiples histoires mythologiques dans les *Métamorphoses*. Pour en savoir plus, voir p. 146.

Nec quicq nisi pondus iners: congestaq. eodem
Non bene iunctarum discordia semina rerum.
Nullus adhuc mundo praebebat lumina titan.
Nec noua crescendo reparabat cornua phoebe.
Nec circumfuso pendebat in aere tellus
Ponderibus librata suis: nec brachia longo
Margine terrarum porrexerat amphitrite.
Quaq. erat & tellus: illic & pontus & aer.
Sic erat instabilis tellus: innabilis unda:
Lucis egens aer. nulli sua forma manebat:
Obstabatq. aliis aliud: quia corpore in uno
Frigida pugnabant calidis: humentia siccis:
Mollia cum duris: sine pondere habentia pondus.
Hanc deus: & melior litem natura diremit
Nam coelo terras: & terris abscidit undas:
Et liquidum spisso secreuit ab aere caelum:
Quae postq. euoluit: caecoq. exemit aceruo
Dissociata locis concordi pace ligauit.
Ignea conuexi uis & sine pondere celi

Métamorphoses, manuscrit du XVe siècle, BnF.

Lecture

▶ Socle *Comprendre un texte littéraire et l'interpréter*

1. Qu'est-ce qui caractérise l'univers dans le passage en bleu ?
2. Qui est l'auteur de la création selon Ovide ? Expliquez.
3. a. Quelles sont les différentes étapes de la création ? b. Quels éléments géographiques et biologiques repérez-vous ?
4. Qu'est-ce qui caractérise l'homme ? Est-il semblable aux animaux ?

Le pouvoir magique des mots chez les Inuits

Le saviez-vous ?

- Les Inuits sont les habitants de l'Arctique (pôle Nord), un territoire de plus de 6000 km^2 où ils vivent depuis 8000 ans avant J.-C.
- Ils préfèrent être appelés « Inuits », « les gens », plutôt qu'« Esquimaux ».

Selon la tradition inuite, à l'origine de l'univers, il n'y avait que de l'eau. Soudainement, des pierres et des roches sont tombées du ciel. La terre était créée ! Tout était dans l'obscurité, les humains et les animaux vivaient ensemble
5 en une seule espèce [...]. Les mots ont été créés et, parce qu'ils n'avaient jamais été utilisés, ces mots contenaient d'importants pouvoirs magiques. Chaque fois que quelqu'un se servait des mots, des choses étranges se produisaient. Par exemple, quand Tiriganiaq, le renard, rencontre Ukaliq,
10 le lièvre arctique, le renard dit : « Ténèbres, ténèbres », parce qu'il voulait voler de la viande aux humains. Ukaliq lui répond : « Lumière, lumière », parce qu'il voulait trouver de la nourriture dans l'herbe. C'est ainsi que la lumière du jour et les ténèbres de la nuit sont apparues.
15 Bien d'autres choses ont été créées par le pouvoir magique des mots, telles que les concepts du bien et du mal.

Bibliothèque et Archives Canada, www.collectionscanada.gc.ca, 2009.

A. MANASIE, *La Création du monde*, sculpture, XXIe siècle, Musée des confluences, Lyon.

Lecture

▶ Socle *Comprendre des textes, des documents et des images et les interpréter*

1. Y a-t-il un créateur selon les Inuits ? Qu'est-ce qui est créé ? dans quel ordre ?
2. Quel est le « pouvoir magique des mots » ? Expliquez.
3. Comment pourriez-vous expliquer le titre de cette sculpture inuite ?

Le mythe maya de Tepeu-Gucumatz

Le saviez-vous ?

Le *Popol Vuh, Le livre des événements*, issu d'une culture préhistorique (environ 2000 av. J.-C.) rapporte l'histoire des Indiens Mayas-Quichés, d'Amérique centrale, à l'époque précolombienne. La première version écrite date de 1554-1558. Ce récit est l'équivalent pour ce peuple de la Bible.

D. RIVERA, illustration pour le *Popol Vuh*, début du XXe siècle, aquarelle, Mexique.

Voici l'histoire du monde, lorsque tout était en suspens, calme et silencieux. Tout était immobile, muet, et le ciel vide, à l'infini. [...]

Seul le Créateur, Tepeu-Gucumatz, qui est Père et Mère de toute chose, était dans l'eau, entouré de lueurs, caché sous les plumes vertes et bleues qui lui valent son nom.

Alors, ils (le Père et la Mère de toute chose) décidèrent d'entreprendre la création, de faire croître les arbres et les buissons et de donner vie au monde et aux hommes.

– « Terre », dirent-ils et en un instant elle fut faite.

Ensuite ils firent les petits animaux de la montagne, les oiseaux, les lions, les tigres et les serpents, les couleuvres et les vipères.

– « Parlez, priez et adorez-nous », dirent-ils.

Mais chacun criait d'une façon différente et aucun ne se comprenait.

Alors ils les condamnèrent à être mangés et ils décidèrent de faire une autre tentative.

Le premier homme, ils le firent avec de la boue, mais il était tout mou, il se défaisait et n'avait pas de force. Il parlait mais n'avait pas d'intelligence. À la fin, humide, il s'écroula.

Le deuxième homme, ils le firent à partir du bois. Il avait une apparence humaine. Parlait comme un homme, et commença à peupler la terre avec ses semblables mais il n'avait pas d'âme, ni d'intelligence cet homme-là, il marchait au hasard, à quatre pattes et ne se rappelait pas qui était son Créateur. Pour cela il fut puni : sous un déluge de pluie noire, Tepeu-Gucumatz le noyèrent.

Une autre fois, Tepeu-Gucumatz (Père et Mère de toute chose) se réunirent et réfléchirent, et là ils trouvèrent comment serait fait le troisième.

Anonyme, *Popol Vuh*, traduction de C. Bourguignon,

Lecture

▶ Socle *Comprendre des textes, des documents et des images et les interpréter*

1. Qui est le créateur ? Qu'a-t-il de particulier ?
2. Quels sont les éléments créés ?
3. Racontez les étapes de la création de l'homme. Quel commentaire pouvez-vous faire ?

Écriture

▶ Socle *Produire des écrits variés*

Imaginez en un paragraphe une suite possible à ce récit de création.

B Comparer des récits de création

▶ Socle *Lire des images, des documents composites et des textes - Participer de façon constructive à des échanges oraux*

Par groupes, répondez oralement aux questions suivantes pour comparer les récits de création des pages 182 à 190.

1. a. Classez ces récits de création dans l'ordre chronologique.
   b. De quelles régions du monde proviennent-ils ? Localisez-les sur un planisphère.
2. a. Dans chacun de ces récits, qui est le créateur ?
   b. Quel rôle la parole joue-t-elle ?
3. La création de l'univers : a. quels sont les éléments communs à ces récits ? b. Quels rôles l'eau joue-t-elle dans ces récits ? Pourquoi selon vous ?
4. La création de l'homme : quels sont les éléments communs à ces récits ?

Échangez avec les autres groupes :

5. Comparez vos réponses.
6. Expliquez ce que ces récits disent sur l'Homme.

Le cercle des lecteurs

Récits de création du monde entier

▶ Socle *Être un lecteur autonome*

*21 contes des origines de la Terre**
B. HELLER
© Flammarion, 2014.
Des contes du monde entier qui racontent les origines du monde, quand la Terre était respectée.

*Contes de la naissance du monde**
F. RACHMULH
© Flammarion, 2010.
Ces contes des cinq continents livrent des visions différentes de la naissance du monde, du ciel et des astres, et même du moustique !

Mon carnet personnel de lecture

Après avoir lu un des recueils, choisissez un récit.

- *Présentez le conte : son titre, sa culture d'origine.*
- *Racontez-le à vos camarades en justifiant votre choix.*
- *Comparez le conte retenu avec un ou plusieurs des récits de création étudiés dans le manuel.*

Parcours d'éducation culturelle

C Découvrir et comprendre des réécritures modernes de récits de création

▶ Socle *Comprendre des textes et des images et les interpréter*

Histoire universelle

Au commencement, la Terre était faite tout de travers, et il fallut bien des efforts pour la rendre plus habitable. Pour traverser les fleuves il n'y avait pas de ponts. Pas de sentiers pour gravir les montagnes. Voulait-on s'asseoir ? Même pas l'ombre d'un banc. Tombait-on de sommeil ? Le lit n'existait pas. Ni souliers ni bottes pour éviter de se faire mal aux pieds. Si vous aviez une mauvaise vue, pas moyen de trouver des lunettes. Aucun ballon pour faire une partie de football. On n'avait pas de feu ni de marmites pour faire cuire les spaghettis, et d'ailleurs cela n'avait pas d'importance car les spaghettis n'existaient pas. Il n'y avait rien de rien. Zéro multiplié par zéro égale zéro. Il n'y avait que les hommes, avec leurs deux bras pour travailler, et c'est ainsi qu'on put remédier aux plus grosses erreurs. Des erreurs, pourtant, il en reste encore beaucoup à corriger : retroussez vos manches, il y a du travail pour tout le monde.

G. RODARI, *Histoires au téléphone*, traduction de R. Salomon, Éditions La Joie de lire, 2012.

1. Quel rôle l'homme joue-t-il dans ce récit de création ?
2. Ce récit vous paraît-il sérieux ? Justifiez votre réponse.
3. Quelle est la morale de ce récit ?

Un dessin d'humour

GELUCK, *La Bible selon le Chat*, Casterman, 2013.

1. Quel élément du récit biblique de création ce dessin d'humour reprend-il ?
2. Qu'est-ce qui fait l'humour de ce dessin ?

La création

Marguerite Yourcenar
(1903-1987)

Cette auteure d'origine belge a été la première femme élue à l'Académie française.

Ce poème est la traduction d'un « negro spiritual », chant d'esclaves noirs du Sud des États-Unis, qui prend ses racines en Afrique.

Et Dieu s'promena, et regarda bien attentivement
Son Soleil, et sa Lune, et les p'tits astres de son firmament.

Il regarda la terre qu'il avait modelée dans sa paume,
Et les plantes et les bêtes qui remplissaient son beau royaume.

5 Et Dieu s'assit, et se prit la tête dans les mains,
Et dit : « J'suis encore seul ; j'vais m'fabriquer un homme demain. »

Et Dieu ramassa un peu d'argile au bord d'la rivière,
Et travailla, agenouillé dans la poussière.

Et Dieu, Dieu qui lança les étoiles au fond des cieux,
10 Dieu façonna et refaçonna l'homme de son mieux.

Comme une mère penchée sur son p'tit enfant bien-aimé,
Dieu peina, et s'donna du mal, jusqu'à c'que l'homme fût formé.

Et quand il l'eut pétri, et pétri, et repétri,
Dans cette boue faite à son image Dieu souffla l'esprit.

15 Et l'homme devint une âme vivante,
Et l'homme devint une âme vivante...

M. YOURCENAR, *Fleuve profond, sombre rivière*,

L. DELACHAUX, *Le Joueur de banjo*, huile sur toile, 1881.

1. Quels éléments de langue font de ce poème un chant populaire ?
2. Dressez la liste des actions du Dieu créateur.
3. Expliquez comment l'homme a été créé selon ce poème.
4. À quel(s) récit(s) de création pouvez-vous comparer ce poème ? Expliquez.
5. Apprenez ce poème et récitez-le en cherchant à le rendre le plus vivant possible.

Histoires d'animaux malins

INTERDISCIPLINARITÉ HDA

Le trompeur l'emporte-t-il toujours ?

Lire, comprendre, interpréter

T. GALAMBOS, *Les fables d'Ésope*, huile sur toile, 2006.

Lire comprendre interpréter

Je m'interroge et je m'informe sur...

▸ Socle *Comprendre des textes, des documents et des images et les interpréter*

Le Roman de Renart et les fables

Qu'appelle-t-on *Le Roman de Renart* ?

• *Le Roman de Renart* n'est pas un roman au sens moderne du terme mais un recueil poétique écrit en langue romane (langue française du Moyen Âge), d'où le nom de « roman ». Il est écrit en octosyllabes (vers de huit syllabes) entre 1170 et 1250 par une vingtaine d'auteurs, la plupart anonymes.

• Ce roman s'inspire de recueils de fables latines et d'un conte médiéval rédigé en latin vers 1150, *Ysengrimus*, qui raconte la rivalité entre Ysengrimus, le loup, et Reinardus, le goupil. Il se compose d'environ 30 000 vers répartis en 27 contes, où le goupil joue le rôle principal.

Le trésor des mots

De « goupil » à « renard » !

Au Moyen Âge, un renard se nomme un « goupil » (du latin *vulpes*). Le *Roman de Renart*, dont le héros, un goupil, se nomme « Renart », a eu un tel succès que « renart » a remplacé « goupil ». Le « t » final s'est ensuite transformé en « d » : *Renart* est devenu « renard ».

1. Quelle était la forme du *Roman de Renart* au Moyen Âge ?
2. Que signifiait le mot « roman » au Moyen Âge ?
3. Quelle preuve avons-nous que *Le Roman de Renart* a connu un vif succès au Moyen Âge ?
4. **a.** Connaissez-vous des histoires autres que *Le Roman de Renart* dans lesquelles intervient un renard ? **b.** Quelles sont, dans ces histoires, les principales caractéristiques du renard ?

Que savons-nous des fables ?

5. Quel(s) titre(s) de fables pouvez-vous citer ?
6. Résumez rapidement une fable que vous connaissez.
7. Comment connaissez-vous cette fable :
   a. vous l'avez lue ?
   b. vous l'avez entendue ?
   c. vous l'avez apprise ?
   d. vous l'avez vue représentée au théâtre ?
8. Quel(s) personnage(s) trouve-t-on dans les fables ?

Le trésor des mots

Autour du mot « fable »

Le nom « fable » vient du latin *fabula*, « récit », « histoire ».

Faites correspondre chaque mot de la liste A à la définition qui lui correspond dans la liste B.

A. fablier • fabliau • fabuliste • fabuleux • affabuler

B. conte en vers des XIIe et XIIIe siècles, écrit pour donner une leçon ou faire rire • qui appartient à l'imagination, extraordinaire • auteur de fables • présenter des faits de façon fantaisiste ou mensongère • recueil de fables

La fable : un genre littéraire universel

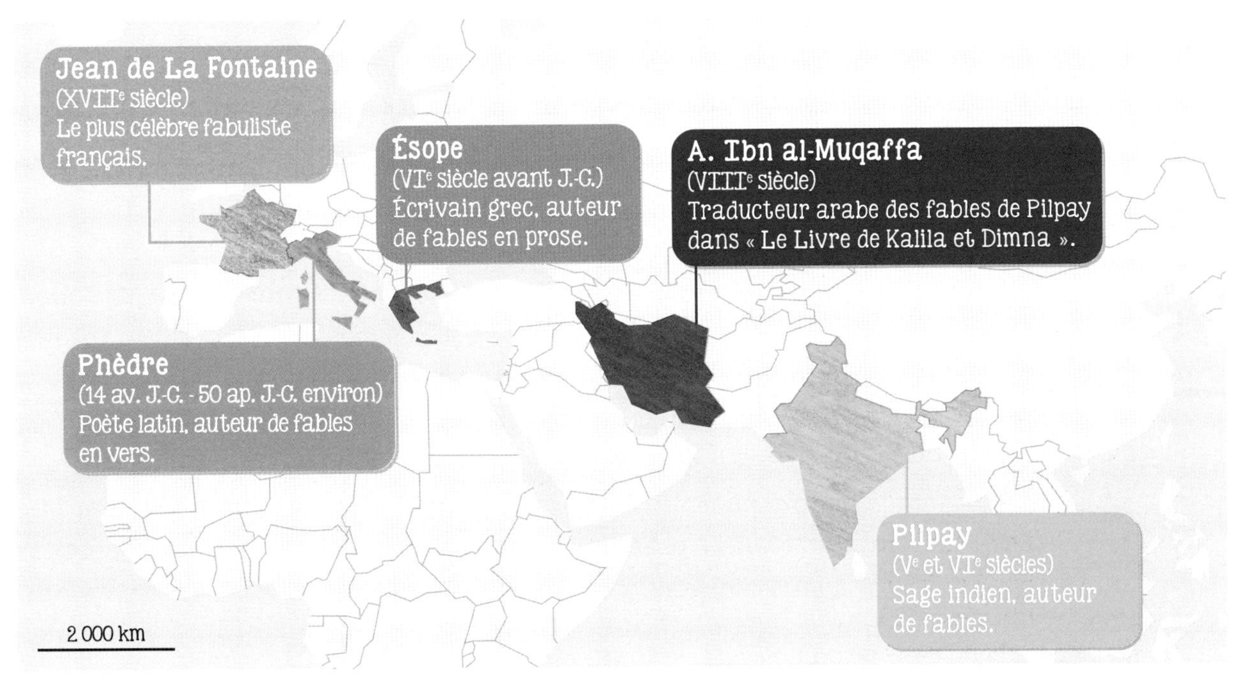

9 Pourquoi dit-on que la fable est un genre littéraire universel ? Expliquez.

10 Reproduisez la frise ci-dessous. Placez sous la frise le nom des fabulistes dans l'ordre chronologique et indiquez dans la frise le siècle correspondant à chaque fabuliste.

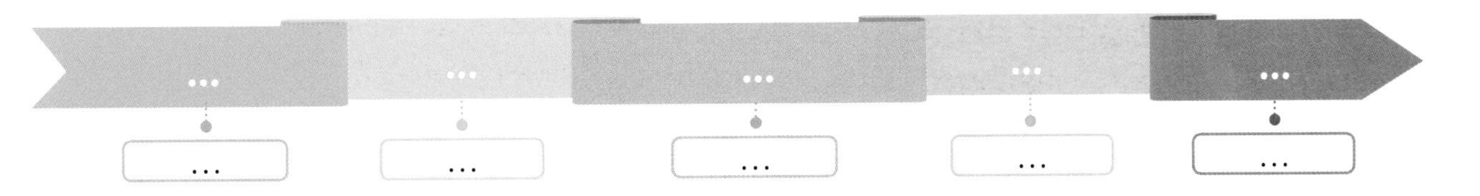

Jean de La Fontaine

Rendez-vous sur le site officiel du Musée Jean de La Fontaine à Château-Thierry : www.musee-jean-de-la-fontaine.fr.
Cliquez sur le drapeau français, puis à droite sur « La Fontaine ». Consultez les rubriques « Biographie » et « La Fontaine en 100 questions » afin de répondre au questionnaire suivant.

a. À quel siècle Jean de La Fontaine a-t-il vécu ?
b. La Fontaine est-il un contemporain de Louis XIV ?
c. La Fontaine connaissait-il la nature ? Justifiez.
d. La Fontaine a-t-il écrit moins de 200 fables ? plus de 200 fables ?
e. Quel est l'animal le plus souvent cité dans les *Fables* ?
f. Citez plusieurs protecteurs de La Fontaine.
g. La Fontaine était-il un auteur reconnu à son époque ?

Renart et les anguilles

Renart, le goupil, parcourt la campagne, affamé.

Voilà Renart qui s'accroupit au milieu du chemin : il tend son cou frénétiquement[1] dans toutes les directions, ne sachant où trouver de quoi se nourrir ; la faim lui fait une guerre cruelle. [...] Voici qu'arrivent à toute vitesse des marchands qui transportaient des poissons. [...] Renart, qui trompe le monde entier, se trouvait bien à plus d'une portée d'arc[2] de la charrette. Quand il la vit ainsi chargée d'anguilles et de lamproies, il court au-devant des marchands, par les voies détournées, en tapinois[3], pour les berner : ils n'y virent que du feu[4]. Il s'est allongé en plein milieu du chemin : écoutez donc comment il s'y prend pour les égarer[5] ! Il s'est couché à plat et fait le mort, Renart, celui qui sait abuser son monde ; les paupières baissées, il découvre ses dents et retient son haleine. A-t-on jamais entendu parler de semblable perfidie ? Il demeure sur place dans cet état, couché par terre.

Les marchands arrivent, sans prendre garde à la chose. Le premier qui le découvre l'examine et appelle son compagnon :

La clé des mots

• Sous quel nom générique peut-on regrouper les mots anguilles, lamproies et harengs ?

1. violemment.
2. environ cent mètres.
3. en cachette.
4. ils ne comprirent rien.
5. ici, tromper.

B. HEITZ, *Le Roman de Renart*, © Éditions Gallimard, 2010.

B. HEITZ, *Le Roman de Renart*, © Éditions Gallimard, 2010.

« Regarde, là, un renard ou un chien ! » L'autre l'aperçoit et s'écrie : « C'est un renard, va le prendre, va. » [...] Le marchand
20 se précipite aussi vite qu'il peut, suivi de son compagnon ; les voici arrivés près de Renart. Ils trouvent le goupil sur le dos : ils le tournent dans tous les sens, lui pincent le dos puis la gorge ; ils n'ont pas peur de se faire mordre ! L'un a déclaré : « Il vaut quatre sous ! » et l'autre a renchéri[6] : « Dieu me sauve !
25 non ! il vaut bien cinq sous, et c'est bon marché ! Nous ne sommes pas trop chargés : jetons-le dans notre charrette. Vois comme sa gorge est blanche et nette ! » Cela dit, sans perdre de temps, ils l'ont lancé dans la charrette et se sont remis en route. Grande est leur joie à tous deux ; ils se disent : « Voilà pour le
30 moment, mais cette nuit, quand nous serons chez nous, nous lui retournerons la casaque[7] ! » Ils se satisfont pour le moment

6. rajouté.
7. nous l'écorcherons.

de cette fanfaronnade[8], mais Renart se contente d'en sourire, car il y a un fossé entre la parole et les actes. Il était couché sur les paniers, le nez dessus : d'un coup de dents il en a ouvert un
35 dont il a tiré, croyez-m'en, plus de trente harengs. Le panier se trouva presque vide, car il avait mangé de bon appétit, en se passant de sel comme de sauge[9]. [...] Il s'en est pris à un second panier : il y a plongé le museau et n'a pas manqué son coup, car il en retire deux chapelets[10] d'anguilles. Renart qui a plus d'un
40 tour dans son sac, passe sa tête et son encolure[11] au travers et pose les deux bouts de la corde sur son dos, bien serrés l'un contre l'autre, de manière à en être bien recouvert ; désormais plus besoin de continuer sa besogne. [...]

Il s'est élancé du haut de la charrette jusqu'en plein milieu
45 du chemin, emportant sa proie enroulée autour du cou. Une fois qu'il a sauté, il dit aux marchands : « Que Dieu ait votre âme ! Ces quelques anguilles sont pour moi, gardez tout le reste ! » Et quand les marchands l'entendent, leur étonnement ne connaît pas de borne.

Le Roman de Renart, traduction d'A. Strubel,

8. vantardise.
9. plante aromatique.
10. à l'origine, objet religieux formé de grains enfilés comme les perles d'un collier, que l'on fait glisser entre ses doigts en récitant des prières.
11. cou.

Le trésor des mots

1 Ces trois verbes, « berner », « leurrer », « abuser », sont-ils synonymes ou antonymes de « tromper » ?

2 En vous aidant du contexte, dites si « perfidie » (l. 14) signifie « drôlerie » ou « ruse méchante ».

Lecture

▶Socle *Comprendre un texte littéraire et l'interpréter*

1 a. Expliquez de quoi Renart souffre au début du texte. b. Comment s'y prend-il pour résoudre son problème ? Résumez en quelques phrases.

2 Renart est-il présenté comme un animal ? Expliquez et développez votre réponse.

3 Quels sont les principaux traits de caractère des marchands ? Expliquez.

4 Le personnage de Renart correspond-il à ce à quoi vous vous attendiez ? Justifiez.

Oral

▶Socle *Participer à des échanges*

a. De quelles qualités et/ou de quels défauts Renart fait-il preuve ? b. Vous paraît-il un personnage sympathique ou antipathique ? Échangez vos points de vue.

Écriture

▶Socle *Produire des écrits variés*

De retour chez lui, au château de Maupertuis, Renart partage son butin avec son épouse et ses enfants. Votre texte racontera le retour de Renart et le partage de la nourriture. Vous rédigerez votre récit au passé.

Lecture d'image

Quel épisode de l'histoire chaque image de la bande dessinée p. 198-199 illustre-t-elle ?

Renart et Chantecler

Renart est entré dans l'enclos du poulailler d'un riche paysan, Constant Desnois, et cherche à attraper le coq Chantecler mais il vient de manquer son coup.

Pour montrer qu'il n'avait pas peur, Chanteclerc se mit à chanter.

« Oui, c'est assez bien chanté, dit Renart. Est-ce que vous vous souvenez de votre père Chanteclin ? Ah ! c'est lui qu'il fallait entendre ! Jamais personne ne fera aussi bien. Il avait la voix si forte, si claire, qu'on l'écoutait à une lieue aux alentours, je m'en souviens bien. Et pour chanter encore mieux, il lui suffisait d'ouvrir la bouche et de fermer les yeux.

« Mon cousin, répond alors Chantecler, vous vous moquez de moi...

– Moi, me moquer d'un ami, d'un aussi proche parent ? Ah ! Chantecler, vous ne pensez pas ce que vous dites. Mais en vérité j'adore la bonne musique, et je m'y connais. Vous chanteriez bien si vous vouliez ; fermez un peu les yeux et commencez un de vos airs.

– Mais d'abord, dit Chantecler, est-ce que je peux vous faire confiance ? Écartez-vous un peu, si vous voulez que je chante. Vous apprécierez mieux la qualité de ma voix en vous plaçant un peu plus loin.

– D'accord, dit Renart en reculant un tout petit peu. Voyons donc si vous êtes bien le fils de mon cher oncle Chanteclin. »

Le coq, un œil ouvert et l'autre fermé, toujours un peu sur ses gardes, commence alors un grand air.

« Franchement, dit Renart, ce n'est pas extraordinaire. Chanteclin, lui, ah ! c'était quelque chose ! Dès qu'il avait fermé les yeux, on l'entendait bien au-delà du bois. Franchement, mon pauvre ami, vous êtes loin de faire aussi bien. »

Ces mots vexèrent tellement Chantecler qu'il en oublia tout. Il ferma les yeux, et lança une note qu'il fit durer le plus possible. L'autre, voyant le moment venu,

Illustration extraite du *Manuscrit de fables animalières.*

s'élance comme une flèche, l'attrape par le cou et s'enfuit avec sa proie. [...]

40 Au moment où Renart s'emparait du pauvre coq, le jour tombait et la vieille femme chargée de s'occuper des volailles ouvrait la porte du poulailler.

Miniature du manuscrit du *Roman de Renart*, BnF.

Elle appelle Pinte, Bise, Roussette : personne ne répond. Elle lève les yeux 45 et voit Renart en train de se sauver avec Chantecler :

« Au secours ! Au secours ! s'écrie-t-elle, au Renart, au voleur ! »

Les paysans accourent de tous 50 côtés.

« Qu'y a-t-il ? Pourquoi tous ces cris ?

– Au secours ! crie de nouveau la vieille femme. Le goupil emporte mon coq ! »

Renart franchissait alors les haies ; mais les paysans l'en-55 tendirent tomber de l'autre côté, et tout le monde se mit à sa poursuite. Constant Desnois lâche son gros chien Mauvoisin. On retrouve sa piste, on va l'atteindre : « Le goupil ! Le goupil ! »

Renart court aussi vite que possible.

« Sire Renart, dit alors le pauvre Chantecler d'une voix en-60 trecoupée, allez-vous laisser ces paysans vous insulter ainsi ? À votre place, je me vengerais et je leur jouerais un bon tour. Quand Constant Desnois dira : *Renart l'emporte*, répondez donc : *Oui, sous votre nez et malgré vous*. Cela les fera taire. »

Miniature du manuscrit du *Roman de Renart*, BnF.

On l'a dit bien souvent : même les 65 plus sages agissent parfois comme des fous.

Renart, le trompeur universel, fut trompé ici lui-même. Et quand il entendit la voix de Constant Desnois, 70 il prit plaisir à lui répondre :

« Oui, je prends votre coq, et malgré vous ».

Mais Chantecler, dès qu'il sentit que les dents de Renart se desserraient un peu, fit un effort et s'échappa. Un coup d'aile 75 et le voilà sur les branches d'un pommier voisin.

Dépité[1] et surpris, Renart revient sur ses pas et comprend la bêtise qu'il a faite.

« Ah ! mon cher cousin, lui dit le coq, c'est le moment de réfléchir sur les changements de situation.

1. déçu.

– Maudit soit celui qui parle quand il devrait se taire, dit Renart.

– Oui, répond Chantecler, et il vaut mieux devenir aveugle que de fermer les yeux quand on devrait les garder grands ouverts. Vous voyez, Renart, celui qui vous croit est un fou. Au diable votre beau cousinage : j'ai cru que j'allais le payer cher ! Mais vous, vous avez intérêt à courir bien vite, si vous tenez à votre peau. »

Le Roman de Renart, traduction d'A. Strubel, © Éditions Gallimard, 1998.

Lecture

▶ Socle *Comprendre un texte littéraire et l'interpréter*

1. Quels éléments du récit s'apparentent : a. au réel ? b. au merveilleux ?
2. Qu'ont en commun les stratégies mises en œuvre par Renart et par Chantecler ?
3. Comparez les qualités et les défauts de Renart et de Chantecler.
4. Quelle leçon Renart et Chantecler tirent-ils chacun de l'aventure ?

Oral

▶ Socle *Comprendre un texte littéraire*

Reformulez cette histoire avec vos propres mots en respectant les deux étapes : la ruse de Renart, puis celle du coq.

Parcours numérique

Rendez-vous à cette adresse http://classes.bnf.fr/renart/ pour découvrir le dossier de la Bibliothèque nationale de France consacré au *Roman de Renart*.

1. Écoutez la présentation du *Roman de Renart* et restituez oralement les informations que vous avez retenues.
2. Feuilletez le manuscrit et décrivez oralement ce livre médiéval.
3. Regardez les enluminures, choisissez-en une : présentez-la et justifiez votre choix.

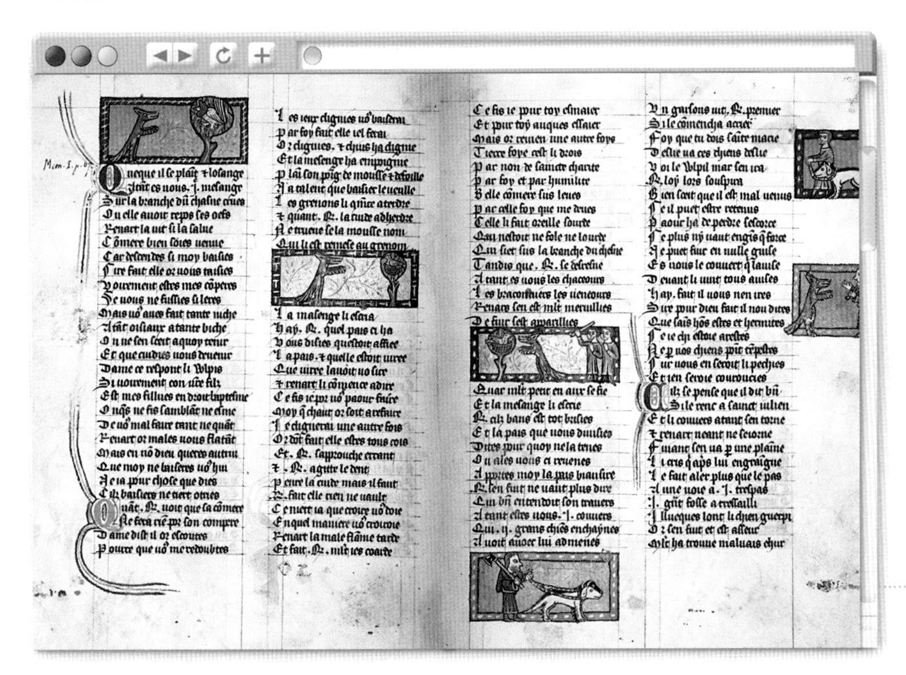

Extrait du manuscrit du *Roman de Renart*, BnF.

Lire comprendre interpréter

Le Chien faisant la sieste et le Loup

G. DEL FLORA, enluminure pour « Le Chien faisant la sieste et le Loup », vers 1480, Florence.

Un chien faisait la sieste devant une étable. Un loup l'aperçut, se jeta sur lui, et il s'apprêtait à le dévorer lorsque le chien le supplia de le laisser partir sur-le-champ : « Actuellement, dit-il, je suis maigre et tout sec, mais mes maîtres vont célé-
5 brer des noces ; si tu m'épargnes maintenant, tu me dévoreras quand j'aurai engraissé. » Le loup se laissa convaincre et le relâcha. Quelques jours plus tard, il revint, pour constater que le chien faisait sa sieste sur le toit de la maison : d'en bas, le loup l'appela en lui rappelant leur accord. « Ô loup, répliqua le
10 chien, si tu me vois à nouveau dormir dans l'étable, n'attends plus jusqu'à des noces ! »

La fable montre que les hommes raisonnables, lorsqu'ils échappent à un danger, s'en méfient toute leur vie.

ÉSOPE, *Fables*, traduction de C. Bertagna.

Lecture

▶Socle *Comprendre un texte littéraire et l'interpréter*

1. Résumez oralement avec vos propres mots les deux histoires (p. 204 et 205).
2. Quels éléments communs repérez-vous dans ces deux histoires ?
3. De quelles qualités le chien et le chevreau font-ils preuve ? Expliquez.
4. a. Que représentent les passages en rouge dans les deux fables ? b. À quel temps les verbes de ces passages sont-ils conjugués ? c. Exprimez ces passages avec vos propres mots.

Le trésor des mots

▶Socle *Acquérir la structure, le sens et l'orthographe des mots*

ÉTYMO Les adjectifs « zoomorphe » et « anthropomorphe » viennent du grec *zoon*, « animal », *anthropos*, « homme », et *morphè*, « forme ».

- Les animaux dans ces deux fables sont-ils présentés de manière zoomorphe ou anthropomorphe ? Justifiez.

Le Chevreau et le Loup flûtiste

Un chevreau qui s'était attardé loin du troupeau était pourchassé par un loup. Le chevreau se retourna vers lui et dit : « Ô loup ! Je ne doute pas que je vais être ta nourriture. Mais pour m'éviter 5 une mort honteuse, joue de la flûte, que je puisse danser. » Tandis que le loup jouait de la flûte et que le chevreau dansait, les chiens, alertés par le bruit, accoururent et mirent le loup en fuite. Tournant la tête, le loup dit alors au chevreau : « Je l'ai bien 10 cherché : moi qui suis boucher, je n'avais pas à jouer au flûtiste. »

De même, ceux qui agissent de façon irréfléchie perdent même ce qu'ils possèdent solidement.

ÉSOPE, *Fables*, traduction de C. Bertagna.

M. WINTER, illustration pour les *Fables* d'Ésope, 1919.

Histoire des arts

▶ Socle *Comprendre une image et l'interpréter*

A Comment faut-il lire l'enluminure de la page 204 ? Expliquez.

B Les animaux sont-ils représentés dans ces images de manière zoomorphe ou anthropomorphe ? Expliquez.

Oral

▶ Socle *Participer à des échanges*

En vous appuyant sur l'étude de ces deux textes, proposez une définition de la fable. Échangez entre vous pour comparer vos réponses.

Écriture

▶ Socle *Produire des écrits variés*

À la manière d'Ésope, rédigez en quelques lignes une histoire qui mette en scène deux autres animaux.

CONSEILS

- Choisissez un animal faible et un animal fort.
- Inventez le stratagème du faible pour ne pas être dévoré par le fort.
- Concluez par une morale rédigée au présent.
- Proposez un titre à votre fable.

Le Lièvre et l'Éléphant

À cause de la sécheresse, les animaux sont assoiffés. Les éléphants prennent possession d'une source, après avoir piétiné les lièvres qui vivaient à proximité. Firouz, un lièvre connu pour son savoir et sa finesse, se propose d'intervenir auprès du roi des éléphants.

Une nuit que la Lune montait au firmament[1], le lièvre se mit en route et parvint à l'endroit qu'occupaient les éléphants. Mais comme ceux-ci pouvaient, même involontairement, l'écraser sous leurs pattes, Firouz ne voulut point s'approcher d'eux. Il monta sur une éminence[2] et, appelant par son nom le roi des éléphants, lui dit : « C'est la Lune qui m'envoie vers toi. Il ne faut pas blâmer[3], même s'il tient un langage brutal, un messager qui accomplit sa mission.

– Et quel est ton message ? demanda le roi des éléphants.

– Voici ce que te dit la Lune : “Quand, sûr de cette puissance qui lui fait dominer le faible, le fort se laisse aveugler au point de s'en prendre aux forts, sa vigueur[4] risque de lui causer bien des malheurs et des désagréments. Comme tu es sûr de ta force et de ta supériorité sur les petites bêtes, tu t'es laissé aveugler et n'as pas fait attention à moi ; vous êtes venus, tes pareils et toi, à cette source qui porte mon nom, vous en avez bu et troublé l'eau. Je viens donc t'avertir que, si tu touches

1. en haut du ciel.
2. élévation de terrain.
3. désapprouver.
4. sa force.

Lecture d'image

▶ Socle *Comprendre une image et l'interpréter*

A Quels éléments de la fable retrouvez-vous sur l'enluminure ?

B Les animaux sont-ils représentés de manière zoomorphe ou anthropomorphe ? Justifiez.

Enluminure sur un manuscrit arabe des fables de *Kalila et Dimna*, XVe siècle, papier, BnF.

à la source, je te rendrai aveugle et t'ôterai la vie. Et si tu ne crois pas au message que je te fais tenir, viens donc tout de 20 suite à la source : je t'y retrouverai." »

Fort étonné des paroles de Firouz, le roi des éléphants l'accompagna jusqu'à la source, regarda et vit le reflet de la Lune dans l'eau.

« Prends un peu d'eau dans ta trompe, lui dit Firouz, lave-25 toi la face et prosterne-toi devant la Lune. »

Quand l'éléphant, docile, plongea sa trompe dans l'eau, celle-ci bougea et parut s'animer.

« Qu'a donc la Lune, demanda-t-il au lièvre pour s'agiter de la sorte ? Penses-tu qu'elle soit fâchée de me voir goûter 30 à son eau ?

– C'est cela même, répondit Firouz. Allons, prosterne-toi. »

Et l'éléphant, s'agenouillant et se repentant de[5] ce qu'il avait fait, promit que ni lui ni aucun de ses compagnons ne reviendrait jamais à la source.

A. IBN AL-MUQAFFA, *Kalila et Dimna, Fables choisies*, traduction d'A. Miquel, © Albin Michel, 1997.

5. regrettant.

Lecture

▶ Socle *Comprendre un texte littéraire et l'interpréter*

1. Racontez cette fable avec vos propres mots.
2. a. Qu'obtient Firouz à la fin ? b. Par quels moyens le lièvre parvient-il à gagner ? c. De quelles qualités fait-il preuve ? Expliquez.
3. Quels éléments permettent de reconnaître ce texte comme une fable ?
4. Proposez une morale pour cette fable.

Le trésor des mots

En vous appuyant sur le contexte, comment comprenez-vous l'adjectif « docile » (l. 26) ? Selon vous, pourquoi l'éléphant se montre-t-il docile ?

Oral

▶ Socle *Participer à des échanges*

1. La fable invite-t-elle à prendre parti pour le lièvre ou pour l'éléphant ? Pourquoi ? Échangez vos points de vue.
2. Rendez-vous sur le site du musée La Fontaine : www.musee-jean-de-la-fontaine.fr. Cliquez sur « Fables en ligne » pour lire la fable « Le Renard et le Bouc ». Échangez entre vous pour repérer les ressemblances et les différences avec la fable « Le Lièvre et l'Éléphant ».

Écriture

▶ Socle *Produire des écrits variés*

1. Récrivez avec vos propres mots le passage en rouge dans le texte.
2. Firouz revient vers les lièvres qui ont échappé au piétinement des éléphants et leur rend compte de sa mission. Racontez en une dizaine de lignes minimum, sans reproduire les dialogues entre Firouz et le roi des éléphants.

Le Renard et la Cigogne

Compère le Renard se mit un jour en frais[1],
Et retint à dîner commère la Cigogne.
Le régal fut petit et sans beaucoup d'apprêts[2] ;
Le galant[3], pour toute besogne
5 Avait un brouet[4] clair (il vivait chichement[5]).
Ce brouet fut par lui servi sur une assiette :
La Cigogne au long bec n'en put attraper miette ;
Et le drôle eut lapé le tout en un moment.
Pour se venger de cette tromperie,
10 À quelque temps de là, la Cigogne le prie[6].
« Volontiers, lui dit-il, car avec mes amis
Je ne fais point cérémonie. »
À l'heure dite, il courut au logis
De la Cigogne son hôtesse,
15 Loua très fort sa politesse,
Trouva le dîner cuit à point.
Bon appétit surtout ; renards n'en manquent point.
Il se réjouissait à l'odeur de la viande
Mise en menus morceaux, et qu'il croyait friande[7].
20 On servit, pour l'embarrasser,
En un vase à long col et d'étroite embouchure.
Le bec de la Cigogne y pouvait bien passer,
Mais le museau du sire était d'autre mesure.
Il lui fallut à jeun retourner au logis,
25 Honteux comme un renard qu'une poule aurait pris,
Serrant la queue, et portant bas l'oreille.
Trompeurs, c'est pour vous que j'écris :
Attendez-vous à la pareille.

J. DE LA FONTAINE, *Fables*, I, 18, 1668.

La clé des mots

ÉTYMO Compère et commère sont formés avec le préfixe latin *cum*, « avec ». Au XVIIe siècle, ces noms désignent un(e) ami(e).
- Que signifie aujourd'hui une commère ?

1. dépensa plus que d'habitude.
2. préparatifs.
3. l'élégant.
4. un potage léger.
5. pauvrement.
6. l'invite.
7. appétissante.

Lecture

▶ Socle *Comprendre un texte littéraire et l'interpréter*

1. a. Quels sont les deux épisodes du récit ? b. Relevez leurs ressemblances et leurs différences.
2. Le Renard et la Cigogne sont-ils de simples animaux ? Expliquez.
3. Quels sont les traits de caractère de chaque personnage ?
4. a. Les vers 27-28 expriment-ils une leçon à suivre ou une situation qui invite à réfléchir ? Justifiez.
   b. Exprimez avec vos propres mots la morale de la fable.

Oral

▶ Socle *Écouter pour comprendre un message oral – Participer à des échanges*

1. Rendez-vous sur le site Hellokids pour visionner la fable « Le Renard et la Cigogne » : http://fr.hellokids.com/c_18659/videos/videos-les-fables-de-la-fontaine/le-renard-et-la-cigogne.
2. Échangez entre vous pour repérer les différents procédés employés pour faciliter la compréhension de la fable.
3. Résumez brièvement l'histoire racontée par cette fable.

Illustration d'I. DETHAN, *La Fontaine aux fables*, © Delcourt, 2010.

Histoire des arts

A. Isabelle Dethan a-t-elle représenté le Renard et la Cigogne de manière zoomorphe ou anthropomorphe ? Justifiez.

B. Comment réagissez-vous devant ces dessins ?

C. Recherchez les vers de la fable illustrés par les dessins.

Écriture

▶ Socle *Produire des écrits variés*

Rédigez un court récit qui illustre la morale : « Tel est pris qui croyait prendre ».

CONSEILS

- Votre récit comportera deux épisodes : un premier personnage qui trompe un second puis qui se fait tromper à son tour.
- Vous n'êtes pas obligé(e) de faire intervenir des animaux.
- Terminez votre récit par la phrase de morale que vous rédigerez au présent.

Le Chat et un vieux Rat

[...]
J'ai lu, dis-je, en certain Auteur,
Que ce Chat exterminateur,
Vrai Cerbère[1], était craint une lieue[2] à la ronde :
Il voulait de Souris dépeupler tout le monde.
5 Les planches qu'on suspend sur un léger appui,
La mort-aux-rats, les souricières,
N'étaient que jeux au prix de lui[3].
Comme il voit que dans leurs tanières
Les Souris étaient prisonnières,
10 Qu'elles n'osaient sortir, qu'il avait beau chercher,
Le galant[4] fait le mort, et du haut d'un plancher[5]
Se pend la tête en bas. La bête scélérate[6]
À de certains cordons se tenait par la patte.
Le peuple des Souris croit que c'est châtiment[7],
15 Qu'il a fait un larcin de rôt[8] ou de fromage,
Égratigné quelqu'un, causé quelque dommage,
Enfin qu'on a pendu le mauvais garnement[9].
Toutes, dis-je, unanimement
Se promettent de rire à son enterrement,
20 Mettent le nez à l'air, montrent un peu la tête,
Puis rentrent dans leurs nids à rats,
Puis ressortant font quatre pas,
Puis enfin se mettent en quête.
Mais voici bien une autre fête :
25 Le pendu ressuscite ; et sur ses pieds tombant,
Attrape les plus paresseuses.
« Nous en savons plus d'un[10], dit-il en les gobant :
C'est tour de vieille guerre ; et vos cavernes creuses
Ne vous sauveront pas, je vous en avertis :
30 Vous viendrez toutes au logis. »
Il prophétisait vrai[11] : notre maître Mitis[12]
Pour la seconde fois les trompe et les affine[13],
Blanchit sa robe et s'enfarine,
Et de la sorte déguisé,
35 Se niche et se blottit dans une huche[14] ouverte.
Ce fut à lui bien avisé :
La gent trotte-menu[15] s'en vient chercher sa perte.
Un Rat, sans plus, s'abstient d'aller flairer autour :
C'était un vieux routier, il savait plus d'un tour ;

1. chien à trois têtes, gardien des Enfers.
2. environ quatre kilomètres.
3. comparé à lui.
4. ici, le trompeur.
5. plafond.
6. criminelle.
7. une punition.
8. qu'il a volé un rôti.
9. voyou.
10. plus d'un tour.
11. il annonçait la vérité.
12. Mitis signifie « doux ».
13. il les surprend par sa finesse.
14. coffre à pain.
15. le peuple des rats et les souris.

Le Chat et un vieux Rat, illustrations de 1862, MUCEM, Marseille.

40 Même il avait perdu sa queue à la bataille.
« Ce bloc enfariné ne me dit rien qui vaille,
S'écria-t-il de loin au général des Chats.
Je soupçonne dessous encor quelque machine[16].
Rien ne te sert d'être farine ;
45 Car, quand tu serais sac, je n'approcherais pas. »
C'était bien dit à lui ; j'approuve sa prudence :
Il était expérimenté,
Et savait que la méfiance
Est mère de la sûreté.

J. DE LA FONTAINE, *Fables*, III, 18, 1668.

16. tromperie.

Lecture

▶ Socle *Comprendre un texte littéraire et l'interpréter*

1. Écoutez attentivement cette fable lue par votre professeur ou par un comédien. À partir de cette écoute et des illustrations, racontez la fable avec vos propres mots.
2. Recopiez le tableau en attribuant à chaque passage le sous-titre qui convient :
la morale – la première tromperie – la présentation du Chat – la deuxième tromperie

Vers 1 à 7	
Vers 8 à 23	
Vers 24 à 45	
Vers 46 à 49	

3. En quoi ce texte se rapproche-t-il des textes des pages 204 à 207 ? En quoi s'en différencie-t-il par sa mise en page ?
4. Que signifie la morale de cette fable ?

Oral

▶ Socle *Participer à des échanges*

Quels sont les qualités ou les défauts du Chat ? des souris ? du vieux Rat ? Le trompeur l'emporte-t-il dans cette fable ? Échangez vos points de vue.

Le trésor des mots

En vous appuyant sur le contexte, comment comprenez-vous l'expression « C'était un vieux routier » (v. 39) à propos du rat ?

Écriture

▶ Socle *Produire des écrits variés*

Décrivez les dessins qui illustrent cette fable.

Le Corbeau et le Renard

Maître Corbeau, sur un arbre perché,
Tenait en son bec un fromage.
Maître Renard, par l'odeur alléché,
Lui tint à peu près ce langage :
5 « Hé ! bonjour, Monsieur du Corbeau.
Que vous êtes joli ! que vous me semblez beau !
Sans mentir, si votre ramage[1]
Se rapporte à votre plumage,
Vous êtes le Phénix[2] des hôtes[3] de ces bois. »
10 À ces mots le Corbeau ne se sent pas de joie ;
Et pour montrer sa belle voix,
Il ouvre un large bec, laisse tomber sa proie.
Le Renard s'en saisit, et dit : « Mon bon Monsieur,
Apprenez que tout flatteur
15 Vit aux dépens de celui qui l'écoute :
Cette leçon vaut bien un fromage, sans doute. »
Le Corbeau, honteux et confus,
Jura, mais un peu tard, qu'on ne l'y prendrait plus.

J. DE LA FONTAINE, *Fables*, I, 2, 1668.

Illustration de R. DAUTREMER, © Lito, 2012.

1. chant des oiseaux. 2. oiseau mythologique qui, une fois brûlé, renaissait de ses cendres. 3. habitants.

Lecture

▶ Socle *Comprendre un texte littéraire et l'interpréter*

1. Le Renard se montre-t-il rusé dans cette fable ? Justifiez.
2. a. Quels sont les temps verbaux employés dans les vers 1 à 4 ? b. Pourquoi selon vous, La Fontaine emploie-t-il le présent dans les vers 10 à 13 ?
3. Qui exprime la morale ? Celle-ci exprime-t-elle une leçon à suivre ou une situation qui invite à réfléchir ?
4. De quel extrait du *Roman de Renart* rapprocheriez-vous cette fable ? Justifiez.

Écriture

▶ Socle *Produire des écrits variés*

Récrivez avec vos propres mots le passage en rouge dans la fable.

Oral

▶ Socle *Participer à des échanges*

Quels rapprochements pouvez-vous faire entre le renard des fables et celui du *Roman de Renart* ? Échangez entre vous pour comparer vos réponses.

▶ Socle *Être un lecteur autonome - Produire des écrits variés - Parler en prenant en compte son auditoire*

Le cercle des lecteurs

Recueils de fables

*Fables**
ÉSOPE
© Éditions Gallimard, collection « Folio Junior », 2010.
Pour découvrir des fables du fabuliste grec.

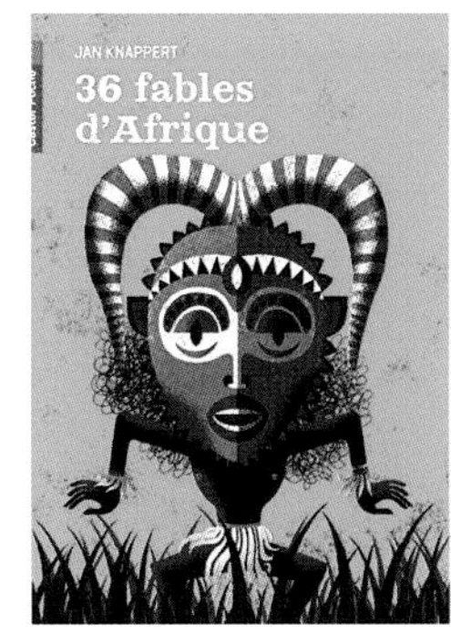

*36 fables d'Afrique**
J. KNAPPERT
© Castor Poche, 2012.
Trente-six fables d'Afrique dans lesquelles animaux et humains doivent se sortir de situations périlleuses.

*Fabuleux fabulistes**
D. MONCOND'HUY
© Seghers Jeunesse, 2006.
Une anthologie contenant cinquante fables de vingt-deux auteurs différents.

*Après vous, M. de La Fontaine…, Contrefables**
GUDULE
© Le Livre de Poche Jeunesse, 2007.
Une réécriture moderne et détournée des fables de La Fontaine.

*Les Philofables**
M. PIQUEMAL
© Albin Michel Jeunesse, 2008.
Des fables pour réfléchir, faciles à lire, tirées de la philosophie occidentale, de la mythologie et des sagesses d'Orient.

Mon carnet personnel de lecture

Je poursuis mon carnet de lecture (voir méthode p. 44).

- *J'indique le titre du recueil de fables que j'ai lu et le nom de l'auteur.*
- *Je m'intéresse, au choix, à :*
  a. un personnage qui revient plusieurs fois dans les fables et je précise ses caractéristiques ;
  b. un thème particulier abordé dans une ou plusieurs fables.
- *Je réalise un (des) dessin(s) ou collage(s) en lien avec le personnage ou le thème choisi.*
- *À l'oral, je présente mon carnet de lecture à la classe et je réponds aux questions de mes camarades.*

Je pratique l'oral

Écouter, dire et mettre en scène une fable

▶ Socle *Écouter pour comprendre un texte lu – Participer à des échanges Lire avec fluidité*

Le Hérisson et le Chacal

Un hérisson et un chacal marchaient de compagnie.

– J'ai bien cent tours dans mon sac ! se vantait le chacal.

– Moi, je n'en ai qu'un seul, répondait modestement le hérisson très sage.

5 Le hérisson emmena le chacal sur les terres d'un riche fermier, où tous deux firent bombance[1]. Hélas, après ce festin, le chacal au ventre trop plein ne put ressortir par le trou de la haie ! Il supplia le hérisson de l'aider à sortir de là.

– Moi, je ne connaissais qu'un seul tour, lui dit le hé-
10 risson, et c'était de nous introduire ici. Toi qui connais tant de tours, tu trouveras bien comment t'en sortir. Et le hérisson disparut. Survint alors le fermier, armé d'un bon gourdin, prêt à rouer de coups le chacal jusqu'à ce que mort s'ensuive.

– Ô fermier puissant et malin, laisse-moi seulement aller dire
15 adieu à ma famille. Je reviendrai ensuite me faire tuer.

– Jure-le, dit le fermier.

Le chacal prêta serment, à la satisfaction du fermier, qui le laissa aller. Mais le chacal bien sûr eut soin de ne jamais revenir.

Ne fais crédit à personne, pas même à ton meilleur ami. Et si
20 tu prends un chacal, frappe ! N'écoute pas ce qu'il te dit.

J. KNAPPERT, *Trente-six fables d'Afrique*, traduction de R.-M. Vassalo

1. firent un festin.

1. Écoutez la fable lue par votre professeur ou par un comédien.
2. Échangez pour vérifier votre compréhension de la fable, pour définir le caractère du chacal, celui du hérisson et celui du fermier.
3. Répartissez-vous les quatre rôles : le narrateur, le chacal, le hérisson, le fermier, et suivez les conseils suivants.
4. Entraînez-vous à dire votre texte et à enchaîner les prises de parole.

CONSEILS DE JEU ET DE MISE EN SCÈNE

Le narrateur
- Respectez bien le rythme donné par la ponctuation.
- Soulignez, par vos intonations, l'expression des sentiments, en particulier pour les mots en **bleu**.
- Veillez à bien enchaîner les passages en **vert**.
- Détachez bien le dernier paragraphe qui constitue la morale.

Le chacal
- Exprimez l'assurance et l'orgueil du personnage face au hérisson.
- Soulignez, par votre intonation, sa flatterie face au fermier.

Le hérisson

Exprimez la modestie du personnage dans sa première réplique puis son ironie dans la seconde.

Le fermier

Exprimez l'ordre de manière autoritaire.

Raconter à partir d'une illustration

▶ Socle *Parler en prenant en compte son auditoire*

À partir de cette image, imaginez une fable que vous raconterez oralement.

CONSEILS

- Donnez un titre à votre fable.
- Prévoyez une morale exprimée au présent de l'indicatif.
- Inventez un récit qui corresponde à cette morale.
- Vous pouvez dessiner les différentes étapes de votre histoire pour vous aider à raconter.
- Pensez à décrire le physique et le caractère des personnages.
- Efforcez-vous de capter l'attention de votre auditoire.

Illustration extraite des fables de *Kalila et Dimna*.

Échanger des points de vue

▶ Socle *Participer à des échanges*

Le Renard et l'Aigle

Si haut que vous soyez, craignez les plus humbles car la ruse sert merveilleusement la vengeance.

Un jour l'Aigle déroba les petits du Renard, et les déposa dans son aire[1], pour servir de nourriture à ses aiglons. La pauvre mère suivit l'oiseau en le conjurant de lui épargner une douleur aussi cruelle. Mais l'Aigle méprisa ses prières, se croyant bien en sûreté où il était. Le Renard alors saisit sur un autel[2] un tison ardent[3], environna de flammes l'arbre de l'Aigle, s'exposant à sacrifier sa progéniture[4] avec son ennemi. L'Aigle, voulant sauver les siens du péril[5] qui les menaçait, vint en suppliant rendre au Renard ses petits sains et saufs.

PHÈDRE, *Fables*, I, 28, traduction de M. E. Panckoucke, 1864.

1. nid.
2. table sacrée.
3. morceau de bois enflammé.
4. ses enfants.
5. danger.

❶ Lisez la fable de Phèdre.

❷ Jugez-vous la ruse du Renard intelligente ? Échangez pour confronter vos points de vue.

Sujet 1 Écrire une fable à partir d'une morale (Activité guidée)

Imaginez une fable qui illustre cette morale d'Ésope :
« La fable montre que c'est dans les épreuves que l'on reconnaît ses vrais amis. »
Votre fable sera rédigée en prose et mettra en scène des animaux.

A Préparer l'écrit et rédiger au brouillon

ÉTAPE 1 – Planifier le récit

1. **Oralement, échangez afin :**
   a. de vérifier que vous comprenez bien le sens de la morale ;
   b. de savoir quelle différence vous faites entre de vrais et de faux amis et ce que signifie « les épreuves » ;
   c. d'imaginer plusieurs scénarios en trois étapes qui montrent :
   – un animal entouré de ses nombreux amis ;
   – l'animal confronté à une épreuve ;
   – l'animal délaissé par ses faux amis et soutenu par ses vrais amis.
   d. d'imaginer le dénouement.

2. **À tour de rôle, plusieurs élèves racontent l'histoire telle qu'ils l'imaginent en mettant en valeur l'animal choisi au milieu de ses amis, sa difficulté dans l'épreuve et les réactions de ses faux et vrais amis.**

P. SCOTT, *Party Time*, 2007.

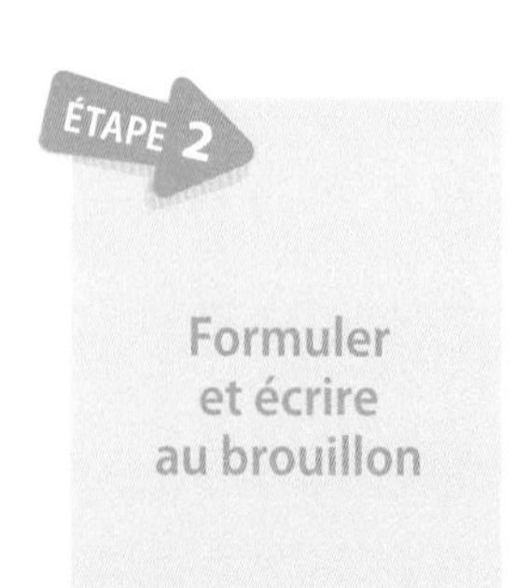

ÉTAPE 2 – Formuler et écrire au brouillon

3. **En vous aidant de l'échange oral, établissez un scénario en trois étapes et notez ces étapes au brouillon. Votre récit comportera au moins trois étapes.**

4. **Notez :**
   – des mots pour décrire l'animal choisi et ses amis, de manière zoomorphe et anthropomorphe ;
   – des mots pour exprimer les réactions des faux et des vrais amis ;
   – des mots pour décrire l'épreuve.
   N'hésitez pas à relire des fables pour y chercher des idées.

ÉTAPE 3 – Lancer le récit

5. **Vous pouvez commencer votre fable par la moralité :**

   La fable montre que c'est dans les épreuves que l'on reconnaît ses vrais amis.

6. **Rédigez une première version de votre récit en vous servant du travail préparatoire :**
   – vous respecterez les trois étapes du récit que vous avez préparées ;
   – vous penserez à décrire l'animal et l'épreuve ;
   – vous veillerez à exprimer les réactions des faux et des vrais amis ;
   – vous rédigerez votre fable au passé simple pour les actions principales et à l'imparfait pour les descriptions.

B Améliorer le brouillon et rédiger au propre

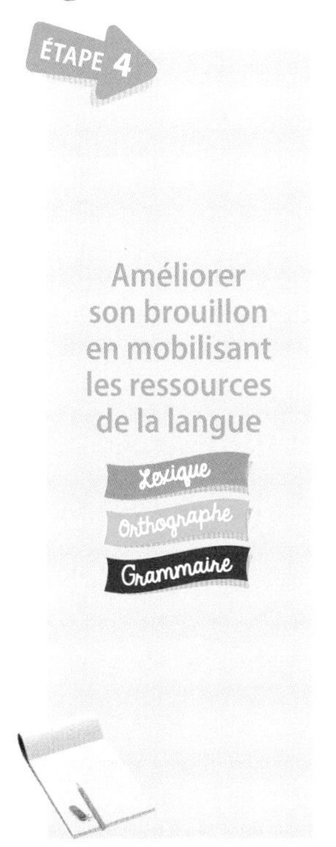

ÉTAPE 4

Améliorer son brouillon en mobilisant les ressources de la langue

Lexique
Orthographe
Grammaire

La construction du récit

1. **Vérifiez les points suivants et corrigez-les si besoin.**
Mon récit comporte-t-il ces trois étapes ?

• Un animal entouré de ses nombreux amis, confronté à une épreuve	☐ oui ☐ non
• L'animal délaissé par ses faux amis	☐ oui ☐ non
• L'animal soutenu par ses vrais amis	☐ oui ☐ non

Pour répondre, dans la marge de mon brouillon, je numérote les étapes de mon récit.

Le déroulement du récit

2. **Pour améliorer votre texte, pensez à décrire :**	**Aidez-vous des exercices…**
• l'animal de manière zoomorphe et anthropomorphe	1 à 5 p. 218
• l'épreuve et les réactions des autres animaux	6 à 9 p. 218

La qualité de la langue

3. **Vérifiez :**	**Aidez-vous des exercices…**
• les accords dans le groupe nominal	1 à 5 p. 219
• votre utilisation du présent	6 à 8 p. 219

ÉTAPE 5

Rédiger au propre et se relire

4. **Recopiez votre texte au propre et relisez-le plusieurs fois pour vérifier successivement :**
– la ponctuation ;
– l'accord des verbes avec leur sujet ;
– les accords dans le groupe nominal ;
– l'orthographe des mots décrivant l'épreuve, les personnages et leurs réactions.

Sujet 2 Développer les deux étapes de ce scénario pour écrire une fable

Activité en autonomie

Étape 1 : Dans une certaine circonstance, un loup laisse la vie sauve à un coq.
Étape 2 : Dans une autre circonstance, le coq porte secours au loup.

Vous rédigerez votre fable, en prose, en une vingtaine de lignes. Vous proposerez une morale exprimée au présent de l'indicatif.

Sujet 3 Imaginer et rédiger une aventure de Renart

Activité en autonomie

Renart, « le trompeur universel », cherche à tromper un autre animal. Vous pouvez le faire sortir gagnant ou perdant.

C Travailler la langue pour améliorer l'écrit

Lexique

Caractéristiques animales ou humaines

1 Recopiez et complétez le tableau suivant avec ces mots et expressions pour évoquer un chat :
son museau – ses pattes – Pompon – son dîner de roi – ses croquettes – un chat siamois – son air songeur – ses pensées intimes – son miaulement – sa voix douce – ses bottines blanches – un chasseur à l'affût – le maître des lieux – sa litière – ses moustaches – son poil soyeux

Présentation zoomorphe	Présentation anthropomorphe

2 Choisissez un autre animal (chien, souris, lapin, mouton…). Listez quatre mots et expressions pour le présenter de façon animale et quatre autres pour le présenter de façon humaine.

Verbes de mouvement

« La Cigogne au long bec n'en put attraper miette. »

Les verbes suivants sont synonymes du verbe « attraper » :
agripper – happer – harponner – empoigner – pincer

a. Vérifiez le sens exact de chacun d'eux à l'aide d'un dictionnaire.

b. Employez chacun d'eux dans la phrase qui convient en les conjuguant au présent de l'indicatif :
– L'alpiniste … solidement la paroi pour ne pas glisser.
– Les pêcheurs … les gros poissons.
– Sans le faire exprès, il … le bras de son camarade.
– L'oiseau … les insectes en vol.
– Le joueur de tennis … sa raquette à deux mains.

4 « À l'heure dite il **courut** au logis »

a. Recopiez et complétez la phrase suivante en employant des synonymes du verbe en gras, que vous conjuguerez au même temps.
Un renard se hâ…, accél…, se préci…, se dépê…, se press…, f…t diligence.

b. Le roi Lion convoque les animaux. Chacun court pour arriver le premier. Racontez en employant au moins quatre synonymes de « courir ».

5 Associez chacun de ces verbes de mouvement à l'animal qui convient :
bondir – détaler – fondre – galoper – s'envoler
un moineau – un lièvre –- un aigle – un cheval – un lion
Parfois plusieurs réponses possibles.

Épreuves et secours

6 a. Associez chaque exemple au sens du mot « épreuve » qui correspond :

Marc a réussi son **épreuve** d'anglais.	essai
Le photographe a tiré une belle **épreuve**.	chagrin
Il a mis sa voiture à l'**épreuve**.	examen
La perte de son ami fut pour elle une **épreuve**.	image

b. Complétez les phrases avec des mots de la famille d'« épreuve » :
1. Cette ascension en montagne sous le soleil est … pour les alpinistes.
2. Cette mère paraît … une infinie tendresse pour son enfant.
3. Cette technique d'arrosage est … depuis longtemps.
4. Ce chimiste utilise une … pour faire ses expériences.

7 Associez chaque groupe verbal à la personne qui convient (A ou B) :
appeler au secours – se porter au secours de – venir en aide à – offrir ses services à – demander de l'aide – assister – épauler – réclamer du soutien à – mander le soutien de – offrir son aide à – secourir – prêter main forte à – venir à la rescousse de – obliger – demander un appui à – porter assistance à
A. Personne qui subit une épreuve
B. Personne qui aide

8 Relevez les adjectifs synonymes de « serviable ».
bon – brave – obligeant – nuisible – prévenant – égoïste – empressé – secourable – attentionné – méchant – charitable

9 Rédigez quelques phrases pour présenter un animal qui vit une épreuve, et demande de l'aide, et un animal qui lui vient en aide. Vous emploierez les mots des exercices 6, 7 et 8.

Les accords dans le groupe nominal (3)

Leçon 34, p. 318

1 Remplacez les noms masculins par les noms féminins entre parenthèses et accordez le déterminant.
un fabuliste (conteuse) – le loup (cigogne) – l'animal (tortue) – ce renard (belette) – ce hibou (chouette) – cet oiseau (tortue) – mon arbre (forêt) – ton terrier (demeure) –son champ (prairie) – mon logis (habitation)

2 Récrivez les GN de l'exercice 1 au pluriel.

3 Employez le bon déterminant, *cet - cette*, devant chacun de ces noms.
girafe – alouette – écureuil – otarie – éléphant – araignée – abeille – ibis – orang-outang

4 Recopiez le texte en employant le déterminant qui convient : *son, sa, ses*.

Le lion dans ... tête avait un projet : il tint conseil de guerre, envoya ... officiers, fit avertir les animaux. Tous firent partie de ... plan, chacun selon ...volonté : l'éléphant devait sur ... dos porter l'attirail nécessaire.

D'après J. DE LA FONTAINE, *Fables*, V, 19.

5 Recopiez cet extrait de fable en accordant les déterminants entre parenthèses, proposés au masculin singulier.

Là-dessus, (le) maître entre et vient faire (son) ronde.
« Qu'est ceci ? dit-il à (son) monde.
Je trouve bien peu d'herbe en tous (ce) râteliers ;
(Ce) litière est vieille ; allez vite aux greniers ;
Je veux voir désormais (votre) bêtes mieux soignées.
Que coûte-t-il d'ôter toutes (ce) araignées ? »

D'après J. DE LA FONTAINE, *Fables*, IV, 21.

Grammaire

Employer le présent de l'indicatif

6 Quel passage (A, B, C) comporte un présent : a. de vérité générale (action vraie à toutes les époques) ; b. d'actualité (action se déroulant au moment où on parle) ; c. de narration (action passée rendue vivante) ?

A. Elle, qui n'était pas grosse en tout comme un œuf, envieuse, **s'étend**, et **s'enfle**, et **se travaille**,
B. Disant : « Regardez bien, ma sœur ; **est**-ce assez ? dites-moi ; n'y **suis**-je point encore ? »
C. Le monde **est** plein de gens qui ne **sont** pas plus sages :

D'après J. DE LA FONTAINE, *Fables*, I, 3.

7 a. Relevez les verbes conjugués au présent de l'indicatif. b. Dites quelle est la valeur de chacun.

1. Á la porte de la salle
Ils entendirent du bruit :
Le rat de ville détale ;
Son camarade le suit.

D'après J. DE LA FONTAINE, *Fables*, I, 9.

2. Le chêne un jour dit au roseau :
« Vous avez bien sujet d'accuser la nature ;
Un roitelet pour vous est un pesant fardeau. »

D'après J. DE LA FONTAINE, *Fables*, I, 22.

3. Patience et longueur de temps
Font plus que force ni que rage.

D'après J. DE LA FONTAINE, *Fables*, II, 12.

8 Récrivez le texte en conjuguant les verbes entre parenthèses au présent. Précisez la valeur de chaque présent.

Un corbeau qui avait volé un morceau de viande s'était perché sur un arbre. Un renard l'aperçut. Le rusé goupil (se poster) alors devant le volatile et (commencer) à le flatter : « Personne ne (mériter) plus que toi d'être couronné roi des oiseaux. Tu le serais déjà si tu avais de la voix. » Aussitôt le corbeau (vouloir) prouver sa belle voix, (ouvrir) son bec et (laisser) choir la viande que le renard (emporter). Tous les sots prétentieux (devoir) tirer profit de cette belle leçon.

D'après ÉSOPE, « Le Corbeau et le Renard », *Fables*.

Je construis mon bilan

Qu'ai-je appris ? ▶Socle *Les méthodes et outils pour apprendre*

1 Répondez par VRAI ou FAUX à ces affirmations.

a. Une fable raconte une histoire.
b. La fable est un genre littéraire universel.
c. Une fable délivre une leçon.
d. La Fontaine a vécu au XVIIe siècle.
e. Ésope s'est inspiré de La Fontaine.
f. La Fontaine écrit ses fables en vers.
g. Une morale est écrite au présent.
h. « Anthropomorphe » signifie « de forme animale ».
i. Les illustrateurs de fables représentent toujours les animaux de manière zoomorphe.

2 Recopiez et complétez cette carte mentale, à partir des fables et des extraits du *Roman de Renart* que vous avez lus.

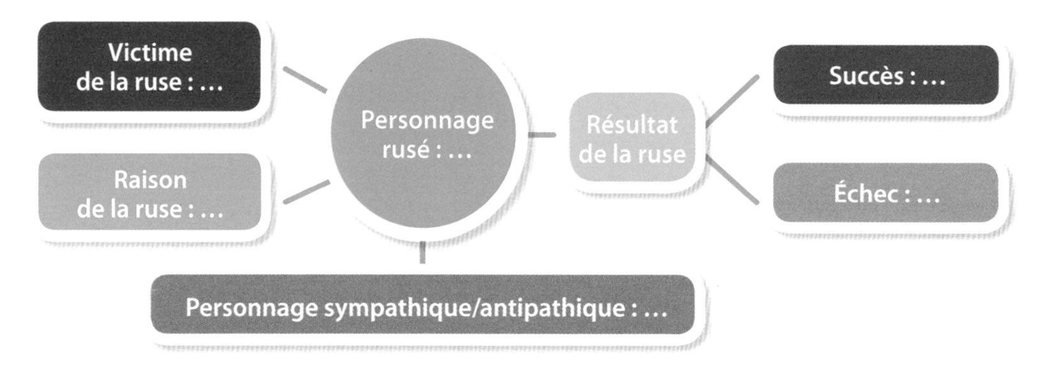

Qu'avons-nous compris ? ▶Socle *Participer à des échanges*

En vous appuyant sur les fables que vous avez lues ou étudiées, expliquez les vers 1, 3 et 6 de cet extrait de La Fontaine.

Je chante les héros dont Ésope est le père,
Troupe de qui l'histoire, encor que mensongère,
Contient des vérités qui servent de leçons.
Tout parle en mon ouvrage, et même les poissons :
Ce qu'ils disent s'adresse à tous tant que nous sommes ;
Je me sers d'animaux pour instruire les hommes.

LA FONTAINE, « Dédicace à Monseigneur le Dauphin », *Fables*, I

Je rédige mon bilan ▶Socle *Écrire pour réfléchir et pour apprendre*

1 Rédigez avec vos propres mots une définition de la fable, la plus précise possible, qui reprenne les différentes caractéristiques repérées dans ce chapitre.

2 Quels liens pouvez-vous établir entre *Le Roman de Renart* et les fables ?

3 Que pensez-vous des personnages trompeurs du *Roman de Renart* et des fables ?

L'Aigle, la Chatte et la Laie

Un Aigle avait placé son nid sur un chêne élevé ; une Chatte, ayant trouvé un creux au milieu de l'arbre, y avait fait ses petits ; et la Laie[1], habitante des bois, avait mis au bas sa portée[2]. Mais cette communauté, formée par le hasard, fut bientôt séparée par le mensonge et l'astuce criminelle de la Chatte. Celle-ci grimpe chez l'Aigle, et lui dit : « On prépare votre mort, et peut-être, hélas ! aussi la mienne. Voyez-vous tous les jours fouiller à nos pieds cette maudite Laie ? Elle veut déraciner le chêne, pour renverser l'arbre et dévorer alors à son aise tous nos nourrissons. » Lorsqu'elle a bien semé l'épouvante et la terreur, elle descend doucement à la bauge[3] de la Laie : « Votre famille court un grand danger, lui dit-elle ; car, à peine sortirez-vous pour chercher à manger avec votre petite bande, que l'Aigle fondra[4] pour enlever vos marcassins[5]. » Ayant aussi répandu l'effroi dans ce lieu, la rusée regagne son trou, où elle est en sûreté ; elle en sort la nuit sans bruit pour aller se repaître, elle et ses petits ; le jour, elle simule l'inquiétude et la crainte. L'Aigle, craignant la chute de l'arbre, ne le quitte plus ; la Laie, voulant éviter un vol, ne sort pas. Qu'arriva-t-il ? Eux et leurs petits moururent de faim, et la Chatte et les petits chats eurent de la nourriture en abondance.

La sotte crédulité[6] peut apprendre par cet exemple combien de maux cause souvent un homme trompeur.

PHÈDRE, « L'Aigle, la Chatte et la Laie », *Fables*, 2, 4.

1. femelle du sanglier.
2. avait donné naissance à des petits.
3. lieu de vie très sale du sanglier.
4. se précipitera.
5. petits du sanglier.
6. naïveté.

Illustration de W. ARACTINGI, 1990.

▶ Socle *Comprendre un texte littéraire et l'interpréter*

1 **À quel genre ce texte appartient-il ? Justifiez en indiquant plusieurs raisons.**

2 a. **Quel animal fait preuve de ruse ?** b. **Dans quel but ?** c. **Expliquez en quoi consiste la ruse.**

3 **L'animal rusé dans cette fable vous paraît-il sympathique ? Justifiez votre point de vue.**

4 **Exprimez avec vos propres mots la moralité de cette fable.**

5 **Relevez trois exemples d'emplois différents du présent dans la fable.**

6 Réécriture **Récrivez le passage en rouge en remplaçant « bande » par « enfants » et « marcassins » par « progéniture ».**

11 Atelier oral et jeu scénique

INTERDISCIPLINARITÉ EMC

Oyez, braves gens, ces fabliaux !

Écoutez ces fabliaux du Moyen Âge dont les histoires pleines de ruses invitent à rire et à réfléchir.

Le trésor des mots

Fabliau

ÉTYMO Le mot « fabliau » est un dérivé de « fable » qui provient du latin *fabula*, « propos, parole ».

- Au Moyen Âge, un fabliau désigne un récit en vers écrit en ancien français, le plus souvent anonyme. Un fabliau cherche à faire rire le public en critiquant un défaut humain ou à faire réfléchir en illustrant une moralité.
- Les fabliaux étaient récités par des jongleurs (musiciens ambulants) dans des châteaux lors de fêtes ou dans des foires. Les conteurs accompagnaient leur récit de gestes, afin d'amuser un public varié composé de nobles ou de vilains, de riches ou de pauvres.
- Aujourd'hui, les sketchs peuvent être considérés comme les héritiers des fabliaux.

1 Proposez trois mots français de la même famille issus du latin *fabula*.

Vilain

ÉTYMO Le mot « vilain » provient du latin tardif *villanus*, « habitant d'un village », dérivé du latin *villa*, « ferme fortifiée ».

- Au Moyen Âge, un vilain désigne :
  – un paysan libre par opposition à un serf (esclave) ;
  – un habitant de la campagne par opposition à un bourgeois, habitant du bourg (ville) ;
  – un roturier par rapport à un noble ;
  – une personne physiquement laide.
- Au Moyen Âge, le mot « vil », du latin *vilis*, « à bas prix », « méprisable », a influencé le sens de « vilain ».

2 Aujourd'hui, que signifie l'adjectif « vilain » ?

Activité 1

Étudier en groupe un fabliau pour le présenter à la classe

1 Par petits groupes, choisissez un fabliau des pages 223 à 227 et lisez-le.

2 Échangez entre vous pour bien comprendre le sens des mots ou expressions en bleu. Servez-vous d'abord du contexte puis, si nécessaire, vérifiez dans un dictionnaire.

3 Résumez brièvement l'histoire avec vos propres mots.

4 Désignez un rapporteur qui présentera à la classe avec clarté et de manière audible, le travail du groupe :
a. le rappel du titre du fabliau ; b. la présentation des personnages ;
c. le résumé de l'histoire.

Les Deux Bourgeois et le Vilain

(Texte intégral)

J'ai ouï conter qu'un vilain, en compagnie de deux bourgeois, s'en allaient en pèlerinage : ils faisaient dépense commune. Ils n'étaient pas loin du lieu saint quand l'argent vint à leur manquer. Il leur restait de la farine, tout juste de quoi faire un pain. Les bourgeois s'en vont à l'écart, comme deux larrons qui complotent.

Une idée leur vient, ils se disent :

« Faisons le pain, mettons-le à cuire ; là-dessus nous irons dormir. Celui-là seul le mangera qui fera pendant son sommeil le rêve le plus étonnant. »

Le vilain sans bouger attend que les bourgeois soient endormis. Il se lève, court au foyer, tire le pain, tout chaud, le mange et s'en va aussitôt s'étendre. À son tour un bourgeois se lève et réveille son compagnon.

« J'ai fait, dit-il, un bien beau rêve qui m'a mis le cœur tout en joie. Saint Gabriel et saint Michel ont ouvert la porte du ciel ; ils m'ont emporté sur leurs ailes et j'ai vu la face de Dieu.

– Tu as de la chance, dit l'autre. Mon rêve fut bien différent ; il m'a semblé voir deux démons qui m'ont enchaîné en enfer. »

Notre vilain les entendait et faisait semblant de dormir. Les bourgeois, pensant le duper, l'appelèrent pour l'éveiller. Feignant la surprise d'un homme qu'on tire d'un profond sommeil, encore ahuri par les songes, il leur demanda aussitôt :

« Qu'y a-t-il, et qui m'a fait peur ?

– Nous sommes vos deux compagnons, vous le savez bien, levez-vous !

– Seriez-vous déjà de retour ?

– De retour ? de retour ? nigaud ! mais nous n'avons jamais bougé.

– Je veux bien vous croire ; pourtant voici le rêve que j'ai fait : saint Gabriel et saint Michel ont ouvert les portes du ciel et ont emporté l'un de vous pour le conduire devant Dieu ; des diables ont entraîné l'autre dans l'éternel feu de l'enfer. Je pensais vous avoir perdus et ne plus jamais vous revoir. Je me levai, mangeai le pain ; j'avoue n'en avoir rien laissé. »

Ainsi fit bien le paysan. On doit avoir, par Dieu le grand, la punition que l'on mérite ; et qui tout convoite, tout perd.

BARBAZAN, « Le Castoiement du père à fils », *Fabliaux*, édition de G. ROUGER,

« Un homme endormi », détail d'une miniature du XIVe siècle.

Le Vilain et l'Oiselet

Texte intégral

Un homme avait un beau jardin. Il aimait s'y promener chaque matin à la saison où retentissent les délicieux chants des oiseaux et de leurs petits. Une petite fontaine y coulait si bien que l'endroit était toujours vert.

Un jour tandis que les oiseaux faisaient retentir leurs doux babils, l'homme vint dans son jardin pour se reposer. Il entendit un chant si beau qu'il fut pris du désir de capturer l'oiseau. Il tendit un filet et le prit. L'oiselet lui dit :

« Pourquoi t'es-tu donné tant de peine pour me capturer ? Pourquoi cette ruse ? Quel profit penses-tu en tirer ?

L'homme répondit :

– Je veux que tu chantes pour moi.

L'oiseau lui dit :

– Si tu t'engages à me laisser aller partout où je voudrai, je chanterai autant que tu voudras. Mais tant que tu me garderas prisonnier, tu n'entendras pas un son sortir de ma gorge.

L'homme lui dit :

– Si tu ne veux pas chanter pour moi, je crois bien que je vais te manger.

– Me manger ! dit le fragile oiseau, comment ça ? Je suis vraiment trop maigre, et l'homme qui me mangera n'en deviendra pas plus gras. Si tu me rôtis, je serai tout sec et tu n'auras rien à manger. Je ne vois pas de quelle façon il faudrait me faire cuire pour que je devienne savoureux. Mais si tu me relâches, ce sera tout bénéfice pour toi. Car je te dirai, seigneur vassal, trois secrets que tu apprécieras plus que la viande de trois veaux. »

L'homme le laissa donc partir en lui demandant de tenir sa promesse. L'oiseau lui dit aussitôt :

« Premièrement, ne sois pas naïf au point de croire ce qu'on te racontera. Deuxièmement, ce que tu tiens dans tes mains, ne le relâche pas pour des promesses. Troisièmement, si tu perds quelque chose, ne passe pas ton temps à le regretter. Ce sont là les trois secrets que j'avais promis de te révéler. »

Ensuite, l'oiseau alla se percher sur une branche et se mit à chanter un doux chant :

« Béni soit le Dieu de majesté qui t'a rendu aveugle et a enlevé de ta cervelle la réflexion et l'intelligence ! Tu viens

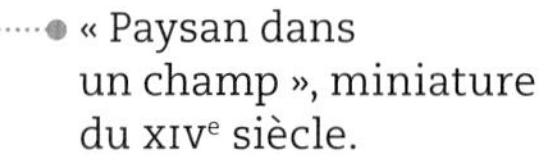
« Paysan dans un champ », miniature du XIVe siècle.

de perdre une belle fortune. Car si tu avais ouvert mon corps, sans mentir, tu aurais trouvé pierre précieuse pesant exactement une once. »

À ces mots, le vilain se mit à se lamenter. Comme il regrettait d'avoir laissé partir l'oiseau !

« Pauvre sot, dit l'oiseau, étourdi ! Tu as donc déjà oublié les trois secrets que je t'ai révélés ? N'ai-je pas dit que tu ne dois pas croire tout ce qu'on entend raconter ? Crois-tu vraiment que je pourrais cacher dans mon gésier une pierre pesant une once, moi qui ne pèse pas tant ? Et mon troisième secret, t'en souviens-tu ? Ne t'ai-je pas dit que, s'il t'arrive de perdre quelque chose, tu ne dois pas passer ton temps à le regretter ? »

Sur ces mots, l'oiseau s'envola et prit la direction du bois.

BARBAZAN, « Le Vilain et l'Oiselet »,
traduction et adaptation de G. Rougé, *Fabliaux du Moyen Âge*,

Le Vilain qui donna ses bœufs au loup

(Texte intégral)

« Il était une fois, commença le père, un vilain qui menait sa charrue. Mais les bœufs n'en faisaient qu'à leur tête, et ils n'allaient pas droit. Aussi le vilain en colère s'écria :

– Je vous donne au loup[1], méchants animaux ! Vous me causez trop d'ennuis.

Mais le loup n'était pas bien loin et il avait entendu. La phrase ne tombait pas dans l'oreille d'un sourd ! Quand le vilain détela ses bœufs, il se présenta pour prendre son bien. Il alla tout droit trouver le vilain et lui demanda ses bœufs. Le vilain refusa, mais ni l'un ni l'autre ne céda. Aussi, à court de paroles, ils décidèrent de demander un avis. Or un renard errant vint à passer et leur demanda le sujet de leur dispute. Le vilain lui raconta l'affaire.

– C'est bien, répondit le renard, je suis votre homme. Je vous rendrai justice, je vous le jure. Mais d'abord, je voudrais parler avec chacun de vous en particulier.

Il dit au vilain :

– Si je t'aide, me donneras-tu une poule pour moi et une autre pour ma femme ?

20 Le vilain promit tout ce qu'il voulut.

Le renard dit au loup :

– Si je t'aide, tu me récompenseras, n'est-ce pas ? Figure-toi que ce vilain m'a proposé un fromage pour que je le débarrasse de toi. C'est un fromage énorme, aussi gros qu'un bouclier.
25 Viens voir toi-même, je vais te le montrer.

Ils s'en allèrent tous les deux en se tenant la main. « Bien malin qui revient de l'endroit où je t'emmène », pensa le renard. La nuit était tombée et ils marchaient toujours. Enfin ils arrivèrent à un puits. La lune s'était levée et l'eau du puits était claire.

30 – Hé loup ! s'écria le renard, viens voir par ici. Regarde ce beau fromage tout au fond. Si tu veux en manger, tu n'as qu'à descendre.

Le loup vit le reflet de la lune. C'était un beau cercle bien plein, on aurait cru un gros fromage.

35 – D'accord, répondit-il, ce fromage est trop gros pour qu'on puisse le porter. Descendons donc. Je te suis.

Une corde avec deux seaux attachés aux deux bouts était suspendue au-dessus du puits. Quand l'un descend, l'autre monte. Ainsi peut-on avoir de l'eau. Le renard sauta dans un
40 seau et se laissa glisser dans le puits. Le loup était tout content.

– Rapporte le fromage, cria-t-il.

– Il est trop lourd, je ne peux pas le soulever. Descends donc m'aider, cria le renard, sinon tu n'en auras pas.

Alors le loup entra dans le seau et descendit dans le puits.
45 Tandis que l'un descendait, l'autre montait. Ainsi le renard montait et le loup descendait. Quand ils se rencontrèrent à mi-chemin, le renard dit en riant :

1. expression signifiant « j'en ai assez de vous ».

Le Renard et le Loup.

– Mangez donc votre fromage maintenant, cher ami. Je vous le laisse tout entier, vous en avez trop envie.

50 C'est ainsi que le loup perdit tout en croyant tout gagner. Il se retrouva sans bœufs et sans fromage.

– C'est bien fait pour lui, dit le fils, et le vilain a eu de la chance. »

ANONYME, *Fabliaux du Moyen Âge*, traduction de C. Mercadal, © Hachette, coll. Bibliocollège, 2015.

Activité 2

S'interroger sur le sens de la ruse dans les fabliaux (EMC)

Collectivement, répondez aux questions suivantes :

1. a. Dans chaque fabliau, quel personnage a recours à la ruse ? b. Dans quel but ? c. Quelle est la situation commune de ces personnages par rapport à ceux qu'ils trompent ?
2. a. Expliquez chacune de ces ruses. b. Quel est le procédé commun à ces différentes ruses ?
3. a. Contre quel(s) personnage(s) la ruse est-elle utilisée ? b. Quelle est la situation commune de tous ces personnages trompés ?
4. Selon vous, quel personnage se montre le plus rusé ? Justifiez votre point de vue.
5. a. Le conteur invite-t-il le lecteur à éprouver de la sympathie pour le trompeur ou pour le trompé ? b. Selon vous, quel est l'intérêt de ce choix ?
6. À votre avis, la présence de la ruse dans les fabliaux sert-elle : a. à divertir ? b. à faire réfléchir sur un défaut humain ? c. aux deux à la fois ? Échangez vos points de vue.

Activité 3

Mettre en voix et jouer des fabliaux

Répartissez-vous par groupes de trois, quatre ou cinq élèves selon le fabliau que vous choisissez de mettre en voix et de jouer, puis distribuez-vous les rôles.

– « Les Deux Bourgeois et le Vilain » : le conteur, les deux bourgeois, le vilain ;

– « Le Vilain et l'Oiselet » : le conteur, le vilain, l'oiselet ;

– « Le Vilain qui donna ses bœufs au loup » : le conteur, le vilain, son fils, le loup, le renard.

CONSEILS

L'élève conteur s'entraîne à lire le fabliau :
- sans buter sur les mots ;
- en tenant compte de la ponctuation ;
- en s'efforçant d'être audible ;
- en trouvant le bon rythme de lecture ;
- en adoptant le ton qui convient à chaque personnage.

Les élèves acteurs s'entraînent à mimer la scène :
- en trouvant les gestes et attitudes qui conviennent ;
- en suivant le rythme de lecture du conteur ;
- en se servant d'accessoires si besoin.

Variante

Les élèves acteurs peuvent apprendre leur rôle et joindre la parole au mime.

Activité 4 Lire en autonomie

Lisez le fabliau.

Le Vilain Mire

(Texte intégral)

Jadis fut un vilain qui, à force d'avarice[1] et de travail, avait amassé quelque bien. Outre[2] du blé et du vin en abondance, outre de bon argent, il avait encore dans son écurie quatre chevaux et huit bœufs. Malgré cette fortune, il ne songeait point à se marier. Ses amis et ses voisins lui en faisaient souvent des reproches ; il s'excusait en disant que, s'il rencontrait une bonne femme, il la prendrait. Eux se chargèrent de lui choisir la meilleure au moins qu'on pourrait trouver, et en conséquence ils firent quelques recherches.

À quelques lieues[3] de là vivait un vieux chevalier veuf et fort pauvre qui avait une fille très bien élevée et d'une figure charmante. La demoiselle était en âge d'être mariée ; mais, comme le père n'avait rien à lui donner, personne ne songeait à elle. Enfin, les amis du vilain étant venus en son nom en faire la demande, elle lui fut accordée ; et la jeune fille qui était sage et qui n'osait désobliger[4] son père, se vit, malgré sa répugnance, obligée d'obéir. Le vilain, enchanté de cette alliance, se pressa bien vite de conclure et fit ses noces à la hâte.

Mais elles ne furent pas plus tôt faites que des réflexions chagrinantes survinrent et qu'il s'aperçut que, dans sa profession, rien ne lui convenait moins qu'une fille de chevalier.

« Pendant que je serai au dehors, pensait-il, occupé à ma charrue ou à quelque autre travail, que deviendra ma femme, élevée à ne rien faire, et dont l'état est de rester au logis ? Je tremble d'y penser. Comment donc faire quand il n'y a plus de remède ? Si le matin avant de partir, je la battais, se dit-il à lui-même, elle pleurerait tout le reste du jour, et il est sûr que, pendant qu'elle pleurerait, elle ne songerait point à mal.

1. défaut qui consiste à garder son argent plutôt qu'à le dépenser.
2. en plus de.
3. Une lieue mesure environ quatre kilomètres.
4. contrarier.

« Scène de mariage », enluminure du XIIIe siècle.

« La violence de la jalousie », enluminure du XIVe siècle.

Le soir, en rentrant j'en serais quitte pour lui demander pardon, et je sais bien comment il faut s'y prendre pour l'obtenir. »

Rempli de cette belle idée, il demande à dîner. Après le repas, il s'approche de la dame, et, de sa rude et lourde main, lui applique sur la joue un tel soufflet, que la marque de ses cinq doigts y reste imprimée. Ce n'est pas tout : comme si elle eût réellement manqué, il redouble de quelques autres coups et sort ensuite pour aller aux champs. La pauvrette se met à pleurer et se désole. « Mon père, pourquoi m'avez-vous sacrifiée à ce vilain ? N'avions-nous donc pas encore du pain à manger ? Et moi, pourquoi ai-je été assez aveugle pour consentir à ce mariage ! Ah ! ma pauvre mère, si je ne vous avais pas perdue, je ne serais pas malheureuse. Que vais-je devenir ? » Elle était si affligée qu'elle ne voulut écouter ni recevoir de consolations de personne, et qu'elle passa tout le jour à pleurer comme l'avait prévu son mari.

Le soir, quand il rentra, son premier soin fut de chercher à l'apaiser. C'était le diable qui l'avait tenté, disait-il. Il jura de ne jamais porter la main sur elle, se jeta à ses pieds et lui demanda pardon d'un air si pénétré[5], que la dame promit d'oublier tout. Ils soupèrent de la meilleure amitié et firent la paix. Mais le vilain, qui avait vu son stratagème réussir, s'était proposé de l'employer encore. Le lendemain donc, à son lever, cherchant querelle à sa femme, il la frappa de nouveau et la quitta comme la veille. Elle se crut pour le coup condamnée sans espoir à être malheureuse et s'abandonna aux larmes.

Tandis qu'elle se désespérait, entrèrent chez elle deux messagers du roi, montés sur des chevaux blancs. Ils la saluèrent au nom du monarque, et lui demandèrent un morceau à manger ; ils mouraient de faim. Elle leur apprêta aussitôt ce qu'elle avait, et pendant le repas, les pria de lui dire où ils allaient ainsi :

« Nous ne savons trop, répondirent-ils, mais nous cherchons quelque médecin habile, et nous passerons s'il le faut jusqu'en Angleterre. Demoiselle Ade, la fille du roi, est malade. Il y a huit jours qu'en mangeant du poisson, une arête lui est restée dans le gosier. Tout ce qu'on a imaginé depuis ce temps pour l'en délivrer a été sans succès. Elle ne peut ni manger, ni dormir, et souffre des douleurs incroyables. Le roi, qui se désespère, nous a dépêchés[6] pour lui amener quelqu'un capable de guérir sa fille : s'il la perd il en mourra.

– N'allez pas plus loin, reprit la dame, j'ai l'homme qu'il vous faut, grand médecin, et plus expert en maladies qu'Hippocrate[7].

– Oh ! ciel ! se pourrait-il ! et ne nous trompez-vous pas ?

– Non, je vous dis la pure vérité. Mais le médecin dont je vous parle est un

5. convaincu.
6. envoyés.
7. grand médecin grec.

fantasque[8], qui a particulièrement le travers de ne vouloir point exercer son talent ; et je vous préviens que, si vous ne le battez fortement, vous n'en tirerez aucun parti.

– Oh ! s'il ne s'agit que de battre, nous battrons, il est en bonnes mains, dites-nous seulement où il demeure. »

La dame alors leur enseigna le champ où labourait son mari, et leur recommanda surtout de ne point oublier le point important dont elle les avait prévenus. Ils la remercièrent, s'armèrent chacun d'un bâton et, piquant vers le vilain, le saluèrent de la part du roi et le prièrent de les suivre.

« Pourquoi faire ? dit-il.

– Pour guérir sa fille. Nous savons quelle est votre science, et nous venons exprès vous chercher en son nom. »

Le manant[9] répondit qu'il savait labourer, et que si le roi avait besoin de ses services en ce genre, il les lui offrait, mais pour la médecine, il protesta sur sa conscience qu'il n'y entendait absolument rien.

« Je vois bien, dit l'un des cavaliers à son camarade, que nous ne réussirons point avec des compliments et qu'il veut être battu. »

Aussitôt ils mirent tous deux pied à terre et frappèrent sur lui à qui mieux mieux. D'abord il voulut leur représenter l'injustice de leur procédé ; mais comme il n'était pas le plus fort, il lui fallut filer doux, et, en demandant grâce bien humblement, promettre d'obéir en tout ce qu'ils exigeraient. On lui fit donc monter une des juments de sa charrue, et on le conduisit ainsi au roi.

Le monarque était dans la plus grande inquiétude sur l'état de sa fille. Le retour

« À la cour du Roi », enluminure du XIVe siècle.

des deux messagers lui rendit l'espérance, et il les fit entrer aussitôt pour savoir quel était le succès de leurs recherches. Ceux-ci, après beaucoup d'éloges de l'homme merveilleux et bizarre qu'ils amenaient, racontèrent leur aventure.

« Je n'ai jamais vu de médecin comme celui-là, dit le prince ; mais, au reste, puisqu'il aime le bâton et qu'il faut cela pour guérir ma fille, soit, qu'on le bâtonne. »

Il ordonna dans l'instant qu'on descendit la princesse, et faisant approcher le vilain :

« Maître, lui dit-il, voici celle qu'il faut guérir. »

Le pauvre diable se jeta à genoux en criant[10] merci et jura par tous les saints du paradis qu'il ne savait pas un mot, pas un seul mot de médecine. Pour toute réponse, le monarque fit un signe, et à l'instant deux grands sergents qui étaient là tout prêts,

8. fantaisiste.
9. villageois.
10. en demandant pitié.

armés de bâtons, firent pleuvoir sur ses épaules une grêle de coups.

« Grâce, grâce, s'écria-t-il, je la guérirai, Sire, je la guérirai. »

La princesse était devant lui, pâle et mourante, et, la bouche ouverte, elle lui montrait du doigt le siège[11] et la cause du mal. Il songeait en lui-même comment il pourrait s'y prendre pour opérer cette cure[12], car il voyait bien qu'il n'y avait plus à reculer et qu'il fallait en venir à bout ou périr sous le bâton.

« Le mal n'est que dans le gosier, se disait-il : si je pouvais réussir à la faire rire, peut-être l'arête sortirait-elle. »

Cette idée lui parut avoir quelque vraisemblance : il demanda donc au monarque qu'on allumât un grand feu dans la salle, et qu'on le laissât un instant seul avec la princesse.

Tout le monde retiré, il la fit asseoir, s'étend le long du feu, et de ses ongles noirs et crochus commence à se gratter et à s'étriller[13] la peau avec des contorsions et des grimaces si plaisantes, que la princesse, malgré sa douleur, n'y peut tenir. Elle part tout à coup d'un éclat de rire, et, de l'effort qu'elle fait, l'arête lui vole hors de la bouche. Il la ramasse, court à la porte :

« Sire, la voici, la voici.

– Vous me rendez la vie », s'écria le monarque transporté ; et il promit de lui donner en récompense des habits et des robes. Le vilain le remercia. Il ne demandait que la permission de s'en retourner, et prétendit avoir beaucoup à faire dans son ménage. En vain le roi lui proposa de devenir son ami et son médecin, il répondit toujours qu'il était pressé, qu'il n'y avait point de pain chez lui quand il était parti et qu'il lui fallait absolument porter du blé au moulin.

Mais, lorsqu'à un nouveau signal du prince, les deux sergents recommencèrent à jouer du bâton, lorsqu'il sentit les coups, il cria miséricorde et promit de rester non seulement un jour, mais toute sa vie si l'on voulait. On le conduisit alors dans une chambre voisine où, après lui avoir ôté ses haillons[14], après l'avoir tondu et rasé, on le revêtit d'une belle robe d'écarlate[15]. Il ne s'occupait, pendant tout ce temps, que des moyens de s'échapper, et comptait que, ne pouvant toujours être gardé à vue, il en trouverait bientôt l'occasion.

Cependant la guérison qu'il venait d'opérer avait fait du bruit. À cette nouvelle, plus de quatre-vingts malades de la ville, dans l'espérance du même succès pour eux, étaient venus au château le consulter, et ils avaient prié le monarque de lui dire

11. l'endroit.
12. maladie.
13. se frotter.
14. vêtements usés, troués.
15. rouge.

« Consultation médicale », enluminure du XIIIe siècle.

« Médecins et patients à l'hôpital », miniature du XVIe siècle.

un mot en leur faveur. Le roi le fit appeler :

« Maître, lui dit-il, je vous recommande ces gens-là, guérissez-les tout de suite, et que je les renvoie chez eux.

– Sire, répondit le vilain, à moins que Dieu ne s'en charge avec moi, cela ne m'est pas possible, il y en a de trop.

– Qu'on fasse venir les deux sergents, reprit le prince. »

À l'approche des exécuteurs, le malheureux, tremblant de tous ses membres, demanda de nouveau pardon, et promit de guérir tout le monde, jusqu'à la dernière servante.

Il pria donc le roi de vouloir bien encore une fois sortir de la salle ainsi que tous ceux qui se portaient bien. Resté avec les seuls malades, il les arrangea tout autour de la cheminée, dans laquelle il fit faire un grand feu, et leur parla ainsi :

« Mes amis, ce n'est pas une petite besogne que de rendre la santé à tant de monde et surtout aussi promptement que vous le désirez. Je ne sais qu'un moyen, c'est de choisir le plus malade d'entre vous, de le jeter dans le feu, et quand il sera consumé, de prendre ses cendres pour les faire avaler aux autres. Le remède est violent, j'en conviens, mais il est sûr, et je réponds après cela de votre guérison sur ma tête. »

À ces mots, ils se regardèrent les uns les autres, comme pour examiner leur état respectif. Mais dans toute la bande il n'y avait personne étique[16] ou enflé qui, pour la Normandie entière, eût voulu convenir alors que sa maladie était grave.

Le guérisseur s'adressant au premier du cercle :

« Tu me parais pâle et faible, lui dit-il, je crois que c'est toi qui es le plus mal.

– Moi, Messire, point du tout, répondit l'autre, je me sens tout à fait soulagé dans ce moment, et ne me suis jamais si bien porté.

16. très maigre.

– Comment, coquin, tu te portes bien ! 275 eh ! que fais-tu donc ici ? »

Et mon homme aussitôt d'ouvrir la porte et de se sauver. Le roi était en dehors attendant l'événement, et prêt à faire bâtonner le vilain s'il fallait encore en venir là. Il voit 280 sortir un malade :

« Es-tu guéri ? lui dit-il.

– Oui, Sire. »

L'instant d'après, un second paraît :

« Et toi ?

285 – Je le suis aussi. »

Enfin, que vous dirai-je ? il n'y eut personne, jeune ou vieux, femme ou fille, qui voulût consentir à faire des cendres, et tous sortirent se prétendant guéris.

290 Le prince, enchanté, rentra dans la salle pour féliciter le médecin. Il ne pouvait assez admirer comment, en aussi peu de temps, il avait pu opérer tant de miracles.

« Sire, répondit le vilain, je possède un 295 charme d'une vertu sans pareille, et c'est avec cela que je guéris. »

Le monarque le combla de présents ; il lui donna de l'argent et des chevaux, l'assura de son amitié, et lui permit de retourner 300 auprès de sa femme, à condition cependant que quand on aurait besoin de son secours, il viendrait sans se faire bâtonner. Le manant prit ainsi congé du roi. Il n'eut plus besoin de labourer, ne battit plus sa 305 femme, l'aima et en fut aimé ; mais, par le tour qu'elle lui joua, elle le rendit médecin malgré lui et sans le savoir.

ANONYME, *Fabliaux et contes du Moyen Âge*, traduction de L. Tarsot.

« Un homme passe un anneau au doigt d'une femme », miniature du XIVe siècle.

Activité 5

Réaliser un défi lecture

Entraînement

1. Pour tester votre lecture, répondez aux trois questions suivantes :
   a. Comment la fille du roi s'appelle-t-elle ? (1 point)
   b. Qu'est-ce qu'un soufflet ? (2 points)
   c. Pourquoi la jeune fille accepte-t-elle d'épouser le vilain ? (3 points)

Préparation

2. À votre tour, par petits groupes, préparez une question à un point, une question à deux points, une question à trois points. Les points varient selon la difficulté croissante des questions. Chaque groupe remet ses questions au professeur qui les valide.

Réalisation

3. En un temps limité, chaque groupe doit répondre aux questions des autres groupes et remettre ses réponses au professeur qui comptabilisera les points acquis.

Activité 6

Échanger sur un texte (EMC)

▶ Socle *Participer à des échanges*

Que pensez-vous du comportement :
a. du vilain à l'égard de sa femme ?
b. du vieux chevalier à l'égard de sa fille ?
Échangez vos points de vue.

Activité 7

Parcours de lecture comparée

Voir chapitre 12, p. 252 : « Le Vilain Mire » et *Le Médecin malgré lui*.

Résister au plus fort : ruses, mensonges et masques

Le Médecin malgré lui, Molière

Ruses, mensonges et masques, sources de comique ?

INTERDISCIPLINARITÉ HDA

À quoi voyez-vous que l'on est au théâtre ?

Lire comprendre interpréter

Je m'interroge et je m'informe sur…

▶ Socle *Les méthodes et outils pour apprendre - Comprendre des textes, des documents et des images*

La farce, la commedia dell'arte et Molière

La farce

- Les farces sont apparues à la fin du XVe siècle. Ces petits spectacles de rue étaient joués sur des tréteaux. Les spectacles sérieux, religieux, étaient « farcis » de courtes pièces comiques.
- Les farces racontent un bon tour joué à un imbécile qu'on tourne en ridicule. On y donne beaucoup de coups de bâton.
- Molière a joué des farces au début de sa carrière et a repris des procédés de farce dans ses comédies.

Gravure italienne du XVIIIe siècle.

La commedia dell'arte

- Ce genre théâtral, né en Italie au XVIe siècle, vise à faire rire.
- Il se caractérise par :
  – l'improvisation ;
  – des personnages types portant des masques et des costumes reconnaissables : le vieux grincheux, le jeune amoureux, le valet rusé, le valet Arlequin et son costume multicolore, etc.
- Molière s'est inspiré de la commedia dell'arte.

Brighella, un personnage de la commedia dell'arte

- Personnage fameux pour ses ruses, toujours habillé de vert et blanc avec un masque noir ou olive sur le visage, Brighella porte une bourse et un poignard à la ceinture.
- Brighella est capable de tout, insolent avec les femmes, vantard lorsqu'il n'a rien à craindre. Il peut rendre toutes sortes de services grâce à son adresse, son art de la flatterie, ses talents de musicien et de danseur.
- Tour à tour, selon les besoins, il devient soldat, aubergiste, valet rusé qui arrange des mariages, manipule ses maîtres.

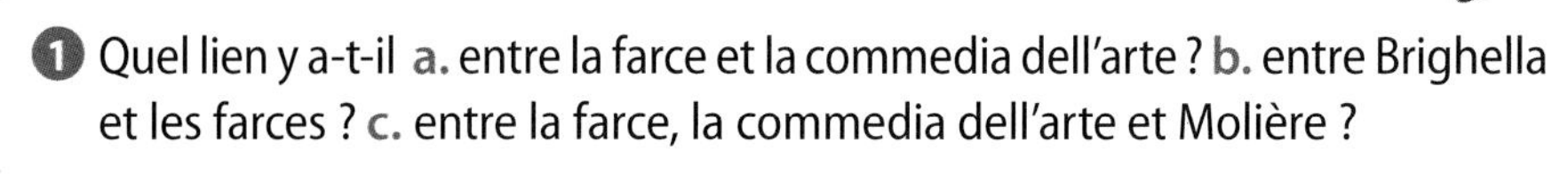

1 Quel lien y a-t-il **a.** entre la farce et la commedia dell'arte ? **b.** entre Brighella et les farces ? **c.** entre la farce, la commedia dell'arte et Molière ?

Molière, un homme de théâtre

Un pseudonyme mystérieux

Jean-Baptiste Poquelin n'a jamais expliqué pourquoi il avait choisi de s'appeler Molière. Ce serait un hommage à un jeune écrivain, François de Molière d'Essertines, assassiné en 1624 à l'âge de 25 ans, dont le roman aurait inspiré à Molière les noms de trois personnages d'une de ses pièces, *Le Misanthrope*.

2 Expliquez ce qu'est un pseudonyme.

L'enfance et les études

1622
- **Naissance de Molière**, de son vrai nom, Jean-Baptiste Poquelin.
- **Père :** tapissier du roi Louis XIV (il fournit et entretient du mobilier royal).
- **Études :** collège de Clermont à Paris, puis licence de droit.

L'homme de théâtre sur les routes de France

1643
- Fondation de la **troupe** de « L'Illustre Théâtre », avec la comédienne Madeleine Béjart.

1645-1658
- Directeur d'une troupe de **théâtre ambulant** dans laquelle il pratique divers métiers du théâtre : auteur, metteur en scène, acteur.

La célébrité à Paris et à Versailles

1658
- Succès à Paris de ses comédies.

1662
- Mariage malheureux avec la comédienne Armande Béjart, de vingt ans sa cadette. Début des représentations à la cour de Versailles lors des fêtes royales.

1665
- Succès de la troupe qui devient Troupe du Roi et reçoit une pension du roi, une sorte de salaire.

1666
- **Représentation de la pièce *Le Médecin malgré lui*.**

Molière dans le rôle de Sganarelle.

Molière et la maladie

- Toute sa vie, nombreux problèmes de santé que les médecins ne savent pas soigner.

1673
- Malaise sur scène lors de la quatrième représentation de sa dernière pièce : *Le Malade imaginaire*. Mort de Molière.

3 Pourquoi peut-on dire que Molière est un homme de théâtre ?

4 Qu'est-ce qu'une troupe de théâtre ?

5 Quels sont les rapports de Molière avec la médecine ?

6 Molière a vécu à la même époque que d'autres auteurs français célèbres, étudiés dans d'autres chapitres du manuel. Quel est ce siècle ? De quels auteurs s'agit-il ?

7 Lisez un des romans racontant la vie de Molière, proposés dans « Le cercle des lecteurs » p. 253. Choisissez un de ces thèmes, suivez les indications du carnet de lecture et présentez-le à la classe :
a. Molière et sa famille ;
b. Molière en province ;
c. Molière à Versailles ;
d. Molière et la médecine.

Lire comprendre interpréter

Une comédie à découvrir collectivement

Présentation de la farce

Les personnages

1. Au XVIIe siècle, signifie « amoureux ».

Les affiches

Oral

▶ Socle *Comprendre des documents et des images, et les interpréter*

1. D'après la liste des personnages, qui est, selon vous, le personnage principal ?
2. Décrivez brièvement chaque affiche. À quoi vous attendez-vous d'après ces affiches ? Pourquoi ?

Le trésor des mots

ÉTYMO Le nom de Sganarelle, équivalent français du Brighella de la commedia dell'arte vient de l'italien *sgannare*, « ouvrir les yeux ». Molière a créé le personnage de Sganarelle, qu'il incarne lui-même sur scène.

- Relisez la présentation de Brighella p. 236. Quel genre de personnage imaginez-vous pour Sganarelle ?

Entrée en scène

Acte I • Scène 1

Sganarelle, Martine, apparaissant sur le théâtre en se querellant.

SGANARELLE. – Non, je te dis que je n'en veux rien faire, et que c'est à moi de parler et d'être le maître.

MARTINE. – Et je te dis, moi, que je veux que tu vives à ma fantaisie, et que je ne me suis point mariée avec toi, pour souffrir tes fredaines.

SGANARELLE. – Ô la grande fatigue que d'avoir une femme ! et qu'Aristote[1] a bien raison, quand il dit qu'une femme est pire qu'un démon !

MARTINE. – Voyez un peu l'habile homme, avec son benêt[2] d'Aristote !

SGANARELLE. – Oui, habile homme : trouve-moi un faiseur de fagots, qui sache, comme moi, raisonner des choses, qui ait servi six ans un fameux médecin, et qui ait su, dans son jeune âge, son rudiment[3] par cœur.

MARTINE. – Peste du fou fieffé[4] !

SGANARELLE. – Peste de la carogne[5] !

MARTINE. – Que maudit soit l'heure et le jour, où je m'avisai d'aller dire oui !

SGANARELLE. – Que maudit soit le bec[6] cornu de notaire qui me fit signer ma ruine !

MARTINE. – C'est bien à toi, vraiment, à te plaindre de cette affaire. Devrais-tu être un seul moment, sans rendre grâces au Ciel de m'avoir pour ta femme ? et méritais-tu d'épouser une personne comme moi ?

SGANARELLE. – Il est vrai que tu me fis trop d'honneur, et que j'eus lieu de me louer la première nuit de nos noces. Hé ! morbleu[7] ! ne me fais point parler là-dessus : je dirais de certaines choses...

MARTINE. – Quoi ? que dirais-tu ?

SGANARELLE. – Baste[8], laissons là ce chapitre.

1. philosophe grec. 2. idiot. 3. ses notions de base en latin. 4. complet. 5. charogne, cadavre de bête.
6. sot, de l'italien *becco*, « bouc ». 7. juron. 8. ça suffit !

Martine et Sganarelle, mise en scène de V. AUBERT, 2010.

Le trésor des mots

▶ Socle *Acquérir la structure, le sens et l'orthographe des mots*

Dans le vocabulaire du théâtre, le mot « scène » a plusieurs sens. a. Un acte est divisé en « scènes » : à chaque entrée ou sortie de personnage, on change de scène. b. Que signifie le mot « scène » dans les expressions : monter sur la scène ; entrer en scène ; sortir de scène ; être sur le devant de la scène ?

Il suffit que nous savons ce que nous savons, et que tu fus bien heureuse de me trouver.

MARTINE. – Qu'appelles-tu bien heureuse de te trouver ? Un homme qui me réduit à l'hôpital[9], un débauché, un traître, qui me mange tout ce que j'ai ?

SGANARELLE. – Tu as menti : j'en bois une partie.

MARTINE. – Qui me vend, pièce à pièce, tout ce qui est dans le logis.

SGANARELLE. – C'est vivre de ménage.

MARTINE. – Qui m'a ôté jusqu'au lit que j'avais.

SGANARELLE. – Tu t'en lèveras plus matin.

MARTINE. – Enfin qui ne laisse aucun meuble dans toute la maison.

SGANARELLE. – On en déménage plus aisément.

MARTINE. – Et qui, du matin jusqu'au soir, ne fait que jouer, et que boire.

SGANARELLE. – C'est pour ne me point ennuyer.

MARTINE. – Et que veux-tu, pendant ce temps, que je fasse avec ma famille ?

SGANARELLE. – Tout ce qu'il te plaira.

MARTINE. – J'ai quatre pauvres petits enfants sur les bras.

SGANARELLE. – Mets-les à terre.

MARTINE. – Qui me demandent à toute heure, du pain.

SGANARELLE. – Donne-leur le fouet : quand j'ai bien bu, et bien mangé, je veux que tout le monde soit saoul[10] dans ma maison.

MARTINE. – Et tu prétends, ivrogne, que les choses aillent toujours de même ?

SGANARELLE. – Ma femme, allons tout doucement, s'il vous plaît.

MARTINE. – Que j'endure éternellement, tes insolences, et tes débauches ?

SGANARELLE. – Ne nous emportons point, ma femme.

MARTINE. – Et que je ne sache pas trouver le moyen de te ranger à ton devoir[11] ?

SGANARELLE. – Ma femme, vous savez que je n'ai pas l'âme endurante, et que j'ai le bras assez bon.

MARTINE. – Je me moque de tes menaces.

SGANARELLE. – Ma petite femme, ma mie[12], votre peau vous démange, à votre ordinaire.

9. ici, la misère.
10. au XVIIe siècle, ce mot signifie « rassasié ».
11. faire obéir.
12. mon amie.

La clé des mots

Vivre de ménage est ici un jeu de mots sur les deux sens de l'expression : « vivre de façon économe » et « vivre en vendant le mobilier ».

90 MARTINE. – Je te montrerai bien que je ne te crains nullement.

SGANARELLE. – Ma chère moitié, vous avez envie de me dérober quelque chose[13].

MARTINE. – Crois-tu que je m'épouvante

95 de tes paroles ?

SGANARELLE. – Doux objet de mes vœux, je vous frotterai les oreilles.

MARTINE. – Ivrogne que tu es !

SGANARELLE. – Je vous battrai.

100 MARTINE. – Sac à vin !

SGANARELLE. – Je vous rosserai.

MARTINE. – Infâme !

SGANARELLE. – Je vous étrillerai[14].

MARTINE. – Traître, insolent, trompeur,

105 lâche, coquin, pendard, gueux, bélître[15], fripon, maraud, voleur... !

SGANARELLE. – *Il prend un bâton, et lui en donne.* – Ah ! vous en voulez, donc ?

MARTINE. – Ah, ah, ah, ah !

110 SGANARELLE. – Voilà le vrai moyen de vous apaiser. [...]

À suivre...

13. Sganarelle fait semblant de croire que Martine veut être battue.
14. frotterai très fort.
15. coquin.

Lecture

▶ Socle *Écouter pour comprendre un texte lu - Comprendre un texte littéraire*

Faites ce que les troupes de comédiens nomment une lecture « à table ».

1. Faites individuellement une ou deux lectures de la scène pour bien comprendre la situation.
2. Par petits groupes, réunissez-vous pour une première lecture à haute voix avec un ton neutre.
3. En vous aidant des photographies de mises en scène, discutez pour expliquer ensemble le sens du texte.

Martine et Sganarelle, mise en scène de W. MICHARDIÈRE et Y. PALHEIRE, 2010.

Oral

▶ Socle *Participer à des échanges dans des situations diversifiées - Comprendre un texte littéraire*

Cerner les personnages

1. Collectivement, posez-vous ces questions.
   a. Qui sont les personnages de cette scène ?
   b. Identifiez les trois parties du texte qui montrent l'évolution des relations entre les personnages et de leur humeur. Précisez quelle est cette évolution.
   c. Lequel des deux personnages vous semble avoir le plus de caractère ? Expliquez.

Comprendre l'action dramatique

2. Par petits groupes puis en classe entière, interrogez-vous sur :
   a. le contenu précis de la scène ;
   b. le rythme de l'action.
3. a. Cette scène est une scène d'exposition. Expliquez cette expression.
   b. Qu'avez-vous appris sur les personnages ?

Écriture

▶ Socle *Recourir à l'écriture pour réfléchir et pour apprendre*

En quelques phrases, faites un premier portrait de Sganarelle. Est-il conforme à vos attentes ?

Rencontre

Martine a décidé de se venger. Elle croise les valets Lucas et Valère qui cherchent un médecin pour la fille de leur maître dont la maladie retarde le mariage. Elle leur recommande Sganarelle en leur précisant qu'il est vêtu d'une façon extravagante et que seuls les coups peuvent lui faire admettre qu'il est médecin.

ACTE I • SCÈNE 5

SGANARELLE, VALÈRE, LUCAS.

SGANARELLE *entre sur le théâtre en chantant, et tenant une bouteille.* – La, la, la.

VALÈRE. – J'entends quelqu'un qui chante, et qui coupe du bois.

5 SGANARELLE. – La, la, la... Ma foi, c'est assez travaillé pour boire un coup. Prenons un peu d'haleine. (*Il boit, et dit après avoir bu.*) Voilà du bois qui est salé comme tous les diables[1].

10 *Qu'ils sont doux*
Bouteille jolie,
Qu'ils sont doux,
Vos petits glouglous !
Mais mon sort ferait bien des jaloux,
15 *Si vous étiez toujours remplie.*
Ah ! bouteille, ma mie,
Pourquoi vous videz-vous ?

Allons, morbleu, il ne faut point engendrer de mélancolie.

20 VALÈRE. – Le voilà lui-même.

LUCAS. – Je pense que vous dites vrai, et que j'avons bouté le nez dessus[2].

VALÈRE. – Voyons de près.

SGANARELLE, *les apercevant, les regarde en*
25 *se tournant vers l'un, et puis vers l'autre, et, abaissant sa voix, dit.* – Ah ! ma petite friponne ! que je t'aime, mon petit bouchon[3] !

... Mon sort... ferait... bien des... jaloux,
30 *Si...*

Que diable ! à qui en veulent ces gens-là ?

VALÈRE. – C'est lui assurément.

LUCAS. – Le velà tout craché, comme on nous l'a défiguré[4].

35 SGANARELLE, *à part.* – Ils consultent[5] en me regardant. Quel dessein[6] auraient-ils ?

Sganarelle, mise en scène de M. DANNREUTHER, 2012.

1. qui donne soif au bûcheron qui l'a abattu.
2. nous avons mis le nez dessus.
3. terme d'affection.
4. décrit.
5. se consultent.
6. but.

morbleu, parbleu : ces jurons sont des déformations de « par la mort de Dieu » et « par Dieu » qu'on n'avait pas le droit de dire.

Sganarelle, Valère et Lucas, mise en scène de G. FASULO, 2013.

Ici il pose la bouteille à terre, et Valère se baissant pour le saluer, comme il croit que c'est à dessein de la prendre, il la met de
40 *l'autre côté : ensuite de quoi, Lucas faisant la même chose, il la reprend, et la tient contre son estomac, avec divers gestes qui font un grand jeu de théâtre.*

VALÈRE. – Monsieur, n'est-ce pas vous qui
45 vous appelez Sganarelle ?

SGANARELLE. – Eh quoi ?

VALÈRE. – Je vous demande, si ce n'est pas vous qui se nomme Sganarelle.

SGANARELLE, *se tournant vers Valère, puis vers*
50 *Lucas.* – Oui, et non, selon ce que vous lui voulez.

VALÈRE. – Nous ne voulons que lui faire toutes les civilités[7] que nous pourrons.

SGANARELLE. – En ce cas, c'est moi, qui se
55 nomme Sganarelle.

VALÈRE. – Monsieur, nous sommes ravis de vous voir. On nous a adressés à vous, pour ce que nous cherchons ; et nous venons implorer votre aide, dont nous
60 avons besoin. [...]

SGANARELLE. – Quoi donc ? que me voulez-vous dire ? Pour qui me prenez-vous ?

VALÈRE. – Pour ce que vous êtes, pour un grand médecin.

65 SGANARELLE. – Médecin vous-même : je ne le suis point, et ne l'ai jamais été.

VALÈRE, *bas.* – Voilà sa folie qui le tient. (*Haut.*) Monsieur, ne veuillez point nier les choses davantage ; et n'en venons
70 point, s'il vous plaît, à de fâcheuses extrémités.

SGANARELLE. – À quoi donc ?

VALÈRE. – À de certaines choses, dont nous serions marris[8].

75 SGANARELLE. – Parbleu ! venez-en à tout ce qu'il vous plaira : je ne suis point médecin, et ne sais ce que vous me voulez dire.

VALÈRE, *bas.* – Je vois bien qu'il faut se servir
80 du remède. (*Haut.*) Monsieur, encore un coup, je vous prie d'avouer ce que vous êtes.

LUCAS. – Et testigué[9] ! ne lantiponez point[10] davantage, et confessez à la franquette[11]
85 que v'êtes médecin.

SGANARELLE. – J'enrage.

VALÈRE. – À quoi bon nier ce qu'on sait ?

LUCAS. – Pourquoi toutes ces fraimes-là[12] ? et à quoi est-ce que ça vous sart ?

90 SGANARELLE. – Messieurs, en un mot autant qu'en deux mille, je vous dis, que je ne suis point médecin.

VALÈRE. – Vous n'êtes point médecin ?

SGANARELLE. – Non.

95 LUCAS. – V'n'êtes pas médecin ?

SGANARELLE. – Non, vous dis-je.

VALÈRE. – Puisque vous le voulez, il faut s'y résoudre.

7. politesses.
8. fâchés.
9. juron.
10. ne traînez pas.
11. simplement.
12. grimaces.

Sganarelle, Lucas et Valère, mise en scène de P. GORSES, 2008.

Ils prennent un bâton, et le frappent.

100 SGANARELLE. – Ah ! ah ! ah ! Messieurs, je suis tout ce qu'il vous plaira.

VALÈRE. – Pourquoi, Monsieur, nous obligez-vous à cette violence ?

LUCAS. – À quoi bon, nous bailler[13] la peine
105 de vous battre ?

VALÈRE. – Je vous assure que j'en ai tous les regrets du monde.

LUCAS. – Par ma figué[14] ! j'en sis fâché, franchement.

110 SGANARELLE. – Que diable est ceci, Messieurs ? De grâce, est-ce pour rire, ou si tous deux, vous extravaguez, de vouloir que je sois médecin ?

VALÈRE. – Quoi ? Vous ne vous rendez pas
115 encore, et vous vous défendez d'être médecin ?

SGANARELLE. – Diable emporte, si je le suis !

LUCAS. – Il n'est pas vrai qu'ous sayez médecin ?

120 SGANARELLE. – Non, la peste m'étouffe ! (*Là ils recommencent de le battre.*) Ah ! Ah ! Eh bien, Messieurs, oui, puisque vous le voulez, je suis médecin, je suis médecin ; apothicaire[15] encore, si vous le trouvez
125 bon. J'aime mieux consentir à tout que de me faire assommer.

À suivre…

13. donner. 14. ma figure. 15. pharmacien.

Lecture

▶ Socle *Écouter pour comprendre un texte lu - Comprendre un texte littéraire*

1. Comme pour la première scène, faites une lecture à table :
   – lecture individuelle et silencieuse ;
   – lecture orale en petits groupes ;
   – échanges en groupes pour répondre aux questions : qui sont les personnages ? Que se passe-t-il ?
2. Qui ment dans cette scène et pourquoi ?

Écriture

▶ Socle *Faire évoluer son texte*

Reprenez votre portrait de Sganarelle commencé en page 241 et complétez-le, en vous demandant notamment s'il est un bon menteur.

Jeu théâtral

1. Par groupes de trois,
   – identifiez les éléments de farce de cette scène ;
   – demandez-vous comment lire la scène :
   a. Quel ton employer pour chaque personnage ?
   b. Quels déplacements faire ?
   c. Quels gestes faire ?
2. Effectuez une lecture orale :
   a. Répartissez-vous les rôles.
   b. Entraînez-vous individuellement à lire votre rôle avec expressivité, en faisant des gestes et déplacements.
   c. Entraînez-vous à lire votre texte avec vos partenaires.
   d. Lisez devant la classe.

Consultation médicale

Au début de l'acte II, Jacqueline exprime son hostilité au mariage prévu par Géronte pour sa fille. Sganarelle est introduit chez Géronte comme médecin.

ACTE II • SCÈNE 4

LUCINDE, VALÈRE, GÉRONTE, LUCAS, SGANARELLE, JACQUELINE.

SGANARELLE. – Est-ce là la malade ?

GÉRONTE. – Oui, je n'ai qu'elle de fille ; et j'aurais tous les regrets du monde si elle venait à mourir.

5 SGANARELLE. – Qu'elle s'en garde bien ! il ne faut pas qu'elle meure sans l'ordonnance du médecin.

GÉRONTE. – Allons, un siège.

SGANARELLE. – Voilà une malade qui n'est pas 10 tant dégoûtante, et je tiens qu'un homme bien sain s'en accommoderait assez.

GÉRONTE. – Vous l'avez fait rire, Monsieur.

SGANARELLE. – Tant mieux : lorsque le médecin fait rire le malade, c'est le 15 meilleur signe du monde. Eh bien ! de quoi est-il question ? qu'avez-vous ? quel est le mal que vous sentez ?

LUCINDE *répond par signes, en portant sa main à sa bouche, à sa tête, et sous son menton.* 20 – Han, hi, hon, han.

SGANARELLE. – Eh ! que dites-vous ?

LUCINDE *continue les mêmes gestes.* – Han, hi, hon, han, han, hi, hon.

SGANARELLE. – Quoi ?

25 LUCINDE. – Han, hi, hon.

SGANARELLE, *la contrefaisant*[1]. – Han, hi, hon, han, ha : je ne vous entends point. Quel diable de langage est-ce là ?

GÉRONTE. – Monsieur, c'est là sa maladie. 30 Elle est devenue muette, sans que jusques ici on en ait pu savoir la cause ; et c'est un accident qui a fait reculer son mariage.

Sganarelle et Lucinde, mise en scène de J. BACHELIER, 2010.

SGANARELLE. – Et pourquoi ?

35 GÉRONTE. – Celui qu'elle doit épouser veut attendre sa guérison pour conclure les choses.

SGANARELLE. – Et qui est ce sot-là qui ne veut pas que sa femme soit muette ? Plût à 40 Dieu que la mienne eût cette maladie ! je me garderais bien de la vouloir guérir.

GÉRONTE. – Enfin, Monsieur, nous vous prions d'employer tous vos soins pour la soulager de son mal.

1. l'imitant.

45 SGANARELLE. – Ah ! ne vous mettez pas en peine. Dites-moi un peu, ce mal l'oppresse-t-il beaucoup ?

GÉRONTE. – Oui, Monsieur.

SGANARELLE. – Tant mieux. Sent-elle de 50 grandes douleurs ?

GÉRONTE. – Fort grandes. [...]

SGANARELLE, *se tournant vers la malade.* – Donnez-moi votre bras. Voilà un pouls qui marque que votre fille est muette.

55 GÉRONTE. – Eh oui, Monsieur, c'est là son mal ; vous l'avez trouvé tout du premier coup.

SGANARELLE. – Ah, ah !

JACQUELINE. – Voyez comme il a deviné sa 60 maladie !

SGANARELLE. – Nous autres grands médecins, nous connaissons d'abord les choses. Un ignorant aurait été embarrassé, et vous eût été dire : « C'est ceci, c'est 65 cela » ; mais moi, je touche au but du premier coup, et je vous apprends que votre fille est muette.

GÉRONTE. – Oui, mais je voudrais bien que vous me pussiez dire d'où cela vient.

70 SGANARELLE. – Il n'est rien plus aisé ; cela vient de ce qu'elle a perdu la parole.

GÉRONTE. – Fort bien ; mais la cause, s'il vous plaît, qui fait qu'elle a perdu la parole ?

75 SGANARELLE. – Tous nos meilleurs auteurs vous diront que c'est l'empêchement de l'action de sa langue.

GÉRONTE. – Mais, encore, vos sentiments sur cet empêchement de l'action de sa 80 langue ?

SGANARELLE. – Aristote[2], là-dessus dit... de fort belles choses.

GÉRONTE. – Je le crois.

SGANARELLE. – Ah ! c'était un grand homme !

85 GÉRONTE. – Sans doute.

SGANARELLE, *levant son bras depuis le coude.* – Grand homme tout à fait : un homme qui était plus grand que moi de tout cela. Pour revenir donc à notre raisonnement, 90 je tiens que cet empêchement de l'action de sa langue est causé par de certaines humeurs, qu'entre nous autres savants nous appelons humeurs peccantes[3] ; peccantes, c'est-à-dire... 95 humeurs peccantes ; d'autant que les vapeurs formées par les exhalaisons des influences qui s'élèvent dans la région des maladies, venant... pour ainsi dire... à... Entendez-vous[4] le latin ?

100 GÉRONTE. – En aucune façon.

SGANARELLE, *se levant avec étonnement.* – Vous n'entendez point le latin !

GÉRONTE. – Non.

Sganarelle et Géronte, mise en scène de P. GORSES, 2008.

2. penseur grec célèbre.
3. Au XVIIe siècle, on croyait que la santé était due à l'équilibre de quatre « humeurs » ; les humeurs peccantes, c'est-à-dire mauvaises, perturbent cet équilibre et créent les maladies.
4. comprenez-vous.

SGANARELLE, *en faisant diverses plaisantes postures.* – *Cabricias arci thuram, catalamus, singulariter, nominativo hæc Musa,* « la Muse », *bonus, bona, bonum, Deus sanctus, estne oratio latinas ? Etiam,* « oui », *Quare,* « pourquoi ? » *Quia substantivo et adjectivum concordat in generi, numerum, et casus*[5].

GÉRONTE. – Ah ! que n'ai-je étudié !

JACQUELINE. – L'habile homme que velà !

LUCAS. – Oui, ça est si biau, que je n'y entends goutte[6]. [...]

SGANARELLE, *parlant à Géronte.* – Je vous donne le bonjour[7].

GÉRONTE. – Attendez un peu, s'il vous plaît.

SGANARELLE. – Que voulez-vous faire ?

GÉRONTE. – Vous donner de l'argent, Monsieur.

SGANARELLE, *tendant sa main derrière, par dessous sa robe, tandis que Géronte ouvre sa bourse.* – Je n'en prendrai pas, Monsieur.

GÉRONTE. – Monsieur...

SGANARELLE. – Point du tout.

GÉRONTE. – Un petit moment.

SGANARELLE. – En aucune façon.

Mise en scène de R. DE ANGELIS, 2011.

GÉRONTE. – De grâce !

SGANARELLE. – Vous vous moquez.

GÉRONTE. – Voilà qui est fait.

SGANARELLE. – Je n'en ferai rien.

GÉRONTE. – Eh !

SGANARELLE. – Ce n'est pas l'argent qui me fait agir.

GÉRONTE. – Je le crois.

SGANARELLE, *après avoir pris l'argent.* – Cela est-il de poids ?

GÉRONTE. – Oui, Monsieur.

À suivre...

5. mots latins fantaisistes qui n'ont aucun sens.
6. rien.
7. je vous dis au revoir.

Lecture

▶ Socle *Comprendre un texte littéraire et l'interpréter*

1. Quels sont les symptômes de la maladie de Lucinde ? Quelle hypothèse pouvez-vous faire sur l'origine de cette maladie ? Répondez à partir du texte.
2. Que pensez-vous de la consultation de Sganarelle ? de la réaction des autres personnages ?
3. L. 116 à 139 : Que révèlent ces lignes du personnage de Sganarelle ?
4. Comment Molière présente-t-il les médecins dans cette scène ? Expliquez.
5. Quels éléments de farce repérez-vous dans cette scène ?

Jeu théâtral

1. Quels sont pour vous le passage et la mise en scène les plus comiques ? Pourquoi ?
2. a. Par petits groupes, choisissez une douzaine de lignes qui vous amusent.
   b. Mettez-vous d'accord sur l'interprétation (tons, gestes, déplacements).
   c. Apprenez chacun votre rôle.
   d. Répétez ensemble.
   e. Jouez devant la classe.

Écriture

▶ Socle *Faire évoluer son texte*

Reprenez votre portrait de Sganarelle et complétez-le.

Lire comprendre interpréter

Révélation

ACTE II • SCÈNE 5

SGANARELLE, LÉANDRE.

SGANARELLE, *regardant son argent.* – Ma foi ! cela ne va pas mal ; et pourvu que...

LÉANDRE. – Monsieur, il y a longtemps que je vous attends, et je viens implorer votre assistance.

SGANARELLE, *lui prenant le poignet.* – Voilà un pouls qui est fort mauvais.

LÉANDRE. – Je ne suis point malade, Monsieur, et ce n'est pas pour cela que je viens à vous.

SGANARELLE. – Si vous n'êtes pas malade, que diable ne le dites-vous donc ?

LÉANDRE. – Non, pour vous dire la chose en deux mots, je m'appelle Léandre, qui suis amoureux de Lucinde, que vous venez de visiter ; et comme, par la mauvaise humeur, de son père, toute sorte d'accès m'est fermé auprès d'elle, je me hasarde à vous prier de vouloir servir mon amour, et de me donner lieu d'exécuter un stratagème que j'ai trouvé, pour lui pouvoir dire deux mots, d'où dépendent absolument, mon bonheur et ma vie.

SGANARELLE, *paraissant en colère.* – Pour qui me prenez-vous ? Comment oser vous adresser à moi pour vous servir dans votre amour, et vouloir ravaler[1] la dignité de médecin à des emplois de cette nature ?

LÉANDRE. – Monsieur, ne faites point de bruit.

SGANARELLE, *en le faisant reculer.* – J'en veux faire, moi. Vous êtes un impertinent.

LÉANDRE. – Eh ! Monsieur, doucement.

SGANARELLE. – Un malavisé.

LÉANDRE. – De grâce !

SGANARELLE. – Je vous apprendrai que je ne suis point homme à cela, et que c'est une insolence extrême...

LÉANDRE, *tirant une bourse qu'il lui donne.* – Monsieur...

SGANARELLE, *tenant la bourse.* – De vouloir m'employer... Je ne parle pas pour vous, car vous êtes honnête homme, et je serais ravi de vous rendre service. Mais il y a de certains impertinents au monde qui viennent prendre les gens pour ce qu'ils ne sont pas ; et je vous avoue que cela me met en colère.

LÉANDRE. – Je vous demande pardon, Monsieur, de la liberté que...

SGANARELLE. – Vous vous moquez. De quoi est-il question ?

LÉANDRE. – Vous saurez donc, Monsieur, que cette maladie que vous voulez guérir est une feinte maladie. Les médecins

Sganarelle et Léandre, mise en scène de M. DANNREUTHER, 2012.

ont raisonné là-dessus comme il faut ; et ils n'ont pas manqué de dire que cela procédait, qui du cerveau, qui des entrailles[2], qui de la rate, qui du foie.
60 Mais il est certain que l'amour en est la véritable cause, et que Lucinde n'a trouvé cette maladie, que pour se délivrer d'un mariage dont elle était importunée. Mais, de crainte qu'on ne nous voie ensemble,
65 retirons-nous d'ici, et je vous dirai en marchant ce que je souhaite de vous.

SGANARELLE. – Allons, Monsieur : vous m'avez donné pour votre amour une tendresse qui n'est pas concevable ; et
70 j'y perdrai toute ma médecine, ou la malade crèvera, ou bien elle sera à vous.

À suivre...

1. rabaisser.
2. l'un..., l'autre..., un troisième...

Sganarelle et Léandre, mise en scène de P. GORSES, 2008.

Le trésor des mots

« stratagème » (l. 21) : d'après le contexte, proposez un synonyme de ce mot.

Lecture

▶ Socle *Comprendre un texte littéraire et l'interpréter*

1. Lisez silencieusement la scène. Quelles informations les indications de mise en scène donnent-elles sur le comportement de Sganarelle ?
2. Quelles informations Léandre livre-t-il ? Ces informations vous surprennent-elles ? Expliquez.
3. Comment comprenez-vous la dernière réplique de Sganarelle ?
4. Quel rôle le mensonge et la ruse jouent-ils dans la pièce d'après cette scène ?

Jeu théâtral

Par groupes de deux :
– relisez le texte en y repérant tous les indices utiles pour mimer la scène ;
– répétez votre jeu de mimes en soulignant les gestes des deux personnages ;
– jouez votre pantomime (scène de mimes).

▶ Socle *Faire évoluer son texte*

Reprenez votre portrait de Sganarelle et complétez-le.

Rébellion

Sganarelle est accompagné de Léandre déguisé en apothicaire (sorte de pharmacien).

Acte III • Scène 6

Jacqueline, Lucinde, Géronte, Léandre, Sganarelle.

LUCINDE. – Non, je ne suis point du tout capable de changer de sentiments.

GÉRONTE. – Voilà ma fille qui parle ! Ô grande vertu du remède ! Ô admirable
5 médecin ! [...]

LUCINDE. – Oui, mon père, j'ai recouvré[1] la parole ; mais je l'ai recouvrée pour vous dire que je n'aurai jamais d'autre époux que Léandre, et que c'est inutilement
10 que vous voulez me donner Horace.

GÉRONTE. – Mais...

LUCINDE. – Rien n'est capable d'ébranler la résolution que j'ai prise.

GÉRONTE. – Quoi... ?

15 LUCINDE. – Vous m'opposerez en vain de belles raisons.

GÉRONTE. – Si...

LUCINDE. – Tous vos discours ne serviront de rien.

20 GÉRONTE. – Je...

LUCINDE. – C'est une chose où je suis déterminée.

GÉRONTE. – Mais...

LUCINDE. – Il n'est puissance paternelle qui
25 me puisse obliger à me marier malgré moi.

GÉRONTE. – J'ai...

LUCINDE. – Vous avez beau faire tous vos efforts.

30 GÉRONTE. – Il...

LUCINDE. – Mon cœur ne saurait se soumettre à cette tyrannie.

GÉRONTE. – La...

LUCINDE. – Et je me jetterai plutôt dans un
35 couvent que d'épouser un homme que je n'aime point.

GÉRONTE. – Mais...

LUCINDE, *parlant d'un ton de voix à étourdir.* – Non. En aucune façon. Point d'affaire.
40 Vous perdez le temps. Je n'en ferai rien. Cela est résolu.

GÉRONTE. – Ah ! quelle impétuosité[2] de paroles ! Il n'y a pas moyen d'y résister. Monsieur, je vous prie de la faire
45 redevenir muette.

SGANARELLE. – C'est une chose qui m'est impossible. Tout ce que je puis faire pour votre service est de vous rendre sourd, si vous voulez.

50 GÉRONTE. – Je vous remercie. Penses-tu donc...

LUCINDE. – Non. Toutes vos raisons ne gagneront rien sur mon âme.

GÉRONTE. – Tu épouseras Horace, dès ce soir.

55 LUCINDE. – J'épouserai plutôt la mort. [...]

MOLIÈRE, *Le Médecin malgré lui*, 1666.

Lucinde et Léandre finiront par se marier. Sganarelle pardonne à Martine, venue le chercher.

1. retrouvé.
2. débit.

Jeu théâtral

Par binômes, apprenez et jouez les lignes 6 à 41.

Lecture

▶ Socle *Comprendre un texte littéraire et l'interpréter*

1. Qu'est-ce qui caractérise l'enchaînement des répliques dans les lignes 6 à 41 ? Quel est l'effet produit ?
2. a. Que révèle cette scène sur les relations entre Géronte et sa fille ? b. Quel personnage a le dessus sur l'autre ? Expliquez. c. À quelle réplique pouvez-vous associer la photographie de mise en scène ?
3. Quel sentiment éprouvez-vous pour le personnage de Géronte ? Expliquez.

Oral

▶ Socle *Participer à des échanges dans des situations diversifiées* (EMC)

Débattre : Une querelle comme celle-ci pourrait-elle avoir lieu à notre époque ?

Écriture

▶ Socle *Écrire pour réfléchir et pour apprendre*

Qui a menti dans cette pièce ? Pour quelle(s) raison(s) ? Le mensonge a-t-il réussi aux personnages ?

Lucinde et Géronte, mise en scène de R. DE ANGELIS, 2011.

Parcours de lecture comparée

Le Vilain Mire, fabliau

A Lire

Lisez le fabliau *Le Vilain Mire*, p. 228.

B Retrouver l'ordre de l'histoire

1. Par petits groupes, replacez dans l'ordre chronologique les étapes du récit.
   - **A** ▸ Grâce à une ruse, le vilain fait croire qu'il a guéri les quatre-vingts malades du royaume.
   - **B** ▸ La femme du vilain pour se venger prétend que son mari est médecin mais qu'il ne le reconnaît que lorsqu'on le frappe.
   - **C** ▸ Un vilain épouse la fille d'un chevalier.
   - **D** ▸ Le roi fait frapper le vilain.
   - **E** ▸ Le vilain, récompensé, retourne vivre harmonieusement avec sa femme.
   - **F** ▸ Le vilain bat sa femme pour que, occupée à pleurer, elle ne pense pas à autre chose.
   - **G** ▸ Les messagers frappent le vilain qui se laisse conduire chez le roi.
   - **H** ▸ En tête-à-tête avec la malade, le vilain la guérit en la faisant rire.
   - **I** ▸ Sous les coups, le vilain accepte de devenir le médecin du roi.
   - **J** ▸ Deux messagers cherchent un médecin pour soigner la fille du roi qui a avalé une arête de poisson.
2. Collectivement, comparez vos propositions.

C Expliquer le titre du fabliau

3. Qu'est-ce qu'un « vilain » au Moyen Âge ? Si vous ne le savez pas, rendez-vous p. 222.
4. ÉTYMO « mire », au Moyen Âge, est une déformation du latin *medicus*. Que peut signifier le mot « mire » ?
5. Expliquez le titre du fabliau en vous appuyant sur l'histoire.

D Comparer le fabliau et la pièce de Molière

6. De quelle époque date chacune des œuvres ?
7. Recopiez et complétez le tableau en inscrivant les noms des personnages de la pièce de Molière qui ont des rôles correspondant à ceux du fabliau.

Le Vilain Mire	*Le Médecin malgré lui*
Le vilain	...
La femme du vilain	...
Le roi	...
La fille du roi	...
Les messagers	...

8. a. Quels sont les personnages inventés par Molière sans équivalent dans le fabliau ?
   b. Qu'apporte chacun d'eux à l'intrigue ?
9. a. Quelle est la ruse commune aux deux œuvres ?
   b. Quelles ruses spécifiques chaque histoire comporte-t-elle ?
10. Comparez les fins des deux œuvres.
11. Selon vous, Molière a-t-il fait une simple copie du fabliau ? Justifiez votre point de vue.

Le cercle des lecteurs

Romans sur la vie de Molière

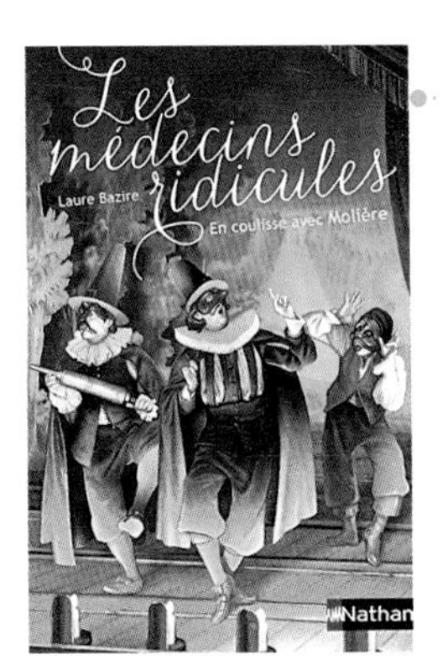

Les Médecins ridicules **
L. BAZIRE
© Nathan, 2014.

Une plongée dans la vie de Molière : que de combats à mener contre les médecins charlatans, contre ceux qui s'opposent à ses pièces malgré le soutien du roi !

L'Homme qui a séduit le soleil **
J.-C. NOGUÈS
© Pocket Jeunesse, 2008.

Le jeune Gabriel qui improvise quelques scènes dans la rue pour vivre est repéré par Molière qui l'engage dans sa troupe. Le rêve de Gabriel va-t-il se réaliser ?

Le fils de Molière **
A. JAY
© Le Livre de Poche Jeunesse, 2015.

Molière accueille dans sa troupe un jeune homme de 12 ans au talent époustouflant : quel extraordinaire apprentissage pour ce jeune homme !

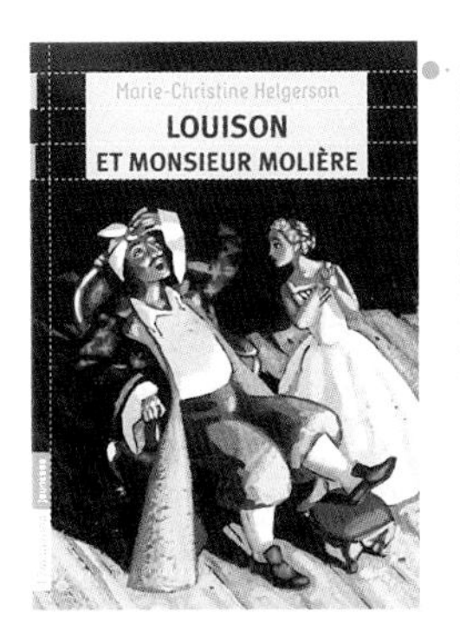

Louison et Monsieur Molière *
M.-C. HELGERSON
© Flammarion Jeunesse, 2010.

Cette fille de comédiens va-t-elle enfin pouvoir réaliser son plus beau rêve, être devant la cour du Roi-Soleil ?

La Jeunesse de Molière ***
P. LEPÈRE
© Editions Gallimard, collection « Folio Junior », 2009.

Suivez les années de jeunesse de Molière, pleines de difficultés et d'expériences enthousiasmantes !

Mon carnet personnel de lecture

Je poursuis mon carnet de lecture (voir méthode p. 44)

Pour préparer la question 7 p. 237 :

- *mettez des marque-pages pour repérer les éléments d'information qui correspondent au thème choisi ;*
- *à la fin de la lecture, relisez les pages sélectionnées et notez au brouillon les principales informations retenues ;*
- *faites un plan en quatre grandes rubriques maximum pour classer ces informations ;*

À l'oral

- *sélectionnez un passage qui vous paraît essentiel et entraînez-vous à le lire avec fluidité.*

Je pratique l'oral

Pratiquer des exercices théâtraux

▶ Socle *Lire avec fluidité*

Travailler la voix

Par petits groupes, exercez-vous à ces activités d'articulation.

1 Assouplir les lèvres

Écartez au maximum les lèvres et prononcez cette phrase :

Une libellule volubile et minuscule circule en virgule et articule cent sons ridicules.

2 Assouplir les mâchoires

a. Ouvrez grand la bouche en abaissant bien la mâchoire inférieure, refermez-la. Faites cela plusieurs fois.

b. Respirez et dites cette phrase en exagérant les mouvements de bouche :

Mama Outa, pâle et sale, râle et brame, place papa à la place de Baba.

3 Assouplir la langue

Répétez cette phrase aussi souvent que possible :

Ton tenace tilleul n'a-t-il pas troué toute ta toiture ?

4 Prononcer les mots difficiles : les « virelangues »

Formez un cercle. Un élève dit un des virelangues ci-dessous. Dans l'ordre des aiguilles d'une montre, chacun répète le virelangue sans erreur. S'il se trompe il est éliminé. À la fin du tour, on peut choisir de recommencer en allant plus vite ou en changeant de virelangue.

A. *Trois crapauds gris et gras croquaient des croûtons croustillants dans un grand restaurant.*

B. *Papa peint quand il peut mais papa ne peint pas quand il pleut, papa ne peint pas quand il veut.*

C. *Traître, insolent, trompeur, lâche, coquin, pendard, gueux, bélître, fripon, maraud, voleur... !*

D. *Et testigué, ne lantiponez point davantage, et confessez à la franquette, que v'êtes médecin.*

Travailler la voix, le mouvement du corps et le regard

Placez-vous en cercle et concentrez-vous.

1 Le jeu du « Wam » : voix et mouvement du corps

a. Le professeur jette le son « Wam » à l'élève placé à côté de lui, d'une voix forte, en accompagnant le son d'un mouvement du corps qui mime le jet et en fixant l'élève du regard.

b. À son tour, l'élève lance le « Wam » à son voisin, et ainsi de suite. Le « Wam » doit revenir au professeur sans avoir diminué en intensité.

2 Le jeu du « Pouh » : voix et regard

a. Le professeur jette le son « Pouh » à un élève éloigné de lui, d'une voix forte, en cherchant à capter le regard de l'élève.

b. À son tour, l'élève lance le « Pouh » à son voisin, et ainsi de suite. Le « Pouh » doit revenir au professeur sans avoir diminué en intensité.

Travailler la mémoire

La chaîne des mots

a. Placez-vous en cercle et concentrez-vous.

b. Faites circuler la parole dans le sens des aiguilles d'une montre.

c. Un élève dit un mot qui lui passe par la tête, son voisin le répète et en ajoute un autre, et ainsi de suite.

d. Sont éliminés les élèves qui oublient des mots ou se trompent.

D'après M. BÉGUIN, *L'oral a la parole*, Scéren, 2013.
C. MORRISSON, *35 exercices d'initiation au théâtre*, © Actes Sud Junior, 2000.

Rendre compte d'une recherche documentaire

▶ Socle *Comprendre des textes, des documents et des images - Parler en prenant en compte son auditoire - Participer à des échanges*

Organisez-vous par petits groupes pour préparer un exposé sur les lieux du théâtre. Choisissez de présenter des théâtres antiques ou des théâtres à l'italienne. Votre exposé oral sera accompagné d'un diaporama.

Préparer votre exposé

A Recherchez au CDI ou sur Internet des informations et des photos de...

Théâtres antiques

- Théâtre d'Orange : www.theatre-antique.com
- Théâtrons : www.theatrons.com/theatre-antique.php
- Nicolight (rubrique « Scénographie », paragraphe « L'Histoire ») par l'université de Cergy-Pontoise : www.nicolight.fr
- Le théâtre grec : www.e-olympos.com/theatre.htm

Théâtres à l'italienne

- Le théâtre des Célestins à Lyon : www.celestins-lyon.org, « Visitez le théâtre ! » puis « La grande salle » et « La scène ».
- Le théâtre du Trident à Caen (rubrique « Plan du site »).
- Le site Nicolight www.nicolight.fr

B Faites des recherches près de chez vous

- Si c'est possible, faites des photos d'un théâtre antique ou à l'italienne près de chez vous. Renseignez-vous sur l'histoire de ce théâtre.
- Sur Wikipédia, vous trouverez la liste des théâtres antiques en France.

Le Théâtre du Jeu de Paume, Aix-en-Provence.

Le Théâtre d'Orange.

2

Présenter votre exposé

A Préparez un diaporama

- Élaborez un diaporama de sept ou huit diapositives, si possible avec l'aide de votre professeur de technologie.
- Veillez à ce que vos diapositives soient lisibles.

B Présentez-le à l'oral

- Prévoyez moins de cinq minutes de parole.
- Présentez votre exposé en évitant de lire vos diapositives.
- Préparez-vous à répondre aux questions éventuelles de vos camarades.

Sujet 1 Écrire une scène comique de théâtre à partir d'un canevas

Activité guidée

À la manière de la commedia dell'arte, à partir du canevas ci-dessous, imaginez une scène comique qui se déroule à notre époque.
Pour punir un Sganarelle prétentieux, deux amis lui font croire qu'il a reçu le premier prix d'un concours de cuisine auquel il a participé. Flatté par les deux amis, Sganarelle se vante de façon de plus en plus ridicule, jusqu'à ce qu'ils lui montrent le journal : il est arrivé dernier au concours !

A Préparer l'écrit et rédiger au brouillon

ÉTAPE 1 — Planifier le récit par des improvisations

1. a. **Par groupes de trois, improvisez la scène.**
b. **Échangez collectivement pour savoir en quoi les improvisations conviennent ou non.**

ÉTAPE 2 — Formuler et écrire au brouillon

2. **Imaginez :**
– qui sont ces trois personnages : dressez une petite fiche pour chacun et/ou dessinez-les ;
– les éléments qui peuvent créer le comique : exagérations, attitudes, expressions du visage, gestes… Notez-les ;
– des gestes, attitudes, expressions et déplacements que vous pourrez noter en didascalies.

Personnage 1 Nom :	Personnage 2 Nom :	Personnage 3 Nom :

3. **Corrigez ce texte fautif pour en faire un texte théâtral correct (en-tête de réplique, didascalie, etc.).**

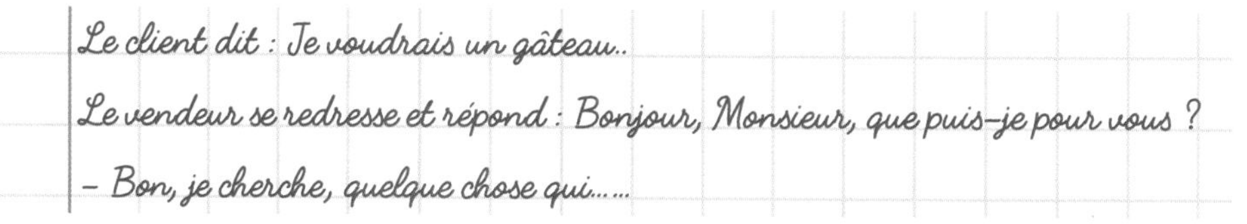

Le client dit : Je voudrais un gâteau..
Le vendeur se redresse et répond : Bonjour, Monsieur, que puis-je pour vous ?
– Bon, je cherche, quelque chose qui......

ÉTAPE 3 — Lancer la rédaction de la scène

4. **Rédigez une première version de votre scène en vous servant du travail préparatoire.**
a. **Construisez votre scène en trois étapes :**
– l'annonce par les deux amis à Sganarelle de sa réussite au concours ;
– la vantardise croissante de Sganarelle ;
– la révélation de la vérité.
b. **Veillez à créer une situation comique conforme au canevas.**
c. **Respectez la présentation d'un dialogue théâtral.**
d. **Utilisez une autre couleur pour écrire les didascalies que vous rédigerez au présent.**

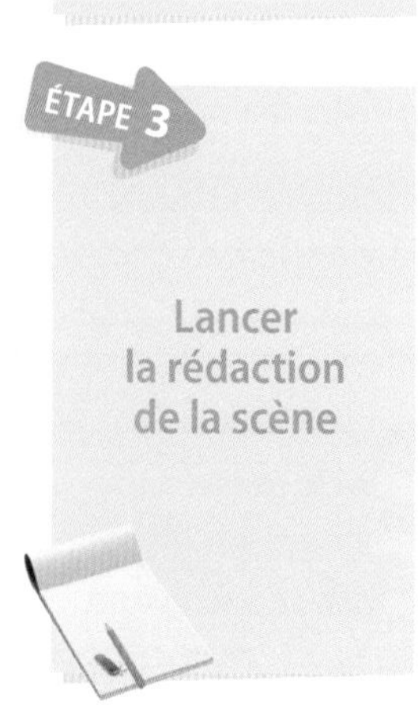

B Améliorer le brouillon et rédiger au propre

ÉTAPE 4

Améliorer son brouillon en mobilisant les ressources de la langue

Lexique
Orthographe
Grammaire

La construction de la scène

1. **Vérifiez les points suivants et corrigez-les si besoin.**

Ma scène respecte-t-elle la situation donnée par le canevas :		
• L'annonce par les deux amis à Sganarelle de sa réussite au concours ?	☐ oui	☐ non
• La vantardise croissante de Sganarelle ?	☐ oui	☐ non
• La révélation de la vérité ?	☐ oui	☐ non
Ma scène est-elle comique : attitude, exagération des paroles, etc.	☐ oui	☐ non
Ai-je pensé à noter quelques didascalies ?	☐ oui	☐ non

L'écriture de la scène

2. **Pour enrichir votre scène pensez à :**	**Aidez-vous des exercices…**
• exprimer la ruse	1 à 3 p. 258
• exprimer la prétention de Sganarelle	4 et 5 p. 258
• employer un vocabulaire culinaire précis	6 à 9 p. 258
• construire correctement les phrases interrogatives	5 à 7 p. 259
• ponctuer correctement	5 à 7 p. 259

ÉTAPE 5

Rédiger au propre et se relire

La qualité de la langue

3. **Vérifiez les accords des verbes avec leur sujet à la 1re personne et à la 2e personne, aidez-vous si besoin des exercices 1 à 4, p. 259.**

4. **Recopiez votre scène au propre et relisez-la plusieurs fois pour vérifier :**
– la ponctuation en particulier les points d'interrogation et d'exclamation ;
– l'accord des verbes avec leur sujet.

Sujet 2

Imaginer une scène à partir d'un canevas de la commedia dell'arte

Activité en autonomie

Canevas : Le seigneur Lelio a demandé à Georges, l'aubergiste, d'aider le pauvre valet Arlequin en lui donnant à manger et en le logeant, et il s'est engagé à payer. Mais Arlequin, à qui l'aubergiste n'a donné que du pain et de l'eau, a préféré sortir de l'auberge pour dormir dehors.

D'après un canevas de commedia dell'arte de GOLDONI, *Les Vingt-deux Infortunes d'Arlequin.*

Imaginez le dialogue théâtral entre l'aubergiste et Lelio : Georges demande à être payé mais Lelio, qui a vu Arlequin endormi dans la rue, demande des explications à l'aubergiste qui lui ment.

CONSEILS

- Imaginez les mensonges de l'aubergiste qui décrit les plats succulents qu'il aurait servis.
- Employez le vocabulaire de la ruse.
- Construisez correctement les phrases interrogatives.

C Travailler la langue pour améliorer l'écrit

Lexique

Masque, ruse et mensonge

1 ÉTYMO **« masque » vient de l'italien *maschera*, « faux visage ». a. Les expressions ci-dessous sont-elles employées au sens propre ou dans un sens imagé ? b. Que signifie chacune de ces expressions ?**
jeter le masque – lever le masque – bas les masques – avancer masqué – masquer ses sentiments

c. Parmi ces verbes, lesquels peuvent être employés pour compléter la phrase ci-dessous ?
découvrir – dévoiler – révéler – étaler – livrer

Les deux amis conduisent Sganarelle à se démasquer, c'est-à-dire à ... sa prétention.

2 a. Recopiez et complétez ce tableau avec les verbes ci-dessous. Attention certains d'entre eux peuvent se placer dans plusieurs lignes.
abuser – berner – cacher – camoufler – dissimuler – duper – étouffer – leurrer – mentir – ruser – tromper

verbe employé seul	
verbe + complément « (à) quelqu'un »	
verbe + complément « quelque chose »	
verbe + complément « quelque chose » + complément « (à) quelqu'un »	

b. Employez les verbes « berner », « dissimuler » et « ruser », chacun dans une phrase.

3 a. Parmi ces adjectifs, quels sont ceux qui expriment un défaut ?
adroit – astucieux – dissimulateur – fourbe – fripon – futé – habile – ingénieux – malin – menteur – perfide – rusé – trompeur – sournois

b. Employez trois de ces adjectifs dans une phrase qui en révèle le sens.

L'expression de la prétention

4 Complétez les phrases en employant les verbes ci-dessous.
bomber – toiser – parler – étaler – monopoliser – attirer – occuper – couper

1. Sûr de lui, il ... la conversation et ... la parole à tout le monde. **2.** Ce personnage vaniteux ... ses succès auprès de ses amis. **3.** Hautain et fier, il ... le torse quand il marche et ... tout l'espace, où qu'il soit. **4.** Cette prétentieuse ... du regard ses adversaires. **5.** On n'entend qu'elle : elle ... haut pour ... les regards.

5 Recopiez et complétez ce tableau.

nom	adjectif	adverbe	verbe
orgueil	orgueilleux	orgueilleusement	s'enorgueillir
prétention			
vantardise			
	fier		
vanité			
			mépriser
dédain			

Le vocabulaire culinaire

6 Associez un verbe de la liste A au complément qui convient dans la liste B.
A. éplucher – écosser – monter – battre – essorer – préparer – rôtir – saisir – étaler – équeuter
B. les haricots – la pâte à tarte – les petits pois – la mayonnaise – les œufs – un tournedos – la vinaigrette – un poulet – les pommes de terre – la salade

7 Remplacez « délicieux » par l'adjectif qui convient le mieux au mets concerné.
savoureux – onctueux – tendre – croustillant – moelleux

1. Cette **viande** délicieuse fond dans la bouche. **2.** Ce **pain** frais est délicieux à souhait. **3.** Ce **fondant au chocolat** est réussi : il est délicieux. **4.** Une **crème** délicieuse nappe ce gâteau. **5.** Ce **melon** bien mûr est délicieux.

8 Associez à chaque mets en gras de l'exercice 7 l'adjectif négatif qui convient et que vous accorderez. Parfois plusieurs possibilités.
dur – sec – fade – insipide – grumeleux – mou

9 Faites correspondre à chaque dessin le nom de l'ustensile de cuisine qui convient.
une passoire – un fouet – une râpe – un entonnoir – une pelle à tarte

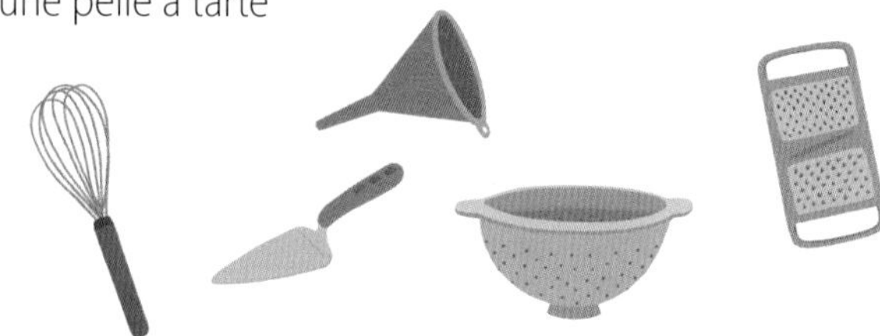

Orthographe

L'accord sujet-verbe au présent à la 1re personne du singulier

Leçon 35, p. 321

1 a. Récrivez les phrases en remplaçant *Il* par *Je*. b. Entourez la marque de personne commune à tous ces verbes.

1. Il **entend** la sonnette.
2. Il **vient** de cuire un gâteau.
3. Il **sort** de la cuisine.
4. Il **prend** un plateau et **met** la table.
5. Il **tient** un plat à la main.
6. Il **descend** à la cave.

2 Récrivez chaque phrase en accordant les verbes. Vous emploierez le présent.

1. Je (finir) une sauce, (faire) une mayonnaise et (partir) au salon.
2. Je (prendre) mon temps, (aller) au marché et (poursuivre) mes courses.

L'accord sujet-verbe au présent à la 2e personne du singulier

Leçon 35, p. 321

3 a. Recopiez les phrases en soulignant les sujets et en accordant les verbes conjugués au présent. b. Entourez les marques de personne : quel est l'intrus ?

1. Tu (consulter) le menu et tu (déguster) une glace. **2.** Tu (sentir) qu'il va se passer quelque chose. **3.** Tu (changer) d'avis et tu (prendre) une gaufre. **4.** Tu (interroger) le serveur. **5.** Tu (remarquer) sa toque de chef. **6.** Tu (finir) par éclater de rire. **7.** Tu (vouloir) gagner.

4 Récrivez les phrases en soulignant le sujet des verbes entre parenthèses et en accordant chaque verbe avec son sujet. Vous emploierez le présent.

1. (Entendre)-tu ce bruit ? **2.** (Savoir)-tu faire la cuisine ? **3.** (Penser)-tu pouvoir gagner ? **4.** (Rester)-tu dans la cuisine ? **5.** (Vendre)-tu des fruits ? **6.** (Pouvoir)-tu te taire ? **7.** Ryan, (aimer)-tu les glaces ?

Grammaire

Le rythme d'un dialogue théâtral : ponctuation et syntaxe

Pour donner du rythme à votre scène, appliquez trois actions pour mieux écrire : ajouter ⊕, remplacer, déplacer.

5 ⊕ Recopiez cet extrait en ajoutant des points d'interrogation (?) pour poser les questions, et des points d'exclamation (!) pour exprimer des émotions.

LA DACTYLO. – C'est un monsieur qui voudrait voir monsieur le directeur.
TOPAZE. – Oscar Muche.
LA DACTYLO. – Il est avec une jeune fille.
TOPAZE. – Ernestine … Que vous a-t-il dit
LA DACTYLO. – Rien. Il attend.
TOPAZE. – De quel air
LA DACTYLO. – Il a l'air sévère
TOPAZE. – Très sévère
LA DACTYLO. – Oh oui et il marche tout le temps.

M. PAGNOL, *Topaze*, © Éditons de Fallois, 2004.

6 Récrivez ces phrases interrogatives selon le modèle ci-dessous.

Tu viens ? → Est-ce que tu viens ? → Viens-tu ?

1. Tu veux entrer ?
2. Tu as des recettes à me proposer ?
3. Il fait froid dehors ?
4. Tu n'as rien entendu ?
5. Vous avez reçu un prix ?
6. Vous pouvez aller me chercher un croissant ?
7. J'ai l'air de me vanter ?
8. Nous t'avons mal nourri ?

7 et Récrivez ces phrases interrogatives en remplaçant « qu'est-ce que » par « que » et « qui est-ce qui » par « qui ». Attention à la place des sujets.

1. Qu'est-ce que tu veux ?
2. Monsieur, qui est-ce qui vous a dit que j'étais cuisinier ?
3. Qu'est-ce que tu as à proposer ?
4. Qu'est-ce que tu caches dans ton panier ?
5. Qui est-ce qui sonne à la porte ?
6. Qu'est-ce que je dois faire ?
7. Avec qui est-ce que tu parles ?
8. De qui est-ce que tu te moques ?
9. Qu'est-ce que tu attends ?

Je construis mon bilan

Qu'ai-je appris ? ▶Socle *Les méthodes et outils pour apprendre*

1 Recopiez ce schéma et placez-y ces mots du vocabulaire du théâtre :

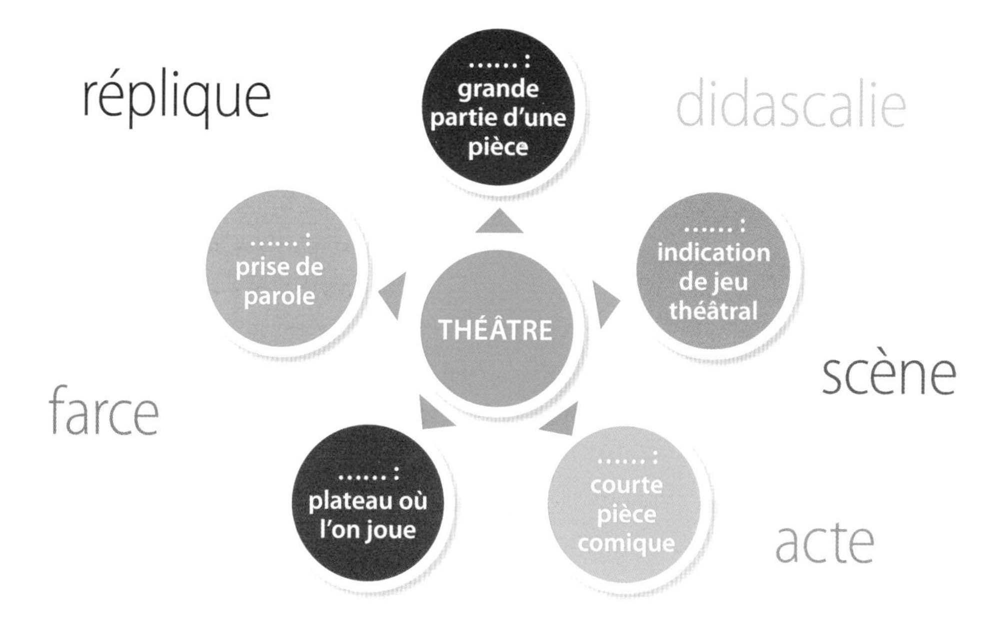

2 Répondez à ces questions par VRAI ou FAUX.

a. Molière apprécie les médecins.

b. Sganarelle ressemble à un personnage de la commedia dell'arte.

c. Une farce comporte une scène de coups de bâton.

d. Sganarelle est un médecin renommé.

e. Lucinde est une fille obéissante.

f. Martine est la seule menteuse de la pièce.

Qu'avons-nous compris ? ▶Socle *Participer à des échanges*

Collectivement, répondez aux questions suivantes :

1 Quels éléments de farce avez-vous repérés dans la pièce de Molière ?

2 Quel rôle la ruse et le mensonge jouent-ils dans cette pièce ? Selon vous, sont-ils condamnables ? Pourquoi ?

3 À votre avis, pour quelles raisons le masque symbolise-t-il le théâtre ?

Je rédige mon bilan ▶Socle *Écrire pour réfléchir et pour apprendre*

1 Quel jugement portez-vous sur Sganarelle ? Justifiez votre point de vue.

2 Sur quels sujets cette pièce peut-elle encore faire réfléchir aujourd'hui ? EMC

J'évalue mes compétences

ACTE III • SCÈNE 1

SGANARELLE, LÉANDRE.

LÉANDRE. – Il me semble que je ne suis pas mal ainsi, pour un apothicaire[1] : et comme le père ne m'a guère vu, ce changement d'habit, et de perruque, est assez capable, je crois, de me déguiser à ses yeux.

SGANARELLE. – Sans doute.

LÉANDRE. – Tout ce que je souhaiterais, serait de savoir cinq ou six grands mots de médecine, pour parer[2] mon discours, et me donner l'air d'habile homme.

SGANARELLE. – Allez, allez, tout cela n'est pas nécessaire. Il suffit de l'habit : et je n'en sais pas plus que vous.

LÉANDRE. – Comment ?

SGANARELLE. – Diable emporte, si j'entends rien en médecine. Vous êtes honnête homme : et je veux bien me confier à vous, comme vous vous confiez à moi.

LÉANDRE. – Quoi, vous n'êtes pas effectivement...

SGANARELLE. – Non, vous dis-je, ils m'ont fait médecin malgré mes dents. Je ne m'étais jamais mêlé d'être si savant que cela : et toutes mes études n'ont été que jusqu'en sixième. Je ne sais point sur quoi cette imagination leur est venue : mais quand j'ai vu qu'à toute force, ils voulaient que je fusse médecin, je me suis résolu de l'être, aux dépens de qui il appartiendra. Cependant, vous ne sauriez croire comment l'erreur s'est répandue : et de quelle façon, chacun est endiablé[3] à me croire habile homme. On me vient chercher de tous côtés : et si les choses vont toujours de même, je suis d'avis de m'en tenir, toute ma vie, à la médecine. Je trouve que c'est le métier le meilleur de tous : car soit qu'on fasse bien, ou soit qu'on fasse mal, on est toujours payé de même sorte. La méchante besogne ne retombe jamais sur notre dos [...]. Un cordonnier en faisant des souliers, ne saurait gâter[4] un morceau de cuir, qu'il n'en paye les pots cassés : mais ici, l'on peut gâter un homme sans qu'il en coûte rien. Les bévues[5] ne sont point pour nous : et c'est toujours, la faute de celui qui meurt. Enfin le bon de cette profession, est qu'il y a parmi les morts, une honnêteté, une discrétion la plus grande du monde : jamais on n'en voit se plaindre du médecin qui l'a tué. [...]

MOLIÈRE, *Le Médecin malgré lui*, III, 1, 1666.

1. sorte de pharmacien.
2. décorer.
3. entêté.
4. abîmer.
5. erreurs.

▶ Socle *Comprendre un texte littéraire et l'interpréter*

1 **De quels déguisements est-il question dans ce texte ? À quoi chaque déguisement sert-il ?**

2 a. **Qui est désigné par le pronom « ils » à la ligne 22 (« ils m'ont fait médecin ») ?** b. **« à toute force » (l. 28) : à quoi Sganarelle fait-il allusion ?**

3 **Qu'explique Sganarelle à propos de la médecine dans sa longue réplique ?**

4 a. **Quels traits de caractère de Sganarelle repérez-vous dans cette scène ?** b. **Est-ce conforme à ce que vous avez découvert du personnage ? Expliquez.**

1. Du latin au français : le radical et ses variantes

Orthographe

J'observe et je comprends

1 Voici des formes verbales du verbe « chanter » en latin et en français, conjugué au présent.
> *canto, cantas, cantat, cantamus, cantatis, cantant*
> *je chante, tu chantes, il chante, nous chantons, vous chantez, ils chantent*

a. **Est-ce l'élément en bleu ou en noir qui renseigne sur le sens du verbe ?**

b. **Dans le verbe français, quelles sont les formes verbales qui se prononcent de la même façon ? qui s'écrivent de la même manière ?**

c. **Pourquoi donc emploie-t-on des pronoms (*je, tu, il...*) en français ?**

2 Le radical d'un verbe latin peut varier. > *capio, cepi, captus (je prends, je pris, pris)*
Combien de variantes du radical repérez-vous dans ces formes du verbe *prendre* en français ?
> *je prends, ils prennent, je prenais, je prendrai, je pris*

J'apprends

- Un verbe français, comme en latin, est formé :
  – d'un **radical** qui donne le sens du verbe et qui est généralement repérable dans l'infinitif ;
  > *aim-er*
  – de **marques terminales** qui indiquent la personne, le nombre, le temps, le mode.
  > *nous aim-i-ons*
- Le **radical** de plusieurs verbes français d'emploi fréquent **peut varier** et prendre différentes formes, comme en latin.
  > *je dis, je disais, je dirai*
- En français, on emploie des **pronoms** pour distinguer des formes verbales qui se prononcent et/ou s'écrivent de façon identique.
  > *je parle, tu parles, il parle, elles parlent*

Je manipule

3 REPÉRER a. **Recopiez chaque série en soulignant le radical.** b. **Combien de formes du radical comptez-vous pour chaque verbe ?***

1. inventer : tu inventes, tu inventais, tu inventas, inventant, inventé

2. discuter : il discute, il discutait, il discuta, discutant, discuté

3. alerter : ils alertent, ils alertaient, ils alertèrent, alertant, alerté

4 CONJUGUER a. **Conjuguez les verbes au temps demandé, à toutes les personnes.** b. **Soulignez le radical de chaque forme.***

1. affirm- (présent) • **2.** acclam- (imparfait) • **3.** dégust- (présent) • **4.** hibern- (imparfait) • **5.** auscult- (présent)

5 REPÉRER a. **À partir des tableaux de conjugaison proposés p. 368 et suivantes, relevez un verbe dont un temps comporte :** une seule forme de radical ; deux formes de radical ; trois formes de radical.**

6 CONJUGUER **À partir de chaque radical proposé, conjuguez le verbe à un temps qui se forme sur cette seule forme de radical.****

devoir : dev- • vivre : viv- • vouloir : voul- • servir : serv-

7 CONJUGUER **En vous aidant des tableaux de conjugaison (p. 368 et suivantes), donnez une forme verbale pour chaque variation de radical.****

1. mettre : met-, mett-, m-

2. boire : boi-, buv-, boir-

3. savoir : sai-, sav-

4. écrire : écri-, écriv-, écrir-

8 ACCORDER **Recopiez ces formes verbales en les faisant précéder du ou des pronom(s) qui convien(nen)t.****

planent • mélanges • parie • mange • marches • pensent • tousse • chargent

2. Du latin au français : les consonnes finales

Orthographe

J'observe, je manipule et je comprends

1 a. **Observez ces séries de formes verbales latines : quelles sont les consonnes finales caractéristiques de chaque personne ?**

	tenir **tenere**	*être* **esse**	*agir* **agere**	*finir* **finire**
2e personne du singulier	*tene**s***	*e**s***	*agi**s***	*fini**s***
3e personne du singulier	*tene**t***	*es**t***	*agi**t***	*fini**t***
3e personne du pluriel	*tene**nt***	*su**nt***	*agu**nt***	*finiu**nt***

b. **Donnez la forme verbale française correspondant à chaque forme verbale latine et entourez les consonnes finales de ces formes verbales.**

c. **Quelles sont, en français comme en latin, les consonnes finales caractéristiques : pour la 2e personne du singulier ? la 3e personne du singulier ? la 3e personne du pluriel ?**

J'apprends

- Les **consonnes finales** des verbes français proviennent en général de celles des verbes latins :
  – ***-s*** à la **2e personne du singulier** ;
  > *tu vien**s**, tu venai**s**, tu viendra**s**, tu vin**s***
  – ***-nt*** à la **3e personne du pluriel.**
  > *ils vienne**nt**, ils venaie**nt**, ils viendro**nt**, ils vinre**nt***
- On trouve la consonne finale ***-t*** à la **3e personne du singulier** dans de nombreux verbes et à de nombreux temps.
  > *il / elle vien**t**, il venai**t**, il vin**t**, il viendrai**t***
- C'est aussi leur origine latine qui explique **quatre formes irrégulières** très fréquentes en français.
  > *nous **sommes** ← sumus – vous **êtes** ← estis – vous **faites** ← facetis – vous **dites** ← dicitis*

Je manipule

2 AJOUTER **Recopiez et complétez ces formes verbales par la ou les consonne(s) finale(s) qui convien(nen)t.***

1. tu par… • tu partai… • tu partira… • tu parti…
2. il pein… • il peignai… • il peigni…
3. ils joue… • ils jouaie… • ils jouero… • ils jouère…

3 REMPLACER **Récrivez ces phrases à la 2e personne du singulier en respectant les temps employés.***

1. Je cherche un livre. **2.** Je bavardais trop. **3.** Il gémissait tout le temps. **4.** Je regarde la vitrine. **5.** Je crois avoir raison. **6.** Elle n'entendait rien. **7.** Il sent bon.

4 REMPLACER **Récrivez ces phrases à la 3e personne du singulier en respectant les temps employés.***

1. Tu cuisinais avec plaisir. **2.** Je fléchis les genoux. **3.** Tu rendais volontiers service. **4.** Je dois faire du sport. **5.** Je voyais le soleil se lever. **6.** Tu revins en train.

5 REMPLACER **Récrivez ces phrases à la personne du pluriel correspondante en respectant les temps employés.***

1. Elle devait changer de bus. **2.** Elle buvait du lait. **3.** Il roule sur l'autoroute. **4.** Il remplissait le réservoir. **5.** Elle arrivait toujours en retard. **6.** Elle attendra les résultats. **7.** Il parle peu et écoute beaucoup.

3. Connaître les régularités des marques de personne au pluriel

Orthographe

J'observe, je manipule et je comprends

1 Observez chaque série : dans les marques de personne en gras, repérez les lettres communes à tous les temps.

> A. *nous chant**ons**, nous chanter**ons**, nous chant**ions**, nous chanter**ions***
> B. *vous finiss**ez**, vous finir**ez**, vous finiss**iez**, vous finir**iez***
> C. *elles dis**ent**, elles dir**ont**, elles dis**aient**, elles dir**aient***

2 Sur le modèle de l'exercice 1, recopiez les formes verbales suivantes en les complétant par les terminaisons qui conviennent.

> A. *nous march…, nous marcher…, nous march…, nous marcher…*
> B. *vous franchiss…, vous franchir…, vous franchiss…, vous franchir…*
> C. *ils suiv…, ils suivr…, ils suiv…, ils suivr…*

Aux **1re et 2e personnes du pluriel**, on trouve ces marques de personne régulières :

	1re personne du pluriel	**2e personne du pluriel**
	-ons	*-ez*
présent de l'indicatif	*nous venons*	*vous venez*
futur de l'indicatif	*nous viendrons*	*vous viendrez*
imparfait de l'indicatif	*nous venions*	*vous veniez*
présent du conditionnel	*nous viendrions*	*vous viendriez*

Je manipule

3 CONJUGUER **Écrivez ces verbes au présent de l'indicatif : a. à la 1re pers. du pluriel ; b. à la 2e pers. du pluriel. c. Entourez les marques de personne.***
vider • taper • disposer • feuilleter • marmonner • assister

4 CONJUGUER **Récrivez ces phrases en complétant les formes verbales que vous conjuguerez au présent.***
1. Nous rêv… de l'espace. **2.** Vous hurl… de joie. **3.** Av…-nous raison ? **4.** Ven…-vous ce soir ? **5.** Connaiss…-vous ce peintre ? **6.** Pouv…-nous entrer ?

5 CONJUGUER **Récrivez ces phrases en complétant les formes verbales que vous conjuguerez au futur.***
1. Nous examiner… la situation. **2.** Vous disposer… de temps. **3.** Pourr…-nous venir ? **4.** Parler…-vous des contes africains ? **5.** Pratiquer…-vous ce sport ?

6 REMPLACER **En vous aidant des tableaux de conjugaison (p. 368 et suivantes), récrivez les phrases de l'exercice 4 en transposant les verbes à l'imparfait.***

7 CONJUGUER **a. Récrivez ces verbes au futur à la personne du pluriel correspondante. b. Entourez les marques de personne.***
je dormirai • tu rêveras • tu parleras • je disparaîtrai • tu saisiras • je grimperai • je comprendrai • je resterai • tu gémiras • tu aborderas • tu remettras • je fléchirai

8 REMPLACER **a. Récrivez ces phrases au pluriel à la personne et au temps qui correspondent. b. Entourez les marques de personne.***
1. Je prenais un train le matin. **2.** Tu manques de souffle. **3.** Je visite une exposition. **4.** Tu parlais doucement. **5.** J'organise une fête. **6.** Tu flânes dans les rues de Paris et dégustes des glaces.

J'apprends

À la **3e personne du pluriel**, tous les verbes se terminent par ***-nt***.

présent de l'indicatif	*ils/elles aiment*	*ils/elles finissent*	*ils/elles viennent*
imparfait de l'indicatif	*ils/elles aimaient*	*ils/elles finissaient*	*ils/elles venaient*
passé simple de l'indicatif	*ils/elles aimèrent*	*ils/elles finirent*	*ils/elles vinrent* *ils/elles purent*
futur de l'indicatif	*ils/elles aimeront*	*ils/elles finiront*	*ils/elles viendront*
présent du conditionnel	*ils/elles aimeraient*	*ils/elles finiraient*	*ils/elles viendraient*

Je manipule

9 REMPLACER **a. Récrivez ces phrases en transposant à la 3e personne du pluriel les sujets des verbes conjugués au présent. b. Entourez les marques de personne des verbes.***
1. Je déjeune sur la terrasse. **2.** J'écoute les oiseaux. **3.** Tu lis dans une chaise longue. **4.** Je marche lentement. **5.** Tu chantonnes doucement. **6.** Tu joues de la flûte.

10 REMPLACER **Récrivez ces verbes à l'imparfait à la 3e personne du pluriel.***
elle chuchotait • je dînais • tu frémissais • il tremblait • elle croyait • je promettais • tu prétendais • je discutais • elle pouvait • je manipulais • elle affichait

11 ACCORDER **Récrivez ces verbes au présent du conditionnel à la 3e personne du pluriel.***
je rangerais • tu rendrais • il piloterait • tu craindrais • je saisirais • il voudrait

12 ACCORDER **Observez les sujets puis récrivez ces formes verbales en les complétant avec la consonne qui convient.****
ils prendron… • nous croyon… • nous pleurion… • ils voyageron… • nous dormon… • elles rangeron… • ils imposeron… • nous déploieron…

13 ACCORDER **Oralement, faites précéder ces formes verbales au futur du pronom qui convient.***
mettrons • parleront • sauterons • rugiront • boirons • liront • téléphonerons

14 REMPLACER **a. Récrivez ces phrases en transposant au pluriel les sujets des verbes conjugués au futur. b. Entourez les marques de personne.****
1. Tu choisiras un adversaire. **2.** Je prendrai un abonnement au théâtre. **3.** Il se défendra courageusement. **4.** Elle tombera. **5.** Tu hurleras de colère. **6.** Il gagnera la course.

15 REMPLACER **a. Récrivez ces phrases en transposant au pluriel les sujets des verbes conjugués au passé simple. b. Entourez les marques de personne.****
1. Le héros mourut courageusement. **2.** L'ogre dévora les enfants. **3.** Il mit la table. **4.** Elle tint bon malgré les pressions. **5.** Il plut au prince. **6.** Elle prit de l'assurance.

16 REMPLACER **a. Récrivez ces phrases en transposant au pluriel les sujets des verbes conjugués à l'imparfait. b. Entourez les marques de personne.****
1. Tu regardais un film d'aventures. **2.** Il courait très vite. **3.** Je revenais de vacances. **4.** Je prétendais savoir jouer de la guitare. **5.** Elle apercevait l'arrivée.

17 REMPLACER **a. Récrivez ces phrases en transposant au pluriel les sujets des verbes conjugués au présent du conditionnel. b. Entourez les marques de personne.****
1. Elle pourrait revenir. **2.** Tu devrais aller au cinéma. **3.** Je ne permettrais pas cela. **4.** Tu ferais l'affaire. **5.** Il n'oserait pas me déranger. **6.** Je n'aimerais pas être à la place du roi.

18 ACCORDER **Recopiez ce texte en accordant chaque verbe avec son sujet souligné.****
Les parents avou… *(passé simple)* que Marinette avait eu raison et ils all… *(passé simple)* s'asseoir sur les chaises. Ils regard… *(imparfait)* fumer leurs chaussons et bâill… *(imparfait)* presque sans arrêt. Fatigués de la longue marche qu'ils ven… *(imparfait)* de faire sous la pluie dans les chemins défoncés, ils sembl… *(imparfait)* prêts à s'endormir et les petites n'os… *(imparfait)* plus respirer.

D'après M. AYMÉ, *Les Contes bleus du chat perché*, 1963.

4. L'imparfait de l'indicatif

Orthographe

J'observe, je manipule et je comprends

Les marques terminales de l'imparfait

1 a. **Recopiez ces formes verbales en les classant selon les personnes.**
> *je portais – tu suivais – il croyait – elle venait – nous choisissions – vous organisiez – ils précisaient – j'allais – je partais – tu envahissais – nous avalions – vous interdisiez – elles saisissaient – tu enlevais – elle achetait – ils défendaient*

b. **Pour une même personne, les marques terminales de l'imparfait varient-elles selon les verbes ?**

2 **Prononcez les formes verbales suivantes : que remarquez-vous pour la prononciation des marques terminales de l'imparfait ?**
> *je venais – tu préférais – il enjambait – elles dessinaient – il peignait – tu écrivais – je connaissais – ils disposaient*

Le radical de l'imparfait

3 **Observez les radicaux soulignés : sur quelle personne du présent le radical de l'imparfait se fonde-t-il ?**

Présent	Imparfait
je sors / nous sortons *j'écris / nous écrivons*	*je sortais* *j'écrivais*

4 a. **Recopiez les formes verbales suivantes et soulignez le radical.**
> **A.** *je lavais, tu lavais, il lavait, nous lavions, vous laviez, ils lavaient*
> **B.** *je savais, tu savais, elle savait, nous savions, vous saviez, elles savaient*

b. **À l'imparfait, le radical change-t-il selon les personnes ?**

J'apprends

Les marques terminales de l'imparfait

Les marques terminales de l'imparfait sont **les mêmes pour tous les verbes** : *-ais, -ais, -ait, -ions, -iez, -aient.*
> *je chantais, tu chantais, il chantait, nous chantions, vous chantiez, ils chantaient*

Le radical de l'imparfait

- Le radical de l'imparfait se fonde sur celui de la 1re **personne du pluriel au présent**. Il est **le même pour les six personnes.**
  > *je viens, nous venons → je venais, tu venais, il venait, nous venions, vous veniez, ils venaient*
- Exception :
  > *nous sommes → nous étions (être)*
- Pour les valeurs de l'imparfait, voir p. 49.

Je manipule

5 REPÉRER **Parmi les mots suivants, relevez les verbes conjugués à l'imparfait et indiquez leur infinitif.***

sensations • souhaitions • avions • régions • savions • divisions • espérions • pensions • séparations • décisions • supprimions • séparions

6 REPÉRER **Relevez les verbes à l'imparfait et indiquez leur infinitif.***

Ce lézard était un dou[1] capable de se transformer à son gré en être humain. À la tombée de la nuit, il devenait un jeune homme superbe. Les guirlandes qu'il pendait à son cou et les fleurs qu'il se piquait près de l'oreille rehaussaient sa beauté. Il enroulait à ses chevilles des feuilles de cocotier qui crissaient agréablement lorsqu'il dansait.

1. dou : sorcier.

« Keth-war », *Contes de Nouvelle-Calédonie*, © Nathan, 1985.

7 CONJUGUER **Conjuguez les verbes suivants à l'imparfait, à la personne demandée.***

elle parl... • nous dispos... • ils empoign... • je préfér... • tu cueill... • vous préven... • tu présent... • elles sent...

8 REMPLACER **Récrivez ces phrases en transposant les verbes à la personne du singulier qui correspond.****

1. Vous écoutiez un conteur raconter des histoires. **2.** Nous adorions le conte du Vaillant Petit Tailleur. **3.** Elles savaient qu'ils lisaient des contes le soir dans leur lit. **4.** Elles racontaient les aventures d'une fillette. **5.** Nous préférions les contes de Grimm. **6.** Vous rêviez de palais enchantés.

9 REPÉRER a. **Recopiez les verbes à l'imparfait.** b. **Séparez le radical et la marque terminale de l'imparfait.** c. **Indiquez la personne.***

Dans une de ces demeures rustiques habitait un couple de vieux, un paysan et une paysanne. Ils ne possédaient presque rien et pourtant ils n'avaient guère besoin du cheval qui paissait l'herbe des fossés au bord de la route. Quand le paysan allait en ville, il montait la bête ; souvent les voisins la lui empruntaient, et en retour ils rendaient au brave homme quelques services.

H. C. ANDERSEN, « Ce que fait le vieux est bien fait », *Contes*, © Bibliocollège Hachette, 2000.

10 CONJUGUER **Recopiez et complétez le tableau suivant.***

Présent		Imparfait
je contredis	nous ...	nous ...
il retient	nous ...	vous ...
elle noircit	nous ...	ils ...
tu conduis	nous ...	elles ...
je sers	nous ...	vous ...
je mets	nous...	nous ...
il sort	nous ...	ils ...
tu penses	nous ...	elles ...
tu déçois	nous...	nous ...

11 REPÉRER **Prononcez les phrases suivantes et repérez les verbes conjugués à l'imparfait.****

1. Nous portions nos portions de goûter. **2.** Nous éditions de belles éditions. **3.** Nous objections beaucoup de choses à vos objections. **4.** Ces intéressantes relations, nous les relations à nos amis.

12 REMPLACER **Récrivez le texte suivant à l'imparfait.****

Les moutons ne s'arrêtent pas au village, et je les vois reparaître, là-bas. Ils gagnent l'horizon. Par le coteau, ils montent, légers, vers le soleil. Ils s'en approchent et se couchent à distance. Des traînards prennent, sur le ciel, une dernière forme imprévue, et rejoignent la troupe pelotonnée.

J. RENARD, *Histoires naturelles*, 1894.

13 RÉDIGER **Présentez la scène de l'illustration ; vous conjuguerez vos verbes à l'imparfait.****

Chasse à la baleine, dessin extrait de *Campagne d'un baleinier autour du monde*, A. ST. AULAIRE, vers 1830.

Règle d'Orthographe

- Les verbes en *-cer* prennent une **cédille** aux trois personnes du singulier et à la 3e personne du pluriel pour garder le son [s].

  > *je lançais, tu lançais, il lançait, ils lançaient*

- Les verbes en *-ger* prennent un ***e*** après le ***g*** aux trois personnes du singulier et à la 3e personne du pluriel pour garder le son [ʒ].

  > *je mangeais, tu mangeais, il mangeait, ils mangeaient*

14 REMPLACER **Recopiez ces phrases en transposant les verbes à la personne du singulier qui correspond et en respectant la Règle d'Orthographe.****

1. Vous partagiez des gâteaux avec les invités. **2.** Nous foncions dans cette descente à ski. **3.** Elles lançaient des ballons dans le ciel. **4.** Vous perciez le mystère du château. **5.** Nous engagions la conversation. **6.** Vous avanciez en rythme. **7.** Ils déchargeaient les valises du coffre.

5. Le passé simple de l'indicatif aux 3es personnes

Orthographe

Je manipule et je comprends

Le radical du passé simple

1 a. **Recopiez les formes verbales suivantes et soulignez le radical.**
> *il lava, ils lavèrent – il finit, ils finirent – il écrivit, ils écrivirent – il voulut, ils voulurent – il devint, ils devinrent*

b. **Au passé simple, le radical est-il le même à la 3e personne du singulier et du pluriel ?**

Les marques terminales du passé simple

2 a. **Associez chaque forme de passé simple de la série A avec l'infinitif de la série B qui lui correspond.**
> A. *on offrit – elles portèrent – ils prirent – il vit – elles vécurent – il vint – on eut – il construisit – il continua – ils vinrent – elles produisirent – elle peigna – ils eurent – il fut – ils ajoutèrent*
> B. *vivre – continuer – peigner – ajouter – offrir – construire – prendre – avoir – produire – être – voir – venir – porter*

b. **Observez les formes verbales de la série A et recopiez-les en les classant selon leurs marques de temps ; vous devez trouver quatre catégories.**

J'apprends

Le radical du passé simple

- Le radical du passé simple de l'indicatif est **le même aux 3es personnes du singulier et du pluriel.**
> *il dansa – ils dansèrent*

Les marques terminales du passé simple

- **Selon les verbes**, les **marques terminales** du passé simple aux 3es personnes sont **différentes.**
- La **3e personne du singulier** se termine par *-t* sauf pour la finale en *-a* des verbes en *-er*.
- La **3e personne du pluriel** se termine par *-rent*.

	Verbes en -er	Verbes en -ir / -issant	Autres verbes		Verbes *tenir, venir* (et leurs composés)
il, elle, on	*parla*	*finit*	*partit*	*crut*	*tint / vint*
ils, elles	*parlèrent*	*finirent*	*partirent*	*crurent*	*tinrent / vinrent*

- Pour les valeurs du passé simple, voir p. 49.

Je manipule

3 TRIER **Reproduisez le tableau de la leçon et classez-y ces formes verbales.***
il porta • il saisit • ils parlèrent • elle devint • il crut • ils surent • elle pleura • ils lavèrent • ils mirent • il appela • il envahit • il courut • il finit • ils rougirent • il voulut • ils grandirent • ils devinrent • il connut • il retint • ils blanchirent • elles furent • il écrivit • il suivit • elle prit • ils sourirent • elles continrent

4 REPÉRER **Recopiez les verbes au passé simple en séparant le radical de la marque terminale du passé simple, et en indiquant la personne.****

Voyant les yeux rougeoyants du chat, le brigand les prit pour de la braise et en approcha une allumette pour l'enflammer. Mais le chat, ne trouvant pas la plaisanterie à son goût, lui sauta au visage et le balafra de coups de griffes. Saisi de panique, le brigand voulut s'enfuir par la porte de derrière. Le chien, couché en travers, sauta alors sur ses pattes et planta ses crocs dans sa jambe. Quand le brigand traversa la cour et passa à côté du tas de fumier, l'âne lui flanqua une violente ruade. Quant au coq réveillé par tout ce tintamarre et qui était d'humeur joyeuse, il se mit à chanter du haut de sa poutre des cocoricos à n'en plus finir.

J. ET W. GRIMM, *Les Musiciens de la ville de Brême, Blanche-Neige et autres contes*, trad. A. GEORGES, © Éditions Hachette Jeunesse, 2008.

5 TRIER **Repérez et recopiez les formes verbales au passé simple.***

il survenait • il dit • il reprit • ils voulaient • elle obtint • ils peignent • ils recueillirent • ils proposèrent • il leva • il défendit • il voulut • elle prévint • elles finirent • elle se précipita • elle suivait • ils définissent

6 AJOUTER **Complétez chaque radical proposé par la marque de personne qui convient : *-a / -it / -ut*.***

Verbes en *-er*	
il enjamb... (enjamber) il dépens... (dépenser)	il organis... (organiser) il pratiqu... (pratiquer)
Verbes en *-ir / -issant*	
il franch... (franchir) il bât... (bâtir) il sais... (saisir)	
Autres verbes	
il v... (voir) il appr... (apprendre) il d... (devoir)	il rend... (rendre) il s... (savoir)

7 REMPLACER **Transposez les formes verbales de l'exercice 6 à la 3e personne du pluriel.***

8 AJOUTER **Complétez ces composés des verbes *tenir* et *venir* au passé simple.****

1. détenir : il dét..., ils dét... • parvenir : elle parv..., elles parv...
2. obtenir : il obt..., ils obt... • subvenir : elle subv..., elles subv...
3. entretenir : il entret..., ils entret... • prévenir : elle prév..., elles prév...

9 REMPLACER **Recopiez ces phrases en transposant les verbes à la 3e personne du singulier.****

1. Ils envoyèrent une lettre d'Espagne. **2.** Elles finirent vite le petit déjeuner. **3.** Ils apprirent l'arrivée du maître-nageur. **4.** Elles coururent sur la plage. **5.** Elles fabriquèrent une maquette. **6.** Ils aperçurent un banc de poissons.

10 REMPLACER **Recopiez ces phrases en transposant les verbes à la 3e personne du pluriel.****

1. Il observa une trace d'animal. **2.** Il vit une belette sortir d'un fourré. **3.** Le promeneur suivit quelques instants le sentier. **4.** Il approcha doucement pour mieux la voir. **5.** Il voulut observer sa démarche fluide. **6.** Il tendit l'oreille et écouta attentivement.

11 REMPLACER **Recopiez ce texte en écrivant les verbes en gras au passé simple.****

Le bœuf

Castor **quitte**, sans buter, l'écurie. Il **boit** à lentes gorgées sa part au fond de l'auge et **laisse** la part de Pollux attardé. Puis, le mufle s'égouttant ainsi que l'arbre après l'averse, il **va** de bonne volonté, avec ordre et pesanteur, se ranger à sa place ordinaire, sous le joug du chariot. [...] Par la cour, les domestiques affairés **crient** et **jurent** et le chien **jappe** comme à l'approche d'un étranger.

J. RENARD, *Histoires naturelles*, 1894.

12 REMPLACER **Récrivez ce texte en conjuguant les verbes entre parenthèses au passé simple.****

Quand les premiers élèves (venir) près du portail, je (prévenir) le concierge. Celui-ci (s'approcher) et (retenir) son souffle : il n'avait jamais vu d'enfants aussi sages. Il s'(abstenir) de tout commentaire. Il (faire) entrer les élèves et puis (revenir) près de la loge. Le directeur (convenir) que la rentrée s'annonçait favorablement.

13 RÉDIGER **Rédigez un bref récit au passé simple dans lequel vous présenterez les actions du personnage de l'illustration.****

S. BIANCHET, illustration du *Petit Poucet*, CH. PERRAULT, XIXe siècle.

Règle d'Orthographe

- Les verbes en *-cer* prennent une **cédille** à la 3e personne du singulier pour garder le son [s].
  > *il lança*
- Les verbes en *-ger* prennent un ***e*** après le ***g*** à la 3e personne du singulier pour garder le son [ʒ].
  > *il mangea*

14 CONJUGUER **Conjuguez les verbes au passé simple en respectant la Règle d'Orthographe.****

1. Il (plonger) dans le torrent. **2.** Elle (commencer) à ramasser des mûres. **3.** Il (songer) aux confitures préparées par sa grand-mère. **4.** Elle (lancer) l'idée d'un goûter sur l'herbe. **5.** Paul (engager) ses amis à confectionner un radeau. **6.** Elle (avancer) dans le courant de la rivière.

6. Le futur de l'indicatif

Orthographe

J'observe, je manipule et je comprends

Les marques terminales du futur

1 a. **À quelle catégorie (verbes en *-er*, verbes en *-ir / -issant*, autres verbes) chacun de ces verbes appartient-il ?**

> A. *je marcher**ai**, tu marcher**as**, il marcher**a**, nous marcher**ons**, vous marcher**ez**, ils marcher**ont***
> B. *je fin**irai**, tu fini**ras**, il fini**ra**, nous fini**rons**, vous fini**rez**, ils fini**ront***
> C. *je prendr**ai**, tu prendr**as**, il prendr**a**, nous prendr**ons**, vous prendr**ez**, ils prendr**ont***

b. **Observez les marques terminales du futur : varient-elles selon les verbes ?**

Le radical du futur

2 a. **À quelle catégorie (verbes en *-er*, verbes en *-ir / -issant*) appartiennent les verbes de la liste A ? ceux de la liste B ?**

> A. *je chanter**ai** – tu parler**as** – il sauter**a** – nous monter**ons** – vous arriver**ez** – ils séparer**ont***
> B. *je gémir**ai** – tu franchir**as** – il sévir**a** – nous fléchir**ons** – vous finir**ez** – ils rugir**ont***

b. **Si vous enlevez la marque du futur des verbes ci-dessus, qu'est-ce qui constitue le radical des verbes de la liste A ? de la liste B ?**

J'apprends

Les marques terminales du futur

Pour tous les verbes, les **marques terminales** du futur sont *-ai*, *-as*, *-a*, *-ons*, *-ez*, *-ont*.

> *je marcher**ai** – tu finir**as** – ils prendr**ont***

Le radical du futur

- Pour les **verbes en *-er* et en *-ir / -issant***, l'**infinitif** constitue le radical **du futur**.
  > *il mangera – ils finiront*
- Les autres verbes forment le futur sur un radical **spécifique**, **le même à toutes les personnes**, qu'il faut mémoriser (voir les tableaux de conjugaison p. 368 et suivantes).
  > *j'aurai – tu seras – il ira – nous prendrons – vous saurez – ils verront – ils feront*

Je manipule

3 CONJUGUER **Conjuguez ces verbes en *-er* et en *-ir / -issant* au futur, aux personnes indiquées.***
souffler (3e pers. sg.) • attacher (2e pers. pl.) • applaudir (3e pers. pl.) • acheminer (1re pers. sg.) • broder (3e pers. pl.) • remplir (1re pers. pl.) • agir (2e pers. sg.)

4 CONJUGUER a. **Recopiez ces formes verbales en employant une couleur pour le radical et une autre pour la marque terminale du futur.** b. **Conjuguez-les oralement à toutes les personnes du futur.***
elle voudra • tu combattras • il saura • ils viendront • je verrai • nous repeindrons • vous ferez • elle joindra • nous vendrons

5 REMPLACER **Transposez les verbes suivants à la personne du singulier ou du pluriel qui correspond.***
tu gagneras • je partirai • nous déraperons • vous pâlirez • ils formeront • tu serreras • elle dormira • vous puiserez • il agitera • nous déferons • il parviendra • elles rendront • nous aurons • vous serez

6 REMPLACER **Récrivez ces verbes à la personne correspondante du singulier ou du pluriel.***
vous offrirez • nous ferons • ils affranchiront • nous obtiendrons • tu seras • nous saurons • elles verront • je sentirai • il frémira • ils viseront • elle peindra • nous revendrons • vous craindrez • elle détiendra

7 CONJUGUER **En vous aidant des tableaux de conjugaison p. 368 et suivantes, conjuguez les verbes suivants au futur à ces trois personnes (*je*, *il*, *elles*).****
rire • défaire • tendre • plaire • surprendre • savoir • prévoir • boire

8 REPÉRER **Quel est l'intrus dans chacune de ces séries ? Justifiez votre réponse.****
A. vous apercevrez • il verra • nous boirons • je tondrai • il partira • nous prétendons
B. je mangerai • je pointai • nous ronflerons • elles agiteront • ils fêteront
C. nous accepterons • nous lancerons • nous rangerons • nous errons • nous apporterons

9 REPÉRER **Relevez les verbes qui sont conjugués au futur en employant une couleur pour le radical et une autre couleur pour la marque terminale du temps.****
C'est à moi que tu devras tout, Jason. C'est moi que tu épouseras, à la lueur des torches nuptiales[1]. C'est moi que les mères des Argonautes, tes compagnons, viendront remercier. Pour toi, je trahirai mon père, j'abandonnerai mon pays et ma famille, je me livrerai sur la mer à l'humeur capricieuse des vents… […] Je ne craindrai rien tant que tu me tiendras serrée dans tes bras, et tu m'emporteras, loin sur les routes de la mer.

1. prévues pour le mariage.

F. RACHMUHL, « Médée la magicienne », *16 métamorphoses d'Ovide*, © Castor Poche Flammarion, 2003.

10 REMPLACER **Transposez ce texte au futur.***
D'un bond, Liselor se met debout. Elle laisse sa boîte ouverte. Elle dévale la plage jusqu'à la mer. Le petit chien la suit comme il peut et jappe. Elle ne l'écoute pas : du bout des doigts, elle tient les deux lettres. Tout au bord de l'eau, elle déchire d'abord celle adressée à Grand-père, en deux, puis en quatre. Avant de lancer les morceaux à la mer, elle lit des mots épars, sans le vouloir.

D'après A.-M. POL, *La Reine de l'île*, 1986.

11 EMPLOYER **Recopiez ce texte en conjuguant les verbes entre parenthèses au futur.***
Sa marraine parla ainsi à Cendrillon : « N'aie aucune crainte, tu (être) la plus belle au bal ce soir. Le carrosse te (conduire) au château. Toutes les dames (regarder) ta toilette et (souhaiter) en avoir une semblable. Le prince n'(avoir) d'yeux que pour toi et il t'(inviter) à danser. Tu (goûter) des mets exquis et tu (prendre) plaisir à la fête. Mais attention, avant les douze coups de minuit, tu (devoir) quitter le bal car le carrosse se (transformer) en citrouille et les laquais (redevenir) des lézards. »

12 REMPLACER **Récrivez cette recette farfelue en conjuguant les verbes au futur :** a. **à la 2e personne du singulier ;** b. **à la 2e personne du pluriel.****
Prendre un grand chaudron. Chercher des champignons. Verser du thym et du laurier. Faire mijoter pendant dix minutes. Ajouter un zeste de citron. Battre des œufs en neige. Saisir une bouteille de sirop. Sentir l'arôme du sirop. Remplir un pot avec ce sirop, ajouter le sirop à la mixture. Couvrir le chaudron. Attendre trois heures. Servir tiède.

13 RÉDIGER **En vous aidant de l'image, rédigez les conseils qu'un passant peut donner à quelqu'un qui cherche à se rendre dans un endroit de la ville. Vous rédigerez vos conseils au futur.****

Règle d'Orthographe

Au futur, pour les verbes dont l'infinitif se termine par *-éer*, *-ier* ou *-uer*, il ne faut pas oublier le ***e*** muet de l'infinitif, que l'on n'entend pas dans la base verbale.
> *je créerai, tu crieras, il remuera*

14 CONJUGUER **Conjuguez les verbes suivants au futur simple de l'indicatif, aux personnes indiquées et en respectant la Règle d'Orthographe.****
secouer (2e pers. sg.) • créer (1re pers. sg.) • nouer (1re pers. pl.) • crier (3e pers. sg.) • jouer (2e pers. sg.) • nier (1re pers. pl.) • épier (3e pers. sg.) • trier (2e pers. pl.) • tuer (3e pers. pl.) • scier (2e pers. pl.) • défier (1re pers. sg.)

15 REMPLACER **Récrivez ces phrases en conjuguant les verbes au futur.****
1. Le prince ne se (soucier) pas des obstacles : il (franchir) les ponts, il se (jouer) des torrents. **2.** Des ennemis (épier) son arrivée mais il (défier) ses adversaires et (tuer) chacun d'eux s'il le faut. **3.** Quand ceux-ci (crier) grâce, il n'(écouter) pas leur prière, son cœur ne se (nouer) pas.

7. Le présent de l'indicatif

Orthographe

J'observe, je manipule et je comprends

Les verbes en *-er*

1 a. **Prononcez les verbes. Quelles marques terminales du présent se prononcent de la même façon ?**
b. **S'écrivent-elles de façon identique ?**
> *je lav**e**, tu lav**es**, il lav**e**, nous lav**ons**, vous lav**ez**, ils lav**ent***

c. **Recopiez le radical.**

Les verbes en *-ir / -issant*

2 a. **Observez les marques terminales du présent en gras : lesquelles sont identiques à celles des verbes en *-er* ? Lesquelles sont différentes ?**
> *je grand**is**, tu grand**is**, il grand**it**, nous grandiss**ons**, vous grandiss**ez**, ils grandiss**ent***

b. **Prononcez les verbes : quelles marques du présent se prononcent de la même façon ? S'écrivent-elles de façon identique ?**
c. **Combien de radicaux différents comptez-vous ? Recopiez-les.**

Les autres verbes

3 a. **Observez les marques terminales du présent en gras : lesquelles sont identiques à celles des verbes en *-er* ? Lesquelles sont différentes ?**
> *je vien**s**, tu vien**s**, il vien**t**, nous ven**ons**, vous ven**ez**, ils vienn**ent***

b. **Prononcez les trois premières formes verbales : se prononcent-elles de la même façon?**
c. **Combien de radicaux différents comptez-vous ? Recopiez-les.**

J'apprends

Les marques terminales du présent

- Les marques terminales du présent de l'indicatif sont les suivantes :

	Verbes en *-er*	Verbes en *-ir / -issant*	Autres verbes
Singulier	**-e** : *je parle* **-es** : *tu parles* **-e** : *il (elle) parle*	**-is** : *je finis* **-is** : *tu finis* **-it** : *il (elle) finit*	**-s** : *je cours* **-s** : *tu cours* { **-t** : *il (elle) court* { **Ø** : *il (elle) perd, il (elle) met*
Pluriel	**- ons, - ez, - ent**		
	nous parlons *vous parlez* *ils (elles) parlent*	*nous finissons* *vous finissez* *ils (elles) finissent*	*nous courons* *vous courez* *ils (elles) courent*

- D'autres verbes, comme ***offrir, souffrir, ouvrir, couvrir, cueillir*** (et leurs composés), suivent la conjugaison des verbes en *-er*.
  > *j'ouvr**e**, tu cueill**es**, il souffr**e***
  > *nous ouvr**ons**, vous cueill**ez**, elles souffr**ent***
- Les verbes ***vouloir, pouvoir*** et ***valoir*** se terminent par *-x, -x, -t* aux personnes du singulier.
  > *je veu**x**, tu veu**x**, il veu**t** (vouloir)*
- Certains verbes ont des marques du présent particulières (voir p. 368 et suivantes).
  > *vous dites (dire) – nous sommes, vous êtes (être) – vous faites, ils font (faire) – je vais, tu vas, il va, nous allons, vous allez, ils vont (aller)*

Je manipule

4 TRIER a. **Parmi les mots suivants, relevez oralement ceux qui peuvent être des formes verbales au présent.** b. **Indiquez l'infinitif des formes verbales relevées.***

pense • blanchis • danses • saisons • saisie • chance • met • commence • panse • pouces • salle • doit • prisons

5 CONJUGUER **Écrivez les verbes à la 2e et à la 3e personne du singulier du présent.***

parler • agir • avaler • faire • savoir • prendre

6 REMPLACER a. **Prononcez le texte suivant et repérez les verbes conjugués au présent.** b. **Proposez pour chaque verbe repéré, une autre forme verbale qui se prononce de la même façon et s'écrit différemment.***

Du bout de l'horizon accourt avec furie
Le plus terrible des enfants
Que le Nord eût porté jusque-là dans ses flancs.
L'Arbre tient bon ; le Roseau plie.
Le vent redouble ses efforts,
Et fait si bien qu'il déracine
Celui de qui la tête au ciel était voisine,
Et dont les pieds touchaient à l'Empire des Morts.

J. DE LA FONTAINE, « Le Chêne et le Roseau », *Fables*, I, 22, 1678.

7 REPÉRER **Proposez pour chaque forme verbale, une ou plusieurs formes verbales qui se prononce(nt) de la même façon et s'écri(ven)t différemment.***

1. il/elle réalise. **2.** tu amuses. **3.** je préviens.

8 COMPLÉTER **Oralement, proposez un sujet qui puisse correspondre à chaque verbe. Attention, il y a parfois plusieurs possibilités.***

1. marches - marchent - marche **2.** cours - court - courent **3.** gare - garent - gares **4.** pose - poses - posent **5.** accueillent - accueilles - accueille

9 REPÉRER **Relevez les verbes conjugués au présent et indiquez l'infinitif de chacun d'eux.***

Pour le déménagement, on charge sur un coche[1] les vêtements, la vaisselle, les tableaux, les miroirs. Je cours d'une salle à l'autre. Et j'essaye d'imaginer comment va être notre nouvelle vie. Est-ce qu'on aura une grande maison ? Comment sera ma chambre ? Où est-ce qu'on se promènera dans Paris ? Quand on se met en route, je me tourne pour voir à quoi ressemble Lyon de loin et je jette un dernier coup d'œil sur les collines, avec une vague envie de pleurer.

1. grande voiture, ancêtre de la diligence.

D'après M.-C. HELGERSON, *Louison et monsieur Molière*, 2001.

10 CONJUGUER **Complétez les phrases suivantes en conjuguant les verbes au présent.***

1. Tu (ouvrir) les fenêtres de ta chambre tous les matins. **2.** Elle (offrir) un magnifique bouquet de fleurs à sa grand-mère. **3.** Nous nous (recueillir) devant la statue de ce grand homme. **4.** Elles (découvrir) la solution de l'énigme. **5.** Vous (souffrir) de la grippe depuis deux jours. **6.** Tu (recouvrir) tes livres d'un papier transparent.

11 COMPLÉTER **Récrivez le texte en conjuguant les verbes entre parenthèses au présent, en les accordant avec les sujets soulignés.***

La chèvre
Personne ne (lire) la feuille du journal officiel, attachée au mur de la mairie.
Si, la chèvre.
Elle (se dresser) sur ses pattes de derrière et (poser) celles de devant au bas de l'affiche. Elle (remuer) ses cornes et sa barbe, et (agiter) la tête de droite et de gauche, comme une vieille dame qui (lire) ;
Sa lecture finie, comme ce papier (sentir) bon la colle fraîche, la chèvre le (déguster).
Tout ne se (perdre) pas dans la commune.

D'après J. RENARD, *Histoires naturelles*, 1894.

12 TRANSPOSER **Recopiez ces phrases et, en vous référant aux tableaux de conjugaison p. 368 et suivantes, transposez-les à toutes les personnes. Attention aux problèmes d'accord pour les séries 3 et 4.****

1. Ai-je de la chance ?
2. Suis-je en place ?
3. Suis-je prêt(e) ?
4. Suis-je décidé(e) ?

13 REMPLACER **Récrivez ces phrases en transposant les verbes en gras à la personne du singulier ou du pluriel qui correspond.****

1. Ils **observent** les empreintes dans la terre. **2.** Nous **pensons** à un cambrioleur passé par la fenêtre. **3.** Je **regarde** la vitre brisée. **4.** Tu **remarques** une trace de pas dans l'allée. **5.** Le détective **questionne** les propriétaires. **6.** **Souhaitez**-vous faire une déposition ? **7.** Elles **soulèvent** une question importante.

14 CONJUGUER a. **Conjuguez ces verbes au présent à la personne indiquée.** b. **Soulignez la marque du temps.****

(je) finir • (vous) trahir • (il) bâtir • (nous) gémir • (tu) blanchir • (elles) saisir • (nous) périr • (elle) franchir • (vous) démolir

15 CONJUGUER **Écrivez ces verbes à la personne du singulier ou du pluriel qui correspond.****
je fais • tu dis • il va • nous pouvons • vous savez • elle est • ils font • vous allez • elles peuvent • tu es • tu as • il prédit • vous pouvez • je suis

16 TRANSPOSER a. **Recopiez les phrases en conjuguant les verbes en gras au présent.** b. **Soulignez les marques terminales du présent.***
1. Il **réfléchira** à son exercice. **2.** Ils **partiront** dès le lever du jour. **3.** Tu **affronteras** la pluie pendant la traversée de la plaine. **4.** Nous **gagnerons** la compétition de tennis de table. **5.** Vous **accomplirez** un beau parcours.

17 TRIER a. **Observez les mots en gras.** b. **Recopiez les phrases en complétant les verbes par *e-t-* ou par *ent-*.** c. **Prononcez chaque couple de phrases : que remarquez-vous ?****
1.Le cheval rentr…**il** à l'écurie ? Les chevaux rentr…**ils** à l'écurie ? **2.** Demand…**ils** des livres ? Demand…**il** des livres ? **3.** « Quel beau temps ! », s'exclam…**ils**. « Quel beau temps ! », s'exclam…**il**. **4.** « Les lapins rest…**ils** en cage ? », questionn…**elle**. « Le lapin rest…**il** en cage ? », questionn…**elles**.

Règle d'Orthographe

- Les verbes en *-cer* prennent une **cédille** à la 1re personne du pluriel pour garder le son [s].
  > *nous lançons*
- Les verbes en *-ger* prennent un ***e*** après le ***g*** à la 1re personne du pluriel pour garder le son [ʒ].
  > *nous mangeons*

18 REMPLACER **Recopiez ces phrases en transposant les verbes à la personne du pluriel qui correspond et en respectant la Règle d'Orthographe.****
1. J'enfonce un clou dans le mur. **2.** Je finance un nouveau projet. **3.** Je longe la clôture du parc. **4.** Je rince la salade. **5.** Je plonge dans le grand bassin. **6.** Je fronce les sourcils. **7.** Je prolonge mon séjour à la montagne. **8.** Je commence mes exercices d'anglais.

J'apprends

Le radical du présent

- Au présent de l'indicatif, les **verbes en *-er*** ont généralement **un seul radical.**
  > *je lave, tu laves, il lave, nous lavons, vous lavez, ils lavent*
- Les **verbes en *-ir / -issant*** ont **deux radicaux** : un pour les trois personnes du singulier, un pour les trois personnes du pluriel.
  > *je grandis, tu grandis, il grandit, nous grandissons, vous grandissez, ils grandissent*
- Les **autres verbes** peuvent avoir **un ou plusieurs radicaux.**
  > *je rends, tu rends, il rendØ, nous rendons, vous rendez, ils rendent (rendre)*
  > *je mets, tu mets, il metØ, nous mettons, vous mettez, ils mettent (mettre)*
  > *je prends, tu prends, il prendØ, nous prenons, vous prenez, ils prennent (prendre)*
- Pour les valeurs du présent de l'indicatif, voir p. 219.

Je manipule

19 CONJUGUER a. **Conjuguez les verbes au présent en soulignant les radicaux.** b. **Combien de radicaux chaque verbe comporte-t-il ?***
je campe, tu… • je comprends, tu… • je pars, tu… • je finis, tu…

20 REPÉRER **Recopiez les verbes au présent en distinguant le radical de la marque du temps, et en indiquant la personne.***
Quand un bœuf remue son tablier de cuir, ou frappe du sabot la terre sèche, le nuage de mouches se déplace avec murmure. On dirait qu'elles fermentent[1]. Il fait si chaud que les vieilles femmes, sur leur porte, flairent l'orage. […] Là-bas, un premier coup

de lance lumineux perce le ciel, sans bruit. Une goutte de pluie tombe. Les bœufs, avertis, relèvent la tête, se meuvent jusqu'au bord du chêne et soufflent patiemment. Ils le savent : voici que les bonnes mouches viennent chasser les mauvaises. D'abord rares, une par une, puis serrées, toutes ensemble, elles fondent[2], du ciel déchiqueté, sur l'ennemi qui cède peu à peu, s'éclaircit, se disperse.

1. ici, s'agitent. **2.** s'abattent.

J. RENARD, « Les Mouches d'eau », *Histoires naturelles*, 1894.

21 EMPLOYER **Écrivez les verbes entre parenthèses au présent.****

1. Je ne (savoir) pas comment on (fabriquer) un journal. **2.** Nous (regarder) les photos en première page. **3.** Je (prendre) connaissance de votre sujet. **4.** (Venir)-vous à la conférence ? **5.** Que (penser)-vous de ce nouvel hebdomadaire sportif ? **6.** (Préférer)-tu lire un article bref ou détaillé ? **7.** Qui (prendre)-ils pour corriger les fautes d'orthographe ?

22 REMPLACER **Récrivez ce texte au présent.****

Quand vint la pleine lune, Hansel prit sa petite sœur par la main et ils suivirent les petits cailloux blancs, étincelants comme des sous neufs, qui leur montraient le chemin. Ils marchèrent ainsi toute la nuit et n'arrivèrent chez eux qu'aux premières heures de l'aube. Ils frappèrent alors à la porte. Quand la méchante femme ouvrit et les reconnut, elle se fâcha.

J. et W. GRIMM, *Hansel et Gretel*, *Contes*, trad. A. Georges, © Hachette Jeunesse, 2008.

23 REMPLACER **Récrivez ce texte au présent.****

Kino sentait se déclencher la fatalité, flairait le cercle des loups, le vol plané des vautours. Il [...] se savait impuissant à se défendre. Dans ses oreilles, il entendait la musique maudite. Et, sur le velours noir, la grosse perle luisait. [...] Dans la porte, la foule ondula et se brisa pour laisser passage aux trois acheteurs.

J. STEINBECK, *La Perle*, trad. R. VAVASSEUR et M. DUHAMEL, © éditions Gallimard, 1950.

24 REMPLACER **Récrivez ce texte au présent.****

Le chiffonnier vint s'asseoir à l'autre bout de la table. Il sortit de son habit un long couteau. [...] Les mains posées à plat sur le bois tailladé, taché de vin et de gras, il attendit, se refusant à gaspiller encore des mots puisque l'hôtesse n'ignorait pas ce qu'il voulait. Elle déposa devant lui une écuelle[1] de soupe épaisse et tout fut comme le vieil homme le souhaitait. Ce qui, pour autant, ne lui rendit pas une bonne humeur définitivement perdue.

1. assiette creuse.

J.-C. NOGUÈS, *L'Homme qui a séduit le Soleil*, © Pocket Jeunesse, 2008.

25 CONJUGUER **a. Recopiez ces phrases en conjuguant les verbes au présent. b. Transposez-les en phrases interrogatives et prononcez-les : que remarquez-vous ?***

1. Elle (apprendre). **2.** Il (répondre). **3.** On (perdre). **4.** Il (mordre). **5.** Il (comprendre). **6.** Elle (vendre) sa maison.

26 CORRIGER **Un élève étourdi a laissé sept erreurs de conjugaison dans son texte : repérez-les et recopiez le texte sans faute.****

Nous somme plusieurs amis et nous longons le mur du château. Un oiseau de nuit affolé prent son envol et passe sur nos têtes. Entent-il nos cris ? Les arbres se balançent et ils gémisse dans le vent. Leurs branches craques terriblement.

27 RÉDIGER **Vous avez toute liberté pour aménager votre chambre. Racontez à la 1re personne du singulier, au présent.****

28 RÉDIGER **Racontez la scène de l'image au présent.****

Collage de S. GAUTIER, XXIe siècle.

J'observe, je manipule et je comprends

1 a. **À quelle catégorie (verbes en *-er*, verbes en *-ir / -issant*, autres verbes) chacun des verbes conjugués appartient-il ?**

> A. *je danser**ais**, tu danser**ais**, il danser**ait**, nous danser**ions**, vous danser**iez**, ils danser**aient***

> B. *je finir**ais**, tu finir**ais**, il finir**ait**, nous finir**ions**, vous finir**iez**, ils finir**aient***

> C. *je prendr**ais**, tu prendr**ais**, il prendr**ait**, nous prendr**ions**, vous prendr**iez**, ils prendr**aient***

b. **Observez les marques terminales du présent du conditionnel en gras : varient-elles d'une catégorie à l'autre ?**

c. **À quel autre temps emploie-t-on les mêmes marques ?**

2 a. **Recopiez ces verbes et soulignez le radical.**

> *je chanterais – tu franchirais – il partirait – nous ferions – vous diriez – ils iraient*

b. **À quel autre temps emploie-t-on le même radical ?**

J'apprends

Pour former le **présent du conditionnel** d'un verbe, on ajoute au **radical du futur les marques terminales de l'imparfait** : *-ais*, *-ais*, *-ait*, *-ions*, *-iez*, *-aient*.

> *je parler**ais**, tu parler**ais**, il parler**ait**, nous parler**ions**, vous parler**iez**, ils parler**aient***

Je manipule

3 REPÉRER a. **Relevez les verbes conjugués au présent du conditionnel dans ce poème.** b. **Séparez le radical et la marque du présent du conditionnel.***

La ville à l'envers
Un jour
Ce serait comme un miracle
Le roulis bercerait
Les grands bâtiments
Amarrés à la ville
Aux carrefours
L'orange des feux
Tomberait dans nos mains [...]

J.-P. SIMÉON, *La nuit respire*,
© Cheyne éditeur, 1987.

4 REPÉRER a. **Relevez les verbes conjugués au présent du conditionnel.** b. **Distinguez le radical et la marque du présent du conditionnel.** c. **Conjuguez deux des verbes relevés à toutes les personnes.***

vous fendriez • je gommerais • nous enlèverons • tu offrirais • je voudrais • nous crierons • tu tiendras • ils pourront • il saurait • ils chasseraient • nous passerions • il ferait

5 CONJUGUER **Conjuguez ces verbes au présent du conditionnel à la personne indiquée.***

dire (2e pers. pl.) • gonfler (3e pers. sg.) • reprendre (2e pers. sg.) • organiser (1re pers. sg.) • prévoir (3e pers. pl.) • avoir (1re pers. pl.) • être (2e pers. pl)

6 EMPLOYER **Conjuguez au présent du conditionnel les verbes entre parenthèses pour retrouver le poème de Maurice Carême.***

Si j'étais roi
Évidemment, si j'étais roi,
Tout (changer) autour de moi.
Mon amie Rose (être) reine,
Et je (nommer) ma marraine
Douairière[1] du bois dormant.
Ma maman qui est couturière
N'(avoir) plus jamais rien à faire.
Quant aux soldats, je n'en (avoir)
Que deux, rien que pour l'apparat.
Le château ? Je n'ose y penser.
Il (être) bien trop grand pour moi,
Car, comment m'y (retrouver)-je ?
J'ai déjà peur sur le manège.

1. ici, propriétaire.

M. CARÊME, « Si j'étais roi », *Au clair de la lune*,
© Fondation Maurice Carême, 2003.

9. Le mode impératif

Orthographe

J'observe et je comprends

1 Comparez les verbes conjugués au présent de l'indicatif et à l'impératif. Quelles remarques faites-vous ?

Verbes en *-er* Exemple : *marcher*		Les autres verbes Exemple : *prendre*	
Présent de l'indicatif	**Impératif**	**Présent de l'indicatif**	**Impératif**
je marche		*je prends*	
tu marches	*marche*	*tu prends*	*prends*
il marche		*il prend*	
nous marchons	*marchons*	*nous prenons*	*prenons*
vous marchez	*marchez*	*vous prenez*	*prenez*
ils marchent		*ils prennent*	

2 Emploie-t-on l'impératif pour : a. expliquer ? b. décrire ? c. raconter ? d. exprimer un ordre, un conseil ?

J'apprends

- L'impératif :
  - sert à **exprimer un ordre, une interdiction, un conseil** ;
  - se conjugue seulement à **trois personnes** ;
  - n'a **pas de sujet exprimé** ;
  - a des formes semblables à celles du **présent** de l'indicatif.
  > sors, sortons, sortez

Règle d'Orthographe

La 2e personne du singulier se termine par *-e* pour :
- les verbes en ***-er*** : > *porte* ;
- les verbes terminés par ***-vrir, -llir, -frir*** : > *ouvre – accueille – offre.*

Je manipule

3 REMPLACER **Réécrivez les phrases suivantes en conjuguant les verbes aux trois personnes de l'impératif.***

1. Rentrer avant la pluie. **2.** Lire des fables. **3.** Agir prudemment.

4 REMPLACER **Transposez ces formes verbales à la 2e personne du singulier.***

dansons • poursuivez • allumez • plions • permettez • souhaitons • agissez • comptons • bâtissons

5 EMPLOYER **Réécrivez les phrases en complétant les verbes que vous conjuguerez à la 2e personne du singulier de l'impératif.****

1. Cueill… des raisins. **2.** Offr… des biscuits. **3.** Met… des bottes. **4.** Pens… à ton séjour à la campagne. **5.** Retourn… à ta place.

6 REMPLACER **Réécrivez ces phrases en les transposant à l'impératif.****

1. Tu dis la vérité. **2.** Vous faites un gâteau. **3.** Tu poses un verre sur la table. **4.** Nous marchons d'un bon pas.

7 EMPLOYER **a. Écrivez ces ordres à la 2e personne : a. du singulier b. du pluriel de l'impératif.****

1. (Apporter) ce document à ces personnes et (mettre)-le à leur disposition. **2.** (Parvenir) au sommet le plus vite possible et (remporter) la victoire. **3.** (Faire)-moi plaisir. **4.** (Servir) abondamment les premiers arrivés mais (laisser) des gâteaux pour les retardataires. **5.** (Ranger) le salon et (accrocher) deux tableaux sur le mur du fond.

8 ÉCRIRE **Réécrivez cette phrase à l'impératif : a. à la 2e personne du singulier ; b. à la 2e personne du pluriel.****

Cueillir des fleurs, les regrouper par couleurs, préparer des bouquets et offrir un bouquet aux gagnantes.

10. Comprendre l'assemblage des temps composés

Orthographe

J'observe et je comprends

1 a. **De combien de mots sont composées les formes verbales en gras des listes A et C ? des listes B et D ?**

> A. présent : *je* ***marche****, tu* ***pars***
> B. passé composé : *j'ai* ***marché****, tu* ***es parti***
> C. imparfait : *je* ***marchais****, tu* ***partais***
> D. plus-que-parfait : *j'avais* ***marché****, tu* ***étais parti***

b. **Dans les listes B et D, quels auxiliaires soulignés reconnaissez-vous ?**

c. **Quel est l'autre élément qui compose les formes verbales des listes B et D ?**

d. **À quels temps les auxiliaires sont-ils conjugués dans les listes B et D ?**

2 a. **Quel est l'auxiliaire employé dans les formes verbales en gras ?**

> *il* ***est allé*** *– elle* ***est allée*** *– il* ***était devenu*** *– ils* ***étaient devenus*** *– elle* ***est partie*** *– elles* ***sont parties***

b. **Comment expliquez-vous les variations des terminaisons soulignées ?**

J'apprends

- Les temps composés sont **formés de l'auxiliaire *avoir* ou *être* et du participe passé du verbe.**
- **La plupart des temps composés** se conjuguent **avec l'auxiliaire *avoir*.**
- Les verbes qui se conjuguent **avec l'auxiliaire *être*** sont des **verbes de déplacement** (***aller, arriver, entrer, partir, passer, retourner, sortir, venir***…), des **verbes d'état** (***rester, devenir***…), ***mourir*** et ***naître***.
- Au **passé composé**, l'auxiliaire ***avoir*** ou ***être*** se conjugue au **présent**.
  > *j'ai parlé – il a fini – il est arrivé*
- Au **plus-que-parfait**, l'auxiliaire ***avoir*** ou ***être*** se conjugue à l'**imparfait.** > *j'avais parlé*
- Pour la conjugaison des auxiliaires ***avoir*** et ***être*** au présent et à l'imparfait, voir p. 368 et suivantes.

Règle d'Orthographe

Accorder le participe passé avec le **sujet** du verbe quand l'auxiliaire est ***être*** (voir p. 324).

> *il est parti, elle est partie, ils étaient partis, elles étaient parties*

⚠ L'auxiliaire et le participe passé peuvent être séparés par d'autres mots.

> *Elle* ***n'est*** *pas très souvent* ***partie*** *à la montagne.*

Je manipule

Repérer les temps composés

3 TRIER **Relevez les formes verbales conjuguées à un temps composé.***

je venais • elles ont fini • nous avons dîné • ils ont pris • elle a choisi • elles entendent • il est né • tu as couru • elles ont cru • vous faites • il a terminé • tu es arrivé • il avait dit

4 REPÉRER **Écrivez l'infinitif de ces verbes conjugués à des temps composés.***

il a poursuivi • nous avons souhaité • il était tombé • j'ai commandé • il était revenu • vous avez construit • tu as souffert • elles ont apporté

5 REPÉRER **Recopiez les formes verbales conjuguées à un temps composé et donnez leur infinitif. Attention : les deux éléments de la forme verbale peuvent être séparés.****

1. J'avais longuement hésité à partir seule en colonie de vacances. **2.** Mes amies avaient depuis longtemps fini leur répétition de danse. **3.** A-t-elle choisi de faire partie de l'équipe de basket ? **4.** Tu n'as pas vraiment participé à cette réalisation. **5.** Joseph a-t-il pris sa raquette de tennis ?

Le passé composé

6 REPÉRER a. **Relevez les verbes conjugués au passé composé.** b. **Donnez leur infinitif.***

Silipidi le python a pondu à l'intérieur d'un arbre. M'Bolo est venu regarder les œufs, il en a pris trois et est rentré chez lui. Le fils de Nayolo, la hyène, est arrivé pour demander du feu et a trouvé le lièvre en train de faire cuire ses œufs. M'Bolo lui en a donné un qu'il a mis dans sa bouche.

D'après M.-F. ÉBOKÉA, *Sagesses et malices de M'bolo, le lièvre d'Afrique*, 2002.

7 EMPLOYER **Récrivez les phrases suivantes en conjuguant les verbes entre parenthèses au passé composé, en utilisant l'auxiliaire *avoir*.***

1. Nous (étudier) des fables de La Fontaine. **2.** Le professeur (faire) découvrir aux élèves ces histoires d'animaux. **3.** Tous les élèves (aimer) l'histoire de la grenouille et du bœuf. **4.** Je (avoir) du mal à croire à toutes ces histoires mais elles (plaire) à tous les élèves.

8 REMPLACER **Récrivez les phrases suivantes en conjuguant les verbes entre parenthèses au passé composé, en utilisant l'auxiliaire *être*. Soulignez le sujet avant d'accorder le participe passé et respectez la Règle d'Orthographe.****

1. Elles (partir) au bord de la mer. **2.** Ses cousins préférés (rester) chez ses grands-parents. **3.** Un chien (mourir) à cause d'une épidémie. **4.** Anne et Jade (venir) à l'anniversaire d'Oscar. **5.** Vincent et François (naître) la même année.

9 REMPLACER **Récrivez ce texte en conjuguant les verbes en gras au passé composé. Pensez à respecter la Règle d'Orthographe.***

Delphine et Marinette **observent** le paon : l'animal fier **soulève** ses plumes, il **fait** une roue splendide puis il **laisse** admirer sa beauté aux autres animaux. Le cochon **retient** son souffle ; il **décide** de faire un régime pour ressembler au bel oiseau. Les poules **viennent** l'encourager. Les fillettes **sortent** de la maison et **félicitent** le cochon pour sa résolution.

D'après M. AYMÉ, *Les Contes du chat perché*, 1969.

10 REMPLACER **Reprenez les formes verbales composées de l'exercice (3) avec leur sujet et, oralement, employez-les avec une négation.***

11 RÉDIGER **À l'aide de l'image, rédigez un bref récit en utilisant le passé composé.****

Illustration d'une édition du *Petit Chaperon rouge*, vers 1880.

Le plus-que-parfait

12 TRIER **Relevez les verbes conjugués au plus-que-parfait.***

tu es sortie • j'avais parlé • nous avons couru • vous aviez oublié • ils ont perdu • ils avaient cousu • elle a voulu • tu étais arrivée • tu avais envoyé

13 CONJUGUER **Conjuguez les verbes au plus-que-parfait aux personnes indiquées. Vous utiliserez l'auxiliaire *avoir*.***

tu (suivre) • nous (porter) • vous (faire) • ils (répondre) • il (éblouir) • vous (franchir) • ils (peindre) • nous (craindre)

14 CONJUGUER **Conjuguez les verbes au plus-que-parfait aux personnes indiquées. Vous utiliserez l'auxiliaire *être* et respecterez la Règle d'Orthographe.****

je (parvenir) • elle (devenir) • tu (partir) • vous (tomber) • nous (intervenir) • ils (descendre)

15 REMPLACER **Reprenez les formes verbales composées de l'exercice (13) avec leur sujet et employez-les oralement avec une négation.***

16 REMPLACER **Récrivez ces phrases en conjuguant les verbes entre parenthèses au plus-que-parfait.***

1. Quand il (manger) tout son repas, il faisait la sieste. **2.** Il ne sortait que quand il (terminer) son travail. **3.** Elles ne faisaient pas leurs exercices tant qu'elles n'(apprendre) pas leurs leçons.

17 REMPLACER **Récrivez au plus-que-parfait ces verbes conjugués à l'imparfait. Respectez si nécessaire la Règle d'Orthographe.***

tu rougissais • nous proposions • tu arrivais • je servais • nous réfléchissions • vous lisiez • elle souffrait • ils contredisaient • il partait

18 REMPLACER **Récrivez ces phrases en conjuguant les verbes entre parenthèses au plus-que-parfait.***

1. Quand Minos (enfermer) Dédale et son fils Icare, il ne pensait pas qu'ils s'évaderaient. **2.** Comme Hercule (vaincre) le lion de Némée, la peau de l'animal lui servait de protection magique. **3.** Jupiter (séduire) Europe ; il l'emportait sur la mer. **4.** Prométhée (avoir) pitié des hommes et il (voler) le feu aux dieux pour l'apporter aux humains.

11. La carte mentale du verbe

J'apprends

Un **verbe** se définit par plusieurs critères. Il peut :

- varier :
  - en **personne** ;
    > *Je vois. On voit.*
  - en **temps** ;
    > *Il voit* ***(présent)****. Il voyait* ***(imparfait)****.*
  - en **mode**.
    > *voir* ***(infinitif)*** *– vois* ***(impératif)*** *– vu* ***(participe)***

- varier :
  - selon des **formes simples** ;
    > *Il* ***voit****.*
  - des **formes composées**.
    > *Il* ***a vu****. Il* ***a*** *souvent* ***vu****.*

- exprimer :
  - une **action physique ou morale** ;
    > *Je* ***vois****. Je* ***réfléchis****.*
  - un **état**, une **caractéristique** ;
    > *Je* ***suis*** *rapide. Il* ***semble*** *rapide.*
  - une **possession**, une **relation**.
    > *Ce devoir* ***comprend*** *trois exercices.*

- être précédé :
  - d'un **pronom** ;
    > *Je* ***vois****. Il* ***voit****.*
  - d'**expressions** comme ***il faut, on peut, on doit…***
    > *Il faut* ***voir*** *ce film.*

- être accompagné :
  - d'une **négation** ;
    > *Je ne* ***vois*** *pas. Je ne* ***vois*** *plus ta tête.*
  - d'un **adverbe**.
    > *Je* ***vois*** *bien, je* ***vois*** *distinctement.*

Je manipule

1 REPÉRER **a. Lisez les phrases et recopiez les mots qui, pour vous, sont des verbes. b. Indiquez oralement deux critères qui vous ont permis d'identifier chaque verbe.***

1. Un jour Zeus marchait dans les rues de Thèbes. **2.** Soudain il croisa une superbe jeune femme. **3.** Il faut dire qu'elle était absolument ravissante. **4.** Dès cette première rencontre, il tomba éperdument amoureux et ne pensa plus aux autres déesses. **5.** Mais la jeune femme était très amoureuse de son époux. **6.** Comme Zeus avait choisi de la séduire, il prit des renseignements sur la jeune femme.

2 REPÉRER **a. Lisez le texte et recopiez les mots qui, pour vous, sont des verbes. b. Indiquez oralement deux critères qui vous ont permis d'identifier chaque verbe.***

Alice devina sur-le-champ que le Lapin blanc cherchait l'éventail et les gants blancs ; très gentiment, elle les chercha à son tour, mais elle ne les trouva nulle part. Tout semblait différent : la grande table, la table de verre et la petit clé avaient disparu. Bientôt le Lapin vit Alice qui furetait partout, et il l'interpella avec colère. Alice éprouva une telle peur qu'elle partit immédiatement.

D'après L. CARROLL, *Alice au pays des merveilles*, 1869.

3 REPÉRER **a. Recopiez les formes composées des verbes. b. Donnez l'infinitif de chaque verbe.****

1. Les fillettes avaient surpris le loup à proximité de la ferme. **2.** Les parents avaient longuement expliqué à leurs filles les dangers de la forêt. **3.** La vache n'a pas brouté toute l'herbe du pré. **4.** Vous n'aurez jamais fini votre jardinage avant la nuit. **5.** L'âne n'avait pas seulement tracté la charrette mais il avait également transporté les sacs de farine.

12. Repérer un nom

J'observe, je manipule et je comprends

1 Dans quelles phrases pourriez-vous faire précéder les mots en gras : a. des pronoms personnels *je, il, elle* ? b. des déterminants *une, la, cette, ma* ?

> A. 1. ... ***porte*** *un sac à dos.* 2. ... ***porte*** *grince de façon désagréable.*
> B. 1. ... ***ferme*** *les volets.* 2. ... ***ferme*** *se situe en Bretagne.*
> C. 1. ... ***marche*** *difficilement.* 2. *Je n'ai pas vu ...* ***marche*** *et j'ai trébuché.*

2 Quelle est la marque du pluriel du mot « porte » : a. dans le premier couple de phrases ? b. dans le second ?

> A. 1. *Il porte une lourde charge.* 2. *Ils portent une lourde charge.*
> B. 1. *Cette porte ouvre sur l'extérieur.* 2. *Ces portes ouvrent sur l'extérieur.*

3 Dans laquelle de ces phrases pourriez-vous insérer l'adjectif « vieille » avant le mot « porte » ?

> A. *Elle porte une robe.*
> B. *La porte laisse passer les courants d'air.*

J'apprends

Dans une phrase, on peut **repérer** un **nom** grâce à différents éléments. Pour s'assurer qu'un mot est un nom, il faut vérifier plusieurs de ces éléments :

– la **présence d'un déterminant avant le mot** (*un, le, ce, mon... / une, la, cette, ma... / des, les, ces, mes...*) ;
> *un livre – le livre – mon livre – ce livre (≠ il livre)*
> *une charge – la charge – ma charge – cette charge (≠ elle charge)*

– la **marque du pluriel en -*s*** (parfois en -*x*) ;
> *un livre, des livres (≠ ils livrent) – un jeu, des jeux*

– la possibilité de **faire précéder ou suivre le nom d'un adjectif**.
> *une lourde charge – une charge énorme*

Je manipule

4 REPÉRER **En vous aidant de la leçon, recopiez les phrases où les mots en gras sont des noms.***
1. La sorcière **file** la laine avec sa quenouille. **2.** La **file** des voyageurs s'allonge. **3.** La **visite** de la cathédrale dure une heure. **4.** Mon cousin **visite** la cathédrale avec intérêt. **5.** Le griot **conte** des histoires aux enfants.

5 EMPLOYER **a. Relevez dans la liste suivante les noms. Justifiez oralement votre réponse. b. Avec chacun de ces noms, rédigez une phrase.***
il offre • une offre • je souffle • le souffle • la presse • il presse • il visite • sa visite • elle cause • une cause • il compte • un compte • des fermes • elles ferment • il réserve • la grande réserve

6 PRONONCER **Lisez oralement ces phrases : comment se prononcent les mots en gras qui sont des noms ?***
1. Le **président** est entouré de conseillers.
2. Ces députés **président** des commissions.
3. Ces gens **résident** dans un endroit agréable.
4. Ce **résident** ne respecte pas les règles de copropriété.
5. Ils **ferment** la porte avec un cadenas.
6. Cette situation est un **ferment** de dispute.

7 EMPLOYER **Employez chacun des mots suivants dans une phrase où il sera un nom.****
remarque • pas • livre • marque • manque • pile • paye • forme • voile

13. Connaître les caractéristiques d'un nom et d'un groupe nominal

J'observe, je manipule et je comprends

1 a. **D'après vos observations précédentes, p. 281, expliquez comment vous repérez que « Rome » est un nom dans la phrase suivante.** b. **Quelles particularités ce nom a-t-il ?**
> Il visite souvent la Rome antique car il adore Rome.

2 **Classez les noms en gras :** a. **en noms masculins / noms féminins ;** b. **en noms au singulier / noms au pluriel. Expliquez oralement comment vous avez procédé.**
*> ton grand **coffre** – les petits **arbres** – une **voiture** de course – ces nouvelles **consoles** de jeu*

3 **Dans les groupes nominaux de l'exercice ②, quelles catégories de mots repérez-vous autour du nom en gras ?**

J'apprends

Nom propre et nom commun

- Un **nom propre** désigne **un être ou une chose considérés comme uniques.** Il commence par une **majuscule** et s'emploie parfois **sans déterminant.** *> la France – Molière*
- Un **nom commun** désigne **un être ou une chose appartenant à une catégorie générale.** *> une élève – un livre – la liberté – un amour*

Le genre et le nombre des noms

Un nom se caractérise par :

- son **genre** : – **masculin** ; *> le poème*
  – **féminin** ; *> la poésie*
- son **nombre** : – **singulier** ; *> le poète*
  – **pluriel.** *> les poètes*

Le groupe nominal (GN)

Un **groupe nominal** s'organise autour d'un **nom.** Il est constitué :
- d'un **déterminant** (voir p. 283 à 285) ;
- d'un **nom** ;
- éventuellement d'un ou plusieurs **adjectifs** (voir p. 286) ;
- éventuellement d'un **groupe complément du nom** (voir p. 287).

*> un grand **exploit** du héros*

Je manipule

4 REPÉRER **Parmi les mots en gras, quels sont les noms propres ?***
1. Le drapeau **français** est tricolore. **2.** Les **Français** aiment la bonne cuisine. **3.** Je me perds dans ce **dédale** de rues. **4.** Le labyrinthe de ce palais a été créé par **Dédale**. **5.** La mer est de plus en plus envahie par les **méduses**. **6.** Persée a tranché la tête de **Méduse**.

5 REPÉRER **Recopiez ces phrases ; soulignez en bleu les noms communs et en noir les noms propres.***
1. Ce héros se nomme Icare. **2.** Je connais trois légendes romaines. **3.** Pasteur a poursuivi de longues recherches. **4.** L'alphabet grec me fascine. **5.** Einstein a fait une découverte géniale. **6.** J'ai lu un livre passionnant sur la fameuse bibliothèque d'Alexandrie. **7.** Je consulte un atlas pour situer ce pays.

6 TRIER **Classez les noms communs de l'exercice ⑤ en distinguant :** a. **les noms masculins et féminins ;** b. **singuliers et pluriels.****

7 TRIER **Classez les noms suivants en deux colonnes :** a. **masculins ;** b. **féminins.***
désaccord • entente • contrôle • capitale • charme • plaisir • joie • dortoir

8 REPÉRER **Recopiez les groupes nominaux de l'exercice ⑤ en entourant chaque nom-noyau.***

9 AJOUTER **Recopiez les phrases en complétant les groupes nominaux soulignés avec des noms de votre choix. Attention au genre et au nombre.****
Dans un …, un tout petit … observait la … . Ce … aimait beaucoup les … . Il consacrait ses … à collectionner des … et des … .

14. Les déterminants

J'observe, je manipule et je comprends

1 a. **Dans ces groupes nominaux (GN), comment distingue-t-on les noms masculins et féminins ?**
> ***le*** conte – ***la*** fable – ***une*** histoire – ***un*** récit

b. **Transposez ces groupes nominaux au pluriel : quand avez-vous employé *les* ? *des* ?**

2 **Lequel des deux articles désigne une « histoire » précise ?**
> A. *J'apprécie l'histoire de Cendrillon.* > B. *Lis-moi une histoire !*

3 **Dans quelle phrase « du bois » est-il l'équivalent de « une quantité de bois » ? « un lieu , le bois » ?**
> A. *Je viens du bois.* > B. *Je coupe du bois.*

J'apprends

- L'**article** précède et détermine le nom. Il **varie** selon le **genre** et le **nombre** du nom.

Articles	**définis :** désignent une chose ou une personne **connue** ou **identifiable**	**indéfinis :** désignent une chose ou une personne **pas encore identifiée**	**partitifs :** désignent une partie d'un tout qu'on ne peut pas dénombrer
masc. sing.	*le, l', au (= à le), du (= de le)*	*un*	*du (de l')* > ***du*** *pain*
fém. sing.	*la, l'*	*une*	*de la (de l')* > ***de la*** *glace*
pluriel	*les, aux (= à les), des (= de les)*	*des, de*	

- **Autres variations** :
  - ***le*** et ***la*** deviennent ***l'*** devant un nom commençant par une voyelle ou un *h* muet ; > *l'île – l'hôte*
  - ***le*** et ***les*** se contractent avec les prépositions ***à*** et ***de*** ;
  > *Il a parlé **du** film et **des** livres **au** professeur et **aux** élèves.*
  - au pluriel, ***des*** devient ***de*** (***d'***) (voir p. 314) :
    • dans une phrase négative (obligatoire) ; > *Il ne prend jamais **de** vacances.*
    • quand le nom est précédé d'un adjectif (recommandé). > *Il passe **de** belles vacances.*

Je manipule

4 AJOUTER **Recopiez ces phrases en les complétant avec les articles qui conviennent.***
1. Il veut partir à … aventure. **2.** Il prépare … vêtements pour … voyage qu'il prépare depuis … mois. **3.** Il a pris … biscuits, … blouson, … gourde.

5 REMPLACER **Récrivez ces groupes nominaux en remplaçant les noms en gras par les noms entre parenthèses : quelle modification devez-vous apporter aux articles ? Pourquoi ?***
le **récit** (épisode) • le **lac** (étang) • la **chèvre** (antilope) • le **vêtement** (habit) • le **melon** (abricot) • le **printemps** (automne) • le **souffle** (haleine) • le **rêve** (idéal)

6 REMPLACER **Récrivez ces groupes nominaux en insérant l'adjectif entre l'article et le nom en gras.***
le **palais** de l'ogre (admirable) • le **courage** du Petit Poucet (extraordinaire) • la **vaillance** du Petit Tailleur (incroyable) • la **cruauté** de la marâtre (horrible)

7 REPÉRER **Relevez les groupes nominaux en gras comportant un article partitif.***
1. Il mange **du pain**. **2.** Elle aime le pain **du boulanger**. **3.** Il arrive **de la gare**. **4.** On pose **de la glace** sur sa blessure. **5.** Il boit **de la limonade**. **6.** Il vend **du fromage**. **7.** L'emploi **de la ruse** est peu honnête.

8 REMPLACER **Récrivez ces phrases en insérant un adjectif entre l'article indéfini en gras et le nom qu'il détermine.****
1. Alice voit **des** oreilles au dessus de la haie. **2.** Elle prend **des** clés pour ouvrir la porte. **3.** Elle découvre **des** mondes merveilleux. **4.** Elle croise **des** personnages étranges.

9 REMPLACER **Récrivez les phrases de l'exercice 8 selon ce modèle.****

*Alice voit **des** oreilles au dessus de la haie.*
*> Alice ne voit pas **d'**oreilles au dessus de la haie.*

10 AJOUTER **Recopiez ce texte en remplaçant les ☐ par l'article qui convient.****

☐ nuages noirs s'amoncelèrent au-dessus de ☐ île, et bientôt ☐ pluie se mit à crépiter sur ☐ feuillages, à faire jaillir ☐ milliards de petits champignons à ☐ surface ☐ marais, à ruisseler sur ☐ rochers. Vendredi et Robinson s'étaient abrités sous ☐ arbre.

D'après M. TOURNIER,
Vendredi ou la Vie sauvage, 1971.

J'observe, je manipule et je comprends

11 a. **Observez le mot qui précède chaque nom : quelle information donne-t-il ?**
b. **À quelle personne (1re, 2e ou 3e) chacun de ces mots correspond-il ?**
*> J'ai oublié **mon livre**. > Peux-tu me prêter **ton livre** ? > Ma voisine a oublié **son livre**.*

12 a. **Pourquoi le déterminant possessif en gras varie-t-il dans la 1re phrase ?** b. **dans la 2e ?**
*> J'ai emporté **mon** carnet et **ma** trousse. > J'ai posé **mon** cahier et **mes** livres.*

J'apprends

- Les **déterminants possessifs** expriment la **possession**.
- Ils **varient** selon le **possesseur** (1re, 2e ou 3e personne) et le **nom qu'ils déterminent**.

Possesseur 1re, 2e, 3e pers. sing.	*mon, ton, son*	+ nom masc. sing.	***mon** père – **ton** frère – **son** cousin*
	ma, ta, sa	+ nom fém. sing.	***ma** mère – **ta** sœur – **sa** cousine*
	mes, tes, ses	+ nom plur.	***mes** frères – **tes** sœurs – **ses** cousins*
Possesseur 1re, 2e, 3e pers. plur.	*notre, votre, leur*	+ nom sing.	***notre** père – **votre** sœur – **leur** cousin*
	nos, vos, leurs	+ nom plur.	***nos** frères – **vos** sœurs – **leurs** cousins*

- Devant un nom féminin commençant par une voyelle ou un *h* muet, on emploie ***mon***, ***ton***, ***son***.
*> **mon** habitude – **son** armoire*

Je manipule

13 REMPLACER **Récrivez ces phrases en mettant les groupes nominaux en gras au pluriel.***
1. Il a oublié **sa chemise**. **2.** Ils ont gagné **leur médaille** facilement. **3.** Il caresse **son chien**. **4.** Nous apporterons **notre raquette**. **5.** As-tu pensé à amener **ton amie** ?

14 AJOUTER **Remplacez oralement les ☐ par les déterminants possessifs qui conviennent.***
1. Chaque élève apporte ☐ affaires. **2.** Les pilotes effectuent ☐ tour d'honneur. **3.** L'entraîneur a fait ☐ recommandations aux joueurs. **4.** L'équipe a remporté ☐ première victoire. **5.** Je vais décorer ☐ classeur avec ☐ propres dessins. **6.** La sorcière a pris ☐ baguette.

15 REMPLACER **Remplacez le nom en gras par celui entre parenthèses.**
1. J'ai frisé **ma chevelure** (cheveux). **2.** Connais-tu **mon amie** (voisine) ? **3.** Il a oublié **son cartable** (affaires). **4.** As-tu vu **ton frère** (frères et sœurs) hier ? **5.** Pensez à apporter **vos vêtements** (tenue) de sport.

16 REMPLACER **Récrivez ces phrases en transposant au singulier les groupes nominaux en gras.***
1. Il comprend **mes craintes**. **2.** J'apprécie **tes initiatives**. **3.** Je lui ai raconté **mes aventures**. **4.** Il explique **ses idées**. **5.** J'ai exprimé **mes opinions**.

17 REMPLACER **Récrivez ces phrases en mettant les sujets à la personne du pluriel correspondante. Faites toutes les modifications nécessaires.****
1. Tu prendras ton train ce soir. **2.** J'ai bien appris ma leçon. **3.** As-tu parlé à ton professeur ? **4.** Elle veut prendre sa revanche. **5.** Il a investi tout son argent.

J'observe, je manipule et je comprends

18 a. **Quel passage du texte ci-dessous associez-vous à chaque groupe nominal en gras ?**
b. **Ces passages se trouvent-ils avant ou après chacun des ces groupes nominaux ?**
> *Face aux clowns, les enfants sont éblouis par <u>ce</u> **spectacle**. Leur mère leur fait alors <u>cette</u> **proposition** : « Nous reviendrons demain, <u>ces</u> **artistes** sont merveilleux. »*

19 **Comment expliquez-vous les variations du déterminant souligné dans le texte de l'exercice 18 ?**

J'apprends

- Les **déterminants démonstratifs** désignent quelqu'un ou quelque chose :
  – **dont on a déjà parlé ;** > *Nous étudions <u>Molière</u> ; je ne connaissais pas **cet** auteur.*
  – **qui est précisé ensuite.** > *Connais-tu **cet** auteur <u>que nous allons étudier</u> ?*
- Ils **varient** en **genre** et en **nombre** selon le nom qu'ils déterminent.

ce, cet	+ nom masculin singulier	*ce conteur – **cet** écrivain – **cet** étrange conteur*
cette	+ nom féminin singulier	***cette** fable*
ces	+ nom pluriel	***ces** conteurs – **ces** écrivains – **ces** fables*

Règle d'Orthographe

Ne pas confondre

– ***cet*** + nom ou adjectif masculin singulier commençant par une voyelle ou un *h* muet
> ***cet** homme, **cet** ancien bâtiment*

– ***cette*** + nom féminin singulier > ***cette** femme*

Je manipule

20 REMPLACER **Récrivez ces GN au singulier.***
ces livres • ces ennemis • ces fontaines • ces ogresses • ces éclairs • ces héros

21 AJOUTER **Recopiez chaque nom en ajoutant le déterminant démonstratif qui convient.***
aventure • transformation • ligne • aspect • artistes • appel • statue • tableaux

22 REMPLACER a. **Relevez les GN comportant un déterminant démonstratif.** b. **Récrivez ces GN en les transposant au pluriel.***
Coyote se faufila dans cette grotte. Il chassait, cette nuit-là, et tenait un lapin dans sa gueule. Les grondements d'Atashia l'avaient attiré dans ce lieu. Comme il détestait ce monstre, il avait imaginé de frotter le lapin contre le caillou pour le tromper. Atashia avait avalé ce caillou.
D'après H. GOUGAUD, *Contes d'Amérique*, 2004.

23 AJOUTER **Récrivez ces phrases en remplaçant les ☐ par le déterminant démonstratif qui convient.***
1. *Les Métamorphoses* est ☐ long poème, écrit par Ovide. **2.** Les Lyciens sont ☐ paysans qui ont refusé l'hospitalité à ☐ déesse en fuite. **3.** ☐ marécage est-il dangereux ? **4.** As-tu aimé ☐ histoire ?

24 AJOUTER **Faites précéder chaque nom de la liste A d'un adjectif de la liste B. Modifiez le déterminant démonstratif si nécessaire.***
A. cet exploit • ce bouclier • cet animal • ce monstre
B. remarquable • bel • énorme • redoutable

25 AJOUTER **Récrivez ces phrases en remplaçant les ☐ par *cette* ou *cet*.****
1. ☐ épisode est captivant. **2.** J'aimerais lire ☐ légende hindoue. **3.** ☐ histoire est vraiment bizarre ! **4.** ☐ enfant a affronté un géant : ☐ aventure est frappante.

26 AJOUTER **Récrivez ces phrases en les complétant par le déterminant démonstratif qui convient.****
1. … élève a … attitude depuis un mois. **2.** … argent lui a tourné la tête. **3.** … obstacle est trop haut pour … poney. **4.** … aventure est tentante : voir … région et … paysage exotique, quel rêve !

15. L'adjectif

J'observe, je manipule et je comprends

1 a. **Relevez les groupes nominaux des phrases suivantes.**
> *Joyeuse, la petite fille peigne ses cheveux bruns et rencontre une gentille fée.*
> *Triste, la grande fille peigne ses cheveux blonds et rencontre une méchante fée.*

b. **Soulignez de deux couleurs différentes les noms et les adjectifs qui leur sont associés.**
c. **Expliquez les règles d'accord que suivent les adjectifs.**

2 **Comparez les deux phrases de l'exercice 1 et expliquez quel rôle jouent les adjectifs pour le sens de la phrase.**

J'apprends

Un adjectif

- **enrichit et précise** le sens d'un nom
- **varie** en **genre** et en **nombre** en fonction du nom qu'il qualifie (voir p. 308 et 312)
- **se place avant ou après le nom** à l'intérieur d'un groupe nominal

Remarque : un participe passé peut s'employer comme un adjectif.
> *La **jeune** fille, **assoiffée**, apprécie l'eau **fraîche** **versée** par la fée.*

Je manipule

3 REPÉRER **Recopiez les groupes nominaux suivants en soulignant les adjectifs.***
une prêtresse romaine • un enfant sage • un destin glorieux • une action extraordinaire • un grand exploit • un monstre célèbre • une épopée orale

4 TRIER **Relevez les adjectifs du texte en deux colonnes selon qu'ils sont masculins ou féminins.***
1. De grands cavaliers arrivèrent près du sombre rocher. **2.** Ali Baba fut surpris de voir une incroyable grotte, vaste et spacieuse. **3.** Ali Baba alla sous ces arbres feuillus avec son esclave fidèle. **4.** Ils creusèrent une longue fosse assez large pour recevoir les corps qu'ils avaient à y enterrer. **5.** Alors, il s'endormit et passa une nuit tranquille.

D'après *Ali Baba et les Quarante Voleurs*.

5 CLASSER **Relevez les adjectifs et participes passés employés comme adjectifs en deux colonnes selon qu'ils sont employés : a. au singulier. b. au pluriel.***
Un corbeau plein d'un orgueil stupide ramassa des plumes perdues par un paon. Puis il se mêla à une troupe magnifique de paons multicolores. Mais ceux-ci chassèrent l'oiseau effronté en lui donnant avec leur bec des coups violents et répétés. Le corbeau honteux et confus chercha en vain un refuge auprès des siens.

D'après ÉSOPE, *Fables*.

6 REMPLACER **Remplacez chaque nom par le nom proposé entre parenthèses et accordez l'adjectif.***
un conte (une légende) chinois • un ciel (une attitude) serein • un concours (une compétition) régional • un mouvement (une danse) lent

7 EMPLOYER a. **Classez les adjectifs suivants en deux colonnes : ceux qui peuvent être employés avec un nom masculin ou féminin ; ceux qui ne peuvent s'employer qu'avec un nom féminin.** b. **Utilisez ces derniers, chacun dans une phrase.****
financière • bancaire • passagère • obligatoire • marine • spéciale • honorable • imprévisible

8 EMPLOYER a. **Associez chaque adjectif de la liste A au nom de la liste B qui convient.** b. **Employez chacun de ces adjectifs dans une phrase de votre choix.****
A. visuel • olfactif • gustatif • auditif • tactile
B. odorat • toucher • vue • goût • ouïe

16. Le complément du nom

J'observe, je manipule et je comprends

1 a. **Quel rôle les mots en rouge et marron jouent-ils par rapport aux noms en gras ?**
> A. *un bâton de* ***colle*** *– une robe d'****été*** *– des chaussons de* ***danse*** *– le bruit des* ***voitures***
> B. *un verre à* ***vin*** *– une invitation à* ***dîner*** *– une glace au* ***café*** *– un gâteau aux* ***prunes***
> C. *un mur en* ***béton*** *– un bracelet en* ***or*** *– un avion en* ***papier*** *– une nappe en* ***dentelle***

b. **Quelle est la classe grammaticale des mots en rouge ? du mot en violet ?**

c. **Par quels mots les compléments du nom sont-ils reliés au nom-noyau dans la liste A ? la liste B ? la liste C ?**

2 a. **Dans chaque couple de phrases, quel complément en gras fait partie d'un GN ?**
> A. 1. *Il rêve* ***de ses vacances.*** 2. *Il passe le reste* ***de ses vacances*** *en Alsace.*
> B. 1. *Le chien commence* ***à jouer.*** 2. *Il a une carte* ***à jouer.***
> C. 1. *Il se charge* ***du réveillon.*** 2. *Je me prépare pour le soir* ***du réveillon.***

b. **Recopiez les groupes nominaux comportant des compléments du nom que vous avez repérés, soulignez les compléments du nom et entourez les prépositions qui les introduisent.**

J'apprends

- Dans un groupe nominal, le **complément du nom complète un nom, appelé nom-noyau.** Il peut être :
  - un nom ou un GN ;
    > *l'ami de* ***Sara*** *et de* ***mon cousin***
  - un infinitif ; > *une salle à* ***manger***
  - un adverbe. > *un ami de* ***toujours***

- Le complément du nom est introduit par une **préposition** :
  - ***à (au, aux)*** ; > *un piège* ***à loups*** *– un poêle* ***au charbon*** *– une tarte* ***aux pommes***
  - ***de (du, des)*** ; > *le chien* ***de mon père*** *– le chien* ***du voisin***
  - ***en*** ; > *un vase* ***en cristal***
  - ***pour*** ; > *un aliment* ***pour chiens***
  - ***sans*** ; > *un aliment* ***sans gluten***
  - ***sur.*** > *une vue* ***sur mer***

- **Remarque :** pour exprimer l'appartenance, on emploie la préposition ***de*** et non la préposition ***à***.
  > *le chien de mon* ***père*** *(~~le chien à mon père~~)*

Je manipule

3 REMPLACER **Remplacez les adjectifs en couleur par des compléments du nom de même sens.***
1. Un chemin forestier. **2.** Un conseil amical. **3.** Une tasse argentée. **4.** Un vêtement sportif. **5.** Une enquête policière. **6.** Une fête familiale.

4 AJOUTER **Recopiez les phrases en plaçant ces compléments du nom dans les GN en couleur et en ajoutant la préposition nécessaire :** ***huile, suivre, mesure, la Chine, jeu, emploi, bois.*****

1. Pour construire ce meuble …, il faut respecter le mode … . **2.** Indiquez-moi la marche … pour obtenir un visa … . **3.** Je veux voir cette nouvelle console … . **4.** Il a commandé un costume … . **5.** Les Romains s'éclairaient avec des lampes … .

5 EMPLOYER a. **Complétez chacun de ces noms par un complément de votre choix.**
b. **Rédigez des phrases dans lesquelles vous emploierez les groupes nominaux ainsi formés.****
mur • trousse • table • route • tour • coffre

17. Distinguer les pronoms personnels, possessifs et démonstratifs

J'observe, je manipule et je comprends

1 a. **À quoi les mots en gras servent-ils ?** b. **Pourquoi, selon vous, les nomme-t-on des « pronoms » ?**
> A. *Le jeune garçon rencontre un géant.* ***Celui-ci le*** *menace.*
> B. *Les paysans lâchèrent leur hache, le petit tailleur prit* ***la sienne****.*

2 a. **Quel groupe nominal est repris par le pronom démonstratif « celui » ?**
> *Ce projet est aussi réalisable que* ***celui*** *de mon frère.*

b. **Où ce groupe nominal est-il situé par rapport au pronom ?**

c. **Remplacez « Ce projet » par « Ces projets » puis par « Cette idée » : que devient le pronom « celui » ?**

3 a. **Par quel nom précédé d'un déterminant possessif pouvez-vous remplacer le pronom en gras ?**
> *J'ai besoin de ton livre car j'ai oublié* ***le mien****.*

b. **Remplacez « ton livre » par « ta trousse », puis par « tes clés » : que devient le pronom « le mien » ?**

4 **Comment expliquez-vous le changement de forme des pronoms en vert et en rouge ?**
> *Je* ***te*** *parle et* ***tu*** *m'écoutes.*

J'apprends

Les différents pronoms

- « Pronom » signifie « qui remplace un nom ».
- Il existe des pronoms :

personnels	– 1res et 2es personnes, qui désignent qui parle et à qui on parle – 3es personnes, qui reprennent un nom	*je (j'), tu, nous, vous, me (m'), te (t')* *il(s), elle(s), le, la, lui, leur, eux*
démonstratifs	qui désignent un nom déjà cité ou qui sera précisé	*ce, ceci, cela ; celui, celui-ci, celui-là, celle, celle-ci, celle-là, ceux, ceux-ci, ceux-là, celles, celles-ci, celles-là*
possessifs	qui expriment la possession	*le mien, la tienne, les nôtres…*

Les variations des pronoms

- Tous les pronoms varient **en nombre** (voir p. 315).
- Tous les pronoms (sauf les pronoms personnels 1res et 2es personnes) varient **en genre** (voir p. 311).
- Les pronoms **possessifs** varient **selon la personne** : *le mien, le tien, le sien, le nôtre, le vôtre, le leur…*

Je manipule

5 REPÉRER **Remplacez les ☐ par le pronom personnel qui convient.***

Un jour, le soleil vint dire à la chauve-souris que son enfant, la lune, était gravement malade. ☐ ne savait comment ☐ sauver…
– Si ☐ refuses de ☐'aider, la lune va mourir, déclara le soleil.
– N'aie pas peur, ☐ répondit la chauve-souris, ☐ possède le fétiche capable de ☐ sauver. Jamais les esprits de la mort ne prendront sa vie. Attends-☐ ici et ☐ ☐ ☐'apporterai.

D'après K. S. KAMANDA, *Les Contes du griot*, 1998.

6 REPÉRER **Quel est le GN repris par chacun des pronoms démonstratifs en gras ?***

Un des quarante voleurs fit une croix sur la maison d'Ali Baba pour la repérer. Mais la servante de **celui-ci**, se doutant de quelque chose, fit la même croix sur les maisons voisines. Quand le voleur revint, il vit la maison marquée d'une croix et déclara : « C'est **celle-ci** ! » Mais un autre voleur voyant une autre maison marquée de la même façon demanda : « Pourquoi n'est-ce pas **celle-là** ? »

D'après *Les Contes des Mille et Une Nuits*.

7 REMPLACER **Récrivez ces phrases en remplaçant chaque groupe nominal en gras par le pronom démonstratif correspondant.****

1. Parmi ces pièces, indiquez **les pièces** qui ont été écrites par Molière. **2.** Parmi ces fables, quelle est **la fable** qui ne comporte pas de morale ? **3.** De tous ces poèmes, je préfère **le poème** d'Apollinaire. **4.** J'ai lu de nombreuses métamorphoses ; j'ai surtout retenu **la métamorphose** qui se passe en Lycie. **5.** Pour cette mise en scène, il existe des photos en couleurs et d'autres en noir et blanc ; **ces photos-ci** sont plus nettes, **ces photos-là** sont plus gaies.

8 EMPLOYER **Récrivez ce texte en remplaçant les □ par un pronom démonstratif et les △ par un pronom personnel.****

Il était une fois un gentilhomme qui épousa une femme hautaine. □ avait deux filles de son humeur. Le mari avait une fille qu'△ avait eue de sa première femme ; cette enfant était charmante, □ qui irritait ses sœurs et sa marâtre. □ la querellaient sans cesse, □ qui △ peinait grandement. Lorsqu'elle avait fait son ouvrage, △ allait s'asseoir dans les cendres dans la cheminée, □ qui faisait qu'on △ appelait Cendrillon. □ qui la voyaient travailler ainsi en étaient indignés. Mais un jour, le prince organisa un bal, □ qui réjouit les mauvaises sœurs. □ bouleversa aussi la vie de Cendrillon.

9 EMPLOYER **Remplacez oralement les □ par un pronom possessif. Parfois, plusieurs réponses sont possibles.****

1. Mon impression est qu'il n'arrivera pas au bout de l'expédition ; quelle est □ ? **2.** Ton parapluie n'est pas assez grand, abrite-toi sous □ ! **3.** Dans notre pays, nous déjeunons à midi, et dans □ ? **4.** Elle a des nouvelles de ses amies, et toi, sais-tu quelque chose des □ ?

J'apprends

Les pronoms personnels (sauf « nous » et « vous ») varient presque tous **selon leur fonction.**

Pronom		Sujet	Complément
singulier	1re pers.	*je*	*me (m'), moi*
	2e pers.	*tu*	*te (t'), toi*
	3e pers.	*il, elle*	*le, la, l' ; se (s'), soi ; lui, elle*
pluriel	3e pers.	*ils, elles*	*les, se (s'), leur, eux, elles*

Je manipule

10 REPÉRER **Indiquez la fonction des pronoms en gras.***

La jeune fille regarda le pêcheur, étonnée.

– **Je** suis celle que les marins appellent la Mère d'eau, dit-**elle** enfin. N'as-**tu** jamais trouvé des fleurs blanches, des bougies, des peignes et des colliers de perles bleues sur le sable ? Les hommes **me les** offrent en **me** demandant richesse et bonheur et jamais je n'ai refusé d'exaucer leurs vœux. Jamais, non, un mortel ne **m'**a remerciée ni ne **m'**a offert son aide. **Tu** es le premier à demander ce que **j'**aimerais.

B. TANAKA, « Le Chant de l'Uirapourou », *Contes du Brésil*, © Syros Jeunesse, 2001.

11 EMPLOYER **Rédigez en une dizaine de lignes la suite du texte de l'exercice 5. Vous soulignerez de trois couleurs différentes les pronoms personnels, démonstratifs et possessifs que vous utiliserez.****

18. Construire une phrase simple

J'observe, je manipule et je comprends

1 **Comprenez-vous cette suite de mots ? Pourquoi ? Regroupez les mots de façon à former une phrase qui ait du sens.**
> *Un rivières hippopotame vit dans les.*

2 a. **Dans chacune des phrases suivantes, observez les groupes de mots en gras : de quoi parle-t-on ? Qu'en dit-on ?**
> A. ***Le lion** parcourt la savane.* > B. ***Le fauve** est splendide.* > C. ***Il** dévore sa proie.*

b. **Quelle est la fonction des mots en gras ?**

c. **Quelle est la classe grammaticale des mots soulignés ?**

3 **Quel est le point commun à ces trois phrases ?**
> A. *Je ne dors pas.* > B. *Il ne parle pas.* > C. *Il ne viendra pas.*

J'apprends

Une **phrase simple** :
– a une **unité de sens** ;
– à l'écrit, commence par une **majuscule** et se termine par un **point** (.), un point d'interrogation (?), un point d'exclamation (!) ou des points de suspension (...) ;
– est **organisée autour d'un verbe** ;
– comporte **deux éléments principaux**, le sujet et le prédicat, qui se présentent généralement ainsi :
sujet + prédicat (= verbe) > *Le chat boit.*
sujet + prédicat (= verbe + complément(s)) > *Le chat boit du lait.*
sujet + prédicat (= verbe *être* + attribut du sujet) > *Ce chat est noir.*
– peut comporter un (ou des) **complément(s) qu'on peut supprimer ou déplacer**, les compléments de phrase.
> *Chaque matin, le chat boit du lait dans la cuisine.* > *Dans la cuisine, le chat boit du lait, chaque matin.*

Je manipule

4 REPÉRER **Récrivez ces phrases en soulignant en noir le sujet et en bleu le prédicat.***
1. La sorcière mangea sa soupe. **2.** Vassilissa nettoyait la cour. **3.** Elle balayait la chaumière. **4.** La petite fille craignait la vilaine sorcière. **5.** La vieille femme quitta la maison. **6.** L'enfant reprit ses occupations.

5 REPÉRER **Récrivez ces phrases en les classant en deux séries :** a. **sujet + verbe et complément ;** b. **sujet + être et attribut du sujet. Soulignez les sujets.***
1. Une violente tempête menace la région. **2.** Le ciel est sombre. **3.** La mer démontée secoue le navire. **4.** Des éclairs blancs illuminent le ciel. **5.** L'orage effraie les enfants. **6.** Ils sont tremblants.

6 RÉDIGER a. **Repérez les verbes puis leur sujet puis leur complément.** b. **Formez des phrases correctes en rétablissant l'ordre des mots et en pensant aux majuscules ainsi qu'à la ponctuation.***
1. nettoie la maison Cendrillon
2. la ses sœurs méprisent
3. la marraine la citrouille transforme
4. perd sa pantoufle Cendrillon

7 AJOUTER **Oralement, complétez les phrases que vous avez formées dans l'exercice 6 en y insérant ces compléments de phrase :** ***par jalousie, dans l'escalier du palais, tous les matins, avec sa baguette magique.****

8 DÉPLACER a. **Lesquelles de ces phrases n'ont pas de sens ? Pourquoi ?** b. **Récrivez-les en changeant l'ordre des mots pour leur donner un sens.***
1. Le monstre menace le héros. 2. Le héros défie l'ogre. 3. Le guerrier dévore l'ogre. 4. La reine afflige la nouvelle. 5. La nouvelle affecte la reine. 6. Le défi relève le héros.

9 AJOUTER **Un mauvais génie a jeté un sort : toutes ces phrases ont perdu leur verbe. Récrivez-les en rétablissant leur verbe que vous conjuguerez au temps de votre choix.****
1. Le capitaine des ordres à ses marins. 2. Les hommes le navire sur le rivage. 3. L'équipage l'île pour trouver de la nourriture. 4. Les marins le bateau avec les fruits récoltés. 5. Le navire l'ancre.

10 RÉDIGER **Répondez à ces questions en rédigeant des phrases simples.****
1. Qu'est-ce qu'un logis ? 2. Qui est La Fontaine ? 3. Qui a écrit *Le Vaillant Petit Tailleur* ? 4. Qu'est-ce qu'une marâtre ? 5. Qui est le héros de l'*Odyssée* ?

11 AJOUTER **Ce texte a perdu ses majuscules et ses points.** a. **Lisez-le oralement.** b. **Combien de verbes repérez-vous ?** c. **Récrivez-le en rétablissant les majuscules et les points.****
il était une fois un homme très riche il avait de belles maisons à la ville et à la campagne, de la vaisselle d'or et d'argent, des meubles et des carrosses tout dorés mais par malheur, cet homme avait la barbe bleue cela le rendait laid et terrible toutes les femmes et les jeunes filles le fuyaient une de ses voisines avait deux filles parfaitement belles il lui en demanda une en mariage.

D'après CH. PERRAULT, « La Barbe bleue », *Contes de ma Mère l'Oye*, 1697.

12 REMPLACER **Transformez ce récit oral familier en un récit écrit comportant des phrases correctes. Corrigez ou supprimez tous les éléments soulignés en rouge (majuscules et points manquants, sujets manquants ou redoublés).****

*un matin, mon père il est venu me chercher il m'a emmené au stade mon père il m'a présenté à l'entraîneur l'entraîneur il est gentil il m'a proposé de rejoindre l'équipe des minimes_*

J'apprends

- Dans une phrase simple, on peut employer une **négation** composée de **deux éléments encadrant le verbe**. > *Je **ne** parle **pas**.*
- La suppression de ***ne*** est incorrecte, d'un emploi familier. > ~~*Je sais pas.*~~
- Les principaux éléments de négation permettant de construire des phrases négatives sont les suivants : ***ne... plus*** (≠ ***encore***), ***ne... jamais*** (≠ ***toujours***), ***ne... rien*** (≠ ***quelque chose*** ou ≠ ***tout***), ***ne... personne*** (≠ ***quelqu'un***).

Je manipule

13 REMPLACER **Récrivez ces phrases en employant une négation.***
1. Les Égyptiens méconnaissaient l'architecture. 2. J'ai peur des momies. 3. Le dieu Horus a une tête de lion. 4. Ce guide explique bien l'histoire des pharaons.

14 AJOUTER **Corrigez ces phrases de niveau familier.***
1. J'ai pas fait mon travail. 2. Il a jamais triché. 3. Il veut voir personne. 4. Le voleur a rien avoué.

15 AJOUTER **Recopiez les phrases suivantes en remplaçant les □ par une de ces négations : *ne... personne ; ne... pas ; ne... rien ; ne ... jamais.*****
1. Je □ ai □ compris pourquoi vous avez dit cela. 2. Vous □ êtes □ venu dans cet endroit, à ma connaissance. 3. Vous □ avez □ fait pour améliorer les choses. 4. Il est si malade qu'il □ veut voir □. 5. Elle □ a □ compris à la leçon. 6. Un sage □ fait de mal à □.

16 REMPLACER a. **Récrivez ces phrases en supprimant la négation ou, inversement, en en ajoutant une.** b. **Comparez vos phrases.****
1. Alex a toujours faim. 2. Le héros a encore des épreuves à affronter 3. J'ai tout apprécié ! 4. Ryan n'a pas encore appris sa leçon. 5. Les passants ont remarqué quelqu'un. 6. Vous soupçonnez quelque chose.

17 RÉDIGER **Présentez un hibou, un chat ou une baleine en employant au moins deux phrases négatives que vous soulignerez.****

19. Maîtriser le sujet

J'observe, je manipule et je comprends

1 a. **Voici trois manipulations de la phrase qui aident à repérer un sujet.**
> A. ***La fée*** *jette un sort.*
1. ***Elle*** *jette un sort.* 2. ***Qui est-ce qui*** *jette un sort ?* 3. ***C'est*** *la fée* ***qui*** *jette un sort.*
> B. ***Le palais*** *apparaît au loin.*
1. ***Il*** *apparaît au loin.* 2. ***Qu'est-ce qui*** *apparaît au loin ?* 3. ***C'est*** *le palais* ***qui*** *apparaît au loin.*

b. **Utilisez ces trois manipulations pour repérer chacun des sujets dans les phrases suivantes.**
> A. *Le prince réveille la Belle endormie.* > B. *Les serviteurs se réveillent aussitôt.*

2 a. **À quelle personne et à quel nombre chaque verbe est-il conjugué ?**
> A. *Nous* ***donnons*** *une fête.* > B. *Le roi* ***donne*** *une fête.* > C. *Les fées* ***donnent*** *une fête.*

b. **Quel mot ou groupe de mots justifie la marque de personne de chaque verbe ?**

3 **Quelle est la classe grammaticale de chaque sujet en gras ?**
> A. ***Hans*** *pleure.* > B. ***L'ogre*** *ronfle.* > C. ***Elle*** *crie de joie.* > D. ***Lire*** *est agréable.*

4 **Où chaque sujet se situe-t-il par rapport au verbe dans les phrases A ? dans les phrases B ?**
> A. 1. ***Cendrillon*** *arrive au palais.* 2. ***Le prince*** *retrouve Cendrillon.* 3. ***Il*** *épouse la princesse.*
> B. 1. *« Elle mourra », dit* ***la fée****.* 2. *Que dit* ***l'ogresse*** *?* 3. *Sur son cheval arrive* ***un prince****.*

J'apprends

Les caractéristiques du sujet

- Le sujet :
  – est un **élément essentiel de la phrase**, il ne peut donc pas être supprimé ;
  – **commande l'accord du verbe en personne** (1re, 2e, 3e) et **en nombre** (singulier, pluriel).
  > ***Tu*** *danses.* > ***Cendrillon*** *danse.* > ***Les souris*** *devien****nent*** *laquais.*
- Un même sujet peut être **le sujet de plusieurs verbes ou groupes verbaux.**
  > ***Le chien*** *court après sa balle, aboie puis se tait.*
- Un groupe verbal peut avoir **plusieurs sujets.**
  > ***La mère et ses filles*** *se moquent de Cendrillon.*

Pour repérer un sujet, on peut

poser la question « Qui ? / Qu'est-ce qui ? »	encadrer le sujet par « C'est… qui / Ce sont… qui »
> *Qui danse ?* > *Qui est-ce qui devient laquais ?*	> *C'est* ***Cendrillon*** *qui danse.* > *Ce sont* ***les souris*** *qui deviennent laquais.*

Je manipule

5 REPÉRER **En utilisant les manipulations de phrases de l'exercice 1, relevez le sujet de chaque verbe en gras.***

1. Le Vénitien **reprit** son violon. 2. Il **débuta** par une musique douce, lente. 3. Cette longue plainte vous **saisissait** le cœur. Elle ne le **lâchait** plus. 4. Cet air

parlait du bonheur ; les notes **s'étiraient** pour finir en un sanglot. **5.** Les femmes **déambulaient** au bras d'un époux ou d'un compagnon et **retenaient** celui-ci, songeuses tout à coup.

D'après J.-C. NOGUÈS, *L'Homme qui a séduit le soleil*, 2008.

6 REPÉRER **De quel(s) verbe(s) chacun des mots ou groupes de mots en couleur est-il sujet ?** *

Quand il comprit que sa seconde issue disparaissait, le monstre grogna, fit demi-tour et vit que son adversaire lui bloquait la sortie. Il fonça sur lui. Hercule lui asséna sur le crâne un coup formidable auquel aucun être vivant n'aurait pu résister. Le fauve parut à peine étourdi : il recula pour revenir aussitôt à la charge. Une nouvelle fois, Hercule le frappa à la tête si violemment que la massue lui échappa des mains.

D'après C. GRENIER, *Les Douze Travaux d'Hercule*, 1997.

7 REPÉRER **Relevez le(s) sujet(s) de chaque verbe en couleur.** *

1. Le Génie en un instant s'enveloppa dans son manteau de poussière, survola le Désert et trouva le Chameau. **2.** Quand l'Homme, le Cheval et le Chien, cette nuit-là, revinrent de la chasse, Fa femme ne leur parla pas de son marché avec le Chat. **3.** Le Rhinocéros, affamé, renversa le four, et le gâteau roula sur le sable, et le Rhinocéros l'empala sur la corne de son nez et il le mangea, puis s'en alla en remuant la queue. **4.** Le Léopard et l'Éthiopien chassèrent toute la journée.

D'après R. KIPLING, *Histoires comme ça*, 1941.

8 AJOUTER **Observez la terminaison des verbes puis récrivez chaque phrase en y ajoutant un sujet de votre choix.** *

1. ... miaulait tous les soirs. **2.** ... amusent les enfants. **3.** ... arriverons par le train de midi. **4.** ... nagez à la perfection. **5.** ... vais mieux. **6.** ... finissent leur exposé.

9 AJOUTER **Récrivez ces phrases en leur ajoutant des verbes ou groupes verbaux de votre choix que vous accorderez avec le sujet en couleur.** **

1. Les athlètes s'échauffent, ... et ... . **2.** Mon voisin ..., criait et ... . **3.** Mon frère s'active à la cuisine, ... et ... . **4.** Chaque année, nous faisons du camping, ... puis ... .

J'apprends

Les classes grammaticales du sujet

Un sujet peut être :

– un **nom** ou un **groupe nominal** ; > ***Cendrillon*** *danse.* > ***La jeune fille*** *danse.*

– un **verbe à l'infinitif** ; > ***Danser*** *est plaisant.*

– un **pronom** :

personnel	*je, tu, il, elle, nous, vous, ils, elles*
démonstratif	*celui-ci, celle-ci, ceux-ci, celles-ci ; celui-là, celle-là ; ceux-là, celles-là ; ceci, cela*
possessif	*le mien, la mienne, les miens ; le tien, ... ; le sien, ... ; le nôtre, ... ; le vôtre, ... ; le leur, ...*

Règle d'Orthographe

Les pronoms sujets *on, chacun, tout, quelqu'un, quelque chose, personne (ne), nul (ne), rien (ne)* sont toujours suivis d'un verbe au singulier.

Je manipule

10 REPÉRER **Précisez la classe grammaticale des sujets en couleur dans l'exercice** 6 *

11 REMPLACER **Récrivez ces phrases en remplaçant les noms ou groupes nominaux sujets par des pronoms sujets.** *

1. Cette montagne attire les alpinistes. **2.** Molière fait rire. **3.** L'Espagne est un pays riche en culture. **4.** Les pluies réjouissent les agriculteurs. **5.** Les enfants prennent plaisir à ce jeu.

12 AJOUTER **Récrivez ces phrases en les complétant avec des pronoms sujets qui conviennent.***

1. Le Petit Tailleur affronte les géants et … est vainqueur. **2.** Les contes divertissent et … font réfléchir. **3.** Molière a écrit des pièces et … plaisent encore. **4.** Nous avons lu des poèmes et … en avons écrits. **5.** Moi, … aime les glaces et toi, … préfères les gâteaux.

13 REMPLACER **Récrivez les phrases suivantes en remplaçant les sujets en couleur par les pronoms *personne, aucun* ou *rien*. N'oubliez pas le *ne*.****

1. Tout le monde apprécie ces contes. **2.** Tout me plaît chez cet auteur. **3.** Chacun ignore la loi. **4.** Tout est facile dans ce jeu. **5.** Chacun a apporté des livres.

14 AJOUTER **Complétez les phrases suivantes par des sujets dont la classe grammaticale est indiquée entre parenthèses.***

1. … (*groupe nominal*) ont concouru pour le titre de « Petits génies scientifiques ». **2.** Quelles sont … (*groupe nominal*) à respecter pour réussir ? **3.** … (*infinitif*) est une étape incontournable. **4.** À qui peut-… (*pronom*) confier la réalisation de la maquette ?

15 EMPLOYER **Rédigez trois légendes pour cette image sous forme de phrases simples. Variez les classes grammaticales des sujets.****

Représentation d'une harpie, 1784, estampe populaire, musée Carnavelet, Paris.

J'apprends

La place du sujet

- Le sujet est généralement placé **avant le verbe**.
- Le sujet est placé **après le verbe** :
  - dans les **phrases interrogatives** (qui posent des questions) (voir p. 302) ; > *Viens-**tu** ?*
  - avec les **verbes introduisant des paroles** ; > *« Je viendrai ce soir », répond-**elle**.*
  - **si la phrase commence par un complément de phrase.** > *Dans ce bois vit **une fée**.*

Remarque : Si le sujet placé après le verbe est un pronom, il faut mettre un tiret entre le verbe et le pronom sujet. > *Viens-tu ?*

Je manipule

16 REPÉRER **Recopiez ces phrases en soulignant les sujets.***

1. Devant elle s'étendait un autre couloir. **2.** Derrière ce rideau se trouvait une petite porte haute de quarante centimètres. **3.** « Quelle sensation bizarre ! », dit Alice. **4.** Veux-tu bien t'arrêter immédiatement ? **5.** Ensuite résonna la voix du Lapin.

D'après L. CARROLL, *Alice au pays des merveilles*, 1869.

17 REPÉRER **Recopiez ce texte en soulignant les sujets des verbes en couleur.***

Les sorcières s'étaient réunies. […]

– C'est un comble ! disait la sorcière de la rue Dépreuve. Le gamin de la poissonnière m'a attaché une sardine fraîche dans le dos, et il m'a demandé de lui prêter ma canne à pêche !

– Oh ! s'écriaient les autres sorcières indignées. […]

– Moi, siffla la sorcière de la rue Dafère, on m'a volé ma boule de cristal !

Y. RIVAIS et M. LACLOS, *Les sorcières sont N.R.V.*, © L'École des loisirs, 1988.

18 ACCORDER **Recopiez ces phrases en soulignant les sujets et en accordant les verbes avec leur sujet. Vous emploierez l'imparfait.***

1. a. Les champs (onduler) sous le vent.
b. Dans ce champ (gambader) des lapins.

2. a. Sur la plage (jouer) des enfants de tous âges.
b. Les plages (être) interdites d'accès.

3. a. Tous les jours, à midi, (retentir) une sonnerie.
b. La sonnerie (mettre) fin aux cours.

19 ACCORDER **a. Repérez les sujets des verbes en couleur. b. Recopiez le texte : accordez les verbes avec leur sujet et employant les temps indiqués.****

– De quel crime (être, *présent*)-je coupable ? (demander, *passé simple*) le marchand.

– Je (vouloir, *présent*), (dire, *passé simple*) le génie, te tuer comme tu (tuer, *passé composé*) mon fils.

– Moi, tuer votre fils ? Je ne le (connaître, *présent*) pas !

– (Tirer, *passé composé*)-tu des dattes de ta valise ? (répliquer, *passé simple*) le génie.

D'après *Les Contes des Mille et Une Nuits*.

20. Maîtriser le prédicat

J'observe, je manipule et je comprends

1. **Comparez les trois prédicats en gras : a. quel est leur point commun ? b. Quelles différences repérez-vous ?**
   > L'enfant **joue**. > L'enfant **joue un rôle**. > L'enfant **joue à la balle**.

2. **Pouvez-vous déplacer les compléments du verbe soulignés ?**
   > Le champion veut gagner. > Il remporte une médaille. > Il répond à la journaliste.

3. **Que se passe-t-il si on supprime le complément de verbe souligné : a. dans la série A ? dans la série B ?**
   A. > Il lance le ballon. > Il dépend de son père. > Il veut parler.
   B. > Il dessine une maison. > Il pense à la fête. > Il hésite à partir.

4. **a. Dans chaque série, quelle est la classe grammaticale des compléments du verbe soulignés ? b. Quelle est la place de chacun de ces compléments par rapport au verbe ?**
   A. > Le petit tailleur défie les géants. > Le prince parle à Cendrillon.
   B. > Le petit tailleur les défie. > Le prince lui parle.
   C. > Le petit tailleur veut gagner. > Le prince cherche à se marier.

J'apprends

Un prédicat peut être constitué d'un verbe

employé seul	+ un complément du verbe	+ un double complément	*être, sembler…* + un attribut du sujet
> Je **dors**.	> L'enfant **offre un livre** ; il **le donne**. > Je **parle à mon voisin**. > Je **rêve de ce projet**.	> L'enfant **lit un livre à son frère**. > Je **parle à mon voisin de ce projet**.	L'enfant **est calme**. (Pour les accords, voir leçon p. 324.)

Classes grammaticales et places d'un complément du verbe

Le complément du verbe peut être :
- un **nom** ou un **groupe nominal**, placé après le verbe ; > Le lapin rencontre la fillette.
- un **verbe à l'infinitif**, placé après le verbe ; > Il veut parler.
- un **pronom** placé généralement avant le verbe. > Le lapin la rencontre. Il lui parle.

Comment reconnaître un complément du verbe ?

Un complément du verbe :
- ne peut pas être déplacé ; > ~~L'enfant un livre offre. Un livre l'enfant offre.~~
- ne peut pas être supprimé sans faire perdre son sens à la phrase ; > ~~L'enfant offre.~~
- ne peut pas être supprimé sans modifier le sens de la phrase ; > Je rêve de ce projet. ≠ Je rêve.
- peut être remplacé par un pronom s'il est un nom ou un groupe nominal.

> Il aime ce pays. → Il l'aime. > Il parle à son père. → Il lui parle.

Je manipule

5 REPÉRER **Récrivez ces phrases en soulignant les prédicats.***

1. Il sourit. **2.** L'ogre mange un gâteau. **3.** Elle offre du muguet à sa grand-mère. **4.** Les touristes demandent un visa. **5.** Il donne l'ordre de partir. **6.** Il songe à son projet. **7.** Théo est malade.

6 REPÉRER **a. Oralement, essayez de supprimer ou de déplacer les compléments en gras. b. Recopiez les phrases qui comportent des compléments du verbe.***

1. a. Elle écrit **la nuit**. **b.** Elle écrit **un poème**.
2. a. Elle a chanté **lors d'un concert**. **b.** Elle a chanté **une berceuse à son bébé**.
3. a. Cet homme vit **dans une maison en pierres**. **b.** Ce scientifique vit **une expérience incroyable**.
4. a. Cet élève répond **avec insolence**. **b.** Cet élève répond **aux questions du professeur**.

7 REPÉRER **a. Oralement, essayez de supprimer ou de déplacer les compléments en gras. b. Relevez ceux d'entre eux qui sont des compléments du verbe.***

1. La députée parle lentement **à la tribune**. **2.** La fillette s'adresse **à la reine**. **3.** Il cherche encore **à quatre-vingts ans à voyager**. **4.** Elle prend **son train chaque matin**. **5.** Il regarde **la rue de son balcon**.

8 REPÉRER **Oralement, essayez de déplacer les groupes nominaux en gras puis dites s'ils sont des compléments du verbe.***

1. Elle parle souvent **de la santé de son père**. **2.** La journaliste accueille ses invités **d'un grand sourire**. **3.** Ce voyage manque **d'un peu d'originalité**. **4.** Les chasseurs sont rentrés **à la tombée de la nuit**. **5.** Elles rêvent **d'une nuit étoilée**.

9 REMPLACER **Récrivez ces phrases en ne gardant que le sujet et le prédicat.****

1. Il fait ses devoirs le soir. **2.** Ce sportif enchaîne les succès cette saison. **3.** L'incendie ravage la région depuis hier. **4.** Les promeneurs, pendant leur randonnée, ont croisé des écureuils. **5.** Ce matin, Sophia semble joyeuse. **6.** Ils les ont photographiés à plusieurs reprises.

10 REPÉRER **Relevez les compléments des verbes en gras et indiquez la classe grammaticale de chaque complément.***

Un des petits garçons **prit** le soldat et le **jeta** dans le poêle sans aucun motif. Le soldat de plomb **sentait** en lui une chaleur effroyable. Il n'**avait** plus ses belles couleurs. Le petit soldat tout ému ne **voulait** pas pleurer. Il **regardait** la petite demoiselle et elle le **regardait**.

D'après H. C. ANDERSEN, « Le Petit Soldat de plomb », *Contes*, 1837.

11 DIFFÉRENCIER **Dites si les groupes nominaux en gras sont des compléments du verbe, des attributs du sujet ou des sujets.****

1. Le Chat botté attrape **des perdrix**. **2.** Il offre **des cadeaux** au roi. **3.** À la fenêtre du château se penche **une princesse**. **4.** Des paysans regardent **le carrosse royal**. **5.** Léa semble **une spécialiste du skate-board**. **6.** Alors de leurs bouches s'échappent **des cris d'admiration**.

12 AJOUTER **Recopiez ces phrases en complétant les verbes en gras par un complément de verbe dont la classe grammaticale vous est précisée entre parenthèses.****

1. Il était une fois une fillette qui **aimait** … (*groupe nominal*). **2.** Pour cela, elle **voulait** … (*verbe à l'infinitif*). **3.** Ses parents …' (*pronom*) **encouragèrent** dans sa démarche. **4.** La fillette **appela** … (*nom propre*) pour qu'il lui **donne** … (*groupe nominal*) mais celui-ci ne lui **offrit** ni … (*nom*) ni … (*groupe nominal*).

13 REPÉRER **a. Relevez les phrases qui comportent un double complément. b. Indiquez la classe grammaticale de chaque complément.***

1. Le grand vizir n'hésita pas à parler. **2.** Il expliqua sa pensée au sultan. **3.** Il conseilla à ce dernier un subtil stratagème. **4.** Aladin ne se plaindra pas du procédé à Votre Majesté. **5.** Le sultan accepta et envoya un messager à Aladin.

14 REPÉRER **Récrivez ces phrases en soulignant de deux couleurs différentes les deux compléments du verbe.****

1. Nous lui proposons aujourd'hui du pain grillé. **2.** Avez-vous proposé des fruits frais à vos invités ? **3.** Nous suggérons d'autres habitudes alimentaires à ce jeune enfant. **4.** Sa mère lui donne du pain pour son petit-déjeuner. **5.** Vous recommandez à votre fils de se taire.

15 COMPLÉTER **Récrivez ces phrases en soulignant le complément du verbe et en ajoutant un second complément.****

1. Ce soir, les acteurs de théâtre présentent la pièce. 2. L'accessoiriste envoie une épée pour le rôle du garde. 3. Le metteur en scène donne ses derniers conseils. 4. Le directeur de la troupe lit le règlement en marchant dans les coulisses. 5. Les ouvreuses lancent un regard admiratif en découvrant la salle.

J'apprends

Il existe de nombreux **pronoms compléments de verbe.**

Pronoms	Emplois	Place	Exemples
me, m', te, t', se, s', nous, vous ; le, l', la, les	= complément sans préposition	avant le verbe	> *Il **me** nourrit. Il **nous** nourrit.* > *(Je visite le pays.) → Je **le** visite.* > *(Je visite ces pays.) → Je **les** visite.*
me, te, se, nous, vous ; lui, y, leur	= complément avec préposition ***à***	avant le verbe	> *Je **te** parle. Je **vous** parle.* > *(Je parle à mon fils.) → Je **lui** parle.* (animé) > *(Je pense à mon pays.) → J'**y** pense.* (non animé) > *(Je parle à mes fils.) → Je **leur** parle.*
en	= complément avec préposition ***de***	avant le verbe	> *(Je parle de mon pays.) → J'**en** parle.* (non animé)
(à, de) moi, toi, soi, nous, vous ; lui, elle(s), eux	= complément avec prépositions ***à*** ou ***de***	après le verbe	> *Il s'adresse **à moi**. Il parle **de nous**.* > *(Je parle de mon fils.) → Je parle **de lui**.* (animé)

Je manipule

16 REMPLACER **Récrivez ces phrases en remplaçant le pronom complément par un groupe nominal de votre choix.** **

*L'ogre **le** dévora > L'ogre dévora **l'enfant**.*

1. Le roi le prend dans son carrosse. 2. Les fées l'envoient au bal. 3. Les portez-vous le soir ou le matin ? 4. Le peintre les dessine sur sa toile. 5. La sorcière la prépare avec soin.

17 REMPLACER a. **Repérez les groupes nominaux compléments de verbe avec préposition.** b. **Récrivez les phrases en remplaçant chaque groupe nominal complément de verbe par un pronom.** **

*Il rêve **de ce voyage**. > il **en** rêve.*

1. Il sourit à son meilleur ami. 2. Il pense à ses amis. 3. Le chanteur plaît à ses admiratrices. 4. Elle joue de la flûte très souvent. 5. Vous parvenez à la plage. 6. La sorcière use de ses pouvoirs magiques. 7. L'enfant parle de son enfance et se souvient de ses grands-parents.

18 REMPLACER **Récrivez ces phrases en remplaçant chaque groupe nominal en gras par un pronom, sur le modèle suivant.** **

*Il donne un conseil **à son fils**. > Il **lui** donne un conseil.*

1. La mère offre un manteau **à sa fille**. 2. Le Petit Chaperon rouge apporte du beurre **à sa grand-mère**. 3. Le loup explique **à la fillette** le chemin. 4. Le loup enlève **à la fillette** la possibilité d'arriver avant lui.

19 REMPLACER a. **Repérez les groupes nominaux compléments de verbe sans préposition.** b. **Récrivez les phrases en remplaçant chaque groupe nominal complément de verbe par un pronom.** **

*Nous apprécions **ces contes**. > Nous **les** apprécions.*

1. Les conteuses fascinaient les enfants. 2. Ces contes mettent en scène Cendrillon. 3. Le héros surmonte l'épreuve.

20 REMPLACER **Récrivez ces phrases en remplaçant le pronom complément par un groupe nominal de votre choix.** **

1. Elle lui fait confiance. 2. Ils y croient. 3. Le garçon s'adresse à elles. 4. Les sorcières en parlent. 5. Il y attache son chien. 6. L'ogre lui obéit. 7. Le sorcier y renonce. 8. Il leur offre des conseils. 9. La fillette leur confie un secret.

21. Distinguer les constructions de quelques verbes courants

J'observe, je manipule et je comprends

1 **Observez le verbe en gras : a. dans quelle phrase est-il employé sans complément ?**
b. Relevez les mots (prépositions) qui introduisent les différents compléments de ce verbe.
> A. *Plutôt que de rester sans rien faire, Sophie **agit**.*
> B. *Sophie **agit** avec ses amies.*
> C. *Sophie **agit** pour la paix.*
> D. *Sophie **agit** de son plein gré.*
> E. *Sophie **agit** en secret.*
> F. *Sophie **agit** dans l'intérêt commun.*
> G. *Sophie **agit** à toute vitesse.*

c. Oralement, remplacez, quand c'est possible, la préposition par l'une des expressions suivantes : *en compagnie de, en faveur de, pour.*

2 **Dans ces deux phrases : a. par quel mot (préposition) le complément du verbe est-il introduit ? b. Cette préposition introduit-elle des compléments de même sens ?**
> *Sophie **agit** avec ses amies.* > *Sophie **agit** avec prudence.*

J'apprends

- Un verbe peut être employé **seul** ou bien **suivi de compléments**.
  > *J'**arrive**. J'**arrive** de Marseille.*
- Ces compléments peuvent se construire :
  – **sans préposition** :
  > *Je **rentre** les chaises.*
  – **avec diverses prépositions** selon le sens :
  > *Je **rentre** à Marseille. Je **rentre** de Marseille.*
- Une même préposition peut introduire des **compléments de sens différents**.
  > *Je **rentre** à Marseille. Je **rentre** à l'instant.*
- La présence d'un complément peut **changer le sens** d'un verbe.
  > *L'ogre **boit**. (= Il est alcoolique.) L'ogre **boit** du lait. (= Il absorbe du lait.)*
  > *Il **bat** les cartes. (= Il les mélange.) Il **bat** son chien. (= Il le frappe.)*

Je manipule

3 EMPLOYER **a. Par quelle préposition pouvez-vous introduire ces différents compléments du verbe *vivre* : *famille, Asie, l'étranger, argent, sa famille, ses enfants, le seuil de pauvreté, ses moyens* ?**
Prépositions : au-dessus de • avec • sous • sans • pour• en • à **b. Rédigez une phrase de votre invention pour deux de ces compléments.***

4 EMPLOYER **a. Par quelle préposition pouvez-vous introduire ces différents compléments du verbe sortir : *ses amis, la cave, la porte de secours, voiture, escorte, prendre l'air, parapluie* ?**
b. Rédigez une phrase de votre invention pour trois de ces compléments.*

5 EMPLOYER **Pour chaque verbe, proposez un complément sans préposition.***

marcher > marcher deux kilomètres

courir • mesurer • peser • durer

6 TRIER a. **Recopiez le tableau et classez-y les verbes ci-dessous selon leur construction.** b. **Choisissez un verbe correspondant à chaque construction et employez-le dans une phrase de votre invention.***

Verbe + *quelque chose à quelqu'un*	
Verbe + *quelque chose de quelqu'un*	

livrer • obtenir • confier • lancer • écrire • espérer • attribuer • interdire • attendre • apporter • inspirer • accorder • recevoir

7 REPÉRER **À quel dessin associez-vous chacune de ces constructions du verbe *dire* ?***

dire quelque chose à quelqu'un • dire quelque chose de quelqu'un

8 RÉDIGER **Écrivez quatre phrases dans lesquelles vous utiliserez le verbe *écrire* :** a. **employé sans complément ;** b. **employé avec un complément sans préposition ;** c. **employé avec un complément introduit par la préposition *à* ;** d. **employé avec un complément sans préposition et avec un complément introduit par la préposition *à*.***

9 TRIER a. **Recopiez le tableau et classez-y les verbes ci-dessous selon leur construction.** b. **Choisissez un verbe correspondant à chaque construction et employez-le dans une phrase de votre invention.***

Verbe + *quelqu'un à quelque chose*	
Verbe + *quelqu'un de quelque chose*	
Verbe + *à quelqu'un de faire quelque chose*	

encourager • permettre • assurer • charger • inviter • empêcher • demander • aider • pousser • souhaiter • autoriser • persuader

10 EMPLOYER **Dans les phrases suivantes, complétez si nécessaire le verbe par la préposition qui convient.***

1. Paul joue … un rôle au théâtre. **2.** Les enfants jouent … la trompette. **3.** Préfères-tu jouer … la console ou … la balle ? **4.** Joséphine joue … piano depuis son enfance. **5.** Laure jouait … cache-cache quand le chien a surgi. **6.** Cet enfant intrépide se joue … danger.

11 TRIER a. **Parmi ces compléments du verbe *faire*, lesquels pourraient être introduits par *du / de la* ?** b. **Quelle différence de sens le changement de construction apporte-t-il ?****

faire une tentative • faire une marche • faire un dessin • faire une soustraction • faire un calcul • faire un bond • faire un saut en longueur • faire une révélation • faire une publicité • faire un rêve • faire une recherche

12 EMPLOYER **Proposez, pour chaque verbe, des phrases correspondant aux constructions suivantes.****

1. a. *changer* + complément
b. *changer* + *de* + complément

2. a. *défendre* + complément
b. *défendre* + *à* + complément + *de* + complément
c. *défendre* + complément + *à* + complément

3. a. *pousser* sans complément
b. *pousser* + complément
c. *pousser* + complément + *à* + complément

4. a. *diriger* sans complément
b. *diriger* + complément
c. *diriger* + complément + *vers* + complément
d. *diriger* + complément + *contre* + complément

22. Repérer des compléments de phrase

J'observe, je manipule et je comprends

1 a. **Récrivez la phrase ci-dessous en supprimant les compléments en gras.**
> *__Quand il est en cours de technologie,__ un élève trace __avec soin__ des lignes __sur son cahier.__*

b. **La phrase obtenue garde-t-elle un sens ?**
c. **La phrase obtenue reste-t-elle correcte ?**

2 **Oralement, déplacez de plusieurs manières les différents compléments en gras dans la phrase de l'exercice ①. Ces déplacements changent-ils le sens de la phrase ?**

3 a. **Dans quelle phrase peut-on remplacer le complément en gras par le pronom « le » ?**
> A. *__L'hiver,__ il skie.* > B. *Il déteste __l'hiver.__*

b. **Dans quelle phrase le complément en gras ne fait-il pas partie du prédicat ?**

J'apprends

Le complément de phrase

- Le complément de phrase **complète la phrase** et l'enrichit.
- Il ne fait pas partie du prédicat.
- Une phrase peut comporter plusieurs compléments de phrase.

> *__Chaque soir,__ elle apprend sa leçon __pour la savoir.__*

Comment repérer un complément de phrase ?

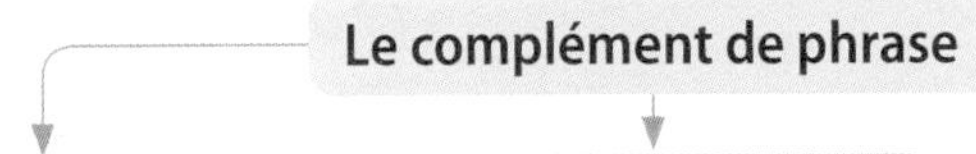

peut être **détaché** par une virgule	peut généralement être **supprimé**	ne peut pas être **remplacé** par un pronom (*le, la, lui, les, leur*)

Je manipule

4 DÉPLACER **Récrivez ces phrases en déplaçant les compléments de phrase.***

1. L'escargot se promène dès les beaux jours. **2.** Lors de ses chasses, le petit Abel numérote avec précision les coquilles pour les reconnaître. **3.** Les escargots dorment dans leur boîte par temps sec. **4.** Abel les aligne avec soin sur la terrasse. **5.** Tous se promènent avec lenteur pendant l'averse.

D'après J. RENARD, *Histoires naturelles*, 1894.

5 REMPLACER **Récrivez ce texte en supprimant les compléments de phrase.***

Tout le monde, au royaume des animaux comme au pays des hommes, connaît la renommée de Mame-Randatou. Avec sa baguette magique elle transforme les chats en princes galants, les citrouilles en équipages et les souris en pages. D'une simple caresse de sa main, elle peut changer la forme de n'importe quel organe.

D'après L. S. SENGHOR et A. SADJI, *La Belle Histoire de Leuk-le-Lièvre*, 1953.

6 REPÉRER **Dans chaque couple de phrases, indiquez la phrase dans laquelle le complément en gras est un complément de phrase.****

1. a. Pierre adore **le matin**. **b.** Pierre dort **le matin**. **2. a.** Léa attend **le soir** avec impatience. **b. Le soir,** Léa joue dans le jardin. **3. a.** Au centre de loisirs, **le mercredi**, les enfants pratiquent le basket. **b.** Les enfants passent **le mercredi** au centre de loisirs.

7 REPÉRER **Recopiez les phrases dans lesquelles le ou les compléments en gras sont des compléments de phrase. Pour les identifier, essayez de les supprimer ou de les déplacer.****

1. Un lion dormait **dans la brousse** ; une souris vint le déranger. **2.** Le lion se réveille **en sursaut**, saisit la souris **d'un rapide coup de patte** et s'apprête à la croquer. **3.** Mais la prisonnière supplie **son bourreau** de la relâcher. **4.** Elle lui promet de lui rendre son bienfait **un jour ou l'autre**. **5.** Dans un **grand éclat de rire**, le lion laisse partir la souris. **6.** **Quelque temps plus tard**, il doit la vie sauve à la reconnaissance du petit animal. **7.** Avec une **grosse corde**, des chasseurs l'avaient attaché. **8.** La souris rongea **la corde** et le délivra.

D'après ÉSOPE, *Fables*.

J'apprends

Un complément de phrase peut être
- un groupe nominal introduit ou non par une préposition
- une subordonnée

> *Le matin, à l'aube*, les oiseaux chantent *dès que le soleil se lève.*

Un complément de phrase peut exprimer le lieu, le temps, la manière, le moyen, le but, la cause...

Je manipule

8 REMPLACER **Récrivez ces phrases en remplaçant les groupes nominaux en violet par des groupes nominaux de sens équivalent, introduits par une préposition.****

1. Il a neigé toute la journée. **2.** La semaine dernière, Jules s'est entraîné régulièrement. **3.** L'orage éclata l'après-midi. **4.** La nuit prochaine, aura lieu une éclipse.

9 REMPLACER **Récrivez ces phrases en remplaçant les groupes nominaux en couleur par des subordonnées de sens équivalent.****

1. Bruno ne peut pas participer au tournoi à cause de sa maladie. **2.** À l'arrivée des coureurs, le public applaudit chaleureusement. **3.** Sarah est devenue chef d'équipe en raison de ses compétences. **4.** À la tombée de la nuit, la ville s'illumine. **5.** L'incendie a été maîtrisé grâce à l'intervention des pompiers. **6.** Durant les feux de forêt, la route est coupée. **7.** Après avoir gagné le tournoi, elle répond aux journalistes.

10 REMPLACER **Récrivez les phrases en remplaçant les subordonnées en orange par des groupes nominaux de sens équivalent, introduits par une préposition.****

1. Lorsqu'a lieu la fête de la musique, de nombreux groupes se produisent dans les rues. **2.** Pour qu'il obtienne satisfaction, Alex doit convaincre le jury. **3.** Comme il est habile, Yacine a pu réaliser sa maquette de bateau. **4.** Pendant que se déroule le festival, la foule afflue à Cannes. **5.** Après que Martin est parti, ses amis ont continué à jouer.

11 AJOUTER **Complétez la phrase ci-dessous à l'aide des groupes nominaux suivants : *avec sa canne, dans la rue, avec précaution, à la tombée de la nuit,* et en respectant l'ordre des questions : *quand ? où ? comment ? au moyen de quoi ?*****

Le vieil homme avance.

12 AJOUTER **Récrivez chaque phrase en ajoutant un complément de phrase exprimant le lieu ou de temps.****

1. Le Petit Poucet sème des cailloux. **2.** L'ogre arrive avec ses bottes de sept lieues. **3.** Le Petit Poucet et ses frères se cachent. **4.** Les enfants voudraient s'enfuir. **5.** L'ogre fatigué s'allonge.

13 AJOUTER **Récrivez chaque phrase en ajoutant un complément de phrase exprimant le but (*pour, pour que...*) ou la cause (*à cause de, grâce à, parce que, comme...*).****

1. Les contes plaisent aux enfants. **2.** La Fontaine a écrit des fables. **3.** Cendrillon a pu se rendre au bal. **4.** Le prince cherche Cendrillon dans tout son royaume. **5.** La grenouille de la fable a éclaté.

23. Construire une phrase simple interrogative : de l'oral à l'écrit

J'observe, je manipule et je comprends

1 a. **Quel est le signe de ponctuation commun à ces trois phrases ?**
> A. ***Aimez**-vous ce film ?* > B. *Quand **seras**-tu à Paris ?* > C. *Que **veux**-tu ?*

b. **Où le sujet des verbes en gras est-il placé ?**

2 a. **Comparez ces trois phrases : quelles différences repérez-vous ?**
> A. *Est-ce que tu as pris ton sac ?* > B. *As-tu pris ton sac ?* > C. *Tu as pris ton sac ?*

b. **Laquelle de ces phrases est d'un emploi oral familier ? courant ? écrit ?**

3 a. **Oralement, proposez une réponse à chacune de ces questions.**
> A. *Connais-tu ce conte ?* > B. *Qui connaît ce conte ?* > C. *Que lis-tu ?*
> D. *Où as-tu trouvé ce livre ?* > E. *Quand as-tu lu ce conte ?*

b. **Laquelle de ces questions appelle une réponse par « oui » ou « non » ?**
c. **Laquelle de ces phrases interroge sur le sujet du verbe ? sur le complément du verbe ?**
d. **Sur quel type de complément les autres questions portent-elles ?**

J'apprends

- Une phrase qui pose une question est une **phrase interrogative**. Elle se termine :
  – à l'oral, par une **intonation montante** ;
  – à l'écrit, par **un point d'interrogation** (?).
- Si la question peut recevoir la réponse « oui » ou « non », on trouve **trois constructions** :

> *Tu viens ?*	oral, familier	intonation montante
> *Est-ce que tu viens ?*	langage courant	formule « Est-ce que… ? »
> *Viens-tu ?*	langage écrit, élégant	inversion du sujet

Règle d'Orthographe

Comment écrire un sujet placé après le verbe ?
- Verbe + trait d'union + sujet pronom. > Que dit-il ? Que disent-elles ?
- Verbe terminé par une voyelle + -t- + sujet pronom. > Viendra-t-il ? Viendra-t-elle ?
- Être ou avoir + trait d'union + sujet pronom + participe passé. > As-tu réussi ta compétition ?
- Sujet groupe nominal + verbe + trait d'union + pronom de reprise. > L'enfant vient-il ?

Je manipule

4 REMPLACER a. **Lisez oralement ces phrases en faisant monter le ton en fin de phrase.** b. **Reformulez ces phrases familières en employant la construction courante.***
1. Tu vas mieux ? **2.** Vous la connaissez, cette chanson ? **3.** Tu viens, ce soir ? **4.** Ton père est malade ? **5.** Vous irez voir ce film ? **6.** Tu es sourd ou quoi ?

5 REMPLACER a. **Récrivez ces phrases en les transformant en phrases interrogatives avec une construction :** a. **courante ;** b. **élégante. Respectez la Règle d'Orthographe.***
1. Tu as fini ton travail ? **2.** Il a remporté la coupe ? **3.** Le Louvre te plaît ? **4.** Un dédale est un labyrinthe ? **5.** Hokusai a inventé les mangas ? **6.** Perrault a écrit des contes ?

6 REMPLACER a. **Récrivez ces phrases en les transformant en phrases interrogatives (réponses attendues : « oui » ou « non ») avec une construction : a. courante ; b. élégante. Respectez la** Règle d'Orthographe. c. **Lisez oralement les phrases obtenues en faisant attention au ton en fin de phrase.***
1. Tu as étudié les hiéroglyphes égyptiens. **2.** Tu peux déchiffrer ces hiéroglyphes. **3.** Les pyramides égyptiennes fascinent les touristes. **4.** Vous avez apprécié la dernière sortie scolaire.

7 REMPLACER **Récrivez ces phrases en les transformant en phrases interrogatives (réponses attendues : « oui » ou « non ») avec la construction élégante. Respectez la** Règle d'Orthographe.*
1. Vous lirez le journal ce soir. **2.** Tu as rencontré cette vieille amie. **3.** La météo annonce une chaleur caniculaire. **4.** Le climat change. **5.** Emma n'a pas fini son travail.

8 AJOUTER **Complétez les verbes proposés par *-e-t-il (elle)* ou par *-ent-ils (elles)* selon le cas. Attention aux accords.****
1. Quand les navires rentr… au port ? **2.** Quelles glaces Ryan préfèr… ? **3.** Pourquoi le mois de février ne comport… que 28 ou 29 jours ? **4.** Quelles intempéries la présentatrice de la météo annonc… ?

9 REMPLACER **Récrivez ces interrogations en employant la construction élégante (réponses attendues : « oui » ou « non »). Respectez la** Règle d'Orthographe.**
1. Il annonce la naissance du prince ? **2.** Le prince courtise la princesse ? **3.** La princesse surveille les préparatifs du banquet ? **4.** Les serviteurs préparent des mets délicieux ?

J'apprends

Si la question porte sur **une partie de la phrase**, les **principaux mots interrogatifs** sont les suivants.

Interrogation sur	Mots interrogatifs	Exemples
le sujet	*Qui ? Qu'est-ce qui ?*	> ***Qui*** *est là ?* ***Qu'est-ce qui*** *fait du bruit ?*
un complément du verbe	*Qui ? Que (Qu') ?*	> ***Qui*** *vois-tu ?* ***Que*** *vois-tu ?*
un complément de phrase	*Quand ? Où ? Pourquoi ? Comment ?*	> ***Quand*** *viens-tu ?* ***Où*** *vas-tu ?* ***Pourquoi*** *viens-tu ?* ***Comment*** *viendras-tu ?*

Je manipule

10 AJOUTER **Complétez les phrases A par le mot interrogatif qui convient en fonction de la réponse indiquée en B.***
1. A. … te rendras-tu à Toulouse ?
B. Je prendrai le train.
2. A. … a remporté la coupe ?
B. C'est l'équipe des minimes qui l'a remportée.
3. A. … porteras-tu pour le mariage de ta cousine ?
B. Je porterai ma robe rouge.

11 RÉDIGER **Formulez une question correspondant à chaque réponse. L'élément sur lequel doit porter l'interrogation est en gras. Respectez la** Règle d'Orthographe.**
Cette pièce se jouera ***à Avignon****.*
> Où cette pièce se jouera-t-elle ?
1. Ce journal paraît **aux États-Unis**.
2. Le journaliste a proposé cet article **parce qu'il traite un fait d'actualité**.
3. La saison théâtrale débutera **la semaine prochaine**.
4. Ramsès est **un pharaon**.

12 RÉDIGER **Imaginez une phrase interrogative à laquelle chaque phrase ci-dessous peut être une réponse. Respectez la** Règle d'Orthographe.**
1. Molière a vécu au XVIIIe siècle.
2. Hokusai a inventé les mangas.
3. La Fontaine a écrit des fables pour faire réfléchir sur l'homme.
4. La calligraphie est un art développé en Chine.

24. Enchaîner des phrases simples

J'observe, je manipule et je comprends

1 **Comparez l'enchaînement des phrases en A et en B : quel est celui qui est clair ? celui qui ne l'est pas ? Expliquez.**

> A. *Le géant se rendit dans la forêt. Le petit tailleur arriva tout joyeux. Il prit peur et s'enfuit en toute hâte.*

> B. *Le géant se rendit dans la forêt. Le petit tailleur arriva tout joyeux. Le monstre prit peur et s'enfuit en toute hâte.*

2 a. **Par quels mots ces phrases s'enchaînent-elles ?**
b. **Lesquels de ces mots expriment une succession dans le temps ? une explication ?**

> *Le petit garçon n'avait pas peur du géant. En effet, il se savait assez malin pour le tromper. Il parla très tranquillement à l'ogre. Puis, il grimpa sur son dos et lui dit d'avancer.*

J'apprends

- Pour **enchaîner les phrases**, on emploie :
  - **le même groupe nominal en modifiant le déterminant** : ***un (une, des)*** → ***le (la, les)*** ou ***ce (cet, cette, ces)*** ;
  > ***Une sorcière*** *vivait dans les bois. Un jour,* ***la (cette) sorcière*** *se rendit au palais.*
  - **des groupes nominaux différents qui caractérisent le sujet** ;
  > ***Une sorcière*** *vivait dans les bois. Un jour,* ***la vieille femme*** *se rendit au palais.* ***Cette méchante fée*** *voulait voir la nouvelle princesse.*
  - **des pronoms de reprise**.
  > ***Une sorcière*** *vivait dans les bois. Un jour,* ***celle-ci*** *se rendit au palais.* ***Elle*** *voulait voir la nouvelle princesse.*
- Pour un emploi des pronoms de reprise clair et logique, il faut :
  - **éviter une confusion avec le dernier nom de la phrase précédente** ;
  > *La sorcière rencontra la princesse. ~~Elle~~ lui parla. (On ne sait pas si « elle » désigne la sorcière ou la princesse.)*
  > *La sorcière rencontra le prince.* ***Elle*** *lui parla. (Pas de confusion possible.)*
  - employer ***celui-ci, celle(s)-ci, ceux-ci***, pour **reprendre le dernier nom de la phrase précédente**.
  > *La sorcière rencontra la princesse.* ***Celle-ci*** *prit peur. (= la princesse)*

Je manipule

3 REMPLACER **Récrivez et enchaînez les couples de phrases suivants en supprimant les répétitions maladroites.***

1. Des marchands arrivèrent sur la place du village. Des marchands étalèrent leurs marchandises. 2. Un génie sortit de la lampe. Un génie se mit à parler. 3. Les fillettes prirent peur. Les fillettes s'enfuirent. 4. La bonne fée arriva la dernière. Devant l'assistance, la bonne fée lança un sort avec sa baguette.

4 REMPLACER a. **Repérez les erreurs contenues dans ces enchaînements de phrases et expliquez oralement la source de chaque erreur.** b. **Récrivez les phrases en les corrigeant.****

1. Les personnes étaient nombreuses dans la salle d'attente. Ils bavardaient bruyamment. 2. La foule se presse dans le métro. Ils sont entassés sur le quai. 3. Ma sœur et son amie sont allées faire des courses. Elle adore cela.

4. Pense à prendre tes affaires de sport. Ils sont obligatoires pour le cours. 5. Les contes et les légendes me fascinent. Elles font rêver.

5 AJOUTER **Récrivez ce texte mettant en scène un paysan et ses enfants, en insérant des sujets aux endroits prévus de façon à bien enchaîner les phrases.****

☐, à l'approche de la mort, voulut donner une leçon de vie à ses enfants. ☐ les fit venir et leur dit : « Mes enfants, je vais mourir ; mais vous, cherchez ce que j'ai caché dans ma vigne, et vous trouverez tout. » ☐ s'imaginèrent qu'il y avait enfoui un trésor en quelque coin. ☐ bêchèrent profondément tout le sol de la vigne après la mort du père. De trésor, ☐ n'en trouvèrent pas ; mais la vigne bien remuée produisit de riches récoltes.

D'après ÉSOPE, *Fables*, adaptation C. BERTAGNA.

6 RÉDIGER **À partir des indications fournies, rédigez cinq phrases correctement enchaînées.****

Interdiction par les parents de faire entrer le loup. Départ des parents. Ennui des fillettes dans la ferme. Arrivée du loup. Demande du loup d'entrer dans la maison.

J'apprends

Pour enchaîner des phrases, on peut employer des **mots de liaison** qui expriment :
- la **succession des actions dans le temps** : *d'abord, ensuite, puis, alors, finalement, enfin…* ;

> *La sorcière se rendit au palais. **Puis** elle jeta un sort terrible.*

- une **opposition** : *mais, pourtant, cependant…* ;
- une **explication**, une **cause** : *car, en effet…* ;
- un **résultat**, une **conséquence** : *donc, c'est pourquoi…*

> *La sorcière était furieuse de ne pas avoir été invitée. **C'est pourquoi** elle jeta un sort terrible à la princesse.*

Je manipule

7 AJOUTER **Enchaînez les phrases de façon à exprimer la succession des actions dans le temps.****

1. Il y a ... eu un grand vent. ... la tente s'est mise à tourner. **2.** Un bruissement s'est fait entendre. J'ai ... tremblé de tout mon corps. **3.** Il a couru à en perdre haleine. ... il s'est brusquement arrêté. ... il est revenu sur ses pas.

8 AJOUTER **Enchaînez les phrases avec un mot de liaison (*car, c'est pourquoi, donc, mais*).***

1. Il est grippé. Il reste … au lit. **2.** Il est fiévreux. … il va quand même en cours. **3.** La peur l'envahit. … l'ogre qui est devant lui est effrayant. **4.** Horatio adore lire. … il est surnommé « le rat de bibliothèque ».

9 AJOUTER **Enchaînez les phrases avec un mot de liaison adapté.***

1. Léo aime les mythes. … il en dévore à longueur de journée. **2.** Le dieu Prométhée vola le feu. … il le donna aux hommes. **3.** Dédale fabriqua des ailes. Son fils et lui purent … s'envoler pour s'échapper du labyrinthe.

10 AJOUTER **Récrivez ce texte en y ajoutant des mots de liaison pour enchaîner les phrases.****

Le petit tailleur accepta l'invitation du géant et le suivit. … ils arrivèrent à la caverne où il y avait d'autres géants assis autour d'un feu. … le petit tailleur s'assit. Le géant lui indiqua … un lit et lui dit de s'y coucher et d'y dormir. … le lit était trop grand pour le petit tailleur ; il ne s'y coucha pas … il alla s'allonger dans un coin. … quand minuit sonna et que le géant pensa que le petit tailleur dormait profondément, il se leva, prit une grosse barre de fer, en donna un coup sur le lit.

25. Distinguer phrase simple et phrase complexe

J'observe, je manipule et je comprends

1 **Recopiez les phrases et soulignez les verbes : combien en comptez-vous dans chaque phrase ?**
> A. *Hansel et Gretel quittèrent leur maison.* > B. *Ils se perdirent dans la forêt.*

2 a. **Recopiez les phrases et soulignez les verbes : combien en comptez-vous dans chaque phrase ?**
> A. *[Hansel et Gretel quittèrent leur maison] ; [ils se perdirent dans la forêt].*
> B. *[Hansel et Gretel quittèrent leur maison] et [ils se perdirent dans la forêt].*

b. **Combien de propositions (groupe de mots entre crochets) chaque phrase comporte-t-elle ?**
c. **Quel rapport y a-t-il entre le nombre de verbes et le nombre de propositions ?**
d. **Par quel mot ou signe de ponctuation les deux propositions sont-elles reliées ?**

3 a. **Combien de verbes et de propositions chacune de ces phrases comporte-t-elle ?**
> A. *[Chacun sait] [que la mer est salée].*
> B. *[On racontait] [que Poséidon régnait sur la mer].*
> C. *[Ulysse se déguisa] [quand il arriva à Ithaque].*
> D. *[Le géant lance des pierres] [qui retombent lourdement].*

b. **Relevez les mots qui commencent chaque proposition en vert.**
c. **Peut-on supprimer les propositions en bleu ?**

J'apprends

- Une **phrase simple** comporte **un seul verbe conjugué**.
- Une **phrase complexe** comporte **plusieurs verbes conjugués**. Chacun de ces verbes est le noyau d'une **proposition**.
  > *[Les élèves* ***apprennent*** *un poème], puis [ils le* ***récitent*** *en classe].*
  proposition 1 — proposition 2
- Dans une phrase complexe, les **propositions peuvent être reliées** par :
  – une **virgule**, un **point-virgule** ou **deux points** ;
  > *[Minuit sonne]* ***;*** *[Cendrillon quitte le bal].*
  – des mots comme ***mais***, ***ou***, ***et***, ***donc***, ***or***, ***ni***, ***car*** ou ***puis***, ***ensuite***, ***cependant***… ;
  > *[La méchante fée a jeté un mauvais sort à la princesse]* ***car*** *[elle veut se venger].*
  – des mots comme ***que, qui, parce que, quand, pour que, si***…
  > *[La Bête voudrait]* ***que*** *[la Belle l'épouse]. [La Bête veut mourir]* ***quand*** *[la Belle est partie].*
- **Remarque**
  Le **sujet** de la première proposition peut ne pas être repris dans les propositions suivantes.
  > *[****La gentille fée**** survient], [prend pitié de l'enfant] et [adoucit le sort].*
  proposition 1 — proposition 2 — proposition 3

Je manipule

4 REPÉRER **Comptez les verbes conjugués de chaque phrase puis recopiez les phrases qui sont complexes.***

1. Le loup fait partie de nombreuses légendes. **2.** Le Petit Chaperon rouge va dans la forêt et il rencontre le loup. **3.** Le loup s'adresse à l'agneau près de la rivière. **4.** La chèvre n'a pas peur du loup et elle lui parle. **5.** Les chevreaux savent que le loup est dangereux.

6. Certains se battent pour la réintroduction du loup dans les montagnes. 7. D'autres craignent que les loups ne dévorent les troupeaux.

5 REPÉRER a. **Recopiez les phrases en soulignant les verbes.** b. **Délimitez les propositions avec des crochets.** *

1. Les fillettes prirent peur : elles chassèrent le loup. 2. Le loup poussa un soupir, ses oreilles pointues se couchèrent. 3. Il a l'air doux : ne vous y fiez pas. 4. On s'assiéra en rond, je vous raconterai des histoires.

6 REPÉRER a. **Recopiez les phrases en soulignant les verbes.** b. **Délimitez les propositions avec des crochets.** c. **Entourez le mot qui relie les propositions.** *

1. Le loup posa ses pattes sur le rebord de la fenêtre et il regarda à l'intérieur. 2. Les fillettes lâchaient la queue du loup et elles se laissaient aller à rire jusqu'à s'étrangler. 3. Le loup se jeta sur l'enfant puis il la dévora. 4. Tout le plaisir du jeu était dans l'imprévu, car le loup n'attendait pas toujours d'être prêt pour sortir du bois. 5. Les corneilles en bayaient d'admiration, mais une vieille pie ne put s'empêcher de ricaner.

7 REPÉRER a. **Recopiez les phrases en soulignant les verbes.** b. **Délimitez les propositions avec des crochets.** c. **Entourez le mot ou le signe de ponctuation qui relie les propositions.** **

1. Athéna s'approcha et, avec sa lance, elle fit surgir un arbre au tronc noueux. 2. Les Athéniens organisaient chaque année de grandes fêtes pour Athéna car ils vénéraient cette déesse. 3. Ils n'oubliaient pas Poséidon et de jeunes cavaliers défilaient en tête du cortège. 4. Sur l'Acropole, un temple double fut édifié : une partie est consacrée à Athéna, l'autre est dédiée à Poséidon.

8 REPÉRER **En faisant attention aux sujets communs aux verbes des différentes propositions, indiquez le nombre de propositions pour chaque phrase.** **

1. L'ogresse a vu les enfants, s'est jetée sur eux et les a avalés tout crus. 2. Pénélope tissait sa toile dans la journée puis la défaisait chaque nuit. 3. Certains élèves réussissent en grammaire, progressent en algèbre et peinent en anglais. 4. La neige voltige, baigne le paysage d'une lumière pâle, se pose délicatement. 5. Fabien s'intéresse aux fables, adore le théâtre mais n'aime pas les mangas.

9 EMPLOYER a. **Complétez les phrases suivantes à l'aide d'une proposition commençant par un de ces mots :** ***car, donc, puis, ensuite, mais.*** b. **Délimitez les propositions avec des crochets.** **

1. Les mythes lui plaisent. 2. Le héros combat le monstre. 3. La jeune fille aide le héros à s'enfuir. 4. Le pharaon part à la chasse. 5. Il ne fait pas son travail.

10 REPÉRER **Recopiez les phrases, soulignez les verbes et délimitez les propositions par des crochets.** **

1. Le petit tailleur saisit la hache qui est près de lui.
2. Les enfants comprennent que la vieille femme est une sorcière.
3. L'ogre veut que sa femme lui amène les enfants.
4. Ulysse se fit attacher au mât du navire quand ils approchèrent des Sirènes.

11 REPÉRER a. **Recopiez les phrases et délimitez les propositions.** b. **Entourez les mots qui relient les propositions.** **

1. Minos décida que les Athéniens devraient lui livrer sept jeunes gens et sept jeunes filles.
2. Il les offrit au Minotaure qui était un monstre mi-homme, mi-taureau.
3. Ce monstre habitait un palais qui se nommait le Labyrinthe.
4. Quand Dédale voulut quitter le Labyrinthe, il se fabriqua des ailes.

12 RÉDIGER **À partir de l'image, rédigez un bref paragraphe en employant au moins trois phrases complexes.** **

Illustration de la fable «Le Renard et la Cigogne», J. DE LA FONTAINE, 1935.

26. Les marques du genre : le féminin des noms et des adjectifs

Je manipule, j'observe et je comprends

1 a. **Prononcez ces couples de noms et d'adjectifs : quand entendez-vous qu'il s'agit de mots féminins ?**

> A. *(un) candidat, (une) candidate – (un) marchand, (une) marchande – fort, forte – laid, laide*
> B. *(un) ami, (une) amie – (un) délégué, (une) déléguée – infini, infinie – gai, gaie*

b. **Quelle est la marque du féminin des noms et des adjectifs en français ?**

2 **Dans les séries suivantes, quelles autres variations relevez-vous lorsqu'un nom ou un adjectif passe du masculin au féminin ?**

> A. *un boucher → une bouchère – cher → chère – léger → légère*
> B. *un bon chien → une bonne chienne*
> C. *un acteur actif et joyeux → une actrice active et joyeuse*
> D. *mon père et mon oncle → ma mère et ma tante – un vieux roi → une vieille reine*

J'apprends

La règle générale

- Le féminin des adjectifs et d'un certain nombre de noms se forme généralement en ajoutant un *-e* à l'adjectif ou au nom au masculin. > *un grand ami → une grand**e** amie*
- Les noms et adjectifs **terminés par *-e* sont identiques au masculin et au féminin.** > *un malade imaginaire → une malade imaginaire*

Les cas particuliers

- Le féminin pour les noms et les adjectifs se marque aussi par d'autres éléments.

		Noms	Adjectifs
Ajout d'un suffixe	*-esse*	*un prince → une prince**sse***	
Doublement de la consonne (*l, n, s*)	*-l → -lle* *-n → -nne* *-s → -sse*	*un chien → une chien**ne***	*cruel → cruel**le*** *bon → bon**ne*** *gras → gras**se***
Modification de la syllabe finale	*-er → -ère* *-et → -ète* *-eur → -euse* *-teur → -trice* *-eau → -elle* *-f → -ve* *-eux → -euse*	*un berger → une berg**ère*** *un danseur → une dans**euse*** *un auditeur → une audi**trice*** *un jumeau → une jum**elle*** *un veuf → une veu**ve***	*léger → lég**ère*** *inquiet → inqui**ète*** *porteur → port**euse*** *protecteur → protec**trice*** *beau → **belle*** *neuf → neu**ve** – naïf → naï**ve*** *heureux → heur**euse***

- **Cas particuliers :** *un dieu → une **déesse** – un Grec → une Grec**que** – grec → grec**que** – public → publi**que** – doux → dou**ce** – roux → rou**sse** – vieux → **vieille** – fou → **folle** – mou → **molle** – favori → favori**te**.*
- **Certains noms féminins sont complètement différents du nom masculin correspondant.** > *un roi → une **reine***

⚠
– quelques noms **masculins** se terminent par un ***-e*** ; > *un lycée*
– quelques noms **féminins** ne prennent **pas de *-e* final** ; > *la fourmi – la brebis – la perdrix*
– plus de 1 000 noms féminins terminés par le **suffixe *-té*** s'écrivent ***-é*** ; > *liberté – égalité – fraternité*
– Quelques exceptions en ***-tée*** à mémoriser : > *dictée – jetée – (re)montée*

Je manipule

3 REPÉRER **Dans les phrases suivantes, quels noms féminins reconnaissez-vous : a. à leur *-e* final rajouté à un nom masculin ? b. à la modification de la syllabe finale ?***

1. Une cuisinière travaillait chez une marquise et préparait une tarte géante. **2.** Connaissez-vous l'avocate qui traverse la rue ? **3.** Cette commerçante a engagé une apprentie dans sa boutique. **4.** Une châtelaine se promenait près de la rivière.

4 AJOUTER **Complétez les noms féminins suivants par une lettre finale.***

une acrobati... • une avenu... • la sympathi... • la bienvenu... • une fantaisi... • une cohu... • une envi... • une nué... • la symphoni...

5 REMPLACER **Formez le féminin des noms dans les séries suivantes.***

A. un producteur • un protecteur • un moniteur • un auditeur • un acteur • un empereur
B. un boulanger • un fermier • un crémier • un maraîcher
C. un pharmacien • un musicien • un Parisien • un Italien • un Chilien • un lion • un champion
D. un maître • un comte • un prince • un duc • un dieu
E. un jumeau • un chameau • un agneau • un nouveau

6 REMPLACER **Formez le féminin des noms suivants.****

un charcutier • un vendeur • un collégien • un bœuf • un conseiller • un homme • un citoyen • un agriculteur • un navigateur • un créateur • un paysan

7 REMPLACER **Retrouvez le masculin des noms suivants.***

une conductrice • une étrangère • une citoyenne • une voleuse • une louve • une inspectrice • une jument

8 TRIER **a. Recopiez ces noms en les classant en noms masculins et féminins. b. Notez le sens des noms que vous ne connaissez pas.****

malheur • gâchis • musée • ardeur • beurre • cambouis • tapis • bruit • argent • tribu

9 EMPLOYER **a. Formez le féminin des adjectifs. b. Employez chaque adjectif en couleur dans un groupe nominal au féminin singulier.****

A. fin • malin • câlin • chagrin
B. léger • fier • amer • financier • printanier • princier
C. délicieux • fastueux • malheureux • chanceux
D. bougon • grognon • bouffon • réel
E. créatif • relatif • objectif

10 REPÉRER **a. Récrivez au féminin les groupes nominaux suivants. b. Soulignez les adjectifs identiques au masculin et au féminin.***

1. Un jeune homme sobre, discret, sérieux, prudent et digne de confiance.
2. Un garçon poli, drôle, gai, prêt à aider, charmant en tout : un voisin précieux !

11 REMPLACER **Recopiez ces GN en remplaçant chaque nom masculin par le nom féminin entre parenthèses. Faites les modifications nécessaires.***

un périlleux voyage (une expédition) irréel • un cruel dieu (une déesse) romain • un pays (une région) lointain et merveilleux • le dernier concours (la compétition) national • un geste (une caresse) doux et gentil • un vaillant héros (une héroïne) grec

12 EMPLOYER **a. Proposez cinq adjectifs formés avec le suffixe *-eux* puis mettez-les au féminin. b. Employez dans une phrase chacun de ces adjectifs au féminin singulier.***

13 EMPLOYER **a. À partir des noms suivants, formez des adjectifs en utilisant l'un de ces suffixes : *-ique, -el, -al, -ier, -eux, -aire*. Pour la série B, vous modifierez le radical. b. Employez chaque adjectif de la série B dans un GN au féminin singulier.****

A. région • géographie • parlement • légende • fin • orient
B. mère • science • ministère • fable • spectacle • famille (2)

14 REMPLACER **Transposez ces groupes nominaux au féminin.****

un prince malheureux • un champion imbattable • un guerrier audacieux • un jeune sportif favori • un bon nageur • un créateur international • un chercheur fou

15 EMPLOYER **a. Donnez les noms féminins formés sur chaque liste d'adjectifs. Pour la série B, vous modifierez le radical. b. Employez quatre des noms formés, chacun dans une phrase qui mette son sens en valeur.****

A. dur • ferme • bon • beau • propre • net
B. digne • valide • égal • libre • majeur

16 ENRICHIR **Donnez les noms féminins en *-té* qui correspondent à ces définitions.****

1. Le contraire de l'esclavage : la .... **2.** Un grand nombre : une q.... **3.** Le contraire de maladie : la s.... **4.** Le contraire de l'audace : la tim.... **5.** Le désir de découvrir : la c.... **6.** Le fait de se différencier : l'or....

27. Les marques du genre : les déterminants

Je manipule, j'observe et je comprends

1 a. **Quel est le genre des noms soulignés en A ? en B ?**

> A. *Mon cousin est le collègue de ce dessinateur.*

> B. *Ma cousine est la collègue de cette dessinatrice.*

b. **Relevez les déterminants par couples masculin/féminin.**

c. **Quel rôle particulier les articles « le » et « la » jouent-ils pour le nom « collègue » ?**

2 **Prononcez ces phrases puis expliquez les variations du déterminant « ce, cet, cette » dans ces trois phrases.**

> A. ***Ce** comédien joue bien.* > B. ***Cette** actrice joue bien.* > C. ***Cet** acteur joue bien.*

J'apprends

• Dans un groupe nominal, les articles et déterminants s'accordent avec le nom (voir p. 219) et varient selon le genre du nom.

	Masculin	Féminin
Articles	*un* > ***un** lutin* *le* > ***le** lutin* *l'* (devant voyelle ou *h* non aspiré) > ***l'**esprit* – ***l'**horizon*	*une* > ***une** fée* *la* > ***la** fée* *l'* (devant voyelle ou *h* non aspiré) > ***l'**alouette* – ***l'**histoire*
Déterminants démonstratifs	*ce* > ***ce** lutin* *cet* (devant voyelle ou *h* non aspiré) > ***cet** esprit, **cet** hiver*	*cette* > ***cette** fée*
Déterminants possessifs	*mon, ton, son* > ***mon** esprit*	*ma, ta, sa* > ***ma** marraine* *mon, ton, son* (devant voyelle ou *h* non aspiré) > ***mon** âme, **ton** histoire*

• **Remarque :** les déterminants *notre*, *votre* et *leur* ne varient pas entre le masculin et le féminin.

Je manipule

3 REMPLACER **Récrivez ces GN en remplaçant l'article *un/une* successivement par tous les déterminants qui peuvent convenir pour chacun d'eux.***

un prince • un magicien • un brigand • un individu • un peintre • une marâtre • un empereur • une impératrice

4 REMPLACER a. **Lisez oralement ces groupes nominaux pour repérer les liaisons avec des *h* non aspirés et l'absence de liaisons avec des *h* aspirés.**
b. **Mettez les GN au singulier en choisissant l'article (*le*, *la*, *l'*) qui convient.***

des hasards • des hésitations • des habitudes • des haricots • des halles • des haches • des hivers • des hérissons • des hauteurs • des housses

5 REMPLACER **Récrivez ces groupes nominaux en supprimant les adjectifs et en modifiant les déterminants si nécessaire.***

ton extraordinaire patience • son admirable vaillance • ton adorable hospitalité • mon incroyable chance • son indéniable énergie

6 AJOUTER **Recopiez et complétez ces phrases en employant le déterminant *cet* ou *cette*.***

1. … jeune fille voulait apprendre la calligraphie. **2.** À … effet, elle rencontra un peintre qui pratiquait … technique. **3.** Grâce à … homme, elle acquit … habileté qu'elle désirait tant. **4.** Peu à peu, elle maîtrisa … art.

28. Les marques du genre : les pronoms

Je manipule, j'observe et je comprends

1 a. **Relevez les pronoms reprenant les noms « Léo » et « Léa » en deux colonnes.** b. **Quels pronoms différencient le genre du nom qu'ils reprennent ?**
> A. *Léo rencontre Léa. Il lui parle. Il l'interroge. Il la félicite.*
> B. *Léa rencontre Léo. Elle lui parle. Elle l'interroge. Elle le félicite.*

2 **Expliquez le changement de forme du pronom entre la phrase** A **et la phrase** B.
> A. *Voici deux chemins : **celui** qui est le plus court et **celui** qui est le plus pittoresque.*
> B. *Voici deux solutions : **celle** qui est la plus sûre et **celle** qui est la plus intéressante.*

J'apprends

• Les pronoms varient, en général, selon le genre du nom ou du groupe nominal qu'ils représentent.

Pronoms	Masculin	Féminin
personnels	*il* (sujet) *le* (complément) / *l'* (devant voyelle ou *h* non aspiré) > ***Il** cherche un livre. Il **le** trouve. Il **l'**a trouvé.*	*elle* *la* / *l'* (devant voyelle ou *h* non aspiré) > ***Elle** cherche une idée. Elle **la** trouve. Elle **l'**a trouvée.*
démonstratifs	*celui*, *celui-ci*, *celui-là* > *De ces deux projets, préfères-tu **celui-ci** ou **celui-là** ?*	*celle*, *celle-ci*, *celle-là* > *De ces deux propositions, préfères-tu **celle-ci** ou **celle-là** ?*
possessifs	*le mien*, *le tien*, *le sien* *le nôtre*, *le vôtre*, *le leur* > *De ces deux projets, préférez-vous **le mien** ou **le sien** ?*	*la mienne*, *la tienne*, *la sienne* *la nôtre*, *la vôtre*, *la leur* > *De ces deux propositions, préférez-vous **la nôtre** ou **la leur** ?*

• **Remarque :** le pronom *lui* placé avant le verbe ne varie pas en genre.
> *Je parle à Victor. → Je **lui** parle.* > *Je parle à Victoire. → Je **lui** parle.*

Je manipule

3 REMPLACER **Récrivez ce texte en remplaçant les répétitions de groupes nominaux soulignés par le pronom personnel qui convient.***

Un jars prit son élan, courut droit à Marinette et, ouvrant son grand bec, le jars saisit son mollet et serra son mollet de toutes ses forces. Marinette avait très mal ; et très peur aussi parce que Marinette croyait que le jars allait manger Marinette. Mais Marinette avait beau crier et se débattre, le jars ne pinçait Marinette que plus fort.

D'après M. AYMÉ, *Les Contes bleus du chat perché*, 1963.

4 REMPLACER **Récrivez ces phrases en remplaçant chaque groupe nominal en couleur par le pronom démonstratif qui convient.***

1. Parmi ces pièces, indiquez la pièce qui a été écrite par Molière. **2.** Parmi ces fables, quelle est la fable qui ne comporte pas de morale ? **3.** De tous ces poèmes, je préfère le poème d'Apollinaire. **4.** Pour cette mise en scène, il existe de nombreuses photos ; cette photo-ci est nette, cette photo-là est plus gaie.

5 AJOUTER **Récrivez ces phrases en les complétant par un pronom possessif. Respectez le genre du nom en couleur.***

1. Ton parapluie n'est pas assez grand : viens t'abriter sous … . **2.** « Mario, dans ma région, on déjeune à midi : et dans … » ? **3.** J'ai donné mon avis à mon frère et, en retour, il m'a livré … . **4.** Jules a apporté son maillot mais, moi, j'ai oublié … . **5.** Jules t'a montré sa console, qui est différente de ….

29. Les marques du nombre : le pluriel des noms et des adjectifs

J'observe, je manipule et je comprends

1 **Lisez oralement ces phrases : à quoi repérez-vous que les noms soulignés sont au pluriel ?**

> A. *Il a reçu des notes excellentes.*

> B. *Ces hommes avides étaient détestables.*

> C. *Ils irriguent ces terres arides.*

> D. *Les soirs orageux sont fatigants.*

2 a. **Relevez tous les noms et les adjectifs pluriels et entourez leur terminaison : quelle est la marque du pluriel la plus fréquente pour les noms ?**

> *Les jeunes filles passent devant les grandes écuries où elles voient de beaux chevaux vifs et vigoureux. Elles traversent des jardins plantés de palmiers. Les multiples clous des grandes portes étincellent de tous leurs feux, comme des joyaux splendides.*

b. **Écrivez au singulier chacun des noms et des adjectifs au pluriel : soulignez ceux qui prennent un *-x* au pluriel.**

3 **En appliquant ce que vous avez découvert, écrivez au pluriel :**

a. **les noms *serviteur, gâteau, jeu, peinture, animal* et *pierre* ;**

b. **les adjectifs *agile, trompeur, nouveau* et *pluvieux*.**

J'apprends

Règle générale : pluriel en -s

- La marque du pluriel pour les noms et les adjectifs est généralement l'ajout d'un *-s* au nom ou à l'adjectif au singulier.
  > *un livre célèbre → des livres célèbres*
- Les noms et les adjectifs terminés en *-s*, *-x* et *-z* au singulier restent **inchangés au pluriel**.
  > *un gros repas → de gros repas – un prix fabuleux → des prix fabuleux – un nez → des nez*

Les pluriels en -x

- Font leur pluriel en *-x* :

la plupart des noms en *-eu*, *-au* et *-eau*	> *des chev**eux** – des tuy**aux** – des drap**eaux***
les noms et adjectifs en *-al*	> *des chev**aux** – nation**aux***
6 noms en *-ou*	> *des bij**oux** – des caill**oux** – des ch**oux** – des gen**oux** – des hib**oux** – des p**oux***
quelques noms en *-ail*	> *des b**aux** – des cor**aux** – des ém**aux** – des trav**aux** – des vitr**aux***
3 noms irréguliers	> *un ciel, **des cieux** – un aïeul, **des aïeux** – un œil, **des yeux***

- **Remarque :** quelques mots en ***-eu***, ***-al*** et ***-au*** suivent la règle générale :
  – noms : > *des pneus – des landaus – des bals – des carnavals – des chacals – des festivals – des récitals – des régals*
  – adjectifs : > *bleus – bancals – fatals – natals – navals*

Je manipule

4 REPÉRER **a. Récrivez ce texte en mettant les noms et adjectifs entre parenthèses au pluriel. b. Soulignez le nom pluriel qui ne suit pas la règle générale.***

Des (troupe) d'(oie sauvage) s'envolèrent des (roseau). Et on entendit encore des (coup) de fusil. C'était une grande chasse ; les (chasseur) s'étaient couchés tout autour du marais ; quelques-uns s'étaient même postés sur les (branche) d'(arbre) qui s'avançaient au-dessus des (herbe).

D'après H. C. ANDERSEN, « Le Vilain Petit Canard », *Contes*, 1876.

5 TRIER **Recopiez les noms que vous pouvez faire précéder d'un article singulier sans changer l'orthographe du nom.***

des discours • des pourtours • des tissus • des relais • des palais • des temps • des champs • des tapis • des nids

6 MODIFIER **Mettez au pluriel les noms suivants.***

un cerveau • un travail • un château • un corail • un radical • un général

7 AJOUTER **Trouvez le pluriel de chaque nom en le complétant par *-s* ou *-x*.***

des milieu… • des fou… • des lieu… • des sou… • des chou… • des dieu… • des noyau… • des feu…

8 TRANSFORMER **Mettez au singulier les noms suivants ; si vous hésitez, vérifiez dans un dictionnaire.****

des abris • des puits • des fils (deux réponses) • des bals • des pneus • des amies • des yeux • des chevaux • des tapis • des relais

9 AJOUTER **Récrivez ce texte en mettant les noms entre parenthèses au pluriel.****

Aux Enfers, les (bijou) et les (festivité) ont disparu. Ne cherchez pas non plus les (festin) des (dieu), des (concert) de (son) harmonieux. Des (feu) partout, des (travail) éternels comme (châtiment), voilà ce que vous trouverez. Ce ne sont pas de petits (caillou) mais une énorme pierre que Sisyphe doit rouler devant les autres (ombre) errantes.

10 AJOUTER **Récrivez ces phrases en mettant les noms et adjectifs entre parenthèses au pluriel.***

1. Un rideau rouge à (long pli lourd) se tenait debout au parterre. **2.** Les roues grinçaient dans les (ornière sèche et dure). **3.** D'(imprévisible cascade) éparpillent une poussière de fraîcheur. **4.** Louis se dirigea vers le carrosse aux (cheval blanc). **5.** Une odeur de (moisson chaude) flottait, arrachée aux (blé mûr) par la canicule.

J.-C. NOGUÈS, *L'Homme qui a séduit le Soleil*, © Pocket Jeunesse, 2008.

11 MODIFIER **Écrivez ces groupes nominaux au pluriel.****

un prince malheureux • un champion imbattable • un guerrier audacieux • un jeune champion favori • un bon nageur • un créateur international • un beau musicien grec • un chercheur fou et inquiet • un oncle roux

12 AJOUTER **Récrivez ces phrases en mettant les noms et adjectifs entre parenthèses au pluriel.***

Dans mon jardin il y a un vieux noyer qui fait peur aux (petit oiseau). Seul un oiseau noir habite ses (dernière feuille). Mais le reste du jardin est plein de (jeune arbre sain et robuste) où nichent de (beau oiseau gai, vif) et de toutes les couleurs.

J. RENARD, « Merle ! », *Histoires naturelles*, © Garnier Flammarion, 1967.

13 EMPLOYER **a. Écrivez au pluriel chaque adjectif. b. Rédigez des phrases où vous emploierez cinq de ces adjectifs au pluriel.***

serviable • enchanteur • spécial • solide • nouveau • inégal • plaintif • continuel • beau • aérien • léger • original

14 MODIFIER **Récrivez ce texte en mettant au pluriel les groupes nominaux soulignés.***

Gabriel s'approcha des hommes qui avaient revêtu maintenant <u>une longue robe noire</u> et s'étaient coiffés <u>d'un chapeau pointu à grosse boucle</u>, comme en portaient les médecins de la ville. Ils affichaient <u>une mine froide, impénétrable</u>.

D'après J.-C. NOGUÈS, *L'Homme qui a séduit le Soleil*, 2008.

15 ÉCRIRE **À l'aide de l'image, rédigez un paragraphe qui comportera au moins cinq noms et cinq adjectifs au pluriel.***

P. LONGHI, *Le Charlatan*, 1757, huile sur toile, Ca' Rezzonico, Venise.

30. Les marques du nombre : les déterminants

Je manipule, j'observe et je comprends

1 Observez les phrases suivantes : à quels articles singuliers correspond l'article « des » ? l'article « les » ?

> A. *Un roi convoque un ministre et une sorcière puis le roi reçoit l'ogre et la fée.*

> B. ***Des** rois convoquent **des** ministres et **des** sorcières puis **les** rois reçoivent **les** ogres et **les** fées.*

2 Que deviennent au pluriel les déterminants « ce, cette, cet » ?

> A. ***Ce** comédien, **cette** actrice et **cet** acteur jouent bien.*

> B. ***Ces** comédiens, **ces** actrices et **ces** acteurs jouent bien.*

3 a. **Quel est le nombre (singulier/pluriel) des noms soulignés en A ? en B ?**

> A. ***Mon** cousin peut garder **ton** chien. **Ma** cousine peut garder **ta** chienne.*

> B. ***Mes** cousins peuvent garder **tes** chiens. **Mes** cousines peuvent garder **tes** chiennes.*

b. **Quelles remarques pouvez-vous faire sur la variation des déterminants en gras entre A et B ?**

J'apprends

- Tous les **déterminants au pluriel se terminent par la lettre *-s***.
- Dans un groupe nominal, les déterminants **s'accordent avec le nom** (voir p. 318) et **varient selon le nombre du nom.**

	Singulier		Pluriel
Articles	*un, une*	> ***un** lutin – **une** fée*	*des* > ***des** lutins – **des** fées* *de* (devant un adjectif ou dans une phrase négative, voir p. 283) > ***de** petits lutins*
	le, la, l'	> ***le** lutin – **la** fée – **l'**esprit – **l'**histoire*	*les* > ***les** lutins – **les** fées – **les** esprits – **les** histoires*
Déterminants démonstratifs	*ce, cet, cette*	> ***ce** lutin – **cet** esprit – **cette** fée*	*ces* > ***ces** lutins – **ces** esprits – **ces** fées*
Déterminants possessifs	*mon, ton, son* *ma, ta, sa* *notre, votre, leur*	> ***mon** frère* > ***ma** sœur* > ***notre** frère – **votre** frère – **leur** frère*	*mes, tes, ses* > ***mes** frères – **tes** sœurs* *nos, vos, leurs* > ***nos** frères – **vos** frères – **leurs** frères*

Je manipule

4 ACCORDER **Récrivez ces GN au pluriel.***
un essai • une tentative • la tempête • l'averse • l'histoire • un parfum • une habitude

5 ACCORDER **Récrivez ces GN au pluriel.***
un violent coup de vent • un gros ennui • une légère brise • une lointaine étoile • une douce caresse

6 ACCORDER **Récrivez ces phrases en mettant les groupes nominaux en couleur au pluriel.***
1. J'admire un magicien. **2.** Il exécute avec dextérité un tour de cartes. **3.** Il parcourt le bois en tous sens. **4.** Je regarde danser le prince et la princesse.

7 ACCORDER **Récrivez ces phrases en mettant les groupes nominaux en couleur au pluriel.***
1. Achetez cette robe et ce manteau. **2.** Lisez attentivement cette consigne et cet exercice. **3.** Il télécharge cette nouvelle application. **4.** Tu as accepté ma proposition. **5.** Grâce à son voisin, il a réparé ce jouet.

31. Les marques du nombre : les pronoms

Je manipule, j'observe et je comprends

1 Observez les phrases suivantes : au pluriel, quels sont les pronoms sujets ? les pronoms compléments ?

> A. 1. *Je te regarde et je te parle.* 2. *Nous vous regardons et nous vous parlons.*
> B. 1. *Tu me regardes et tu me parles.* 2. *Vous nous regardez et vous nous parlez.*
> C. 1. *Il la regarde, elle avance vers lui et elle lui parle.* 2. *Ils les regardent, elles avancent vers eux et elles leur parlent.*

2 Quelles variations remarquez-vous entre le singulier et le pluriel pour les pronoms en gras ?

> *Que préfères-tu :*
ce livre-ci ou ***celui-là*** *?* *ces livres-ci ou* ***ceux-là*** *?*
cette émission-ci ou ***celle-là*** *?* *ces émissions-ci ou* ***celles-là*** *?*

3 À quoi voyez-vous que les pronoms de la liste B sont au pluriel ?

> A. *le mien – le tien – le sien – le nôtre – le vôtre – le leur*
> B. *les miens – les tiens – les siens – les nôtres – les vôtres – les leurs*

J'apprends

- Tous les pronoms prennent la marque du pluriel.

Pronoms		Singulier	Pluriel
personnels	1res et 2es personnes	sujets : *je* (*j'*), *tu* compléments : *me* (*m'*), *te* (*t'*)	sujets : *nous*, *vous* compléments : *nous*, *vous*
	3es personnes	sujets : *il*, *elle* compléments : *le*, *la*, *l'*, *lui*	sujets : *ils*, *elles* compléments : *les*, *leur*, *eux*
démonstratifs		*celui*, *celle* (*-ci*, *-là*)	*ceux*, *celles* (*-ci*, *-là*)
possessifs		*le mien*, *le tien*, *le sien*, *le nôtre*, *le vôtre*, *le leur*	*les miens*, *les tiens*, *les siens*, *les nôtres*, *les vôtres*, *les leurs*

- **Remarque :** le pronom personnel complément *se* (*s'*) est invariable.
> *Il* ***se*** *lave. Elle* ***se*** *lave. Ils* ***se*** *lavent.*

Je manipule

4 REMPLACER Récrivez les phrases en remplaçant les mots ou groupes de mots en couleur par ceux indiqués entre parenthèses. Faites toutes les modifications nécessaires et soulignez les pronoms personnels au pluriel.**

A. Je reçois une amie (des amies) d'enfance. Je lui montre d'anciennes photographies. Je l'interroge sur tout. Je la pousse à revenir souvent.
B. Tu (Vous) te soucies inutilement. Tu pourras me rencontrer quand tu voudras.

5 REMPLACER Récrivez ces phrases en remplaçant le groupe nominal en couleur par le pronom démonstratif correspondant.*

1. Parmi ces contes, indiquez les contes qui ont été écrits par Perrault. **2.** De toutes ces fables, quelles sont les fables que vous préférez ? **3.** De tous les poèmes, mes préférés sont les poèmes d'Apollinaire. **4.** Pour mon exposé, j'ai le choix entre des photographies en couleur ou en noir et blanc : ces photos-ci sont plus nettes, ces photos-là sont plus gaies.

6 AJOUTER Poursuivez ces phrases en utilisant des pronoms possessifs différents.**

1. Mes joueurs préférés sont les Marseillais, ... **2.** Mes artistes préférées sont des danseuses de l'opéra, ... **3.** Que prendre : mes cartes ou ... ? **4.** Que choisir : ses plans ou ... ?

32. Le -s en finale de mots

Je manipule, j'observe et je comprends

1 Recopiez le tableau et complétez-le en classant les mots du texte terminés par un -*s*.

-*s* en finale de mots	
à valeur de pluriel	sans valeur de pluriel

Tandis que les fidèles ouvriers effectuaient le travail, le vizir les observa puis il fit appeler le peintre et lui parla ainsi :
« Je t'ai appelé dans ma maison pour faire à mon fils un cadeau insolite… Je m'aperçois maintenant qu'il va devenir un don vraiment miraculeux. […]
– Et qu'est-ce qui te fait dire maintenant, vizir, que le don fait à ton fils sera miraculeux ? demanda paisiblement Sakoumat. Aujourd'hui encore, si tu cherches la moindre touche de couleur sur les murs de ces nombreuses pièces, tu ne la trouveras pas. Et, puisque tu as été sincère en me racontant tes pensées cachées, je peux te révéler que, pendant un certain nombre de jours, mon esprit est resté vide et incapable d'imaginer : c'était comme si je n'avais jamais tenu un pinceau entre les doigts. »

D'après R. PIUMINI, *La Verluisette*, 1996.

2 Observez les mots que vous avez relevés dans la colonne de gauche : quelles sont les classes grammaticales pour lesquelles le -*s* en finale de mots a valeur de pluriel ?

3 a. Parmi les mots relevés dans la colonne de droite, observez les formes verbales : à quelles personnes le -*s* en finale de verbe correspond-il ?

b. Observez les tableaux de conjugaison p. 368 et suivantes : à quelles autres personnes trouve-t-on un -*s* en finale de verbe ?

4 Est-il juste de dire que le -*s* en finale de mot est la marque du pluriel en français ? Confrontez vos avis.

J'apprends

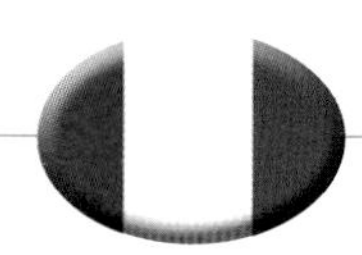

- Un -*s* en finale de mot exprime le pluriel :
  - des noms ; > *ouvriers*
  - des pronoms ; > *ils – les*
  - des adjectifs ; > *nombreuses*
  - des participes passés ; > *cachées*
  - des déterminants ; > *les – des – ces*
  - des verbes aux 1re et 2e personnes. > *nous pensons – vous dites*

- Un -*s* en finale de mot n'exprime pas toujours le pluriel. > *jamais – tandis*
  - Il peut être un héritage du latin. > *mon fils < filius*
  - Il correspond aux 2e et 1re personnes du singulier des verbes. > *tu parles – je dis*

INTERLANGUES Qu'en est-il du -*s* en finale de mots en anglais ?

- Un -*s* en finale de mot exprime le pluriel des noms. > *tables – books*

- Un -*s* en finale de mot n'exprime pas toujours le pluriel. > *as (comme)*
  Il correspond à la 3e personne du singulier des verbes au présent. > *he / she / it walks* – > *he / she / it goes*

33. Les critères de variation du verbe

Je manipule, j'observe et je comprends

1 **Associez à chaque couple de formes verbales le critère qui les fait varier : le temps, la personne, le mode, le nombre.**

je pense	tu penses

je pense	nous pensons

je pense	je penserai

je pense	penser

2 **Quels sont les différents critères qui font varier chaque couple de formes verbales ?**

je marche	vous marchiez

je marchais	nous avons marché

tu marches	vous marcherez

J'apprends

La conjugaison d'un verbe présente des formes verbales qui varient selon plusieurs critères

- la **personne** (1re, 2e, 3e)
  > *Je vois.*
  On voit.
- le **nombre** (singulier, pluriel)
  > *Je vois.*
  Nous voyons.
- le **temps** (simple ou composé)
  > *Il voit.* (présent)
  Il voyait. (imparfait)
  Il a vu. (passé composé)
- le **mode**
  > *voir* (infinitif)
  vu (participe)
  voyons (impératif)

Je manipule

3 REPÉRER **Repérez le critère de variation pour chaque liste de formes verbales.***

A. vous disiez • vous direz • vous avez dit • vous dites
B. je fais • tu fais • il fait
C. tu raconteras • vous raconterez

4 REPÉRER **Reproduisez et complétez le tableau en y reportant les formes verbales suivantes et en cochant les critères qui les font varier par rapport à la forme *tu préfères*.****

nous préférons • elle préférait • préférer • vous préféreriez • je préférerai • tu préféreras • vous préférez • préféré • ils avaient préféré

Forme verbale	Personne	Nombre	Temps	Mode
nous préférons	X	X		
…				

5 REPÉRER **Associez à chaque forme verbale encadrée la forme verbale qui la fait varier : a. selon la personne ; b. selon le nombre ; c. selon la personne et le nombre.****

A. il organise : ils organisent • tu organises • nous organisons
B. ils avaient pris : tu avais pris • elle avait pris • vous aviez pris
C. tu informeras : vous informerez • nous informerons • j'informerai

6 EMPLOYER **Récrivez ce texte en faisant varier le critère : a. de personne et/ou de nombre ; b. de temps. Comparez vos productions avec celles d'autres élèves.****

Je prends un solide petit déjeuner le matin puis je sors souvent dans le jardin. Je respire le parfum des fleurs et j'observe les premiers animaux réveillés.

34. Les accords dans le groupe nominal (GN)

Je manipule et je comprends

1 **Quelle est la classe grammaticale des mots en gras ? celle des mots en italique ? celle des mots soulignés ?**

Le pharaon porte sur [son corps **souple**] [une **longue** robe **droite**] et tient [les poings *croisés*] [sur sa poitrine]. [Son visage] est d'[un équilibre **parfait**]. [Ses yeux largement *ouverts*], [sa bouche **ferme** et **pleine**], [son menton bien *dessiné*] donnent le sentiment d'[une majesté **sereine**]. [Une **large** et **généreuse** barbe, finement *recourbée*] atteste [sa divinité].

D'après O. WEULERSSE, *Les Pilleurs de sarcophages*, 1984.

2 a. **Recopiez les groupes nominaux entre crochets dans le texte de l'exercice 1.**
b. **Indiquez le genre et le nombre de chaque nom surligné.**
c. **Quelle même règle d'accord les mots en gras, en italique et soulignés suivent-ils ?**

3 a. **Prononcez ces groupes nominaux.** b. **Quel est le genre des noms ?** c. **Observez la lettre initiale de ces noms puis expliquez la forme des déterminants.**
> *ton armoire – mon étagère – son attitude – son estimation – ton écriture – ton histoire*

4 a. **Prononcez ces groupes nominaux.** b. **Quel est le genre des noms ?** c. **Comparez la lettre initiale des noms dans chacune des listes puis expliquez pourquoi *ce* devient *cet*.**
> A. *ce roman – ce conte – ce récit*
> B. *cet épisode – cet auteur – cet écrivain – cet humour*

J'apprends

Les déterminants, les adjectifs, les participes passés employés comme adjectifs s'accordent en genre et en nombre avec le nom noyau du groupe nominal.
> *[**Les pauvres** enfants **perdus**] purent retrouver [**la** maison **familiale**] car [**le** frère **cadet**] avait semé [**de petits** cailloux, **nombreux et visibles**], sur le chemin.*

Pour la formation du féminin et du pluriel de l'adjectif, voir p. 308 et 312.

Je manipule

5 ACCORDER a. **Observez les adjectifs et les participes en gras : rappelez la règle d'accord.**
b. **Accordez les adjectifs et participes passés entre parenthèses.***

Épithètes
Une source – **corrompue**
Un secret – **divulgué**
Une absence – **pesante**
Une éternité – (passager)
Des ténèbres – (fidèle)
Des tonnerres – (captif)
Des flammes – (immobile)
La neige – en cendre
La bouche (fermé)
Les dents (serré)
La parole (nié)
(muet)
(bourdonnant)
(glorieux)
(englouti)

D'après J. TARDIEU, « Épithètes », *L'Accent grave et l'Accent aigu*, 1986.

6 ACCORDER **Recopiez les groupes nominaux en accordant les adjectifs.***

les légendes (ancien) • des histoires (spectaculaire) • de (vrai) héros (épique) • une attitude (théâtral) • des effets (spécial) • des lieux (scénique) • des vols (international) • des douches (public) • des combats (difficile) • une déesse (grec)

7 ACCORDER **Prononcez ces phrases puis recopiez-les en accordant les adjectifs et les participes employés comme adjectifs.***

1. Dans les contes, on trouve des ogres (inquiétant) et d'(affreux) sorcières.
2. Il prit sa cuirasse (brillant) et son épée (neuf).
3. Elles chantèrent des romances (agréable) et des airs (mélodieux).
4. Les animaux (mythologique) et les créatures (fabuleux) peuplent l'univers des contes.
5. J'adore les récits (fascinant) de la mythologie.

8 ACCORDER a. **Recopiez les groupes nominaux en couleur en entourant les noms noyaux.** b. **Accordez les adjectifs et les participes employés comme adjectifs.***

La poule

Pattes (joint), elle saute du poulailler, dès qu'on lui ouvre la porte. C'est une poule (commun), modestement (paré) et qui ne pond jamais d'œufs d'or. La poule, (ébloui) de lumière et (indécis), fait (quelque) (petit) pas dans la cour. Elle se roule dans un tas de cendres (tiède) et, les plumes (gonflé), secoue ses puces de la nuit. Elle boit ensuite dans une assiette (creux), par (petit) coups (bref), et dresse le cou, en équilibre sur le bord du plat. Puis elle cherche sa nourriture (particulier). Les (fin) herbes sont à elle.

D'après J. RENARD, *Histoires naturelles*, 1967.

9 ACCORDER a. **Recopiez les groupes nominaux entre crochets en accordant les adjectifs et les participes passés employés comme adjectifs.** b. AUTODICTÉE **Apprenez le texte.****

[Les (long) herbes] à ses pieds se mirent à bruire[1] au passage hâtif[2] du Lapin blanc... [La Souris (effrayé)] fit des éclaboussures en traversant [la mare (voisin)]... Elle entendit le cliquetis des tasses à thé tandis que le Lièvre de Mars et ses amis partageaient [leur (interminable) collation[3]], et [la voix (perçant)] de la Reine ordonnant l'exécution de [ses (infortuné) invités].

1. produire un léger bruit. **2.** rapide. **3.** repas.

D'après L. CARROLL, *Alice au pays des merveilles*, 1869.

10 ACCORDER **Recopiez le texte en replaçant les adjectifs et participes passés au bon endroit dans le texte et en les accordant.****

long (2 fois) • appétissant • haut • tendre • beau • jeune • grand • quotidien • tranquille • semé • infini

Très … sur pattes, le cou démesurément …, Serigne N'Diamala-la-girafe vit en solitaire. Ce qu'il lui faut, c'est la … savane …, … d'îlots de verdure et d'oasis … . Ses … pattes lui permettent de faire de … enjambées. […] Lentement, elle fait sa promenade … à travers les bosquets dont les arbres ont de … feuilles … et … .

L. S. SENGHOR, *La Belle Histoire de Leuk-le-lièvre*, © NEA-Edicef, 1990.

J'apprends

Cas particuliers : les déterminants

- Les déterminants ***ma, ta, sa*** deviennent *mon, ton, son* devant un nom féminin singulier commençant par une **voyelle** ou un ***h* muet**.
  > ***mon / ton / son** écriture*
  > ***mon / ton / son** histoire*
- Le déterminant ***ce*** devient *cet* devant un nom masculin singulier commençant par une **voyelle** ou un ***h* muet**.
  > ***ce** poète – **cet** écrivain – **cet** honneur*

Cas particuliers : l'adjectif

- Si un adjectif ou un participe employé comme adjectif qualifie plusieurs noms, il se met au pluriel.
  > *un dieu et un héros **romains** et **connus***
- Si l'un des noms est au masculin, l'adjectif se met au masculin.
  > *des déesses et des dieux **grecs***

Je manipule

11 REPÉRER **a. Recopiez les groupes nominaux entre crochets. b. Entourez le nom noyau, soulignez d'un trait les adjectifs et les participes employés comme adjectifs, de deux traits les déterminants. c. Justifiez oralement les différents accords.***

Comme beaucoup d'intellectuels, Minerve aimait travailler la nuit, et c'est la raison pour laquelle [son animal préféré] était [un oiseau nocturne], la chouette, qui perchait ordinairement sur son casque. Est-ce à cause de sa ressemblance avec [mon actrice favorite] ou à cause de [ses qualités intellectuelles], toujours est-il qu'elle est, je ne vous le cache pas, [ma déesse préférée].

D. LINDON, *Les dieux s'amusent*, © Castor Poche Flammarion, 1995.

12 EMPLOYER **Recopiez les groupes nominaux comportant un déterminant au pluriel et transposez-les au singulier.***

1. Mes histoires vont retenir l'auditoire. **2.** Tes attentions et tes délicatesses me touchent. **3.** Mes héros ont montré du courage. **4.** Ses audaces, ses prises de risque et ses astuces lui ont permis de réussir. **5.** Ses rêves d'enfant se sont réalisés. **6.** Tes hésitations peuvent s'expliquer tant ses exploits sont hors du commun.

13 EMPLOYER **a. Recopiez les groupes nominaux comportant un déterminant possessif. b. Transposez-les au singulier.***

1. Il prépare ses études de documents. **2.** Le comédien découvre ses costumes de scène. **3.** Ses conférences sur Perrault ont connu un vif succès. **4.** Le peintre annonce ses expositions à la médiathèque. **5.** Ses ordres bouleversent tes habitudes.

14 EMPLOYER **Recopiez chaque groupe nominal en le faisant précéder du déterminant qui convient : *son, sa, ses* et en accordant les adjectifs et les participes employés comme adjectifs.***

animaux (domestique) • écharpe (laineux) • excursions (lointain) • goûters (joyeux et animé) • livre (ouvert et intéressant) • découverte (précis et surprenant)

15 EMPLOYER **Recopiez les phrases suivantes en remplaçant les … par le déterminant *cette* ou *cet*.***

1. … aventure d'Ulysse est la dernière. **2.** Les dieux ont doué … homme de toutes les qualités. **3.** Ils ont perdu … argent en quittant précipitamment … contrée. **4.** … individu me fait peur ; crois-tu qu'il fasse … effet à tous ? **5.** … hypothèse ne me convient pas.

16 ACCORDER **Recopiez chaque groupe nominal en le faisant précéder du déterminant qui convient : *ce, cet, cette* ou *ces*, et en accordant les adjectifs et les participes employés comme adjectifs.***

amitié (profond et sincère) • élève (discret et sérieux) • pré (fleuri et clôturé) • années (précédent) • chemins (étroit et ombragé)

17 ACCORDER **a. Accordez les adjectifs et les participes employés comme adjectifs. b. Rédigez des phrases où vous emploierez au moins trois de ces GN.***

des contes et légendes (africain) • un moineau et une mésange (apeuré) • une fillette et une mère (attentif) • une route et un paysage (maritime) et (venté) • un raisin et des oranges (parfumé) et (juteux) • des pierres et des roches (volcanique) et (rugueux)

18 EMPLOYER **Formez six groupes nominaux en puisant un élément dans chaque liste (plusieurs solutions possibles).***

A. un • la • cet • ses • mon • ta • une • des • les • cette • son • ces

B. chapeau • sacoches • ombrelle • voiture • pantalons • manteau

C. poussiéreux • souples • ancien • longs • vieille • imperméable

D. décousu • démodée • remplies • vendue • repassés • déchiré

19 ACCORDER **Remplacez chaque nom par celui proposé entre parenthèses et accordez les autres mots.***

le vieux magasin (boutiques) • une lampe rouge (feux) • des fées merveilleuses (enchanteur) • les principales aventures (exploits)

20 ACCORDER **Récrivez ce texte en remplaçant chaque nom souligné par celui proposé entre parenthèses et en faisant les accords dans le GN.****

Le petit lutin (fille) s'enfonça dans le bois (forêt) profond. Au bout d'un court moment (minutes), un renard (renarde) roux vit s'approcher des géants (ogresse) impressionnants et monstrueux. L'animal (bête) intelligent et gentil prévint notre héros (héroïne) insouciant. Le joyeux lutin (fillette) se cacha pour éviter ces horribles monstres (créature) affamés.

21 RÉDIGER **À la manière de Jean Tardieu dans le texte de l'exercice 5, imaginez un poème intitulé « Épithètes ».****

35. Les accords du verbe avec le sujet

J'observe et je comprends

1 a. **À quel dessin ces phrases correspondent-elles ? Pourquoi ?**
> *La sorcière **jette** des sorts.* > ***Jette**-t-elle des sorts ?*
> *La sorcière, très en colère, **jette** des sorts.*

b. **Où chaque sujet est-il placé par rapport au verbe ?**
c. **La place du sujet modifie-t-elle l'accord du verbe ?**

2 a. **À quel dessin cette phrase correspond-elle ? Quel groupe de mots vous permet de répondre ?**
> *Les sorcières **sont** en colère, **agitent** leur baguette et **jettent** des sorts.*

b. **Quelle est la fonction de ce groupe de mots ?**

3 a. **À quelle personne et à quel nombre chaque verbe est-il conjugué ?**
> *Je lis.* > *Nous lis**ons**.* > *Vous lis**ez**.* > *L'enfant li**t**.* > *Les enfants lis**ent**.*

b. **Quel mot ou groupe de mots justifie la marque de personne de chaque verbe ?**

4 **À quelle personne et à quel nombre chaque verbe est-il conjugué ? Pourquoi ?**
> *Hans et Gretel **entrent** dans la maison de la sorcière.*
> *Mon ami et moi **aimons** les contes.*

J'apprends

- **Le sujet** (voir p. 292) **commande toujours l'accord du verbe**, qu'il soit placé avant le verbe (à gauche) ou après le verbe (à droite).
  > *Tu aim**es** les contes. Aim**es**-tu les contes ?*
- Un verbe s'accorde avec son sujet :
  – **en personne** ; > *Je ris.* (1re personne du singulier) / *Il rit.* (3e personne du singulier)
  – **en nombre.** > *Je ris.* (1re personne du singulier) / *Nous rions.* (1re personne du pluriel)
- Le sujet commande **l'accord de tous les verbes** dont il est sujet.
  > *Les fées entour**ent** le berceau et utilis**ent** leur baguette magique pour jeter un sort.*
- Quand un verbe possède **plusieurs sujets**, il s'accorde au **pluriel**.
  > *Léo et son ami rédig**ent** un conte.*

Je manipule

5 REPÉRER **Recopiez les phrases en soulignant le sujet et en choisissant le verbe correctement accordé.***
1. Je (finis / finit) de lire un conte. **2.** Ils (étudie / étudient) des contes. **3.** Le petit tailleur (parcourt / parcours) le pays. **4.** Les ogres (menaces / menacent) les enfants. **5.** Le Petit Poucet (ramasses / ramasse / ramassent) des cailloux.

6 REPÉRER **Observez les marques de personne des verbes puis recopiez les phrases en choisissant le sujet qui convient.***

1. (Un jeune enfant et sa mère / Une fillette / Elle) sortent de la piscine. **2.** (Il / Tu/ Elle) apprends à nager. **3.** (La jeune fille / Les adolescents) participe régulièrement à des compétitions. **4.** (Le meilleur nageur / Les meilleurs nageurs) relève le défi.

7 REPÉRER **Recopiez les phrases en soulignant le sujet et en choisissant la bonne marque de personne : *-e, -es, -ent.****

1. Je (préparer) le terrain de jeu. **2.** Les joueurs (organiser) les équipes. **3.** Tu (apporter) le matériel. **4.** Les adversaires (respecter) les règles du jeu. **5.** Les spectateurs (assister) à la compétition.

8 ACCORDER **Repérez le sujet et récrivez les phrases en accordant les verbes. Vous emploierez l'imparfait.***

1. L'enfant (jouer) et (rire). **2.** L'escargot (ramper) et (s'arrêter). **3.** Les animaux (attendre) et (écouter). **4.** Le lion (rugir) et (s'exprimer). **5.** Le loup (observer) et (attaquer). **6.** Les abeilles (voler) et (butiner).

9 ACCORDER **Repérez les sujets placés après le verbe et accordez les verbes en les conjuguant au présent.****

1. Un jour, dans les eaux du fleuve, (se baigner) une jeune nymphe. **2.** Sur les bords de ce fleuve (s'étendre) des rives riantes. **3.** Sur la droite (murmurer) une petite source. **4.** Tandis que la nymphe prend plaisir à se baigner, (arriver) Céphise, le dieu du fleuve. **5.** À peine sort-il du fleuve où (se rafraîchir) la jeune beauté qu'il tombe amoureux d'elle.

B. HELLER, « Être narcissique ou Un cœur safran », *Petites histoires des expressions de la mythologie*, © Flammarion Jeunesse, 2013.

10 ACCORDER **Transformez les phrases en remplaçant les pronoms sujets « il » ou « elle » par « ils » ou « elles » et accordez les verbes en respectant le temps.***

1. Il arrose les fleurs. **2.** Dans le jardin, il cueille des salades. **3.** Avec la brouette, elle transporte l'herbe coupée. **4.** À l'ombre du vieux chêne, il dort. **5.** Elle surgit à l'improviste et fait peur au jardinier.

11 ACCORDER **Transformez les phrases selon le modèle suivant.***

Le frère joue et la sœur joue. > Le frère et la sœur jouent.

1. Le corbeau parle et le renard parle. **2.** Ésope écrit des fables et La Fontaine écrit des fables. **3.** Le loup boit et l'agneau boit. **4.** Le renard prépare un dîner et la cigogne prépare un dîner. **5.** Le lièvre parie et la tortue parie.

12 ACCORDER **Accordez les verbes entre parenthèses avec leur sujet, en les conjuguant au présent.***

1. Grognon, tu (fourrer) le nez partout et tu (marcher) autant avec lui qu'avec les pattes. **2.** Tu (cacher) sous des oreilles en feuilles de betterave tes petits yeux. **3.** Tu (être) ventru comme une groseille à maquereau. **4.** Tu (avoir) de longs poils. **5.** Et les méchants (dire) que tu (dégoûter) tout le monde.

D'après J. RENARD, « Le Cochon », *Histoires naturelles*, 1967.

13 ACCORDER **Récrivez le texte au présent en respectant les accords sujet-verbe.***

C'était la fin de l'hiver, les arbres bourgeonnaient et les fleurs sauvages parfumaient l'air. Dès que Kéma, le singe, s'approchait de sa femme, elle le rabrouait. Non loin d'un buisson, le singe découvrit M'Bolo ; celui-ci cherchait à plaire à Édodi, la biche. Le singe rentra chez lui pour faire la même chose avec son épouse, mais il se fit expulser hors de l'arbre.

D'après ÉBOKÉA, *Sagesses et malices de M'Bolo, le lièvre d'Afrique*, 2002.

14 ACCORDER **Complétez les phrases suivantes en inventant un sujet qui convienne au verbe.***

1. Depuis une semaine, ... attend l'arrivée de ses amis. **2.** Les ... préparent les plans du nouveau centre commercial. **3.** La ... et ... reçoivent les félicitations du jury. **4.** ... arrivera à la fin de la semaine. **5.** Arriverons-... avant l'orage ? **6.** Penses-... pouvoir répondre aux questions que te posent ... ?

15 ACCORDER **Formez des phrases à partir des éléments proposés. Employez le présent et accordez les verbes avec les sujets.** **

1. un brouillard épais / sur la lande / tomber **2.** des bruits nocturnes / dans une chapelle abandonnée / retentir **3.** une nouvelle visiteuse / dans l'allée du château / arriver **4.** un chien / sur la piste des cambrioleurs / se lancer **5.** une nouvelle adaptation de Cendrillon / au cinéma / ces jours-ci / sortir

16 ACCORDER **Trouvez un sujet à une personne différente pour chaque groupe verbal et formez des phrases. Employez l'imparfait et accordez les verbes avec les sujets.****

1. Distribuer les cahiers. **2.** Entendre de la musique. **3.** Voir des films. **4.** Pratiquer un sport. **5.** Suivre des cours de judo. **6.** Accomplir un exploit.

J'apprends

- Un sujet peut être **séparé du verbe par d'autres mots.**
  > *Les élèves, passionnés, lis**ent** le conte.*
- Quand le sujet est un groupe nominal comportant un complément du nom, **le verbe s'accorde avec le nom noyau.**
  > *[Le chien des voisins] aboie.* > *[Les chiens du voisin] aboi**ent**.*
- Quand le sujet est un groupe nominal singulier évoquant un groupe de personnes ou de choses, le verbe s'accorde à la 3e personne du singulier.
  > *La foule acclam**e** l'artiste. Tout le monde rentr**e**.*

Je manipule

17 ACCORDER **Repérez les sujets et accordez les verbes en les conjuguant au présent.***

1. Lenoir et Legris, les pattes au chaud sous la fourrure, (manger) comme des vaches. **2.** Ces deux lapins, côte à côte, ne (faire) qu'un repas qui durait toute la journée. **3.** La fermière, occupée à diverses tâches, (tarder) à leur jeter une herbe fraîche. **4.** Nos deux compères, dans leur cage, (grignoter) l'ancienne plante.

D'après J. RENARD, « Les Lapins », *Histoires naturelles*, 1967.

18 ACCORDER **Formez des phrases en associant chaque groupe sujet de la liste A à un verbe de la liste B, que vous accorderez et emploierez au présent.****

A. les lions de la savane • le petit chat de nos amis • les poules de la basse-cour • les chevaux du haras • les singes du zoo • les perroquets de grand-père

B. picorer • grimacer • rugir • galoper • miauler • parler

19 ACCORDER **Récrivez ces phrases en accordant les verbes avec leur sujet. Vous emploierez l'imparfait.****

1. Les épines du buisson (empêcher) Renart de franchir la barrière.
2. Les poules, occupées à picorer à le grain, (ne pas voir) le rusé animal.
3. Les poissons du marchand, dans la charrette, (tenter) Renart.
4. Le chien des fermiers (poursuivre) Renart.
5. Les ruses de Renart (faire) du tort aux autres animaux.

20 ACCORDER **Récrivez ces phrases en remplaçant le sujet en gras par celui proposé entre parenthèses.***

1. Plusieurs personnes (Le public) encouragent les athlètes.
2. Toutes les personnes (La foule) avancent dans la rue.
3. Les élèves et les professeurs (Tout le monde) montent un projet.
4. Les joueurs (L'équipe) remportent le match.
5. Les chanteurs (Le groupe) déchaînent l'enthousiasme du public.

21 RÉDIGER **Imaginez un bref récit à partir de ces groupes nominaux qui seront sujets. Vous emploierez le présent et accorderez les verbes avec les sujets.****

un chien dressé • des enfants • Anna et Flora • le facteur • la place du village

22 RÉDIGER **À l'aide de l'image, inventez une petite histoire en variant la place des sujets que vous soulignerez. Respectez les accords.****

Von Hiltbolt Schwangau, codex du XIVe siècle.

36. L'accord de l'attribut et du participe passé avec le sujet

J'observe et je comprends

1 a. **Relevez le sujet de chaque verbe.** b. **Par quel verbe chaque mot ou groupe de mots en gras est-il relié au sujet ?** c. **Quel rôle ces mots, nommés « attributs », jouent-ils par rapport au sujet ?** d. **Quelles sont les classes grammaticales des attributs ?**

> *Le garçon est* ***sportif****.*
> *Les garçons semblent* ***sportifs****.*
> *Paul passe pour* ***un nageur****.*
> *Il reste* ***actif****.*
> *La fillette paraît* ***sportive****.*
> *Les fillettes sont* ***sportives****.*
> *Sylvie est* ***une nageuse****.*
> *Elle demeure* ***active****.*

e. **Observez la terminaison des attributs en gras : avec quel nom, groupe nominal ou pronom personnel chacun d'eux s'accorde-t-il ?**

2 a. **Chaque participe passé en gras est-il employé avec *être* ou *avoir* ?**

> *Le Petit Poucet est* ***perdu*** *dans la forêt avec ses frères.*
> *La fillette est* ***affamée****.*
> *Ils étaient* ***perdus****.*
> *Les petites ogresses seront* ***affamées****.*

b. **Quel groupe nominal ou pronom est qualifié par chaque participe passé en gras ?**

c. **Quelle est la fonction de tous ces groupes nominaux et pronom ?**

d. **Qu'est-ce qui fait varier la terminaison de chaque participe passé ?**

3 **En vous appuyant sur les exercices 1 et 2, dites si la règle d'accord des attributs du sujet et celle des participes passés employés avec *être* sont semblables ou différentes.**

J'apprends

- Le verbe ***être*** et les verbes ***sembler***, ***paraître***, ***demeurer***… permettent de relier un attribut du sujet (adjectif ou groupe nominal) au sujet du verbe. Un sujet peut avoir **plusieurs attributs**.
  > *La maison est* ***blanche*** *et* ***haute****. Elle semble* ***une belle bâtisse****.*
- **L'attribut** du sujet ainsi que le participe passé employé avec *être* **s'accordent en genre et en nombre avec le sujet** auquel ils se rapportent. Il faut donc chercher le sujet.
  > *Le prince était* ***fort****. Il semblait* ***un homme vaillant****.*
  > *La princesse était endormie.*
  > *Les serviteurs du château n'étaient pas morts mais assoupis.*

– réviser la conjugaison de *être* aux six temps de l'indicatif (voir p. 368) ;
– revoir les terminaisons des participes passés au masculin singulier (voir p. 368) ;
– revoir les marques du genre et du nombre de l'accord de l'adjectif (voir p. 308 et 312).

Les groupes nominaux attributs ne s'accordent pas toujours avec le sujet.
> *Le prince semblait* ***une personne courageuse****.*

Je manipule

L'attribut du sujet

4 ACCORDER **Dans ces extraits de poème : a. repérez les sujets ; b. recopiez les textes en accordant les adjectifs attributs du sujet.***

1. Que la forêt était (obscur).
2. Les enfants sont plus (vif) que des airs de sardanes[1].
Les parasols sont (vert), les cabines sont (bleu).
3. Le blé est (blond). L'abeille est (blond).
La croûte du pain frais est (blond).
La compote, au creux du bol rond,
Et le miel sur le pain sont (blond).

1. danses catalanes.

M. CARÊME, « Le blé est blond », *Chanson pour Caprine*, © Fondation Maurice Carême, 2003.

5 REPÉRER **Relevez les adjectifs attributs du sujet et justifiez l'accord de chacun d'eux.***

Les sentiers étaient déserts lorsque apparut une masse sombre. Celle-ci paraissait lente et massive. Un gigantesque ogre dont les jambes étaient aussi hautes que des arbres se découpa à la clarté de la lune. Les deux enfants étaient conscients du danger face à ce géant et semblaient totalement incapables de fuir.

6 ACCORDER **Récrivez les phrases suivantes en remplaçant le groupe nominal en gras par celui entre parenthèses. Faites toutes les transformations nécessaires.***

1. **La danseuse** (Les sportives) est joyeuse de participer au spectacle. 2. **L'apprentissage** d'une langue (Les exercices manuels) semble fondamental. 3. **Les groseilles** (La framboise) du jardin sont exquises. 4. **Les enfants** (Paul) paraissent rêveurs.

7 ACCORDER **Complétez les phrases suivantes avec des groupes nominaux attributs du sujet que vous accorderez.***

1. Marie paraît .... 2. Sa grand-mère était .... 3. À vingt ans, elles seront .... 4. Malgré leur long voyage, ils sont restés .... 5. Ces maisons passent pour ....

8 ACCORDER **Récrivez le texte en commençant par « La vieille femme ». Faites les transformations nécessaires et accordez les attributs du sujet.***

Le vieil homme semble las et malheureux ; il est soucieux à cause de sa chienne malade. Il paraît lent mais il est pourtant vif. Il est l'homme le plus ancien du village.

Le participe passé

9 ACCORDER **a. Recopiez les phrases en accordant les participes passés entre parenthèses avec les sujets en gras. b. Récrivez les phrases en mettant les sujets au pluriel.***

1. **La jeune fille** était (décidé) à voyager. 2. **L'artiste** fut (applaudi) par le public. 3. **Ma sœur** est (parti) en classe de neige avec ses camarades. 4. **La spectatrice** est (séduit) par l'exposition photographique. 5. Est-**il** parti à l'heure ? 6. Es-**tu** (venu) seule ?

10 ACCORDER **Recopiez le texte en encadrant les sujets avec lesquels s'accorde chaque participe passé et en accordant les participes passés entre parenthèses avec ces sujets.***

Une chatte était (pris) d'un grand amour pour un beau jeune homme. Elle demanda à Aphrodite de la métamorphoser en femme. La déesse fut (ému) et la chatte fut (transformé) en une séduisante jeune fille. Mais Aphrodite voulut vérifier que les habitudes de la chatte étaient également (changé). La nuit de noces, une souris fut (lâché) dans la chambre et aussitôt (poursuivi) par la jeune fille. Aphrodite parut très (fâché) et la jeune fille fut (métamorphosé) en chatte.

D'après ÉSOPE, « La Chatte et Aphrodite », *Fables*.

11 ACCORDER **Oralement, remplacez chaque sujet en gras par les mots entre parenthèses. Récrivez les phrases en établissant les nouveaux accords.***

1. Au petit matin, **une renarde** (des loups) fut aperçue par les chasseurs. 2. **Le fleuve** (Les rivières) fut canalisé par la digue. 3. **Vous** (Tu) étiez sortis en promenade. 4. **Mon film** (Mon émission) sur les animaux est prévu la semaine prochaine. 5. **Sa chanson** (Ses discours) sera entendue à la radio.

12 EXPLIQUER **a. Qui dit « je » dans le texte : un garçon ou une fille ? Comment pouvez-vous le prouver ? b. Justifiez oralement l'accord de « allongés ».***

Appuyées contre nos mulets, Ataka et moi sommes encore tout éberluées[1]. Le chevreau nouveau-né bêle plaintivement dans les bras d'Ataka. [...] Je regarde autour de moi. Les chameaux et les ânes sont allongés par terre, formant un cercle.

1. très étonnées.

C. VERLEYE, *Raïsha, fille du désert*, © Père Castor Flammarion, 2003.

13 AJOUTER **Complétez ces phrases par des sujets qui conviennent aux participes passés accordés.***

1. ... étaient entendues par le détective. 2. En hiver, ... est posée devant la maison. 3. ...sont arrivés en train. 4. ... sont descendus de voiture. 5. Le mois dernier, ... avaient été secouées par le vent.

37. Le son [s]

J'observe, je manipule et je comprends

1 a. **Prononcez les mots suivants : où le son [s] se trouve-t-il placé dans le mot ?**
b. **Quelles voyelles se trouvent derrière la lettre « s » ?**
> *salade – sale – sapin – sardine – savon*
> *soleil – somme – sordide*
> *soupe – sous – soulager*
> *surpasser – sûr*

2 **Lisez oralement les deux familles de mots.** a. **Quelle difficulté orthographique repérez-vous à l'écrit ?** b. **En quoi l'organisation en familles de mots est-elle utile ?**
> A. *verser – versement – renverser – renversement*
> B. *percer – percement – perceuse*

3 a. **Prononcez les listes de mots suivants : dans laquelle entendez-vous le son [s] ?**
b. **À quoi le doublement du « s » sert-il ?**
> A. *rasage – arroser – poison – ruser*
> B. *passage – endosser – poisson – russe*

4 a. **Prononcez les mots suivants : comment le « c » se prononce-t-il ?**
b. **Devant quelles voyelles se trouve-t-il ?**
> *glace – agacer – prononcer – avancer – cigale – cinéma – facile*

5 a. **Prononcez les listes de mots suivants : dans laquelle entendez-vous le son [s] ?**
b. **À quoi la cédille sert-elle ?**
> A. *cage – casier – acajou – coude – corolle – couper – cuisine*
> B. *façade – glaçage – nous agaçons – glaçon – il aperçut*

J'apprends

Le son [s] : écriture avec *s* ou *ss*

- Tous les mots qui commencent par **[sa]**, **[so]**, **[su]** et **[sy]** prennent un *s*.
  > *salon – soleil – sourd – sur*
- À l'intérieur d'un mot, il faut doubler le *s* pour faire le son [s] entre deux voyelles.
  > *passer – laisse – poisson – russe*
- Sinon, aucune règle ne permet de choisir entre *s* ou *c* pour écrire le son [s].
  Il faut apprendre les mots, en s'aidant des familles de mots.
  > *pension – pensionnaire ≠ récit – récitation – réciter*

Je manipule

6 AJOUTER **Recopiez ces familles de mots en complétant chaque mot par la lettre qui convient pour écrire le son [s].***
A. sale • …alir • …aleté • …alissure
B. solide • …olidité • …olidement
C. sens • …ensible • …entir • …ensation • …entiment • …ensibilité

7 AJOUTER **Associez à chacun de ces mots un mot de la même famille commençant par *s*.***
salade • sage • saut • sortir • soulever • soulager • surprise • salut • sauvage • sapinière

8 AJOUTER **Récrivez ces phrases en les complétant par des mots commençant par *s*.****
1. Cet appartement comporte deux chambres et un

vaste … où se réunit la famille. **2.** Ma famille aime jouer aux jeux de … . **3.** Des uniformes et des armes ont été remis aux … . **4.** Le … de la montagne est couvert de neige. **5.** Une année comporte deux … . **6.** Il préfère la … plutôt que d'être dans la foule.

9 AJOUTER **Recopiez ces familles de mots en complétant chaque mot par la lettre qui convient pour écrire le son [s].***

A. signe • …ignal • …ignaler • …ignalement
B. penser • pen…ée • pen…eur
C. siffler • …ifflement • …ifflet
D. semer • …emence • …emailles • par…emer

10 AJOUTER **Donnez les mots commençant par *s* et correspondant à ces définitions.****

1. Mettre du sable sur les routes en cas de neige. **2.** Petit sac. **3.** Total d'une addition. **4.** Repas très tardif (où l'on servait de la soupe). **5.** Peser un fruit avec la main.

11 AJOUTER **Observez les lettres en couleur puis écrivez ces noms en les complétant par *s* ou *ss*.***

un do…ard • une cha…e • un pan…ement • une bo…e • une pen…ée • un pa…age • une permi…ion • adre…er • une mor…ure • inten…e • a…urer

12 AJOUTER a. **Formez le féminin de ces noms.**
b. **Soulignez la ou les lettres qui forment le son [s].***

un maître • un tigre • un ogre • un duc • un comte • un dieu • un prince

13 REMPLACER **À partir de chacun de ces adjectifs, formez un nom comportant le son [s] selon le modèle.*** *sage > sagesse*

faible • jeune • riche • tendre • noble • souple • juste

J'apprends

Le son [s] : écriture avec c ou ç

- Devant ***e, i, y*** on emploie un c. > *ceci – une cerise – une cigale – un cygne*
  Plus de 550 noms se terminent par ***-ance*** ou ***-ence***. > *ambiance – agence*
- Devant ***a, o, u***, on emploie un ç. > *une façade – un garçon – aperçu*
  Les verbes en ***-cer*** prennent un ç devant *a* et *o*. > *il lançait – nous lançons*

Je manipule

14 AJOUTER **Récrivez ces familles de mots en employant un *c* ou un *ç* selon la voyelle en couleur.***

A. la for…e • for…er • le renfor…ement
C. la fa…on • fa…onner
D. le silen…e • silen…ieux
E. la grâ…e • gra…ieux
F. un pro…édé • pro…éder

15 AJOUTER **Récrivez ces phrases en complétant les mots par un *c* ou un *ç*.***

1. Le pêcheur a préparé ses hame…ons. **2.** La mode est aux cale…ons à pois. **3.** Puis-je avoir des gla…ons dans mon jus de fruits ? **4.** Nous avan…ons à tâtons. **5.** Ne le for…ez pas à manger cette gla…e.

16 REMPLACER **Conjuguez ces verbes à la 1re personne du pluriel au présent et à la 3e personne du pluriel à l'imparfait.***

percer > nous perçons, ils perçaient

prononcer • agacer • commencer • déplacer • forcer

17 REMPLACER **Conjuguez à l'imparfait les verbes *grimacer* et *grincer*.****

18 REMPLACER **Formez des noms à partir des verbes suivants, selon le modèle.***

assurer > assurance

ignorer • insister • tolérer • ressembler • attirer • endurer • persévérer

19 REMPLACER **Formez des noms à partir des verbes suivants, selon le modèle.***

exister > existence

différer • préférer • affluer • présider • exceller

20 REMPLACER **Récrivez le texte en orthographiant correctement le son [s] de chaque mot.****

Quand la [s]oirée fut avan[s]ée, l'immen[s]e a[s]istan[s]e des jouets [s]e ra[s]embla et commen[s]a à dan[s]er avec pruden[s]e mais non [s]ans élégan[s]e. Le ca[s]e-noisettes val[s]ait avec souple[s]e, a[s]o[s]ié au crayon. Le petit [s]oldat de plomb [s]e pla[s]a près de la dan[s]euse pour a[s]ister au [s]pectacle.

38. Le son [z]

J'observe, je manipule et je comprends

1 Prononcez les mots suivants : quelle lettre fait entendre le son [z] ?
> base – bise – bouse – buse – hasard – paysan – prise – ruse – allusion – prévision – rose – crise – chanteuse – heureuse – viser – télévision – amusement

2 Où la lettre « z » est-elle placée dans les mots suivants ?
> zone – zèbre – zébu – zéphyr

3 Selon vous, quelle est la lettre la plus employée en français pour transcrire le son [z] ?

J'apprends

Le son [z]

- En français, le son [z] s'écrit presque toujours s. *> raison – magasin*
- En début de mot, le son [z] s'écrit toujours z. *> zapper*
- Seule une vingtaine de mots courants, dont les chiffres *onze, douze, treize, quatorze, quinze, seize* et *dizaine*, comporte un ***z*** à l'intérieur du mot.
- Le ***x*** de *deuxième* et de *dixième* se prononce [z].
- À l'oral, quand un mot est terminé par ***s*** ou ***x*** et est suivi d'une **voyelle**, on entend la liaison [z].
> de bons_et vieux_amis

Je manipule

4 AJOUTER a. **Récrivez ces mots comportant le son [z].** b. **Quelle lettre avez-vous employée ?***
une ro…e • une blou…e • accu…er • une pau…e • une do…e • une ventou…e • arro…er • po…er • une pelou…e • une médu…e • ru…er • un maga…in

5 REMPLACER a. **Formez le féminin des noms suivants.** b. **Soulignez la lettre transcrivant le son [z].***
époux • danseur • skieur • patineur • contrôleur • vendeur • coiffeur • masseur • chanteur

6 REMPLACER a. **Formez le féminin de ces adjectifs.** b. **Soulignez la lettre transcrivant le son [z].** c. **Employez le féminin de chaque adjectif en couleur, chacun dans une phrase qui mette son sens en valeur.***
heureux • joyeux • chaleureux • peureux • délicieux • fameux • astucieux • valeureux

7 REMPLACER **À partir des noms suivants, formez des verbes se terminant par le même suffixe comportant le son [z]. Attention : le radical doit souvent être modifié.**** *maître > maîtriser*
terreur • faveur • moteur • mémoire • scolaire • populaire • indemnité

8 AJOUTER a. **Écrivez ces mots comportant le son [z].** b. **Quelle lettre avez-vous employée ? Pourquoi ?***
un …èbre • …éro • un …este de citron • un …igzag • une …one • un …oo

9 AJOUTER a. **Écrivez ces mots comportant le son [z].** b. **Quelle lettre avez-vous employée ?** c. **Donnez un mot de la famille de chacun des mots de la liste A.** d. **Employez chacun des mots en couleur dans une phrase qui mette son sens en valeur.****
A. bron…er • l'hori…on • le ma…out • un lé…ard • un trapè…e
B. une ga…elle • une ri…ière • un maga…ine • bi…arre • l'a…ur

10 PRONONCER **Lisez le texte à voix haute en faisant les dix liaisons qui produisent le son [z].****
En quelques instants, ces amis inséparables vécurent les plus épouvantables aventures qui soient. Sans avoir les armes adaptées, ils étaient les prisonniers des mauvais esprits.

39. Le son [g]

J'observe, je manipule et je comprends

1 a. **Prononcez ces listes de mots : comment le son [g] est-il écrit ?**
> A. *garage – gaz – garantie – garçon – gaieté – conjugaison – gorille – gosier – gondole – gonfler – agacement*
> B. *glace – glue – gras – gris – grippe – grimper*

b. **De quelles voyelles la lettre « g » est-elle suivie en A ?**

c. **De quelles lettres la lettre « g » est-elle suivie en B ?**

2 **Prononcez cette liste de mots : comment le son [g] est-il écrit ? De quelles voyelles la lettre « g » est-elle suivie dans chaque mot ?**
> *guerre – guenon – fatigue – muguet – aiguille – déguiser – guide*

J'apprends

Le son [g] s'écrit :

- *g* devant ***a***, ***o***, ***u*** et devant une consonne (***l***, ***r***) ;
  > *interrogation – gosier – aigu – glacier – grave*
- *gu* devant ***e*** et ***i***. > *guetter – guitare*

- Exceptions :
  > *second*
  > *aggraver – agglomérer – agglutiner – toboggan*
  > *afghan – ghetto – maghrébin – spaghetti* *(mots d'origine étrangère)*

Je manipule

3 AJOUTER **Observez les lettres en couleur pour écrire et compléter ces mots comportant le son [g].***
...aspiller • une né...ation • le lan...age • un ...alop • l'élé...ance • la conju...aison • une ba...arre • la ...arantie • ...auche • un ma...asin • ...ourmand • dé...ât • é...orger • s'é...osiller • ai...u

4 AJOUTER **Donnez des mots de la même famille que les mots suivants.***
gras • glisse • migrer • gros

5 AJOUTER a. **Observez les lettres en couleur pour écrire et compléter ces mots comportant le son [g].**
b. **Employez les mots soulignés dans une phrase qui en éclaire le sens.***
un ...épard • une va...e • la lan...e • une fi...e • tan...er • des ...illemets • ...ider • la fati...e • une piro...e • prodi...er • une ang...ille

6 AJOUTER a. **Retrouvez ces noms de métiers en ajoutant un suffixe qui comporte le son [g].** b. **Employez trois de ces noms dans des phrases qui mettent leur sens en valeur.***
un archéo... • un cardio... • un psycho... • un dermato... • un spéléo... • un astro... • un météoro... • un géo... • un neuro...

7 AJOUTER **Recopiez et complétez ce tableau.***

Verbes	Noms	Verbes	Noms
interroger	interrogation	obliger	...
prolonger	...	naviguer	...
irriguer	...	déléguer	...

8 EMPLOYER a. **Écrivez ces mots comportant le son [g].**
[g]ouffre • [g]etter • en[g]ager • ma[g]asin • pro[g]rès • délé[g]é • fou[g]e • g[i]rlande • bri[g]and • vi[g]ueur • fu[g]er

b. **Associez chaque mot à sa définition.**
très grand trou • représentant • ardeur • embaucher • fuir • faire la surveillance • force • bandit • boutique • décoration • avancée

c. **Employez chacun des mots dans une phrase qui mettra leur sens en valeur.**

d. **Donnez les adjectifs formés sur les noms en couleur.****

J'observe, je manipule et je comprends

1 a. **Prononcez ces listes de mots : comment le son [ʒ] est-il écrit ?**
> A. *jamais – jupe – bijou – jaune – juste – ajuster – ajourner – joie – joli – jambe – journée – journal*
> B. *jeu – jeter – majeur – majesté – déjeuner*

b. **De quelles voyelles la lettre « j » est-elle suivie ?**

2 a. **Prononcez cette liste de mots : comment le son [ʒ] est-il écrit ?**
> *orange – gifle – gymnaste – girouette – genou*

b. **Devant quelles voyelles le son [ʒ] peut-il s'écrire « g » ?**

3 **D'après les exercices ① et ②, comment le son [ʒ] peut-il s'écrire :** a. **devant « i » et « y » ?** b. **devant « a », « o », « u » ?**

4 a. **Observez ces formes verbales du verbe « manger ».**
> *je mange – tu mangeais – nous mangeons – vous mangiez – ils mangeaient*

b. **Devant quelles voyelles le « g » se transforme-t-il en « ge » ?**

J'apprends

Le son [ʒ]

Le son [ʒ] s'écrit avec :

- la lettre *j* :
  - surtout en début ou en milieu de mots ;
  - souvent devant ***a***, ***o***, ***u*** ; > *jamais – bijoutier – justice*
  - devant ***e***, dans les mots de la famille de *jet* et de *jeune* > *jeter – rajeunir*

et dans *jeu*, *jeudi*, *déjeuner*, *majeur*, *majesté* ;

- la lettre *g* :
  - devant ***e***, ***i***, ***y*** ; > *orange – gifle – gymnastique*
  - dans plus de 1 000 noms terminés en ***-age*** ; > *paysage*
  - dans plus de 200 verbes terminés en ***-ger***. > *ranger*

Devant ***a***, ***o***, ***u***, pour garder le son [ʒ], ***g*** devient *ge*.
> *il mangea – nous mangeons – un mangeur*

Je manipule

5 AJOUTER a. **Complétez ces mots qui contiennent le son [ʒ].** b. **Quelle lettre avez-vous employée ?***

1. L'enfant s'amuse dé…à avec ses …ouets. **2.** Il ne boit …amais de …us de fruits. **3.** Son …upon dépasse de sa …upe. **4.** De caractère …aloux, elle envie les bi…oux de sa voisine. **5.** Ce …uge est très …eune. **6.** Ce chien …appe bruyamment : il aime le …eu.

6 AJOUTER **Complétez ces mots de la famille de *jet* par *jet* ou *ject*.****

ob… • su… • ad…if • pro…ion • é…er • pro…er • pro…ile

7 AJOUTER **Reproduisez et complétez le tableau avec des mots de la même famille que ces mots comportant un *j*.***

	Nom	Verbe
jeune	…	…
juge	…	…
juste	…	…

8 AJOUTER **Complétez ces phrases avec des mots qui comportent la syllabe *gi*.** *

1. La … a un très long cou.
2. Au-dessus du clocher, la … indique la direction du vent.
3. Pour maigrir, elle suit un … .
4. Une erreur humaine est à l'… de cet accident.
5. Ce médicament … efficacement contre la douleur.
6. En hiver, du … se dépose sur les vitres.

9 REMPLACER **À partir des verbes suivants, formez des noms en *-age*.** *

afficher • dépanner • maquiller • aborder • bronzer • arbitrer • tatouer • arroser • cirer • accrocher • dresser • élever

10 REMPLACER **Donnez les verbes en *-ger* correspondant à ces définitions.** *

1. Donner du courage : enc… .
2. Rendre plus long : all… .
3. Changer de domicile : dém… .
4. Poser des questions : interr… .
5. Répartir : par… .
6. Se déplacer : voy… .

11 REMPLACER **Donnez le nom qui correspond à chaque définition. Entourez la ou les lettres qui traduisent le son [ʒ].** *

1. Le contraire de « civilisé » : … .
2. Le fait de jardiner : … .
3. Produit pour chaussures : … .
4. La provenance : … .

12 AJOUTER **Observez les lettres en couleur puis complétez ces verbes en *-ger* par *g* ou *ge*.** **

1. Je man…e du pain.
2. Tu ran…ais ta chambre.
3. Il mélan…era les cartes.
4. Nous son…ions à venir.
5. Ils na…aient la brasse.
6. Vous voya…iez en train.
7. Le rat ron…ait le fil.
8. Il parta…e son temps.
9. Elle enga…a le dialogue.

13 EMPLOYER a. **Récrivez ces verbes à l'imparfait.** b. **Entourez la ou les lettres qui traduisent le son [ʒ].** **

1. Nous voyageons.
2. Il nage.
3. Ils ravagent.
4. Vous envisagez.

14 EMPLOYER a. **Récrivez ces phrases en conjuguant les verbes à l'imparfait.** b. **Entourez dans vos réponses la ou les lettres correspondant au son [ʒ].** **

1. Ce médicament (soulager) la douleur.
2. Nous (envisager) une autre solution.
3. Elle (arranger) sa coiffure.
4. Il (engager) la clé dans la serrure.
5. Vous (enrager) de ne pas réussir.
6. Les deux colocataires (partager) l'appartement.
7. Je (voyager) toujours en train.

15 REMPLACER a. **Recopiez ces phrases en les complétant par un nom de la famille du mot en bleu.** b. **Entourez la ou les lettres correspondant au son [ʒ].** **

1. Un poisson nage grâce à ses … .
2. À la piscine, les petits enfants pataugent dans une … .
3. La bougie est plantée dans un … .

16 EMPLOYER a. **Recopiez ces phrases en complétant les mots par la lettre qui convient pour former le son [ʒ].** b. **Entourez l'intrus.** **

1. Le policier fait de grands …estes pour ralentir les voitures. 2. L'enfant blessé …émit de douleur. 3. Les parents de la jeune mariée aiment bien leur nouveau …endre : ils l'invitent souvent à dé…euner. 4. Quel …enre de films aimes-tu ? 5. Il …ère bien son compte en banque. 6. L'ascenseur est en déran…ement. 7. Les déména…eurs char…ent le mobilier dans le camion.

17 EMPLOYER **Par binômes, échangez pour compléter correctement les mots du texte avec la ou les lettres qui conviennent pour exprimer le son [ʒ] en justifiant vos choix. Puis, individuellement, recopiez le texte en entourant de trois couleurs différentes la façon dont vous avez écrit le son [ʒ] (*j*, *g* ou *ge*).** **

Les enfants …ouaient dé…à depuis une heure quand leur père leur fit de grands …estes ; il …esticulait beaucoup. Les enfants négli…èrent leur …eu et interro…èrent leur père. Leur petit chiot était tombé dans un maréca… . Son sauveta… n'était pas facile. Il …émissait de douleur. Le père s'enga…a prudemment et s'arran…a pour sauver l'animal.

18 DICTÉE PRÉPARÉE **Recopiez le texte en entourant les lettres formant le son [ʒ].** **

La jeune fille et l'animal sauvage échangèrent un étrange regard. La fille du forgeron caressa le pelage jaune au niveau de la gorge. Elle jeta une balle au fauve pour jouer.

41. Le son [k]

J'observe, je manipule et je comprends

1 a. **Prononcez les mots suivants : quelle lettre fait entendre le son [k] ?**
> A. *course – raconter – camion – inculte – cartable – écart – corne – corniche – cuire*
> B. *crise – décret – clou – octogone – actif – critère – crabe – cloche – éclater*

b. **De quelles voyelles la lettre « c » est-elle suivie en A ?**

c. **De quelles lettres la lettre « c » est-elle suivie en B ?**

2 a. **Prononcez les mots suivants : quelles lettres font entendre le son [k] ?**
> *question – qui – équitation – enquête – marque – équilibrer – risque – querelle – antiquité – quand – quotient – quarante – quotidien*

b. **De quelles voyelles les lettres « qu » sont-elles suivies ?**

J'apprends

Le son [k]

Le son [k] s'écrit :

- majoritairement *c* :
  – devant ***a***, ***o***, ***u***, en particulier dans tous les noms terminés par ***-cation*** ;
  > *capable – raconter – culture – application*
  – devant les consonnes ; > *activité*
- *qu* :
  – devant ***e*** et ***i***, en particulier dans plus de 2 000 mots terminés par ***-ique*** ;
  > ***qu**estion – é**qu**ilibre – magnifi**que** – magi**que***
  – dans toute la conjugaison de plus de 150 verbes en ***-quer*** ;
  > *man**quer** – je man**qu**ais – nous man**qu**ons*
  – dans quelques mots très fréquents : *cha**que**, cin**qu**ante, **qu**ai, **qu**alificatif, **qu**alifier, **qu**alité, **qu**and, **qu**antité, **qu**art, **qu**artier, **qu**atorze, **qu**atre, pour**qu**oi, **qu**oi, **qu**oique, **qu**otidien* ;
- *cc* :
  – avec les préfixes ***ac-***, ***oc-***, ***suc-*** ; > ***occ**asion – **occ**uper – **succ**omber*
  – dans quelques mots tels *ba**cc**alauréat, impe**cc**able, sa**cc**ade, sa**cc**ager* ;
- *ch* dans des mots savants, d'origine grecque ; > *ar**ch**éologue – **ch**ronologie*
- *k* dans quelques mots d'origine étrangère. > ***k**iwi – **k**imono*

Je manipule

3 AJOUTER a. **Récrivez ces mots en les complétant par la lettre qui convient pour entendre le son [k].** b. **Quelle lettre avez-vous utilisée ?***

une …asserole • un …ousin • …asser • …uire • une …onsole • une …rème • un …ornichon • …ultiver • …rever • un …ochon • un …reux

4 AJOUTER a. **Récrivez en complétant les mots suivants comportant le son [k].** b. **Entourez la façon dont vous avez noté le son [k].***

bas…uler • dis…uter • mas…ulin • un bis…uit • une radios…opie • dis…ret • aus…ulter • une bis…otte • une …as…ade • mi…ros…ope • cha…un

5 AJOUTER a. **Récrivez en complétant les mots suivants comportant le son [k].** b. **Entourez la façon dont vous avez noté le son [k].***

un ris…e • un mas…e • une mos…ée • un dis…e •

une bourras...e • confis...er • un cas...e • un bou...et • puis...e • cha...e

6 REMPLACER **Formez des adjectifs qualificatifs à partir des noms suivants selon le modèle.***

acrobate > acrobatique

océan • magie • géométrie • sympathie • athlète • volcan • cylindre

7 REMPLACER **Trouvez les mots en *-ique* qui correspondent aux définitions suivantes.***

1. Hôpital privé. **2.** Insecte qui pique pour se nourrir de sang. **3.** Très ancien. **4.** Synonyme de « drôle ». **5.** Qui appartient au monde des fées. **6.** Relatif à la poésie. **7.** Plein d'énergie.

8 EMPLOYER a. **Formez les noms correspondant aux verbes, selon le modèle.**

indiquer > indication

b. **Employez trois de ces noms, chacun dans une phrase qui mette son sens en valeur.***

embarquer • communiquer • convoquer • mastiquer • expliquer • fabriquer • appliquer • provoquer • évoquer

9 EMPLOYER **Conjuguez les verbes suivants**

a. **aux 1re et 3e personnes du pluriel du présent et de l'imparfait ;**

b. **à la 3e personne du singulier au passé simple.***

suffoquer • pique-niquer • critiquer • répliquer

10 EMPLOYER a. **Formez les verbes en *acc-* correspondant à ces définitions.** b. **Employez chacun de ces verbes dans une phrase.***

1. S'appuyer sur son coude : s'... . **2.** S'adapter au climat : s'... . **3.** Donner naissance : ... . **4.** Faire entendre une clameur : ... . **5.** Suspendre à l'aide d'un crochet : ... . **6.** Réaliser un accord : ... .

11 AJOUTER **Complétez ces phrases et ces mots avec des mots ou des éléments d'origine grecque comportant un *ch* prononcé [k].***

1. On mesure le temps avec un ... . **2.** En histoire, on réalise une frise ... . **3.** Les plantes comportent de la ...phylle. **4.** À la Toussaint, on dépose des ...anthèmes sur les tombes. **5.** Le médecin qui soigne les maladies mentales se nomme un ...iatre. **6.** On procède à des fouilles ... en Grèce. **7.** Il chante dans une ... dirigée par un chef d'... de grande renommée.

12 AJOUTER **Complétez les phrases et les mots avec des mots ou des éléments comportant un *k*.***

1. Les gendarmes portent un ... .
2. Le ... porte son petit dans une poche sur son ventre.
3. Le ... est un fruit à la chair de couleur verte.
4. Cet homme pèse cent ... .
5. Il se fait masser par un ...thérapeute.
6. Je pratique le canoë-... dans les gorges du Verdon.
7. J'ai acheté ces journaux au ... en bas de chez moi.
8. Dans cette région traditionnelle, on pratique des danses ... .

13 EXPLIQUER a. **Recopiez le texte en entourant les lettres formant le son [k].**

b. **Oralement, par binôme, puis collectivement, justifiez l'orthographe de chaque son [k].***

Tous connaissaient les Amazones de réputation, mais aucun n'en avait jamais vu ni combattu. On les disait grandes et blondes, ce qui étonnait. Armées de leurs boucliers en forme de croissant, elles attaquaient en meute et affectionnaient les combats au corps à corps.

D'après J. CASSABOIS, *L'Épopée d'Héraclès, le héros sans limites*, 2015.

J. H. W. TISCHBEIN, *Départ des Amazones*, 1788, dessin à la plume aquarellé, Naples.

14 AUTODICTÉE a. **Récrivez le texte en orthographiant correctement le son [k] de chaque mot.** b. **Après correction en classe, mémorisez le texte en vue d'une autodictée.****

Dans le jardin zoologi[k]e, cha[k]e animal a son [k]oin pour s'a[k]limater, certains vivent dans des [k]abanes. On y trouve des [k]astors, artistes de la te[k]ni[k]e, [k]i [k]reusent des sortes de [k]anaux, des perro[k]ets qui [k]ro[k]ent des bis[k]uits et [k]antité de singes [k]i dé[k]orti[k]ent des [k]ilos de [k]a[k]ahuètes et les masti[k]ent. [k]and on veut pi[k]e-ni[k]er, on s'installe près de la [k]as[k]ade.

42. L'accentuation du e

J'observe, je manipule et je comprends

1 a. **Prononcez-vous ces trois mots de manière identique ?**
> *pré – près – prêt*

b. **Qu'est-ce qui, à l'écrit, permet de différencier leur prononciation ?**

2 a. **Comment prononcez-vous les « e » en gras : en A ? en B ? en C ?**
> A. *terre – inspectrice – cette – belle – espoir*
> B. *mer – vert*
> C. *boulanger – vous vendez*

b. **Pourquoi les « e » ne sont-ils pas accentués dans la liste A ? dans la liste B ?**

3 a. **Prononcez ces deux mots. À quoi sert le tréma placé sur le « e » ?** > *aigu – aiguë*

J'apprends

Les quatre sortes d'accentuation du e

- L'accent aigu (´) placé sur le ***e*** le fait se prononcer [e]. > *éléphant*
- L'accent grave (`) placé sur le ***e*** le fait se prononcer [ɛ]. > *mère*
- L'accent circonflexe (^) placé sur le ***e*** allonge la prononciation de la voyelle. > *forêt*
- Remarque : un accent circonflexe remplace souvent un ***s*** présent dans le mot à l'origine et qui a disparu. Ce ***s*** est resté dans d'autres mots de la même famille.
  > *forêt (anglais : forest) / forestier*
- Le tréma (¨) est un double point qui signifie que la voyelle précédente est prononcée séparément.
  > *naïf – Noël*

Je manipule

4 EMPLOYER a. **Prononcez ces mots puis récrivez-les en accentuant correctement les e en couleur.** b. **Quel accent avez-vous employé ?***
la societe • un elephant • generalement • defendre • malgre • un eclair eblouissant

5 EMPLOYER a. **Prononcez ces participes passés puis récrivez-les en accentuant correctement les *e* en couleur.** b. **Quel accent avez-vous employé ?***
A. arrive • arrivee • arrives • arrivees
B. leve • levee • leves • levees

6 EMPLOYER a. **Prononcez ces mots puis récrivez-les en accentuant correctement les e en couleur.** b. **Quel accent avez-vous employé ?***
une sphere • une sirene • un frere • une breve colere • une lumiere familiere

7 EMPLOYER **En vous appuyant sur le jeu de couleurs, accentuez les *e*.***
un eleve benevole • une creatrice etonnante • une mere genereuse • une amitie celebre

8 EMPLOYER **Prononcez ces mots puis recopiez-les en ajoutant les accents si nécessaire.***
une demolition • une bete • une fete • la niece • une menagere • un pre • une duree • determinant • le manege • la realite • geniale • un ete • la fievre • un leopard • des eleves

9 EMPLOYER **Écrivez au féminin ces mots et groupes de mots.***
bref • sec • léger • le cher berger • un ouvrier étranger • le premier cuisinier

10 EMPLOYER **Pour chaque mot, trouvez deux autres mots de la même famille. Attention aux changements d'accents !** **

collège • poésie • remédier • sévérité • colère

11 EMPLOYER **Recopiez et complétez chaque liste avec un mot de la même famille qui comporte un accent circonflexe.** *

A. veste • vestiaire • vestibule
B. festif • festival • festivité
C. bestiaux • bestial • bestialité

J'apprends

Les cas de non-accentuation du *e*

- **Un *e* prononcé [e] ou [ɛ] ne prend pas d'accent** quand il est **suivi** :
  - d'une **consonne redoublée** ; > *cette belle terre*
  - de **deux consonnes différentes** ; > *descendre – directeur*
  - d'un *x* ; > *hexagone*
  - d'une **consonne finale**. > *grec – vider – vous vendez*
- **Exceptions :**
  - un ***e* prononcé** [ɛ] prend un accent quand il est suivi d'un ***s*** final ; > *près – après – succès*
  - un ***e* prononcé** [e] et suivi de deux consonnes différentes prend un accent si la deuxième des deux consonnes différentes est un ***l*** ou un ***r***. > *ébranler – éblouir*

Je manipule

12 EMPLOYER **Prononcez ces groupes nominaux et, en vous appuyant sur les lettres en couleur, recopiez-les en accentuant les *e* si nécessaire.** *

une vipere verte • cette belle exploratrice • un examen facile • une experimentation de l'equilibre • ebruiter une nouvelle • une statuette legere

13 EMPLOYER **Prononcez ces groupes nominaux et recopiez-les en accentuant les *e* si nécessaire.** *

une etrange ceremonie • les eleves en recreation • apres une annee • un coup sec pres de la fenetre • une fidele interprete

14 EMPLOYER **Prononcez ces phrases et recopiez-les en accentuant les *e* si nécessaire.** *

1. Vous trouvez une idee. **2.** Pensez à vider la poubelle. **3.** Apres son succes à l'etranger, vous ne la reverrez pas. **4.** Est-il correct de mettre un espoir insense dans sa reussite ?

15 EMPLOYER **Prononcez ces groupes de mots et recopiez-les en ajoutant les accents si nécessaire.** *

une assiette en fer • une cuillere en metal • une greffe reussie • un genereux createur • un defile bien organise • s'efforcer de reussir • perdre ses objets • un espoir • lancer les des • des miettes ecrasees • un invite discret

16 EMPLOYER **Recopiez le texte en rétablissant les accents manquants.** **

C'etait en des temps tres anciens, huit cents ans environ avant notre ere. Un vieil homme errait, à moitie nu et bouleverse, dans la campagne. Des paysans se rendant dans leurs champs s'inquieterent de sa presence.

D'après B. HELLER, *Petites Histoires des expressions de la mythologie*, 2013.

17 EMPLOYER **Recopiez le texte en rétablissant les accents manquants.** **

Un crapaud invite par une abeille etait pret à manger mais cette derniere l'arreta et le pria d'aller se laver les pattes avant de goûter au plat prepare. Le crapaud obeit et revint allegrement sur le sentier, les mains aussi crottees. L'abeille le renvoya sept fois : il comprit alors qu'elle s'etait moquee de lui et avait tout mange.

18 RÉDIGER **À partir de l'image, rédigez un paragraphe. Vous soulignerez d'une couleur les *e* accentués et d'une autre couleur les *e* non accentués prononcés [e] ou [ɛ].** **

A. GAYMARD, *Fuite du lion devant les buffles.*

43. Distinguer les finales verbales en /E/

J'observe, je manipule et je comprends

1 a. **Prononcez les formes verbales en gras : quelle est leur terminaison commune ?**
> A. *Paul a **transporté** des colis. Nous avons **sollicité** son aide. Il est **arrivé** en voiture.*
> B. *Paul va **transporter** des colis. Nous pensons **solliciter** son aide. Il s'organise pour **arriver** en voiture.*

b. **Pouvez-vous remplacer par « vouloir » ou « venir » les formes verbales en gras de la liste A ? de la liste B ?**

c. **En quoi cette transformation aide-t-elle à bien orthographier ?**

d. **Quel mot précède chaque forme en gras dans la liste A ? dans la liste B ? Quelle règle pouvez-vous en déduire pour la liste A ? Quelles règles pouvez-vous en déduire pour la liste B ?**

J'apprends

- Une finale verbale en /E/ peut correspondre pour les verbes en *-er* à :
  – un participe passé en *-é*, *-ée*, *-és*, *-ées*
  – un infinitif en *-er*.
- Un verbe s'écrit *-é* (*ée*, *és*, *ées*) quand il est employé au **participe passé**. Il est alors précédé **des auxiliaires *avoir* ou *être* ou d'un *verbe d'état*** (*paraître, sembler, avoir l'air...*) ou bien **utilisé comme adjectif dans un GN.**
> *Elle a **dansé**. Il est **arrivé**. Il semble **enchanté** par le spectacle de ces comédiens expérimen**tés**.*

Règle d'Orthographe

Le participe passé employé comme adjectif **s'accorde avec le nom.** > *une orange pressée*
Le participe passé employé avec *être, sembler, paraître, avoir l'air...* **s'accorde en genre et en nombre avec le sujet.** > ***il** est entré – **elle** est entrée – **ils** sont entrés – **elles** sont entrées*

- Un verbe s'écrit *-er* quand il est employé à l'infinitif. Il est alors précédé :
  – d'un **verbe** (autre que *être* et *avoir*) ; > *Il sait marcher.*
  – d'une **préposition** (*à, de, pour, sans...*). > *Il apprend à marcher.*

Pour identifier un infinitif en *-er*, on peut remplacer le verbe par un autre verbe d'un autre groupe.
> *Il sait **marcher** (courir).* > *Il apprend à **marcher** (courir).*

⚠ D'autres mots peuvent s'intercaler entre l'auxiliaire, le verbe ou la préposition et la forme verbale en /E/.
> *Il a soigneusement **répété** son rôle.* > *Elle est souvent **arrivée** en retard.*
> *Il va bientôt **arriver**.* > *Il se relit pour bien **orthographier**.*

Je manipule

2 EMPLOYER **Observez les auxiliaires en couleur puis complétez les formes verbales en /E/.***

1. Les enfants avaient encourag... leurs amis.
2. Des fillettes ont prépar... des gâteaux.
3. Quand vous avez lanc... votre invitation, vous étiez satisfait.
4. Il a vite termin... son travail.
5. Maeva et Joséphine ont pass... la matinée au musée : elles ont prépar... un exposé.

3 EMPLOYER a. **Observez les auxiliaires en couleur puis soulignez les sujets.** b. **Complétez les formes verbales en /E/ en respectant les accords avec le sujet.***

1. Des ours sont intéress… à la vue d'un pot de miel.
2. Les enfants s'approchent et ils sont émerveill… par le spectacle.
3. La chatte est rest… immobile pour faire croire à la souris qu'elle était inanim… .
4. L'éléphant est aussitôt hiss… dans le camion.
5. Son adresse est agréablement récompens… : il est acclam… par le public.

4 EMPLOYER a. **Observez les éléments en couleur puis soulignez les sujets.** b. **Complétez les formes verbales en /E/ en respectant les accords.***

1. La réception paraissait anim… ; les participants étaient rassembl… et semblaient enchant… de la soirée.
2. Les allées paraissaient illumin… dans la nuit.
3. Une dame semblait attir… par un orchestre.
4. Les jeunes gens étaient totalement absorb… par les tours d'un prestidigitateur.
5. Les organisatrices sont enfin soulag… : la fête est termin… .

5 EMPLOYER **Récrivez ces phrases en complétant et en accordant les formes verbales en /E/.****

1. Anne observe une araignée post… dans sa toile.
2. Les champions entrent dans le stade bond… .
3. Les pâtissiers affair… préparent des éclairs.
4. Les écuyères à la tenue soign… montent à cheval.
5. Les jeunes entraîn… dansent toute la soirée.
6. Lucie monte au sommet d'une tour élev… .

6 EMPLOYER a. **Observez les prépositions en couleur.** b. **Complétez les groupes nominaux.***

de la viande à grill… • de la laine à tricot…
• le moment de négoci… • une corde à saut…
• une salle à mang… • du prêt à port…
• une table à repass… • une pâte à tartin…

7 EMPLOYER a. **Observez les prépositions en couleur.** b. **Complétez les formes verbales en /E/.***

1. Pour travers… le cours d'eau, Lucien enfile sans hésit… ses bottes rouges.
2. La factrice cherche à déchiffr… le nom de la rue pour dépos… le courrier.
3. Cette année, Adrien arrive à correctement patin… sans tomb… .
4. Elle vient de résum… sa leçon pour bien mémoris… l'essentiel.

8 EMPLOYER a. **Observez les verbes en couleur.** b. **Complétez les formes verbales en /E/.***

1. Aurélie voudrait ski… et elle peut compt… sur les conseils de sa cousine. **2.** Joseph va achet… un stylo et compte vérifi… les prix. **3.** Julie allait souvent dans… car elle voulait vraiment particip… au gala de fin d'année. **4.** Paul souhaite confectionn… une maquette mais il ne sait pas utilis… la perceuse.

9 REMPLACER **Recopiez ces phrases en complétant les formes verbales en /E/. Aidez-vous en les remplaçant par l'une des formes proposées entre parenthèses.***

1. L'antilope prête à saut… *(bondi / bondir)* écoute les bruits de la savane. **2.** Le moindre souffle la fait trembl… *(frémi / frémir)*. **3.** Soudain le guépard a repér… *(vu / voir)* l'animal. **4.** Il prend son élan, atteint une vitesse de pointe, mais un écart de l'antilope l'a amen… *(conduit / conduire)* à abandonn… *(perdu / perdre)* sa proie.

10 EMPLOYER **Recopiez le texte en complétant les formes verbales en /E/. Justifiez oralement la terminaison choisie.****

Avez-vous écout… l'histoire de Robinson Crusoé ? Ce personnage a employ… son temps à fabriqu… des outils afin de cré… une sorte de maison. Il est arriv… à se confectionn… une sorte de salle à mang… assez confortable. Pour pouvoir s'aliment…, Robinson a coup… des noix de coco. L'Indien Vendredi lui a propos… de partag… sa connaissance des fruits et légumes de l'île. Il lui a expliqu… la façon de les prépar… . Robinson a attentivement écout… les conseils de Vendredi et il l'a longuement observ… en train de cuisin… .

11 EMPLOYER **Recopiez ces phrases en complétant les formes verbales en /E/. Justifiez oralement la terminaison choisie.****

1. Lise a préfér… faire enregistr… ses bagages. **2.** Sans espér… remport… le tournoi de tennis, Guillaume a particip… aux sélections. **3.** Jules est mont… dans le bus pour all… retrouv… ses camarades au village. **4.** Le pêcheur paraît contrari… d'avoir lanc… sa ligne sans vérifi… son hameçon. **5.** Pensaient-elles effectu… cette longue marche sans s'arrêt… pour arriv… avant le dîner ? **6.** Jeanne avait annonc… qu'elle comptait bien révél… à ses camarades comment trouv… la clé de l'énigme. **7.** Si vous voulez particip… au concours, vous devez apport… une photo d'identité.

44. Les emplois de *est* et *et*

J'observe, je manipule et je comprends

1 Dans laquelle de ces deux phrases peut-on remplacer les mots en gras par « était » ? Lequel de ces deux mots, « est » ou « et », est donc une forme verbale ?

> A. *Tom* ***est*** *collégien : il* ***est*** *arrivé cette année.*

> B. *Luc* ***et*** *Lise étudient* ***et*** *apprennent vite* ***et*** *bien.*

2 Dans chaque phrase, quel mot ou groupe de mots proposés entre parenthèses « et » peut-il relier à l'élément souligné ?

> A. *Mon père* ***et*** *(bientôt / la sœur de ma tante / suivait) partent en train.*

> B. *Les élèves vont s'installer* ***et*** *(plus tard / leur professeur / travailler) en bibliothèque.*

> C. *Voici une manière agréable* ***et*** *(intéressante / avec admiration / ses amis) de passer ses vacances.*

J'apprends

Est est la 3e personne du singulier du **verbe *être*** au présent.

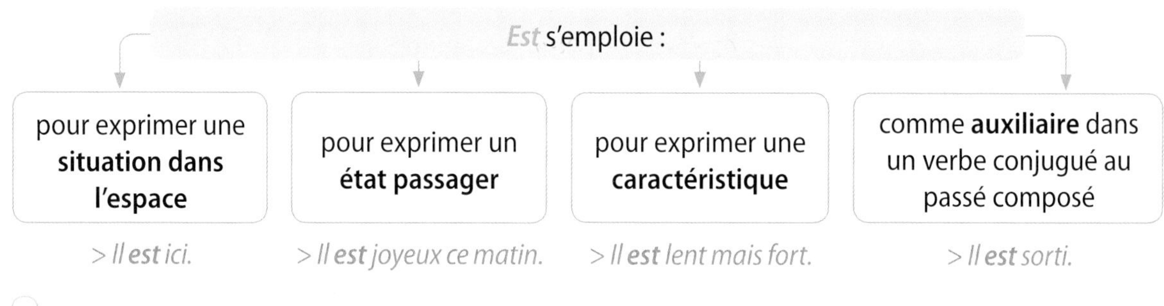

Est peut être remplacé par *était*.

Je manipule

3 REMPLACER **Récrivez ces phrases au présent.***

1. L'explorateur était en Amazonie. **2.** Sylvie était en vacances. **3.** Cyril était à la piscine. **4.** Le chat était dans l'allée du jardin.

4 REMPLACER **Récrivez ces phrases en mettant le sujet en couleur au singulier.***

1. Les clients sont dans le hall de l'hôtel. **2.** Les alpinistes sont en pleine forme. **3.** Ces chiens sont à la niche. **4.** Ces garçons sont en colère.

5 REMPLACER **Récrivez ces phrases au passé composé.***

1. Le directeur était sorti de l'usine. **2.** Il était parti voir son contremaître. **3.** Un colis était tombé du camion. **4.** Le chauffeur était descendu de sa cabine.

6 REMPLACER **Récrivez ces phrases au passé composé.****

1. Théo arrive avec son frère.

2. Marcel descend en gare de Marseille.

3. Marc vient à Lyon ; il arrive à midi.

4. Mon frère part en voyage : il passe par Nantes puis il revient par Tours.

7 REMPLACER **Récrivez ces phrases en mettant le sujet en couleur au singulier. Faites toutes les modifications nécessaires.****

1. Les escaliers sont accessibles par la cour.

2. Les températures sont négatives aujourd'hui.

3. Ce soir, mes cousines sont tristes de partir.

4. Les sommets sont visibles ces jours-ci.

8 REMPLACER **Récrivez ces phrases en mettant le sujet au singulier. Faites toutes les modifications nécessaires.****
1. Les organisateurs sont venus en avance.
2. Les gagnantes de la compétition sont montées sur le podium.
3. Les vacanciers sont partis avant l'orage.
4. Les sportives sont descendues du bus.

J'apprends

Et est un mot invariable qui relie des mots de **même classe grammaticale** ou de **classes grammaticales équivalentes** :

- des **noms** > *Luc **et** Lise*
- des **groupes nominaux** > *le frère **et** la sœur*
- des **pronoms** > *toi **et** moi*
- un **nom et** un **groupe nominal** > *Luc **et** sa sœur*
- un **nom et** un **pronom** > *Luc **et** moi*
- des **adjectifs** > *sportif **et** agile*
- des **verbes** > *Ils étudient **et** apprennent.*
- des **propositions** > *Il va **et** il vient.*
- des **adverbes** > *vite **et** bien*
- un **adverbe et** un **groupe nominal** > *vite **et** avec efficacité*

Je manipule

9 AJOUTER **Observez les mots en couleur et complétez les phrases en employant *et*.***
1. Les enfants transportent des seaux .... **2.** La cliente choisit des fruits mûrs .... **3.** Le photographe observe attentivement ... les animaux. **4.** Pour visiter ... la région, la famille fait du camping. **5.** Les scientifiques feront une expérience demain ....

10 AJOUTER **Enrichissez ces phrases en employant *et*.****
1. Vincent habite ... à Strasbourg. **2.** Elle lit le journal .... **3.** Le matin ... Pierre s'entraîne à la course. **4.** Nous offrons un cadeau utile ... à nos amis. **5.** Le maître attache fermement ... son chien à la niche.

11 EMPLOYER **Avec les listes de mots suivantes, formez des phrases dans lesquelles vous emploierez *et*.****
1. L'épicière / vendre / lait / biscuits. **2.** Victor / faire / régulièrement / activement / du vélo. **3.** Claire / apprendre / réviser / ses leçons. **4.** Le pâtissier / préparer / flans / dorés / crémeux.

12 EMPLOYER **Recopiez ces phrases en les complétant avec *est* ou *et*.****
1. *Le Chat botté* ... un conte très célèbre ... facile à lire. **2.** Dans les contes, le prince ... toujours charmant ... la princesse ravissante. **3.** ...-il plus facile de lire *Les Fées* ou *Cendrillon* ? **4.** Le Petit Poucet s'... perdu dans la forêt obscure ... effrayante. **5.** Il nous ... agréable d'écouter des contes.

13 EMPLOYER **Complétez ces phrases avec *est* ou *et*.****
1. Agnès ... partie voir sa famille en Alsace ... en Bretagne. **2.** Thomas ... peureux ... maladroit : sa sœur ... moqueuse à son égard. **3.** Le capitaine ... persuadé que l'équipe ... prête pour la compétition : un entraînement régulier ... efficace ... la clé du succès. **4.** Ce matin, Kenza ... en retard : elle n'... pas descendue au bon arrêt de bus ... elle ... arrivée au collège en courant. **5.** Une jeune femme vêtue simplement ... sobrement ... sortie du magasin. **6.** Il ... midi ... la fête bat son plein.

45. Les emplois de *sont* et *son*

J'observe, je manipule et je comprends

1 a. **Dans laquelle de ces deux phrases peut-on remplacer les mots en gras par « étaient » ?**
b. **Lequel de ces deux mots, « sont » ou « son », est donc une forme verbale ?**
> A. *Ces jeunes filles* ***sont*** *étudiantes : elles* ***sont*** *entrées à l'université.*
> B. *Lou prête* ***son*** *vélo à un ami.*

2 a. **Lisez les phrases A et B : quelle information le mot en gras dans la phrase B donne-t-il ?**
b. **Dans la phrase B, remplacez « Lou » par « Je » : que devient « son » ?**
> A. *Lou prête un vélo à un ami.*
> B. *Lou prête* ***son*** *vélo à un ami.*

J'apprends

Sont est la 3e personne du pluriel du **verbe *être*** au présent.

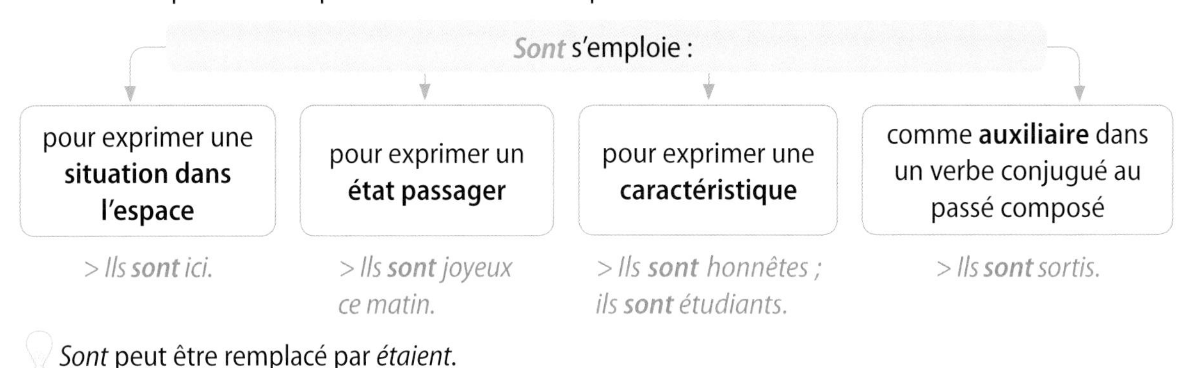

Je manipule

3 REMPLACER **Récrivez ces phrases au présent.***
1. Les deux géants étaient dans la forêt. **2.** Les épreuves étaient redoutables. **3.** Les courtisans étaient autour du roi. **4.** Les aventures du petit tailleur étaient passionnantes.

4 REMPLACER **Récrivez ces phrases en mettant le sujet en couleur au pluriel.***
1. Ce héros est courageux. **2.** La servante est dans le palais. **3.** Ce prince est en proie à la colère. **4.** Une licorne est dans la forêt.

5 REMPLACER **Récrivez ces phrases en mettant le sujet en couleur au pluriel. Faites tous les accords nécessaires.***
1. La boisson est bien fraîche. **2.** Dès l'aube, ton chien est couché à tes pieds. **3.** L'animal est rendu nerveux par l'orage. **4.** Le sanglier est tombé dans le piège.

6 REMPLACER **Récrivez ces phrases au passé composé.***
1. Delphine et Marinette étaient sorties dans la cour de la ferme.
2. Les parents étaient partis à la ville.
3. Les chats étaient montés sur la margelle du puits.
4. Les poules étaient descendues du tas de fumier.

7 REMPLACER **Récrivez ces phrases en mettant les sujets au pluriel. Attention à l'accord du participe passé avec le sujet.****
1. Le rameur est penché sur la rame et est concentré sur l'effort à fournir.
2. L'averse est violente et la rue est inondée.
3. Ce marin est prudent : il est toujours attentif à la météo.
4. Le courant est fort et l'embarcation est fragile.

8 REMPLACER **Récrivez ces phrases au passé composé. Faites tous les accords nécessaires.****

1. Les alpinistes arrivent au sommet et y restent deux heures. **2.** Les deux amis partent chasser ensemble. **3.** Les contes de Perrault ne tombent jamais dans l'oubli. **4.** Ces trois cousines viennent en vacances chez leur grand-mère. **5.** Des loups viennent dévorer des moutons.

9 REMPLACER **Transposer les phrases au pluriel : faites toutes les modifications nécessaires.****

1. C'est une histoire merveilleuse.
2. Elle est intéressée par Molière.
3. C'est un bon lecteur.
4. L'enfant est charmé par ce récit.
5. L'animal est respectueux du roi Lion.

J'apprends

- *Son* est un déterminant qui s'emploie **dans un groupe nominal masculin singulier** et qui **exprime la possession**.
  > *__son__ portrait*

Son peut être remplacé par *un*, *le* ou par *mon*, *ton*.

⚠ *Son* s'emploie aussi dans un groupe nominal féminin qui commence par une voyelle ou un *h* muet.
> *Tom raconte* ***son*** *aventure et* ***son*** *histoire. Tom raconte* ***son*** *incroyable randonnée.*

Je manipule

10 EMPLOYER **Récrivez ces phrases en utilisant le déterminant *son* pour les noms en bleu.***

1. Le petit tailleur est penché sur un tissu. **2.** Des mouches sont entrées dans l'atelier. **3.** Le petit tailleur a préparé un voyage. **4.** Il est admiré pour un exploit. **5.** Le petit tailleur a réalisé un rêve.

11 REMPLACER **Récrivez ces phrases en mettant les groupes nominaux en bleu au singulier.***

1. Louise a bien préparé ses projets. **2.** Pour réussir ses examens, Samy a révisé attentivement ses cours. **3.** Elle a collé ses étiquettes sur ses cahiers. **4.** Robert est fier de ses résultats en natation. **5.** Ludivine a rangé ses ensembles dans ses armoires.

12 REMPLACER **Récrivez ces phrases en remplaçant le nom en bleu par le nom entre parenthèses.***

1. Cédric a rencontré sa mère (père). **2.** Le soldat a saisi sa lance (épée). **3.** Le roi a convoqué sa cour (conseil). **4.** Léo a préparé sa trousse (cartable). **5.** Le roi a parlé à sa fille (fils).

13 EMPLOYER **Complétez ces phrases avec *sont* ou *son*.***

1. Les comédiens ... arrivés en coulisse.
2. L'éclairagiste fait ... dernier essai avant la représentation.
3. Une jeune comédienne demande à ... partenaire de partir à la recherche de ... éventail.
4. Les spectateurs ... prêts à entrer dans la salle.
5. Le metteur en scène a été inspiré par ... expérience personnelle.
6. Quand un très jeune comédien dit ... texte, les spectateurs ... émus.
7. ... succès a été bien mérité.
8. Les pièces de Molière ... célèbres depuis des siècles.

14 EMPLOYER **Complétez ces phrases avec *sont* ou *son*.***

1. Il a emporté ... ordinateur.
2. Je crains qu'il ne vienne sans ... meilleur ami.
3. Tous les jeunes ... pareils : plus la musique est forte, plus ils ... contents.
4. Ils se ... retrouvés l'an dernier en vacances.
5. Depuis ils ne se ... plus quittés, ils ... toujours ensemble.
6. ... choix cinématographique et ... amour de la musique ... ceux de sa génération.

15 RÉDIGER **À partir de l'image, rédigez un bref récit en utilisant au moins quatre fois « sont » ou « son ».***

46. Les emplois de *a* et *à*

J'observe, je manipule et je comprends

1 a. **Dans laquelle de ces deux phrases peut-on remplacer les mots en gras par « avait » ?**
b. **Lequel de ces deux mots, « a » ou « à », est donc une forme verbale ?**

> A. *Justine **a** chaud : elle **a** couru.*
> B. ***À** midi, Zoé pense **à** prendre **à** la maison son manteau **à** capuche.*

J'apprends

A est la 3e personne du singulier du **verbe *avoir*** au présent.

A peut être remplacé par *avait*.

Je manipule

2 REMPLACER **Récrivez ces phrases en conjuguant les verbes au présent.***
1. Le chanteur avait tort de douter du succès.
2. Le skieur avait très froid.
3. La vieille dame avait peur de tomber.
4. La fée-marraine avait pitié de sa filleule.

3 REMPLACER **Récrivez ces phrases en mettant les sujets en couleur au singulier. Faites les modifications nécessaires.***
1. Les cyclistes ont un jour de repos.
2. Mes cousins ont une belle maison.
3. Ces chanteurs ont un vif succès.
4. Les enfants ont une nouvelle console de jeu.

4 REMPLACER **Récrivez ces phrases en mettant le sujet au singulier.****
1. Les candidats ont attendu les résultats avec impatience.
2. Les surfeurs ont affronté les vagues et ont attiré un public nombreux.
3. Les pompiers ont déployé la grande échelle et ont maîtrisé l'incendie.
4. Les journalistes ont présenté le journal télévisé et ont annoncé un flash spécial.

5 REMPLACER **Récrivez ces phrases au passé composé.****
1. Le peintre avait apporté son matériel au palais.
2. Il avait soigneusement préparé ses couleurs.
3. L'enfant émerveillé avait observé les dessins.
4. La peinture avait recouvert les murs de toutes les salles.

6 REMPLACER **Récrivez ces phrases au passé composé.****
1. Le commerçant commence des promotions.
2. Ma sœur fait les soldes et trouve une jupe.
3. Mon frère termine une promenade et rend visite à notre grand-mère.

7 REMPLACER **Récrivez le texte au passé composé.****
Un énorme crabe pinça Hercule au talon. Le héros cria de douleur, et ce bref instant d'inattention faillit lui coûter la vie. Il réagit à temps et trancha la dernière tête de l'hydre qui roula au loin.

J'apprends

À est un mot invariable qui **relie des mots.**

À sert à introduire :

un groupe nominal complément de lieu, de temps, de moyen	le complément de verbes comme *penser, parler...*	le complément d'un nom	le complément d'un adjectif
> ***à** la maison* > ***à** huit heures* > ***à** pied*	> *penser **à** la fête*	> *un sac **à** main*	> *facile **à** dire*

Je manipule

8 EMPLOYER **Recopiez ces phrases en complétant les groupes nominaux avec *à* suivie d'un nom.***

1. La jeune fille coiffe sa chevelure avec une brosse ....
2. Il jette son brouillon dans la corbeille ....
3. Il chausse ses patins ....
4. La famille dîne dans la salle ....

9 EMPLOYER **Récrivez ces groupes nominaux en complétant les adjectifs soulignés par des verbes à l'infinitif introduits par *à*.***

1. Une histoire difficile .... **2.** Une pièce agréable .... **3.** Des modèles faciles .... **4.** Une pièce incroyable ....

10 EMPLOYER **Récrivez ces groupes nominaux en complétant chaque adjectif souligné par un complément introduit par *à*.****

1. Un modèle prêt ....
2. Une personne ouverte ....
3. Des enfants réceptifs ....
4. Une femme sensible ....

11 EMPLOYER **Avec les listes de mots suivantes, formez des phrases dans lesquelles vous emploierez *à*.****

1. enfant / parler / père.
2. soleil / se coucher / huit heures.
3. homme / attacher / chien / niche.
4. entraîneur / croire / victoire de l'équipe.

12 EMPLOYER **Récrivez ces phrases en remplaçant les ☐ par un complément introduit par *à*.****

1. Il habite ☐. **2.** Il prend son train ☐. **3.** Chaque jour, ☐, il lit son journal. **4.** J'ai invité dix amis ☐. **5.** Il me reste une leçon ☐. **6.** Il est venu ☐. **7.** Cet exercice est difficile ☐.

13 REMPLACER a. **Récrivez ces phrases en conjuguant les verbes en gras au passé composé.** b. **Entourez dans les phrases obtenues les différentes écritures de [a] en employant deux couleurs différentes.***

1. Il **présente** sa fiancée à ses parents. **2.** Le professeur **rend** des copies à ses élèves. **3.** Le serveur du restaurant **observe** des clients installés à une table. **4.** La fillette **termine** de se peigner à l'arrière de la voiture.

14 EMPLOYER **Complétez ces phrases avec *a* ou *à*.***

1. Tom ... demandé ... partir ... Nice. **2.** Il ... prévu d'aller ... la plage. **3.** Il ... mal ... la gorge : il ... pris froid ... la patinoire. **4.** Il ... le choix entre une glace ... la vanille et un gâteau ... la crème. **5.** L'employé ... fini son travail ... six heures. **6.** Il ... un train ... prendre.

15 EMPLOYER **Recopiez les phrases suivantes en choisissant entre *a* ou *à*.***

1. Il (a / à) de la chance de participer (a / à) cette fête. **2.** Émile (a / à) plusieurs cousins (a / à) Grenoble. **3.** L'animateur lui (a / à) demandé si elle avait une corde (a / à) sauter et des patins (a / à) roulettes. **4.** Elle ignore si sa meilleure amie (a / à) prévu d'arriver (a / à) quinze heures ou (a / à) la tombée de la nuit. **5.** Le cuisinier (a / à) choisi de la pâte (a / à) tarte pour réaliser le dessert qu'il (a / à) prévu. **6.** Il semble prêt (a / à) écrire cette lettre (a / à) sa sœur.

16 EMPLOYER **Complétez ces phrases avec *a* ou *à*.***

1. Le petit tailleur ... affronté le géant : il n'... pas eu peur de lui.
2. Le roi, ... la cour, ... promis sa fille ... ce petit tailleur ... condition qu'il réussisse ... surmonter des épreuves.
3. Le petit tailleur ... tout réussi et il ... obtenu la main de la princesse.
4. Il ... déjoué le piège tendu par son épouse et il ... réussi ... régner longtemps sur le royaume.

47. Les emplois de *se*, (*s'*) et *ce*

J'observe, je manipule et je comprends

1 **Dans les phrases suivantes, « se » se trouve-t-il dans un groupe verbal ou dans un groupe nominal ?**
> *Elle **se** lève.* > *Il **se** plaint.* > *Ces jeunes filles **se** parlent.*

2 a. **Oralement, remplacez « il » par « je » puis par « tu » : que devient « se (s') » ?**
> *Il se plaint.* > *Il se dépêche.* > *Il s'agite.*

b. **« Se » est-il donc un pronom ou un déterminant ?**

3 a. **Dans la phrase suivante, « ce » se trouve-t-il dans des groupes nominaux ou dans des groupes verbaux ?**
> *Dans **ce** pays lointain, **ce** gardien de parc a sauvé **ce** vieux lion.*

b. **« Ce » est-il donc un déterminant ou un pronom ?**

c. **Que devient « ce » dans la phrase suivante ?**
> *Dans ces pays lointains, ces gardiens de parc ont sauvé ces vieux lions.*

d. **Quel est donc le genre et le nombre de « ce » ?**

J'apprends

Se

- *Se* est un **pronom** complément qui **fait partie d'un groupe verbal.**
- Ce pronom s'écrit *se* ou *s'* (devant une voyelle ou un *h* muet) à l'infinitif et aux 3es personnes du singulier et du pluriel.
> ***se** promener → Il **se** promène. Elles **se** promènent.*
> ***s'**habiller → Elle **s'**habille. Ils **s'**habillent.*

Je manipule

4 AJOUTER **Recopiez et complétez le tableau.***

laver	*se laver*	*il se lavait*	*elles se lavaient*
regarder			
finir			
prendre			
amuser			
dire			

5 REMPLACER **Récrivez ces verbes à la 3e personne (singulier ou pluriel) selon les modèles donnés.***
Je me presse. > Il (Elle) se presse.
Vous vous levez. > Ils (Elles) se lèvent.
1. Je me renseigne. **2.** Nous nous demandons. **3.** Tu te peignes. **4.** Vous vous promettez. **5.** Tu t'enfuis. **6.** Vous vous engagez. **7.** Nous nous adressons la parole. **8.** Tu te blesses.

6 REMPLACER **Récrivez ces phrases en employant la 3e personne (singulier ou pluriel) et en respectant le temps employé.****
1. Je me bronzais sur la plage.
2. Nous nous interrogeons sur ton avenir.
3. Tu te dressais devant moi.
4. Vous vous plaindrez de cet accueil.
5. Tu te poses beaucoup de questions.
6. Nous nous mettrons en route à midi.
7. Je me couche à minuit.

7 AJOUTER **Récrivez les phrases suivantes en employant un de ces verbes à la 3e personne du singulier ou du pluriel au présent : *se permettre, se décider, se servir, se réjouir, se plaire, se produire.*****
1. Un mécanicien … de nombreux outils. **2.** Mes parents … de mon succès au concours hippique. **3.** Un curieux phénomène … chaque soir. **4.** Les chats ne … pas dans l'eau. **5.** Mon voisin en classe … de répondre avec insolence. **6.** Mon frère … enfin à passer son permis de conduire.

J'apprends

Ce

- *Ce* est un **déterminant** placé devant un nom dans un **groupe nominal** qui précise un nom **masculin singulier.**
  > *Ce portrait est admirable.*

Ce peut être remplacé par *un*.

Je manipule

8 REMPLACER **Écrivez ces groupes nominaux au singulier.***
ces grands personnages • ces princes • ces banquets somptueux • ces beaux discours • ces merveilleux exploits • ces petits obstacles

9 REMPLACER **Écrivez les groupes nominaux désignant le mâle correspondant à chaque femelle.***
cette tigresse • cette lionne • cette chienne • cette jument • cette vache

10 REMPLACER **Récrivez chaque phrase en remplaçant le nom en couleur par celui entre parenthèses.***
1. Du haut de cette montagne (mont), on a une vue splendide. **2.** Le prix de cette bicyclette (vélo) est exorbitant. **3.** Il sait se servir de cette remarquable machine (véhicule). **4.** Elle a réussi cette tâche (travail) difficile. **5.** Il a préparé avec soin cette fête (spectacle).

11 TRIER a. **Demandez-vous oralement si le mot en gras pourrait être précédé de *un*.** b. **Recopiez les phrases en remplaçant les ... par *ce* ou *se*.***
1. Il n'a jamais lu ... conte de Grimm. **2.** Elle ... rappelle avoir lu un conte indien. **3.** La fée a offert ... cadeau à sa filleule. **4.** La sorcière ... sauve sur son balai. **5.** ... roi ... plaint toujours. **6.** Voici ... pays imaginaire qui me fait rêver.

12 EMPLOYER a. **Dans les groupes de mots encadrés, repérez les groupes nominaux et les groupes verbaux.** b. **Récrivez le texte en le complétant avec *se* ou *ce*.****
Quand il ... levait, ... petit homme ... lamentait de ... sort qui était le sien. Mais ... matin-là, il ... fit un grand bruit dans la maison. Martin ... hâta de chercher la cause de ... bruit. Il ... demandait bien d'où il venait. Il ... lança dans une longue recherche qui le mena bien loin.

13 EMPLOYER **Récrivez ce texte en employant *se* ou *ce*. Aidez-vous des mots en couleur.****
... curieux petit être ... sert de ses griffes pour tout attraper. ... soir, il ... prépare à ... lancer un défi : il veut ... rendre seul dans ... pays merveilleux où ... trouvent toutes sortes de fruits succulents dont il veut ... saisir. Il ... dépêche et prend ... chemin qu'on lui a recommandé. ... récit peut paraître étrange, mais ... personnage n'a pas fini de surprendre.

14 a. **Récrivez le texte en employant *se* ou *ce*.** b. **Oralement, justifiez vos choix.****
... prince voulait épouser une princesse. Il ... mit en route pour en trouver une. Mais ... pauvre jeune homme ne savait pas ... diriger et il ... perdit dans la forêt. Il ... coucha au pied d'un arbre qui, par magie, ... pencha vers lui et lui tint ... langage : « Si tu acceptes ... présent que je vais te faire, tu seras le plus heureux des hommes. »

15 AUTODICTÉE a. **Relevez en deux colonnes les groupes verbaux avec *se* et les groupes nominaux avec *ce*.** b. **Apprenez le texte pour pouvoir le restituer en autodictée.****
Ce matin-là, la fillette se sentit fatiguée de rester dans ce jardin avec sa sœur. Elle se résigna d'abord à regarder ce livre qui lui avait été offert par ce cousin arrivé la veille. Mais elle se lassa vite de sa lecture. La douceur de ce jour de printemps la poussa à se diriger vers la prairie voisine pour se promener dans ce vert pâturage où elle aimait se rendre.

16 RÉDIGER **À partir de l'image, imaginez un bref récit dans lequel vous emploierez *se* et *ce*, que vous soulignerez de deux couleurs différentes.****

D. DEFOE, *Robinson sur son bateau utilise une longue vue*, 1890.

48. Les emplois de *la* et *là*

J'observe et je comprends

1 a. **Relevez les groupes de mots comportant « la » dans les phrases suivantes.**
> *La règle est simple : la leçon actuelle sera facile à apprendre. La précédente leçon était plus compliquée.*

b. **De quel type de groupes de mots s'agit-il ?**
c. **Quels sont le genre et le nombre de « la » dans ces phrases ?**
d. **Quelle est la classe grammaticale de « la » dans ces phrases ?**

2 a. **Quel groupe nominal « la » reprend-il dans les phrases suivantes ?**
> *Cette règle est simple. Tu **la** retiendras facilement. Apprends-**la** vite.*

b. **Quels sont le genre et le nombre de « la » dans ces phrases ?**
c. **Quelle est la classe grammaticale de « la » dans ces phrases ?**
d. **Quelle est la fonction de « la » dans ces phrases ?**

3 a. **À quel type de groupe de mots le premier « là » appartient-il ?**
b. **Quel genre de précision le second « là » donne-t-il dans la phrase ?**
> *Ce jour-**là**, les bûcherons décidèrent d'affronter l'ogre : il errait ici et **là**, semant partout la terreur.*

J'apprends

La

- *La* s'écrit sans accent quand c'est :
  – un **article** qui définit un nom féminin singulier dans un groupe nominal ;
  > *la leçon*

  – un **pronom**, **complément de verbe**, remplaçant un groupe nominal féminin singulier. Il peut être remplacé par ce groupe nominal.
  > *J'apprends ma leçon et je **la** récite. (= Je récite la leçon.)*

Je manipule

4 AJOUTER **Un mauvais génie a fait disparaître tous les articles *la* : récrivez les phrases en les rétablissant.***
1. Le loup a mangé grand-mère et petite fille. **2.** Ce conte contient morale suivante : vérité n'est pas toujours bonne à dire. **3.** As-tu trouvé solution de cet exercice ? **4.** Toute maisonnée s'affaire pour préparer fête annuelle.

5 REMPLACER **Récrivez ces phrases en remplaçant le nom en couleur par celui entre parenthèses. Faites les modifications nécessaires.***
1. Le père (mère) demande à ses enfants de ranger l'appartement (maison). **2.** Il achète le poisson (viande) au marché. **3.** Il étale le tissu (nappe) sur le banc (table). **4.** Le travail (tâche) du serveur (serveuse) est difficile. **5.** L'appentis (véranda) protège du soleil (lumière).

6 REMPLACER **Récrivez ces phrases en transposant les groupes nominaux en couleur au singulier.***
1. Le bagagiste porte les valises. **2.** Le paysan attend les récoltes. **3.** Le magicien aborda les sorcières. **4.** Ce roman raconte les mésaventures de ce personnage. **5.** La fillette admira les peintures de Zhang. **6.** Elle range les nappes dans l'armoire.

7 REMPLACER **Récrivez ces phrases en remplaçant chaque groupe nominal en couleur par le pronom qui convient.***
1. Le cuisinier porte la marmite. **2.** Elle retrouve la cabane de son enfance. **3.** Le héros surmonte la

difficulté. **4.** Il déteste la ruse utilisée. **5.** Il joue sa partition préférée.

8 REMPLACER **Récrivez ces phrases en employant le pronom *la*.***

1. Elle nettoiera la bergerie. **2.** Vous préparez la fête. **3.** Elle vendra bientôt sa voiture. **4.** Vous rencontrerez l'animatrice du club. **5.** La caissière vérifie sa caisse.

9 REMPLACER **Récrivez ces phrases en remplaçant le groupe nominal souligné par le pronom *la*, en suivant le modèle donné.***

Nettoie la table. > Nettoie-la.

1. Étudie la calligraphie chinoise. **2.** Gagne la coupe. **3.** Remets ta pièce d'identité. **4.** Précisez la date de votre venue. **5.** Apprenons la scène et récitons cette scène.

J'apprends

Là

- *Là* prend un accent quand :
  - il est **adverbe exprimant le lieu**. > *Il habite là.*

  On peut le remplacer par ***ici, à cet endroit***.

  - **il précise :**
    - **un nom** dans un groupe nominal commençant par *ce / cette / ces* ; > *ce jour-là*
    - ou des **pronoms** : *celui-là, ceux-là, celle(s)-là*.

  On le relie au nom ou au pronom par un tiret.
  On peut le remplacer par ***-ci*** (*ce jour-ci, celui-ci*).

Je manipule

10 REMPLACER **Récrivez ces phrases en remplaçant les GN en couleur par l'adverbe de lieu *là*.***

1. Il est sorti par ce passage. **2.** C'est dans ce hangar qu'il a passé son enfance. **3.** Nous nous arrêtons dans les auberges où on accepte les chiens. **4.** Nous faisons la sieste dans un jardin où il fait frais. **5.** Le garçon a vu l'ogre arriver par ce chemin. **6.** Elle évite de se risquer dans des zones où les cyclones sont fréquents.

11 AJOUTER **Récrivez ces phrases en ajoutant *là* aux groupes nominaux commençant par *ce, cette* ou *ces*.****

1. La famille avait oublié de prendre ces papiers. **2.** Avez-vous déjà visité ce musée ? **3.** En ce temps, très ancien, les femmes apprenaient à broder. **4.** C'est dans ce camping que nous passerons nos vacances. **5.** Que voyez-vous dans cette cave ?

12 AJOUTER **Récrivez ces phrases en les complétant avec *la* ou *là*.****

1. Quand elle visite une région, elle … parcourt du matin au soir et s'aventure … où les autres ne vont pas. **2.** Faites donc une maquette d'avion : construisez-… de vos mains avec de … colle solide. **3.** Est-ce que vous avez déjà lu cette fable-… ? Raconte-… nous. **4.** Cette période historique, Léa … connaît à fond. **5.** Voulez-vous vraiment passer par … ?

13 REMPLACER **Récrivez ces phrases en remplaçant les groupes nominaux en couleur par *la* ou *là*.****

1. L'animatrice présentera ce soir sa dernière émission. **2.** En ce village isolé, cette année, passera le Tour de France. **3.** Les esprits de la montagne se cachent dans les cavernes où ils sont à l'abri. **4.** Ne racontez pas la fin de l'histoire.

14 DICTÉE NÉGOCIÉE **a. Recopiez le texte en remplaçant les □ par *la* ou *là*. b. Échangez avec votre voisin pour vérifier vos réponses avant la correction collective.****

Prana était une jeune fille à □ peau claire et à □ chevelure bouclée. Dans cette famille-□, on savait qu'elle avait une santé fragile et on □ protégeait. Jadis, le simple fait de □ bercer □ rendait malade. Or, ce jour-□, elle, qui était d'ordinaire si gourmande, n'avait pas faim et la douce boisson préparée par sa mère ne □ tenta pas. Sa mère, inquiète, □ conduisit chez □ magicienne, □ où elle serait bien soignée. Dans ce pays-□, en effet, il n'y avait pas de docteur.

49. Les emplois de *ou* et *où*

J'observe et je comprends

1 a. **Dans ces phrases, peut-on remplacer « ou » par « ou bien » ?**

> A. *Il mange indifféremment des glaces **ou** des bonbons.*
> B. *En vacances, il visite **ou** il fait du sport.*
> C. *Elle porte des robes amples **ou** moulantes, selon les jours.*

b. **Observez les mots ou groupes de mots reliés par « ou » : quelle est leur classe grammaticale en A ? en B ? en C ?**

2 **Quel type d'information donne le mot « où » dans les phrases suivantes ?**

> ***Où** vas-tu ? Je vais dans un parc **où** je fais du skate.*

J'apprends

Ou

- *Ou* sert à relier deux mots ou deux propositions de même classe grammaticale entre lesquels on fait un choix.
  > *Veux-tu lire un conte **ou** un roman ?*
  > *Ce livre est-il long **ou** court ?*
  > *Lit-il **ou** rêve-t-il ?*

On peut le remplacer par *ou bien*.

Je manipule

3 REMPLACER **Récrivez ces phrases en remplaçant *et* par *ou*.***

1. Il fait du judo le lundi et le jeudi. **2.** Mon frère lit des albums et des contes. **3.** Prends-tu la grosse valise et la petite ? **4.** Pour son repas, elle prend de la viande et des légumes. **5.** Maeva passe ses journées à courir et à bricoler.

4 AJOUTER **Complétez ces phrases en employant *ou* suivi d'un nom ou d'un groupe nominal.***

1. Iras-tu à la montagne … ? **2.** Je ne sais pas si je préfère Molière … . **3.** Pour notre exposé, notre professeur nous laisse choix entre la Suède … . **4.** Préfères-tu le rap … ? **5.** Léa hésite entre une robe rouge … .

5 AJOUTER **Complétez ces phrases en employant *ou* suivi d'un adjectif.***

1. Je ne sais pas si elle a des cheveux frisés … . **2.** Léa se demande si son amie est timide … . **3.** Le climat ici est-il chaud … ? **4.** J'aime toutes les musiques, classiques … . **5.** Préfères-tu l'eau plate … ?

6 AJOUTER **Complétez ces phrases en employant *ou* suivi d'un autre verbe ou groupe verbal.***

1. Le matin, Manon fait du sport … .
2. Au son de la voix, cette machine démarre … .
3. Une fée jette des sorts … .
4. Selon les jours, Léon distrait ses voisins … .
5. La pluie favorise les cultures … .

7 AJOUTER **Recopiez et complétez ces phrases en employant *ou* suivi d'un mot ou groupe de mots de la même classe grammaticale que celui qui est en couleur.****

1. Préfères-tu les sports individuels … ?
2. Cet homme original se fait remarquer par des pantalons trop larges … .
3. Qui sortira victorieux de cette compétition : les seniors … ?
4. Que préférez-vous : nager … ?
5. Les films de ce réalisateur s'inspirent d'histoires vraies … .

J'apprends

Où

- *Où* est un pronom qui exprime une idée de lieu ou parfois de temps.
  > *Où habitez-vous ? L'endroit où j'habite est loin d'ici.*
  > *Au moment où retentit la sonnerie, tous se lèvent.*

Je manipule

8 REMPLACER **Récrivez ces questions en remplaçant les groupes de mots en couleur par *où/d'où/par où*.***

1. À quel endroit passeras-tu cet examen ? **2.** Par quelle route le Tour de France passera-t-il ? **3.** De quelle pièce la fumée sort-elle ? **4.** En quel lieu tes amis se rendent-ils ?

9 REMPLACER **Récrivez ces questions en remplaçant les groupes de mots en couleur par *où/par où*.***

1. Ma mère se demande dans quel lieu le chat a pu se cacher. **2.** La fillette chercha un endroit dans lequel elle pourrait avoir chaud. **3.** Il ne savait jamais vers quelle direction partir. **4.** Il hésitait sur le lieu par lequel passer.

10 REMPLACER **Récrivez ces phrases en remplaçant les mots ou groupes de mots en couleur par *où/d'où*.***

1. Je vais te faire visiter la maison dans laquelle je passais toutes mes vacances.
2. Sans le savoir, Hans se dirige vers une forêt dont on ne revient jamais.
3. Le pauvre garçon se cache dans un endroit dans lequel nul ne peut le trouver.
4. Le loup est passé par un chemin par lequel le Chaperon rouge ne s'était jamais aventuré.
5. Le petit génie arrive d'un monde duquel il ne pensait pas pouvoir s'échapper.

11 REMPLACER **Récrivez ces phrases en remplaçant les mots en couleur par ces expressions : *à l'heure où, au moment où, dès l'instant où, le jour où*.***

1. Dès qu'il nous aperçut, il nous fit de grands signes.
2. Quand la terre se mit à trembler, les habitants sortirent dans la rue.
3. Quand la jeune fille rencontra le peintre, elle lui posa de multiples questions sur son art.
4. Quand le feu d'artifice commença, la foule se tut.

12 AJOUTER **Complétez ces phrases avec *ou* ou bien avec *où*.****

1. La sombre forêt était le lieu … régnaient deux horribles sorcières. **2.** Le roi se demandait … était leur cachette : dans une chaumière … dans une caverne ? **3.** Le jeune prince chercha à savoir … elles se cachaient. **4.** Quelle était la plus féroce : l'aînée … la cadette ? **5.** À la cour, … tout se savait, chacun se demandait si le prince parviendrait à les trouver … s'il échouerait. **6.** Je me demande ce qui est le plus terrifiant : un ogre géant … une sorcière maléfique.

13 AUTODICTÉE a. **Lisez attentivement ces phrases, mémorisez les emplois de *ou* et de *où* en vous aidant des couleurs.**
b. **Apprenez-les phrases.**
c. **Récitez-les par écrit.****

1. *Le Petit Poucet* est-il un conte ou un roman ? **2.** Je ne me souviens plus où se passe cette histoire. **3.** Où les parents décident-ils d'abandonner leurs enfants : près d'un lac ou dans la forêt ? **4.** Est-ce le plus jeune des enfants ou le cadet qui sauve ses frères ? **5.** Les jeunes enfants arrivent près d'une maison où résident l'ogre et sa famille. **6.** L'ogre porte-t-il des bottes de six ou de sept lieues ?

14 RÉDIGER **À partir de l'image, imaginez une petite histoire dans laquelle vous emploierez *ou* et *où*, que vous soulignerez de deux couleurs.****

Illustration de *La Bête du Gévaudan*, F. FABRE, 1901, gravure sur bois.

50. Les principaux mots invariables

J'observe pour comprendre

1 Observez les phrases A et B : quels mots n'ont pas changé ?

> A. *Hier, devant la grande porte, un petit chien regarda longtemps vers la montagne enneigée.*

> B. *Hier, devant les grandes portes, des petits chiens regardèrent longtemps vers les montagnes enneigées.*

J'apprends

- Il existe une cinquantaine de mots invariables très courants… à apprendre par cœur !
- Plus de 30 mots terminés par une consonne muette (mais qui peut s'entendre lors d'une liaison si elle est devant un mot commençant par une voyelle) :
  – **-s** : *alors, ailleurs, près (après, auprès, exprès), autrefois, parfois, depuis, dès, désormais, vers (envers, à travers), hors (dehors), jamais, toujours, longtemps, très, volontiers, sans, moins* ;
  – **-t** : *avant (auparavant, devant), pendant (cependant), souvent, tôt (aussitôt, bientôt, plutôt, sitôt, tantôt)* ;
  – **-d** : *quand, tard.*
- 6 mots terminés par une voyelle : *déjà, voilà, malgré, ici, parmi, voici.*

Je manipule

2 EMPLOYER **Complétez les phrases suivantes par des mots de la leçon dont les liaisons peuvent aider à entendre la lettre finale.***

1. Tom … assoiffé s'arrête … une belle fontaine. **2.** Il se promène … une heure en compagnie de son chien. **3.** … cet automne pluvieux, mon voisin n'est … allé au marché … un parapluie. **4.** … une soirée réussie, il y a … une personne qui remercie ses hôtes.

J'apprends

- 4 mots à écrire en un seul bloc : *davantage, quelquefois, toutefois, hélas.*
- 5 mots à écrire en deux éléments : *aujourd'hui, en effet, là-bas, peut-être, tant pis.*
- 4 mots à écrire en trois éléments : *tout à coup, tout à fait, tout de même, tout de suite.*

Je manipule

3 EMPLOYER **Remplacez chaque mot ou groupe de mots par un mot invariable de même sens.***

parfois • soudain • plus • ce jour-même • immédiatement • cependant

4 EMPLOYER **Récrivez et complétez ces phrases en utilisant des mots invariables de la leçon.****

1. Jacques est un boulanger qui ne déçoit … ses clients. **2.** Les gardiens de moutons d'… vivaient-ils plus heureux que les fabricants de lunettes d'… ? **3.** Ce garagiste est un expert : il est … capable de détecter différentes pannes. **4.** Cette coiffeuse est … efficace : … une cliente arrive, elle organise … sa prise en charge. **5.** … le meilleur chauffeur de camion … tous ceux de la profession. **6.** Cet homme qui transporte les malades se rend … à l'hôpital.

51. La dérivation : radical et famille de mots

J'observe et je comprends

1 À partir de quel radical (groupe de lettres) commun les mots de cette liste sont-ils formés ?
> *forme – former – déformer – formation – formule*

2 Les mots suivants proviennent du verbe latin *venire* : quelles sont les trois variantes de ce radical ?
> *venir – aventure – prévention – revenir – événement*

3 Chacune des listes de mots des exercices 1 et 2 constitue une « famille de mots ». Proposez une définition de cette expression.

J'apprends

- Le radical est l'élément de base d'un mot, celui qui porte le sens principal.
  > *fable* (*fabl-* : radical)
- La plupart des radicaux sont liés à leur étymologie latine ou grecque (voir p. 356-358). Mais un radical peut présenter plusieurs variantes.
  > *fable – fabuleux* (du latin *fabula*, « une histoire »)
- La plupart des mots se forment par dérivation, en ajoutant au **radical** un préfixe (voir p. 352) et/ou un suffixe (voir p. 354).
  > *trans/form/ation*
  préfixe/radical/suffixe
- Les mots qui ont le même radical forment une famille de mots.
  > ***fabl**e – **fabu**leux – **fabu**liste – **fabl**ier – **fabl**iau – af**fabul**er – af**fabul**ation*

Je manipule

4 REPÉRER Sur quel radical les mots suivants sont-ils formés ? *
A. aplatir • plateau • replat • platement • platitude
B. murer • muret • emmurer • muraille
C. envol • volée • voleter • s'envoler • volière
D. durcir • endurcir • endurer • dureté • durement

5 REPÉRER Quel radical identifiez-vous dans chacune de ces familles de mots ? *
A. (dire) prédiction • dictée • malédiction • dictaphone
B. (faire) perfection • réfection • défection • perfectible
C. (tenir) maintenir • tenue • détenir • entretenir

6 ENRICHIR Donnez le plus grand nombre de mots possible de la famille des mots suivants : *ami*, *fort*, *port*, *chant*, *long*, *tir*. **

7 REPÉRER Quelles sont les deux formes de radical dans chaque famille de mots ? *
A. sourd • assourdir • surdité • assourdissant
B. course • parcours • coursier • courir • courant
C. livre • librairie • livresque • libraire
D. table • tableau • tableur • attablé • tabulation
E. projet • adjectif • jeter • sujet • objet • éjectable

8 REPÉRER a. Recopiez ces familles de mots en soulignant le radical. b. Combien de formes du radical dénombrez-vous pour chaque famille ? **
A. élection • délégué • délégation • élire • éligible
B. faux • falsifier • faussaire • falsification • fausser
C. cœur • cordial • accorder • écœurer • cardiaque
D. vrai • vérité • vraiment • avérer • véritable • véritablement • véridique
E. bain • baignoire • balnéaire • baigner • baigneur

9 AJOUTER a. Donnez des mots de la famille de *père* ; *mère* ; *frère*. b. Soulignez le radical. **

10 CHERCHER Quel est le sens exact de ces mots formés sur le latin *via*, « le chemin » ? **

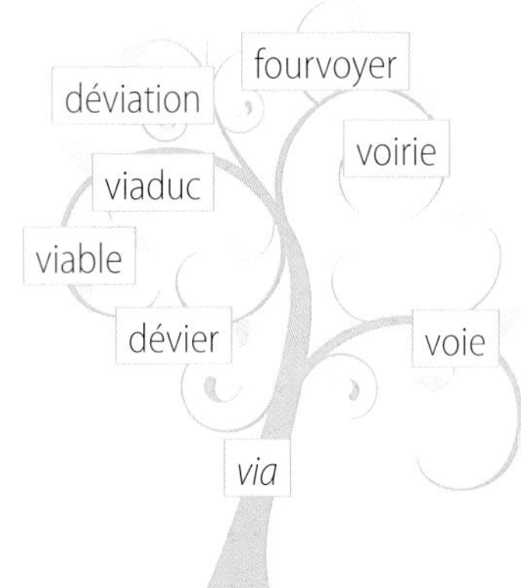

52. La dérivation : les préfixes

J'observe et je comprends

1 a. **Quel est l'élément commun à ces mots ?** *> amener – emmener – mener*
b. **Quelle différence de sens faites-vous entre « amener » et « emmener » ?**
c. **Quel élément fait varier le sens de ces deux mots ?**

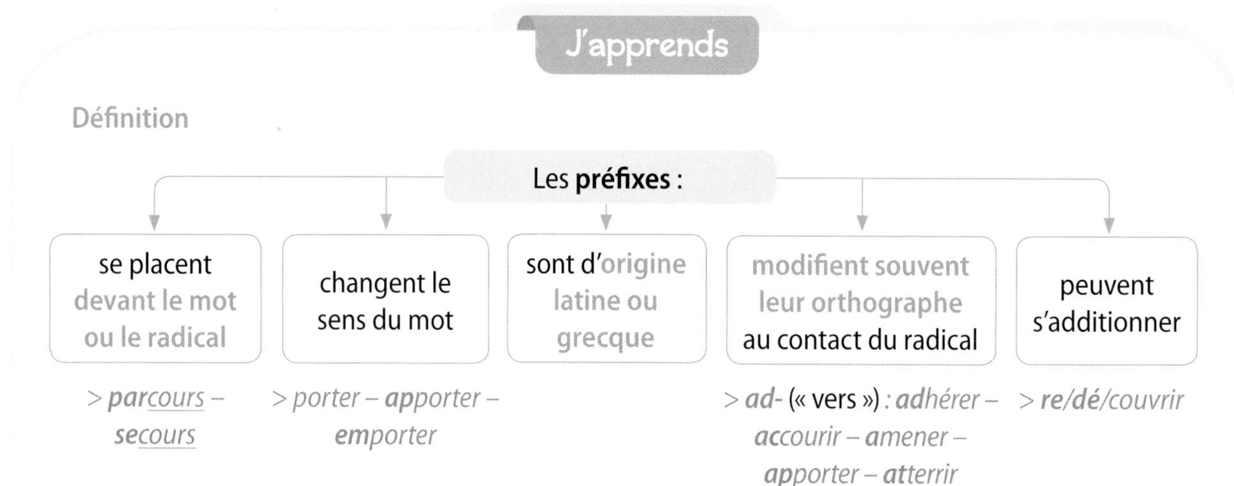

• Préfixes ayant plusieurs sens

in (il-, im-, ir-)	dans, vers	*> **in**gérer – **im**porter*	négation	*> **in**fini – **il**lisible – **im**pair – **ir**réel*
para-	contre	*> **para**pluie*	à côté de	*> **para**llèle*
re- (r-)	à nouveau	*> **re**faire, **r**écrire*	en arrière	*> **re**jeter*
trans- (tra-)	à travers	*> **trans**percer*	changement	*> **trans**former*

• Préfixes exprimant une idée de lieu

ad- (a-, ac-, af-, al-, ap-, as-, at-)	vers	*> **ad**venir – **ap**porter*
ex- (é-)	hors de	*> **ex**porter, **é**mettre*
de-	du haut de	*> **de**scendre, **dé**valer*
en-	dans	*> **en**gager*
hyper-, super-	au-dessus de	*> **hyper**marché – **super**marché*
inter-	entre	*> **inter**calaire*
dia-, per-	à travers	*> **dia**gonale – **per**forer*
péri-	autour	*> **péri**mètre*
pré-, pro-	avant, à la tête de	*> **pré**céder – **pro**cession*
hypo-, sub-	en dessous	*> **hypo**thèse – **sub**merger*

• Autres préfixes

a- (an-)	négation	*> **a**normal*
anti-	contraire	*> **anti**pathie*
bi-	double	*> **bi**cyclette*
con- (com-, co-, col-), syn- (sym-)	avec	*> **con**duire – **com**porter – **co**locataire – **col**lègue – **syn**thèse – **sym**pathie*
dis-	séparer	*> **dis**tendre*
méta-	transformer	*> **méta**morphose*

Je manipule

2 REPÉRER **a. Recopiez les mots suivants en encadrant le ou les préfixes. b. Employez quatre de ces mots, au choix, chacun dans une phrase qui mette son sens en valeur.***
transplantation • imbuvable • replacer • enlever • hypertension • relancer • transporter • superposer • injecter • redorer • indéfinissable

3 REPÉRER **Récrivez ces mots en entourant leur préfixe, d'origine latine.***
bicyclette • exprimer • proclamer • interrompre • amener • transatlantique

4 DÉFINIR **Recopiez ces mots en soulignant leur préfixe, d'origine grecque, puis proposez une définition.***
diamètre • hypermarché • paratonnerre • symphonie • paranormal • hypertension • périphérique

5 EMPLOYER **a. Formez le contraire des adjectifs suivants. b. Employez les adjectifs formés à partir des adjectifs en couleur, chacun dans une phrase qui mette son sens en valeur. Attention aux variantes orthographiques.***
adapté • réel • disponible • pair • probable • typique • patient • parfait • mobile • légal

6 REPÉRER **Classez ces mots selon que le préfixe *in-* signifie « le contraire de » ou « dans, vers ».***
incliner • indéfini • imprécis • indécision • impliquer • importer • immobile

7 EMPLOYER **a. Quel est le sens du préfixe *re- (r-)* dans cette liste de verbes ? b. Donnez les noms correspondants. c. Employez quatre de ces verbes ou de ces noms, chacun dans une phrase qui mette son sens en valeur.****
répéter • réadapter • réinsérer • replanter • remanier • relancer

8 EMPLOYER **a. Classez ces verbes selon que le préfixe *re-* signifie « en arrière » ou « à nouveau ». b. Quel est le verbe qui peut correspondre aux deux sens de *re-* ? c. Employez trois de ces verbes, chacun dans une phrase de votre choix.****
reculer • reverdir • revenir • ressurgir • retomber • repousser • rejeter

9 EMPLOYER **a. Expliquez les mots suivants à l'aide de leur préfixe latin. b. Employez chaque mot en couleur dans une phrase qui mette son sens en valeur.****
rénover • prénom • démettre • prédominer • contenir • décharger • relever

10 EMPLOYER **a. Formez des verbes en faisant précéder ces adjectifs d'une des formes du préfixe *ad-*. b. Employez chaque verbe ainsi formé dans une phrase qui mette son sens en valeur.****
apte • faible • léger • rond • sage • tendre

11 EMPLOYER **a. Formez les verbes correspondant aux définitions suivantes, en ajoutant un préfixe au radical *-duire* (du latin *ducere*, « mener »). b. Donnez les noms correspondants.****
1. Faire passer d'une langue dans une autre.
2. Diminuer.
3. Accompagner à pied ou en voiture.
4. Fabriquer.
5. Tirer une conclusion ou enlever.

12 EMPLOYER **Formez les mots commençant tous par le même préfixe et répondant aux définitions suivantes.****
1. Poser des questions.
2. Couper la parole.
3. Qui concerne plusieurs nations.
4. Se placer entre deux personnes.
5. Qui se situe au milieu de.

13 EMPLOYER **a. Expliquez les mots suivants présentés par couples en vous aidant des préfixes. b. Employez les mots en couleur, chacun dans une phrase qui révèle son sens.****
réaction / transaction • prédire / redire • exhaler / inhaler • apparaître / transparaître • inspirer / transpirer • enterrer / déterrer

14 EMPLOYER **En employant les préfixes *in-* et *ex-*, formez des couples de mots correspondant aux définitions suivantes.****
1. Faire entrer de l'air dans les poumons. / Faire sortir de l'air des poumons.
2. Explosion volcanique. / Arrivée brutale.
3. Vendre des marchandises à l'étranger. / Acheter des marchandises en provenance de l'étranger.
4. Quitter son pays pour s'installer dans un autre. / Entrer dans un pays pour s'y installer.

15 EMPLOYER **Expliquez les mots suivants en vous aidant de leur préfixe.****
un assaut • une répulsion • une imperfection • insensé • indéchiffrable • un apport • un parachute

53. La dérivation : les suffixes

J'observe et je comprends

1 a. **Quel est le radical commun à ces trois mots ?**
> *décor – décorateur – décoration*

b. **Comment les mots « décorateur » et « décoration » sont-ils formés ?**

2 **Observez les listes de mots suivants.** a. **Qu'ont en commun les mots de chaque liste ?**
b. **Quelle est la classe grammaticale des mots de chaque liste ?**
> A. *affirmation – navigation – libération – modération*
> B. *simplifier – modifier – horrifier – terrifier*
> C. *adorable – admirable – valable – incroyable*

J'apprends

Définition

Suffixes et classes grammaticales

- Suffixes **formant des verbes** :

– *-eter* ; > *voleter* – *-ifier* ; > *solidifier*
– *-iser* ; > *vaporiser* – *-ner*. > *raisonner*

- Suffixes **formant des noms** :

masculins		féminins			
-age	> *séchage*	*-ade*	> *promenade*	*-esse*	> *sagesse*
-ateur	> *décorateur*	*-aie*	> *châtaigneraie*	*-ie*	> *boucherie*
-eur	> *vendeur*	*-ance*	> *vaillance*	*-ion*	> *religion*
-ien	> *musicien*	*-ation*	> *création*	*-té*	> *liberté*
-is	> *gâchis*	*-ence*	> *prudence*	*-tié*	> *amitié*
-ment	> *hurlement*				

- Suffixes **formant des adjectifs** :

-able	> *convenable*	*-eux*	> *chaleureux*	*-if*	> *agressif*
-ais	> *français*	*-ible*	> *lisible*	*-ique*	> *politique*
-aire	> *bancaire*	*-ien*	> *indien*	*-ois*	> *chinois*
-al	> *amical*	*-ier*	> *familier*		

- Le suffixe **formant des adverbes** : *-ment* > *aimablement*

Sens de quelques suffixes

- Suffixes diminutifs : *-eau* > *baleineau* ; *-et* / *-ette* > *balconnet* – *dînette* ; *-on* > *chaton*.
- Suffixes péjoratifs (négatifs) : *-âtre* > *blanchâtre* ; *-asse* > *molasse* ; *-aud* > *rougeaud*.
- Suffixes à plusieurs sens : *-ier*, *-ière* :
  un métier > *un bijoutier* ; un arbre > *un pommier* ; un récipient > *un sucrier*.

Je manipule

3 EMPLOYER a. **Écrivez ces adjectifs en les complétant avec le suffixe *-able* ou *-ible* : *admir…, applic…, dur…, ris…, indiscut…, indispon…, ouvr…, illis…*.**
b. **Récrivez les phrases suivantes en employant l'adjectif qui convient.***
1. Cette loi est … dès maintenant. **2.** Il écrit si mal que son écriture est … . **3.** Son attitude héroïque est … . **4.** Un lion qui a peur d'une souris, c'est … . **5.** Le dimanche n'est pas un jour … dans l'administration. **6.** En raison de la grippe, cette personne est … . **7.** Les comptes sont justes et le résultat … .

4 EMPLOYER a. **Donnez les verbes correspondant à ces définitions, à l'aide des suffixes *-iser*, *-ifier* ou *-ner*.**
b. **Choisissez quatre des verbes ainsi formés et employez chacun d'eux dans une phrase qui révèle son sens.***
1. Punir par une sanction. **2.** Rendre intense. **3.** Rendre harmonieux. **4.** Rendre pur. **5.** Faire entendre raison. **6.** Rendre égal. **7.** Rendre solide. **8.** Rendre complexe. **9.** Rendre ridicule. **10.** Faire un plan.

5 EMPLOYER a. **À partir des verbes *abattre, arracher, claquer*, formez deux noms, l'un avec le suffixe *-age*, l'autre avec le suffixe *-ment*.** b. **Récrivez ces phrases en utilisant le nom qui convient.***
1. a. L'… des sapins en forêt est interdit. **b.** Pauline a échoué à son examen, elle se trouve dans un état d'… . **2. a.** En quittant ses parents pour partir en colonie, Frédéric pleura à chaudes larmes ; ce fut un véritable … . **b.** Dans cette région, l'… des pommes de terre se fait à la main. **3. a.** Le maître se fait obéir de son chien par un … des doigts. **b.** Le champion s'est fait un … en tombant.

6 EMPLOYER a. **Quels sont les noms formés à partir des adjectifs suivants ? Soulignez le suffixe employé.**
b. **Choisissez quatre des noms formés et employez chacun d'eux dans une phrase de votre choix.****
propre • valide • maladroit • habile • vaillant • dur • mou • nonchalant • négligent

7 FORMER **Formez des noms en *-ation* correspondant à ces verbes.***
A. libérer • adorer • créer • imaginer • acclamer • agiter • manifester • former • séparer
B. nager • saluer • multiplier • simplifier

8 EMPLOYER a. **Formez des noms en *-ion* correspondant à ces verbes.**
b. **Employez quatre des noms formés dans une phrase de votre choix.****
projeter • exprimer • agir • émettre • élire • satisfaire • adhérer • produire • attirer

9 FORMER **Formez de nouveaux mots en employant un suffixe diminutif.***
jardin • simple • éléphant • maison • fourche • barque

10 FORMER **Quel est l'arbre qui porte : des poires ? des prunes ? des pommes ? des dattes ? des bananes ? des cerises ? des abricots ?***

11 EMPLOYER **En utilisant le suffixe *-ier* / *-ière*, citez au moins quatre types de commerçants que vous pouvez rencontrer sur le marché.***

12 EMPLOYER a. **En vous aidant si besoin d'un dictionnaire, classez ces mots selon qu'ils désignent un arbre, un métier ou un récipient.** b. **Rédigez la définition des mots en couleur.****
armurier • poivrier • mûrier • batelier • cendrier • bouvier • drapier • laurier • joaillier • muletier • peuplier

13 EMPLOYER a. **Écrivez ces mots dont les éléments (préfixe, radical, suffixe) se sont mélangés ; vous soulignerez le suffixe.**
1. able - ment - discut - in • **2.** ation - port - im • **3.** stabil - dé - iser • **4.** able - coll - in • **5.** in - able - mod - dé. **6.** démarr - re - age.
b. **Employez chacun des mots formés dans une phrase qui révèle son sens.****

14 EMPLOYER a. **À partir de chacun de ces radicaux, formez plusieurs mots dérivés ; vous encadrerez les préfixes et soulignerez les suffixes.**
cadre ; fort ; son ; jet.
b. **Rédigez des phrases en employant les mots ainsi formés.****

54. L'étymologie latine

J'observe et je comprends

1 **En latin, « père » se dit *pater*, « mère » se dit *mater*. Quels mots français proviennent de ces noms latins ?**

2 **Comparez le mot « amour » dans ces différentes langues : que constatez-vous ?**
> latin : *amor* – italien : *amore* – espagnol : *amor* – portugais : *amor* – roumain : *amor*

J'apprends

- L'étymologie (du grec *etumon*, « vrai sens d'un mot ») est l'étude de l'origine des mots. Elle permet de mieux comprendre le **sens** des mots français, de les organiser en **familles de mots** et de mieux les **orthographier**.
- Le français, comme l'italien, l'espagnol, le portugais, le roumain, est une **langue romane**, c'est-à-dire issue du latin. La plupart des mots français sont donc d'origine latine :
  – certains d'entre eux sont très proches ; > *libertas → liberté – religio → religion*
  – d'autres évoluent, par exemple de nombreux mots commençant par *ca-* en latin commencent par *cha-* ou *che-* en français. > *calor → chaleur – capra → chèvre*
- Le vocabulaire français provient :
  – du **latin classique** ; > *equus (cheval) → équestre – équitation*
  – du **latin familier**. > *caballus (cheval) → cheval – chevalier – chevalet*

Je manipule

Les exercices de cette page peuvent se faire à l'aide d'un dictionnaire.

3 RÉDIGER a. **Quels sont les noms français formés sur ces noms latins ?** b. **Soulignez le suffixe commun à tous les noms français ainsi formés.** c. **Rédigez trois phrases où vous emploierez les noms français issus des noms latins en couleur.***
veritas • fidelitas • civitas • auctoritas • humanitas • difficultas • dignitas

4 RÉDIGER a. **Quels sont les noms français formés sur ces noms latins ?** b. **Soulignez le suffixe commun à tous les noms français ainsi formés.** c. **Rédigez trois phrases où vous emploierez les noms français issus des noms latins en couleur.***
natio • dispositio • elocutio • adfectio • narratio • adfirmatio • acclamatio • moderatio

5 FORMER **Quels sont les mots français formés sur ces noms d'animaux latins ?***
bovis (bœuf) • piscis (poisson) • avis (oiseau) • canis (chien) • ovis (mouton)

6 FORMER a. **Donnez un mot français formé à partir de chacun de ces chiffres latins.***
unus (1) • duo (2) • tria (3) • quattuor (4) • quinque (5) • sex (6) • septem (7) • octo (8) • novem (9) • decem (10) • centum (100)
b. **Expliquez ces mots français à l'aide de leur étymologie : *sextuplés, septembre, octosyllabe, centenaire, unité.***

7 FORMER **Quel adjectif français chacun de ces adjectifs latins a-t-il donné ?***
fragilis • bonus • similis • totus • mortalis • prudens • timidus • humanus

J'apprends

Origine latine du vocabulaire français

- Les familles de mots français :
  – sont formées sur un **radical latin commun** ;
  > *finis (la fin) → fin – finir – finition – définir – infini – infiniment…*
  – présentent des **formes différentes pour un même radical**, en raison des variations de radical des noms, adjectifs et verbes latins.
  > *pax – pacis → la paix – pacifique*
  > *mitto – missum (envoyer) → mettre – démettre – remettre – mission – émission – démission…*
- Voici quelques-uns des principaux radicaux hérités du latin.

Radicaux	Sens	Exemples
ag / act	agir	> *agent – action*
audio / audit	écouter	> *audioguide – audition*
capt / cept	prendre	> *captif – accepter*
dic / dict	dire	> *dicible – dictée*
duc / duct / duit	conduire	> *viaduc – conducteur – conduit*
fac / fact / fect	faire	> *facile – facteur – perfection*

Radicaux	Sens	Exemples
jac / ject / jet	jeter	> *projection – jeter*
leg / lect	lire, choisir	> *délégué – lecture*
man	main	> *manuel*
ten / tien	tenir	> *tenir – maintien*
ven / vent	venir	> *venir – aventure*
vid / vis	voir	> *vidéo – vision*

Je manipule

Les exercices de cette page peuvent se faire à l'aide d'un dictionnaire.

8 REPÉRER **Regroupez les mots suivants par famille de mots.***
acteur • dictionnaire • défection • agencer • actionner • malédiction • auditif • facteur • audition • facture

9 EMPLOYER a. **À quel radical latin rattachez-vous ces mots ?** b. **Proposez d'autres mots issus de ces radicaux et employez-les dans une phrase.****
actionnaire • électeur • réduction • difficile • visée • perfection • capteur • réception • produit

10 REPÉRER a. **Relevez les mots formés sur le radical latin *ten*.** b. **Expliquez chacun de ces mots.***
1. Cette société assure la maintenance des trains. **2.** Il apporte son soutien à ce projet. **3.** Le tenancier de cette auberge est aimable. **4.** La cellulite est de la rétention d'eau dans la peau. **5.** Ce mannequin a un beau maintien.

11 EMPLOYER a. **Quel est le radical latin commun à ces mots ?** b. **Expliquez chacun de ces mots en reliant son sens à son étymologie.** c. **Employez chacun de ces mots dans une phrase de votre choix.***
manier • manipuler • manufacture • manuel • maintenance

12 REPÉRER a. **Recopiez ces mots en soulignant les différentes formes de leur radical latin commun.** b. **Que signifie ce radical ?** c. **Expliquez chacun de ces mots en reliant son sens à son étymologie.****
prédiction • malédiction • indicible • dicton

13 REPÉRER **Quel est le radical commun à ces mots ? Expliquez chacun d'eux à l'aide de l'étymologie.****
élection • délégation • lecture • électeur • déléguer

14 EMPLOYER a. **Recopiez ces mots en soulignant les différentes formes de leur radical latin commun.** b. **Que signifie ce radical ?** c. **Employez les mots en couleur, chacun dans une phrase qui mette son sens en valeur.****
malfaçon • satisfaction • malfaisant • perfectible • défection • parfait • façonner • raréfaction • refait

15 FORMER **Donnez les mots français issus du radical latin de *jeter* (*jac-*, *jec-*, *jact-*) correspondant à ces définitions.****
1. Introduire un produit dans le sang : i.... **2.** Plan : p.... **3.** Faire sortir brutalement : é.... **4.** Lancer, envisager : p.... **5.** Repousser : r....

55. L'étymologie grecque

J'observe, je manipule et je comprends

1 a. **Les mots suivants appartiennent-ils au langage courant ou au langage scientifique ?**
> *phonétique – morphologie – polygone – polymorphe – cardiologie*

b. **Identifiez dans ces mots quatre éléments d'origine grecque.**
> *polythéiste* (qui adore plusieurs dieux) – *monogame* (qui a un(e) seul(e) époux (épouse)) – *monothéiste – polygame*

c. **Donnez le sens de « polygame » et de « monothéiste ».**

2 a. **Quelle lettre commune repérez-vous dans ces mots d'origine grecque ?**
> *phonétique – téléphone – théâtre – thèse – rhume – rhododendron – rhinite*

b. **À quelles consonnes est-elle associée ?**

c. **Modifie-t-elle la prononciation de ces consonnes ?**

3 a. **Quelle voyelle commune repérez-vous dans ces mots d'origine grecque ?**
> *physique – mythe – mythologie – pyrotechnique – gyrophare – hydrophile*

b. **Comment cette voyelle se nomme-t-elle ?**

J'apprends

- Le français emprunte au grec ancien des radicaux, notamment pour former des **mots savants**, **politiques**, **scientifiques** ou **techniques**. > *physique* ← *phusis* (grec, *nature*)
- De nombreux mots français sont formés sur **deux radicaux grecs** ou **grec et latin**.
> *télé/phone* ← *telos* (grec, *loin*) + *phonè* (grec, *voix*)
> *télé/vision* ← *telos* (grec, *loin*) + *vision* (latin, *voir*)
- Il existe en grec plusieurs lettres comportant une aspiration, ce qui donne en français les couples de lettres : ***ch***, ***ph***, ***rh***, ***th***. > *chorale – téléphone – rhume – théâtre*
- Le *y grec* français provient de mots grecs comportant la voyelle ***u*** prononcée ***i*** en grec tardif.
> *physique* ← *phusis* (grec, *nature*)

Principaux radicaux d'origine grecque

Radicaux	Sens	Exemples
anthropo	être humain	> ***anthropo**logue*
arch	gouverner, ancien	> *mon**arch**ie – **arch**éologie*
bio	vie	> ***bio**logie*
chrono	temps	> ***chrono**logie*
ciné / kiné	mouvement	> ***ciné**ma – **kiné**sithérapie*
cosmo / cosm	ordre, univers	***cosmo**naute - **cosm**étique*

Radicaux	Sens	Exemples
mono	seul	> ***mono**logue*
morpho	forme	> ***morpho**logie*
ortho	droit	> ***ortho**graphe*
péd	enfant	> ***péd**iatre*
phag	manger	> *œso**phag**e*
phil	aimer	> *hydro**phil**e*
phob	peur	> *xéno**phob**e*
phon	voix	> *a**phon**e*

Radicaux	Sens	Exemples
crat	pouvoir	> bureau**crat**ie
démo	peuple	> **démo**cratie
géo	terre	> **géo**graphie
graph	écrire	> calli**graph**ie
hydr	eau	> **hydr**aulique
log	étude	> géo**log**ie
mètr	mesure	> **mètr**e
micro	petit	> **micro**scope

Radicaux	Sens	Exemples
photo	lumière	> **photo**graphie
physi	nature	> **physi**que
poly	plusieurs	> **poly**copié
scop	voir	> micro**scop**e
télé	loin	> **télé**phone
thalass(o)	mer	> **thalasso**thérapie
thérap	soin	> kinési**thérap**ie
xéno	étranger	> **xéno**phobe

Je manipule

Pour tous les exercices de cette page, vous pouvez utiliser un dictionnaire.

4 REPÉRER **Expliquez les mots suivants en vous aidant de leur étymologie.***
orthophoniste • démocratie • métamorphose • télescope • phobie • chronomètre • hydraulique

5 REPÉRER a. **Quelle est l'étymologie grecque commune aux mots de chaque liste ?** b. **Donnez le sens précis de chaque mot.***
A. l'orthographe • l'orthophoniste • l'orthopédie • (des droites) orthogonales
B. la monarchie • un monologue • la monotonie • un monosyllabe
C. francophone • phonétique • anglophone • germanophone
D. xénophobe • hydrophobe • agoraphobe • claustrophobe
E. francophile • xénophile • anglophile • germanophile

6 REPÉRER **Associez un des radicaux grecs de la leçon à ceux donnés ci-dessous pour dire chez quel médecin vous vous rendrez pour faire soigner…***
1. le cœur (cardio). **2.** les yeux (ophtalmo). **3.** la peau (dermato). **4.** les pieds (podo).

7 FORMER **Récrivez et complétez les phrases avec des mots formés sur le radical grec *phon*.****
1. Quelqu'un qui ne peut plus parler est…. **2.** Pour savoir comment prononcer un mot, consultez l'alphabet … international. **3.** Le surveillant appelle les élèves dans la cour à l'aide d'un méga…. **4.** « Micro » est l'abréviation de …. **5.** Pour entrer dans l'immeuble, sonnez à l'….

8 FORMER **Récrivez et complétez les phrases suivantes en employant des mots formés sur le radical grec *graph*.****
1. Ma sœur collectionne les … de ses vedettes préférées. **2.** La dictée est un exercice d'… . **3.** En Chine, on pratique un art des lettres nommé la calli…. **4.** Un sismo… enregistre les secousses de la terre, les séismes. **5.** Un … étudie la terre, la représente par des cartes. **6.** Parfois, pour un emploi, l'écriture des candidats est étudiée par un spécialiste, un … .

9 REPÉRER **Relevez tous les mots dont vous avez identifié l'origine grecque.***
Tout élève fait du grec sans le savoir en apprenant la technologie, la physique, l'orthographe, la géologie, la géographie. Du grec encore, quand il constitue une anthologie de poèmes, quand il observe des polypodes au microscope. Et même lorsqu'il a la phobie de l'école.

10 FORMER **Complétez les mots de chaque liste avec l'élément d'origine grecque qui convient.****
A. …scope • … phone • …commande
B. bio… • radio… • chrono…
C. …théiste • …copier • …technique
D. déci… • chrono… • centi…

11 FORMER **Quel mot, formé de deux éléments grecs, correspond à chaque définition ? Aidez-vous du tableau de la leçon.****
1. Objet qui permet de voir loin. **2.** Le fait d'écrire droit (correctement). **3.** Objet qui permet de voir de petites choses. **4.** Science qui écrit (décrit) la terre. **5.** Soin avec des produits de la mer. **6.** Instrument pour mesurer le temps.

12 RÉDIGER **Inventez trois mots composés chacun de deux éléments grecs et imaginez une définition de dictionnaire pour chaque mot formé.****

56. La polysémie

J'observe, je manipule et je comprends

1 **Dans un dictionnaire, combien de sens trouvez-vous pour le mot « carrosse » ?**

2 a. **Que désigne le nom « baguette » dans chaque phrase ?**
> A. *La fée transforme la citrouille en carrosse d'un coup de **baguette** magique.*
> B. *J'adore manger une **baguette** croustillante.*

b. **Quel rapport de sens y a-t-il entre ces deux emplois du mot « baguette » ?**

3 **Quels éléments de chaque phrase vous aident à comprendre le sens du mot en gras ?**
> A. *Le **cœur** est un organe vital dont on compte les pulsations.*
> B. *La marâtre de Cendrillon, femme sans **cœur**, maltraitait la jeune fille.*

J'apprends

Mots à un seul sens

- Les mots à un seul sens appartiennent en général à un vocabulaire technique, scientifique.
  > *guitare – hélice – hypoténuse*

Mots à plusieurs sens

- La plupart des mots ont plusieurs sens ; on parle alors de **polysémie** (de *poly*, « nombreux », et *sémie*, « signification »).
- Ces sens sont souvent liés, mais ce lien n'est pas toujours facile à repérer.
  > *La **table** est décorée d'une jolie nappe. Il apprend ses **tables** de multiplication.*
- Certains mots ont :
  – un sens propre, le **sens premier**, celui qui apparaît en premier dans un dictionnaire ;
  > *Il ouvre la **bouche** pour parler.*
  – un ou plusieurs sens figuré(s), souvent **imagé(s)**.
  > *L'air arrive par la **bouche** d'aération. L'égoutier descend par la **bouche** d'égout.*
- Pour comprendre le sens d'un mot, il faut s'aider du contexte (texte qui entoure le mot).
  > *J'aime cet **air** joyeux ; j'en apprécie la mélodie et le rythme entraînant.* (air de musique)
  > *J'aime son **air** joyeux ; sa bonne humeur est communicative.* (expression du visage)

Je manipule

Pour tous les exercices de cette page, vous utiliserez un dictionnaire.

4 EMPLOYER a. **Associez chacun des noms, *fond, carton, case, casque, timbre,* à ses différents sens.**
b. **Employez deux de ces noms dans deux phrases où ils auront des sens différents.***

1. Coiffure rigide pour protéger la tête ; appareil muni d'écouteurs ; appareil pour sécher les cheveux. **2.** Hutte ; carré dans un damier ; compartiment d'un meuble. **3.** Partie la plus basse de quelque chose ; le degré le plus bas ; partie la plus reculée d'un local. **4.** Feuille rigide ; emballage ; carte brandie par l'arbitre pour sanctionner un joueur. **5.** Qualité d'un son, d'une voix ; cachet de la poste.

5 REPÉRER **Retrouvez le mot manquant dans chaque série.***

A. 1. Ce restaurant propose des plats à la … . **2.** Le professeur nous fait dessiner la … de France. **3.** Il faut présenter une … d'identité à la frontière. **4.** Le poker se joue avec cinquante-deux … .

B. 1. L'oiseau s'envole à tire d'... . **2.** Ce château comporte deux ... latérales. **3.** Le général déploie ses ... . **4.** Il préfère l'... à la cuisse de poulet. **5.** L'avion a heurté le sol de son ... droite.
C. 1. Sa moyenne a augmenté de deux ... . **2.** Son père lui manque au plus haut ... . **3.** Il a du mal à exprimer son ... de vue. **4.** Cet artiste peint avec de multiples petits ... . **5.** Elsa fait de la broderie au ... de croix.

6 REPÉRER a. **Relevez les phrases où le mot en gras est employé au sens figuré.** b. **Expliquez oralement le lien entre le sens propre et le sens figuré de ces mots.** **
1. a. Le port d'**armes** est interdit. **b.** Son sourire est sa meilleure **arme**. **2. a.** Le **tonnerre** a retenti dans la vallée. **b.** Les comédiens ont salué sous un **tonnerre** d'applaudissements. **3. a.** Sous le **coup** de l'émotion, il est resté muet. b. Il est mort sous les **coups** de son adversaire. **4. a.** La **chaleur** de son accueil m'a émue. **b.** Dans le désert, la **chaleur** est accablante.

7 REPÉRER **Résolvez ces devinettes.** *
1. On me trouve dans une bibliothèque, dans un supermarché, dans une roue de bicyclette, autour du soleil : qui suis-je ?
2. Je suis une partie du corps humain, d'une table, d'une chaise : qui suis-je ?
3. Je sers à fermer un vêtement, je rends un visage disgracieux, je sers à mettre en marche une machine : qui suis-je ?

8 EMPLOYER a. **Recopiez ces phrases en complétant les expressions figurées par un de ces verbes que vous accorderez : *brûler, boire, couler, glacer, perdre*.** b. **Expliquez oralement le sens de ces expressions.** *
1. La jeune fille ... les paroles du prince. **2.** Le regard de sa marâtre la ... d'effroi. **3.** Le prince ... d'impatience de retrouver la propriétaire de la pantoufle de verre. **4.** L'amour lui a fait ... la tête. **5.** Le prince et la princesse ... des jours heureux.

9 REPÉRER a. **Indiquez la lettre des phrases où le verbe est employé dans un sens propre.** b. **En suivant le modèle, reformulez les phrases où le verbe a un sens figuré, de façon à expliquer ce sens.** **
Il jette un œil. > Il regarde rapidement.
1. a. Le bûcheron frappe avec sa cognée. **b.** Son air farouche frappe ceux qui le rencontrent.
2. a. Elle croise sa tante au marché. **b.** Elle croise les doigts par superstition.
3. a. L'épicier pèse les légumes. **b.** Le juge pèse sa décision.
4. a. La mère a éveillé ses enfants à l'aube. **b.** Son attitude a éveillé des soupçons.
5. a. Cette retraitée coule des jours tranquilles. **b.** L'eau coule dans le caniveau.

10 EMPLOYER a. **Associez chacun des verbes, *endormir, chanter, détourner, tendre*, à son sens propre puis à son sens figuré.** b. **Employez chacun de ces verbes dans une phrase où il aura son sens figuré.** **
Sens propre : amener au sommeil • écarter • exercer une traction • produire des sons harmonieux
Sens figuré : dérober • atténuer • célébrer • viser à

11 REPÉRER **Donnez le sens des expressions en gras dans lesquelles l'animal est pris au sens figuré.** *
1. Il fait **un temps de chien**. **2.** À table, c'est **un vrai cochon**. **3.** Il **prend la mouche** pour un rien. **4.** Ne le provoque pas : c'est **un hérisson**. **5.** Elle **verse des larmes de crocodile**. **6.** Dans une soirée, c'est **un ours** ! **7.** C'est **un éléphant dans un magasin de porcelaine**.

12 REPÉRER **Associez à l'emploi figuré des noms d'animaux de la liste A chacune des caractéristiques humaines de la liste B.** *
A. agneau • âne • anguille • carpe • cochon • girafe • mouton • serpent
B. obéissant • doux • de très grande taille • qui ne parle pas • stupide • insaisissable • méchant • sale

13 EMPLOYER a. **Associez chaque adjectif aux définitions qui lui correspondent : *froid, fin, pauvre, tendre*.** b. **Employez ces quatre adjectifs au sens propre puis au sens figuré dans des phrases qui en révèlent le sens.** **
1. Affectueux ; mou. **2.** Misérable ; réduit. **3.** Contraire de chaud ; distant. **4.** Élancé ; intelligent.

14 EXPLIQUER **Expliquez oralement ces expressions qui ont un sens figuré.** **
1. avoir la tête dure • avoir une bonne tête • faire la tête • perdre la tête • tenir tête
2. avoir l'œil • couver des yeux • faire les gros yeux • sauter aux yeux
3. perdre sa langue • donner sa langue au chat • tenir sa langue • tourner sept fois sa langue dans sa bouche

15 EMPLOYER **Imaginez une histoire dans laquelle vous emploierez au moins deux des expressions figurées de l'exercice 14.** **

16 RÉDIGER **Rédigez des phrases dans lesquelles vous emploierez au propre et au figuré les mots *lien, vent, rage, tempête*.** **

57. La synonymie et l'antonymie

Je manipule et je comprends

1 Dans quelle phrase pouvez-vous remplacer « sombre » par : a. « obscur » ? b. « menaçant » ?
> A. *Hans et Gretel s'enfoncent dans le* ***sombre*** *bois.*
> B. *La sorcière leur lance un regard* ***sombre****.*

2 Quel rapport de sens faites-vous entre « sombre » et « clair » ?

J'apprends

Synonymes

- Les synonymes sont des mots de même classe grammaticale ou de classe grammaticale équivalente qui ont le même sens.
  > *adroit = habile* > *adresse = habileté* > *habilement = avec habileté*
- Les vrais synonymes sont rares. Les **nuances de sens** proviennent :
  – du **degré d'intensité** ; > *gentil < adorable*
  – du **niveau de langue**. > *gentil* (courant) – *sympa* (familier)
- Un même mot peut avoir des synonymes différents selon le **contexte**.
  > *une saveur* ***douce*** *(= sucrée) – une personne* ***douce*** *(= affectueuse) – une fourrure* ***douce*** *(= soyeuse)*
- Les synonymes servent :
  – à **définir un mot** (en particulier dans les dictionnaires) ; > *prudemment = avec prudence*
  – à **enrichir un texte** en évitant les répétitions.
  > *Le paysan avait une femme très* ***douce*** *qui lui donna deux filles* ***affectueuses****.*

Antonymes

- Des antonymes sont des mots de sens opposés.
  > *adroit ≠ maladroit* > *adresse ≠ maladresse* > *monter ≠ descendre*

Je manipule

Pour tous les exercices de cette page, vous pouvez utiliser un dictionnaire.

Synonymes

3 REPÉRER **a. Formez des couples de synonymes. b. Employez chaque mot en couleur dans une phrase qui mette son sens en valeur.***

A. adjectifs : insolent • orgueilleux • peureux • morose • rapide • vaniteux • impertinent • triste • prompt • couard
B. noms : courtoisie • tromperie • bienveillance • richesse • gentillesse • prospérité • ruse • politesse
C. verbes : transformer • murmurer • simuler • métamorphoser • arpenter • susurrer • parcourir • feindre

4 REPÉRER **Associez chacun des adjectifs, *raide, merveilleux, calme, élégant,* à une des listes de synonymes.***

A. pimpant • coquet • soigné
B. féerique • onirique • surnaturel
C. paisible • serein • placide • tranquille
D. escarpé • pentu • abrupt

5 EMPLOYER **Employez des adjectifs synonymes de l'exercice 4 pour compléter les phrases suivantes. Pensez aux accords !****

1. Le vieil homme entretenait avec soin son jardin qui, de sauvage, était devenu … avec ses allées …. **2.** Lors du Tour de France, les grimpeurs sont à la fête dans des étapes qui enchaînent les tracés …, les côtes …. 3. Dans les contes …, on rencontre des créatures …, des univers …. 4. Après les épreuves, Ulysse aspire à une vie …, entouré des siens dans sa maison ….

6 EMPLOYER **Récrivez les phrases en remplaçant « dur » par celui de ses synonymes qui convient le mieux : *cassant, cru, difficile, ferme, inconfortable, rigoureux, insensible*. Pensez aux accords !** **

1. Les muscles du héros sont durs. **2.** L'hiver a été très dur. **3.** Il parle d'une voix dure. **4.** La marâtre est dure envers Cendrillon. **5.** L'éclairage de cette pièce est trop dur. **6.** La princesse trouve le matelas trop dur. **7.** Cette figure géométrique est dure à tracer.

7 EMPLOYER a. **Associez à chacun des trois verbes, *découvrir, jeter* et *monter,* quatre synonymes pris dans la liste.** *

apercevoir de loin • augmenter • chevaucher • dévoiler • dresser • envoyer • grimper • lancer • inventer • répandre • révéler • se débarrasser de

b. **Récrivez les phrases en remplaçant le verbe en gras par le synonyme qui convient.** **

1. Du haut de la falaise, on **découvre** l'Angleterre. **2.** Il **monte** sur un escabeau. **3.** Il **monte** le volume de la radio. **4.** Il **jette** un coup d'œil dans la pièce. **5.** De rage, il **jette** ses vêtements au sol. **6.** Il **jette** ses vieux vêtements à la poubelle. **7.** Pasteur **découvre** un nouveau vaccin. **8.** Sa robe **découvre** son épaule. **9.** Il me **découvre** le secret de son frère. **10.** Il **monte** sa jument tous les matins. **11.** Il **monte** son frère contre leurs parents. **12.** Il lui **jette** une insulte à la figure.

8 EMPLOYER a. **Choisissez pour chaque mot de la colonne A son synonyme dans le couple de la colonne B.** b. **Employez chaque synonyme retenu dans une phrase qui révèle son sens.** *

A	B
cassure	fracture / facture
agir	procéder / posséder
répandre	colporter / comporter
vent violent	bise / brise
explosion	éruption / irruption

9 EMPLOYER **Remplacez « plein » par le synonyme qui convient : *envahi, bondé, parsemé, une avalanche, une foule*.** *

1. Chaque année, le musée reçoit **plein** de visiteurs. **2.** Le pré au mois de mai est **plein** de fleurs. **3.** Le bus est **plein** : on a du mal à respirer. **4.** Marie a posé **plein** de questions à son professeur. **5.** Le prince charmant traverse un parc **plein** de ronces.

10 EMPLOYER **Remplacez « avoir » par le synonyme qui convient : *posséder, ressentir, comporter, disposer de, se composer de*. Vous le conjuguerez à la personne qui convient.** *

1. Tu **as** une forte inquiétude. **2.** Le château du roi **a** un grand nombre de pièces. **3.** J'**ai** un dictionnaire pour vérifier mon orthographe. **4.** Ce roman **a** vingt chapitres. **5.** Cet agriculteur **a** plusieurs chiens.

11 EMPLOYER **Choisissez une des quatre listes de synonymes de l'exercice 4 et rédigez un paragraphe dans lequel vous les emploierez.** **

Antonymes

12 REPÉRER **Recopiez le tableau ci-dessous et complétez-le.** *

	Synonyme	Antonyme
protéger	…	…
cacher	…	…
cime	…	…
pauvreté	…	…
mince	…	…

13 EMPLOYER a. **Opposez dans chaque liste les mots deux par deux.** b. **Employez chaque mot en couleur dans une phrase qui mette son sens en valeur.** *

A. adjectifs : suave • bienfaisant • espiègle • amer • robuste • maléfique • triste • fluet

B. noms : courtoisie • habileté • douceur • impolitesse • pitié • cruauté • dureté • maladresse

C. verbes : blanchir • amenuiser • dévoiler • redresser • grossir • dissimuler • courber • noircir

14 EMPLOYER **Récrivez les phrases de l'exercice 6 en employant ces antonymes de « dur » : *aimable, clément, facile, moelleux, mou, tamisé, tendre*. Pensez aux accords.** *

15 EMPLOYER **Trouvez deux antonymes pour chacun des mots, puis employez chacun de ces antonymes dans une phrase de votre invention.** **

lenteur • diminuer • séparer • courageux • beau

16 EMPLOYER **Décrivez brièvement cette image en employant des synonymes que vous soulignerez.** **

58. Mots génériques et mots spécifiques INTERDISCIPLINARITÉ

J'observe, je manipule et je comprends

1 Dans chaque phrase, quel est le mot en gras qui a un sens plus général que les autres ?

> A. *Pour la fête, nous avons confectionné de nombreux* ***gâteaux : des quatre-quarts, des tartes, des charlottes, des cakes.***

> B. *Il existe plusieurs* ***quadrilatères : le carré, le rectangle, le losange.***

J'apprends

- On nomme mot générique (du latin *generis*, « genre, famille, groupe ») un mot au sens général qui englobe tout un ensemble de mots plus précis.
  Les mots génériques sont utiles pour **résumer**, pour **désigner une catégorie**.
  > *un bateau*
- On nomme mots spécifiques les mots exprimant une caractéristique originale, unique :
  – ils donnent des **informations documentaires** (scientifiques, techniques, professionnelles…) ;
  > *un ferry – un cargo – un paquebot – un voilier*

  – ils apportent des **nuances de sens, de valeur, d'appréciation.**
  > *un esquif (bateau fragile)*

Je manipule

2 INTERDISCIPLINARITÉ REPÉRER **Quel nom générique correspond à ces noms spécifiques étudiés en histoire ?***
le christianisme • le judaïsme • l'islam • le bouddhisme

3 INTERDISCIPLINARITÉ EMPLOYER **Listez des noms spécifiques étudiés en géographie et correspondant au nom générique *transports*.***

4 INTERDISCIPLINARITÉ REPÉRER a. **Dans chaque liste, quel est le nom générique ?** b. **Dans quelle(s) discipline(s) scolaire(s) rencontrez-vous chaque série de mots ?***
A. avoine • orge • blé • seigle • céréale
B. métal • fer • acier • bronze • or • argent
C. grès • marbre • minéral • granit • calcaire
D. addition • calcul • soustraction • multiplication • division
E. Terre • Lune • Soleil • planète • Mars • Neptune
F. gaz • pétrole • vent • nucléaire • charbon • énergie • eau
G. oxygène • hydrogène • azote • gaz
H. cube • prisme • pyramide • cylindre • cône • volume • boule

5 INTERDISCIPLINARITÉ REPÉRER a. **Classez en deux listes ces mots utilisés pour parler d'un littoral marin.** b. **Donnez comme titre à chaque liste le nom générique qui convient.***
pin • thym • bruyère • poisson • crevette • coquillage • crabe • genêt • lavande

6 INTERDISCIPLINARITÉ REPÉRER **Quel groupe nominal générique peut englober les mots spécifiques suivants ?***
tempête • cyclone • inondation • sécheresse • tremblement de terre • éruption volcanique

7 INTERDISCIPLINARITÉ REPÉRER **Classez ces noms spécifiques de sports en :** a. **sports individuels ;** b. **sports collectifs.***
tennis • handball • baseball • judo • boxe • escrime • football

8 INTERDISCIPLINARITÉ REMPLACER **Dans chaque phrase, remplacez le nom générique « athlète » par le nom spécifique qui convient.****
1. Cet athlète participera au Tour de France.

2. Un athlète peut franchir une barre à plus de six mètres avec sa perche.
3. L'athlète a fait faire un parcours sans faute à son cheval.
4. Cet athlète pratique l'escrime depuis dix ans.
5. Cet athlète préfère le slalom à la descente.
6. L'athlète quitte la patinoire sous les applaudissements.

9 EMPLOYER a. **Quel nom générique correspond à ces noms spécifiques ?** b. **Complétez cette liste de noms spécifiques par un autre nom.***
ogre • géant • sorcière • cyclope

10 EMPLOYER **Complétez les phrases suivantes par le mot générique qui convient.***
1. Les seigneurs se déplaçaient en emportant tout leur ... : table, coffres, sièges, tapisseries.
2. Renart déroba toutes sortes de ... : poules, coqs, dindes, canards, oies.
3. Barque, caravelle, galion : Robinson aurait aimé voir n'importe lequel de ces ... .
4. Drap, toile, soie, velours, brocart : lequel de ces ... le voleur a-t-il réussi à dérober ?

11 REMPLACER **Remplacez le nom générique « outil » par le nom spécifique qui convient.***
1. J'utilise un outil pour planter ce clou.
2. De quel outil as-tu besoin pour cette vis cruciforme ?
3. Passe-moi un outil pour arracher ce clou.
4. Il nous faut un outil pour rendre lisse cette surface.
5. Il faut un outil spécial pour peindre les plinthes.

12 REMPLACER **Remplacez le verbe générique « mettre » par le verbe spécifique qui convient :** ***glisser, introduire, poser, appliquer, enfiler, conduire.****
1. Mettre un objet sur un meuble.
2. Mettre un papier sous la porte.
3. Mettre les vaches dans le champ.
4. Mettre la clé dans la serrure.
5. Mettre un vêtement.
6. Mettre du fard à paupières.

13 REPÉRER a. **Quel nom générique correspond à chaque liste de mots spécifiques ?** b. **Donnez la définition des mots spécifiques en gras.****
A. brodequin • **poulaine** • escarpin • sabot • bottine
B. saumon • brochet • sole • **raie** • lamproie
C. vielle • viole • mandoline • luth • **tambourin**

14 EMPLOYER a. **Quel mot générique exprime la couleur correspondant à chacune des listes suivantes ?**
A. vermillon • coquelicot • carmin • rubis
B. safran • poussin • **citron** • or
C. émeraude • **olive** • mousse • bouteille
b. **Employez chaque mot spécifique en gras dans une phrase qui mette son sens en valeur.**
c. **Trouvez des mots spécifiques pour la couleur rose et pour la couleur bleue.****

15 INTERDISCIPLINARITÉ REPÉRER a. **Par quel mot générique ces mots spécifiques seraient-ils désignés dans le langage courant ? en cours de géographie ?** b. **Classez ces mots en deux listes.** c. **Comment avez-vous procédé pour ce classement ?****
chaumière • palais • mansarde • château • masure • taudis • manoir

16 REPÉRER **Sous quel nom générique classez-vous les éléments suivants ?****
A. tigre, chat, panthère, léopard, puma
B. vache, mouton, brebis, lapin
C. hanneton, mouche, moustique
D. or, argent, nickel
E. émeraude, saphir, rubis, grenat
F. cerise, groseille, abricot, prune

17 EMPLOYER **Écrivez au moins trois noms spécifiques pour les noms génériques suivants :****
A. métiers
B. récipients
C. meubles
D. fromages
E. fruits

18 REMPLACER **Récrivez les phrases en remplaçant chaque nom générique en gras par trois noms spécifiques selon le modèle suivant.****
*Malek achète des **vêtements**. → Malek achète un blouson, des baskets et un pantalon.*
• Il faut sauver **les arbres** de cette région.
• Dans un orchestre symphonique il y a **des instruments à vent**.
• Dans ce collège, on peut pratiquer **de nombreux sports**.
• Au sein de l'Europe on parle **différentes langues**.

19 RÉDIGER **Donnez le sens précis de ces verbes spécifiques correspondant au verbe *dire*.****
crier • hoqueter • murmurer • interrompre • interroger • supplier

20 EMPLOYER **Imaginez un dialogue dans lequel vous emploierez au moins quatre des verbes spécifiques de l'exercice 19.****

Index des auteurs

Alphabet phonétique international

Voyelles orales

[i] midi, île, naïf, cygne, hiver
[e] dé, dîner, et, nez, (je) jouai, fœtus, les
[ɛ] belle, mère, être, Noël, veine, est, il naissait, il naît, paquet
[a] patte, à, mât, femme
[ɑ] tas, pâte
[y] sur, sûr, il eut, humeur, rue
[u] chou, où, goût, août
[o] piano, aussitôt, seau, oh, ho, hôpital
[ɔ] bol, Paul, hors, maximum
[ə] le, monsieur
[ø] déjeuner, jeûne
[œ] veuf, œuf, œil, recueil

Voyelles nasales

[ɛ̃] invention, imperméable, main, faim, peindre, examen, synthétique, sympathie
[ɑ̃] tante, lampe, ensemble, paon, vraiment
[ɔ̃] bon, pompier
[œ̃] un, parfum, à jeun

Semi-voyelles

[j] yeux, pieu, œil, paille, fille, hiéroglyphe, hyène
[ɥ] lui, huit
[w] oui, kiwi, moelle, poêle, poil

Consonnes

[p] pape, apprendre
[b] bon, abbé
[t] ton, patte, thon, prend-il
[d] doigt, addition
[k] coq, que, kiwi, accord, acquitter, choriste
[g] gag, guerre, aggraver, second, ghetto
[f] feu, affreux, éléphant
[v] vue, wagon
[s] se, asseoir, leçon, science, imagination, asthme, six, fils
[z] raser, deuxième, zèbre
[ʃ] chut, schéma, shérif
[ʒ] jeu, girafe, orangeade
[l] la, ville
[m] menton, pomme
[n] nuit, année, automne
[ɲ] mignonne, oignon
[ŋ] parking
[ʀ] narrateur, rhume